#과학은매일매일

#하루6쪽20일완성

#수능준비스타트

#과학기초하루시리즈

하루
수능

Chunjae
Makes
Chunjae

▼

기획총괄	이성주
편집개발	사승원, 임지예
디자인총괄	김희정
표지디자인	윤순미, 김지현
내지디자인	박희춘, 이혜미
제작	황성진, 조규영

발행일	2021년 2월 15일 초판 2021년 2월 15일 1쇄
발행인	(주)천재교육
주소	서울시 금천구 가산로9길 54
신고번호	제2001-000018호
고객센터	1577-0902
교재 내용문의	(02)3282-1795

※ 정답 분실 시에는 천재교육 홈페이지에서 내려받으세요.

시 작 은

하루 수능

과탐영역

물리학 I
기초

이 책의 **구성과 특징**

수능 과탐 준비의 시작은 하루 수능!

하루 수능 물리학Ⅰ은 혼자서도 단계적으로 공부할 수 있도록 한 입문서입니다.
하루에 6쪽씩, 일주일에 5일, 4주 동안 차근차근 기초를 완성할 수 있습니다.

1 이번 주에는 무엇을 공부할까? ❶, ❷

❶에서는 한 주 동안 공부할 내용을 알아봅니다. ❷에서는 기초 개념을 그림과 간단한 문제로 확인해 봅니다.

2 핵심 개념/개념 확인

그림을 살펴보며 핵심 개념이 무엇인지 파악하고, 개념 확인 문제로 핵심 개념을 잘 이해했는지 점검합니다.

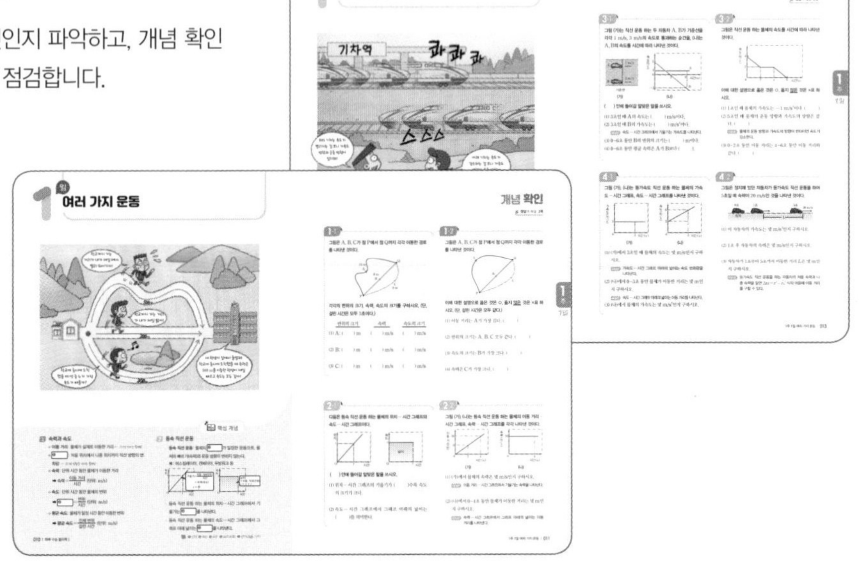

Features

3 기초 유형 연습

대표 기출 유형 문제를 자세히 분석하여 기출 문제에 대한 감각을 익히고, 실력을 다집니다.

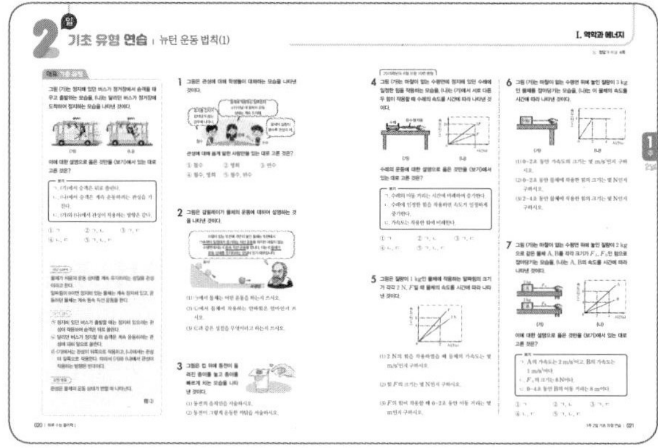

4 누구나 100점 테스트

매주 공부한 내용을 바탕으로 다양한 기출 문제와 변형 문제를 풀어 봅니다. 각주에서 공부한 내용을 다시 한 번 정리하고, 실력을 점검할 수 있습니다.

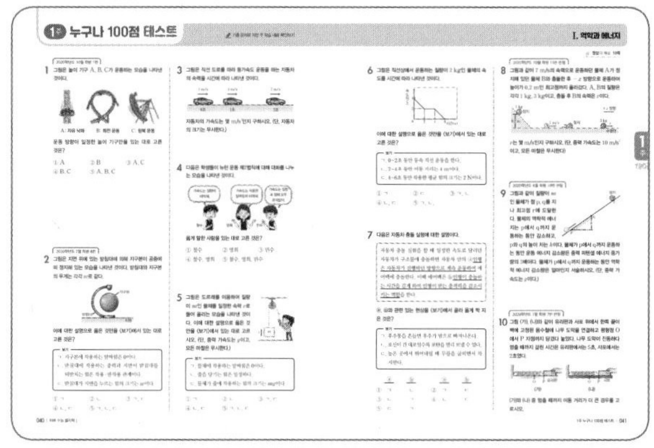

5 창의 · 융합 · 코딩

기출 문제 중 창의력이 필요한 문제, 복합 유형의 문제를 엄선하여 구성하였습니다. 5일 간 공부한 내용을 되짚어 보며 한 주를 마무리하세요.

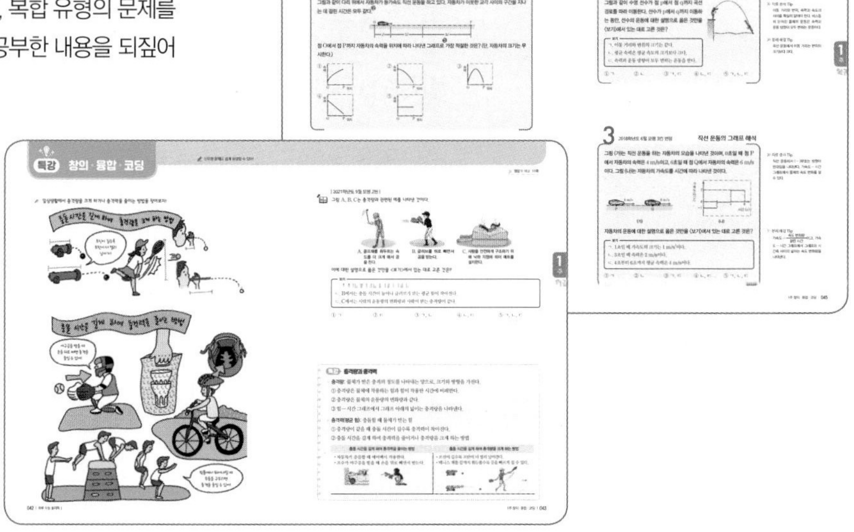

이 책의 **차례**

Contents

Week 1

이번 주에는 무엇을 공부할까? ①

Ⅰ. 역학과 에너지

배울 내용

Week 1

이번 주에는 무엇을 공부할까? ②

중학 기초 개념

1 속력

속력은 물체가 단위 시간 동안 이동한 거리로, 어군 탐지기에서 발사된 초음파가 되돌아오는 시간을 측정하여 수심을 구할 수 있다.

Quiz 초음파가 되돌아오는 데 걸린 시간은 2초, 초음파의 속력이 1500 m/s일 때 수심은 이동 거리=❶ ______ × 시간 =1500 m/s × 1 s=❷ ______ m이다.

2 등속 직선 운동

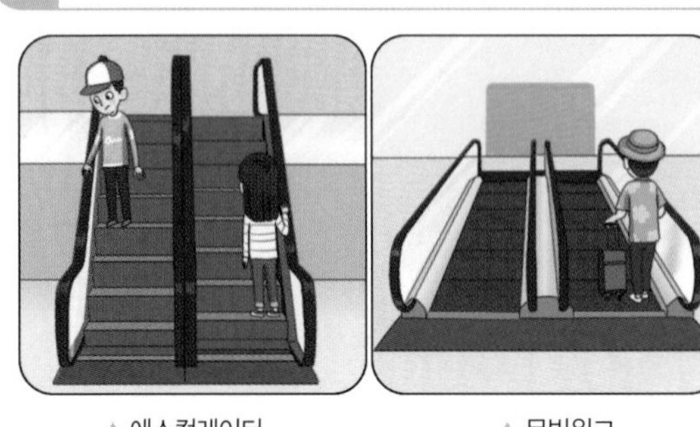

▲ 에스컬레이터 ▲ 무빙워크

에스컬레이터, 케이블카, 무빙워크, 컨베이어 등과 같이 시간이 지나도 속력과 운동 방향이 변하지 않고 일정한 운동을 등속 직선 운동이라고 한다.

Quiz 우리 주변에서 볼 수 있는 여러 가지 운동 중 에스컬레이터, 케이블카, 무빙워크, 컨베이어 등은 ❸ ______ 을 한다.

3 평균 속력

자전거의 속력이 점점 빨라지다가 다시 느려져 멈춘다. 이처럼 속력이 일정하지 않을 때 평균 속력은 전체 이동 거리를 걸린 시간으로 나누어 구한다.

Quiz 집으로부터 2.4 km 떨어진 학교까지 자전거를 타고 10분 동안 이동해 도착하였다. 이때 자전거의 평균 속력은 $\frac{2400\text{ m}}{❹\ \_\_\_\_\ \text{s}}$ = ❺ ______ m/s이다.

4 자유 낙하 운동

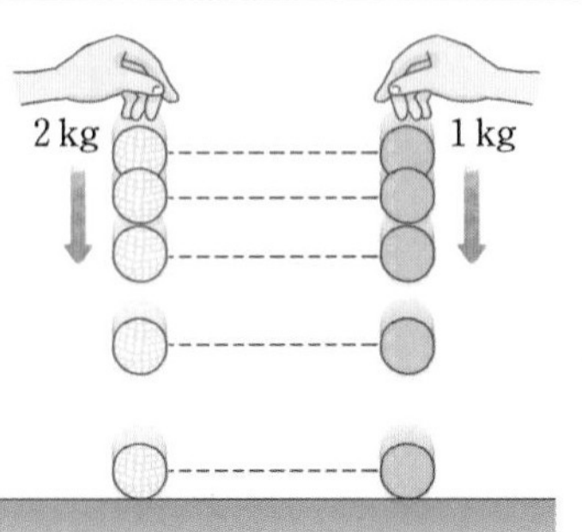

정지해 있던 물체가 중력만을 받아 아래로 떨어지는 운동을 자유 낙하 운동이라고 한다. 이때 물체의 속력은 질량에 관계없이 매초 9.8 m/s씩 커진다.

Quiz 물체가 자유 낙하 하는 경우 물체의 질량에 관계없이 매 초당 속력 변화는 ❻ ______ . 따라서 같은 높이에서 동시에 낙하시킨 물체는 지면에 ❼ ______ 도달한다.

답 ❶ 속력 ❷ 1500 ❸ 등속 직선 운동 ❹ 600 ❺ 4 ❻ 같다 ❼ 동시에

5 일과 에너지

에너지는 일을 할 수 있는 능력이다. 외부에서 물체에 일을 하면 물체의 에너지는 증가하고 물체가 외부에 일을 하면 물체의 에너지는 감소한다.

Quiz 쇼트트랙 경기에서 달려온 선수가 출발하려는 선수를 미는 일을 해주면 출발하려는 선수의 에너지는 ❶ ____ 하고 달려온 선수의 에너지는 ❷ ____ 한다.

6 중력에 의한 위치 에너지

중력이 작용하는 공간에서 높은 곳에 있는 물체가 가지는 에너지를 중력에 의한 위치 에너지라고 한다.

➡ 중력에 의한 위치 에너지 $=9.8\times$ 질량 $\times$ 높이

Quiz 높은 곳에 있는 물체가 떨어지면서 말뚝을 박을 때 물체의 높이가 ❸ ____ 을수록, ❹ ____ 이 클수록 더 큰 위치 에너지를 갖는다.

7 운동 에너지

움직이는 볼링공이 볼링 핀을 쓰러뜨리는 것처럼 운동하는 물체가 가지는 에너지를 운동 에너지라고 한다.

➡ 운동 에너지 $=\frac{1}{2}\times$ 질량 $\times$ 속력^2

Quiz 질량이 10 kg인 볼링공이 굴러가는 속력이 2 m/s일 때 볼링공의 운동 에너지 $=\frac{1}{2}\times 10\text{ kg}\times($❺ ____ $\text{m/s})^2$ $=$ ❻ ____ J이다.

8 역학적 에너지 보존

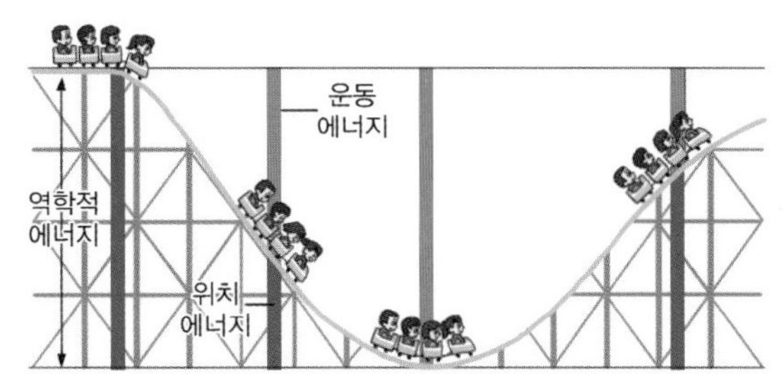

중력에 의한 위치 에너지와 운동 에너지의 합을 역학적 에너지라고 한다. 마찰이나 공기 저항을 무시하면 운동하는 물체의 역학적 에너지는 보존된다.

Quiz 마찰이나 공기 저항을 무시하면 롤러코스터가 이동할 때 중력에 의한 위치 에너지와 운동 에너지의 합은 일정하게 보존된다. 따라서 중력에 의한 위치 에너지 변화량과 운동 에너지 변화량은 ❼ ____ .

답 ❶ 증가 ❷ 감소 ❸ 높 ❹ 질량 ❺ 2 ❻ 20 ❼ 같다

1일 여러 가지 운동

핵심 개념

1 속력과 속도

- **이동 거리**: 물체가 실제로 이동한 거리 ─ 크기만 가지는 물리량
- ❶ ____ : 처음 위치에서 나중 위치까지 직선 방향의 변화량 ─ 크기와 방향을 가지는 물리량
- **속력**: 단위 시간 동안 물체가 이동한 거리

  ➡ 속력$=\dfrac{\text{이동 거리}}{\text{시간}}$ (단위: m/s)
- **속도**: 단위 시간 동안 물체의 변위

  ➡ ❷ ____ $=\dfrac{\text{변위}}{\text{시간}}$ (단위: m/s)
- **평균 속도**: 물체가 일정 시간 동안 이동한 변위

  ➡ 평균 속도$=\dfrac{\text{전체 변위}}{\text{걸린 시간}}$ (단위: m/s)

2 등속 직선 운동

- **등속 직선 운동**: 물체의 ❸ ____ 가 일정한 운동으로, 물체의 빠르기(속력)와 운동 방향이 변하지 않는다.

  예: 에스컬레이터, 컨베이어, 무빙워크 등

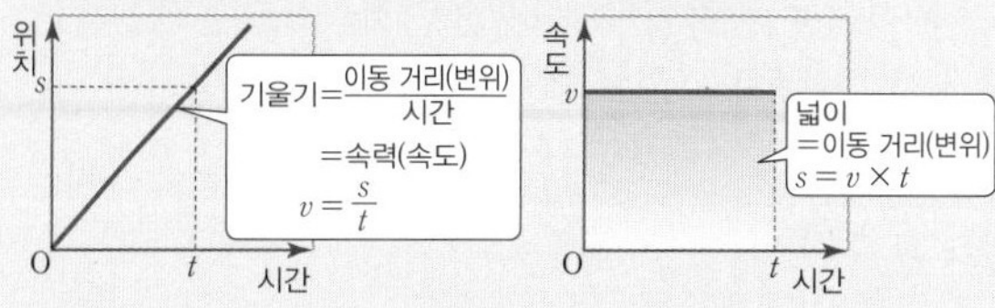

- 등속 직선 운동 하는 물체의 위치－시간 그래프에서 기울기는 ❹ ____ 를 나타낸다.
- 등속 직선 운동 하는 물체의 속도－시간 그래프에서 그래프 아래 넓이는 ❺ ____ 를 나타낸다.

답 ❶ 변위 ❷ 속도 ❸ 속도 ❹ 속도(속력) ❺ 변위(이동 거리)

개념 확인

정답과 해설 2쪽

1-1

그림은 A, B, C가 점 P에서 점 Q까지 각각 이동한 경로를 나타낸 것이다.

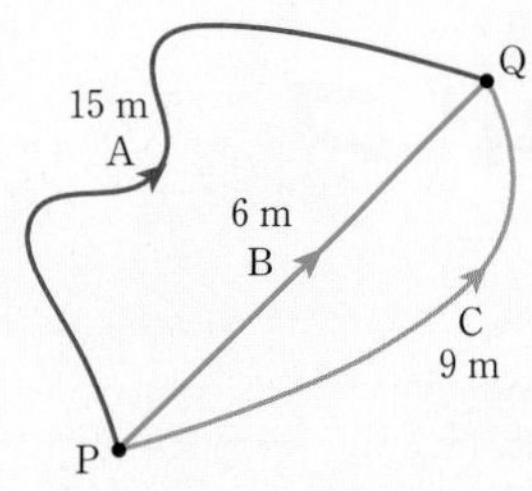

각각의 변위의 크기, 속력, 속도의 크기를 구하시오. (단, 걸린 시간은 모두 3초이다.)

	변위의 크기	속력	속도의 크기
(1) A:	(　　) m	(　　) m/s	(　　) m/s
(2) B:	(　　) m	(　　) m/s	(　　) m/s
(3) C:	(　　) m	(　　) m/s	(　　) m/s

1-2

그림은 A, B, C가 점 P에서 점 Q까지 각각 이동한 경로를 나타낸 것이다.

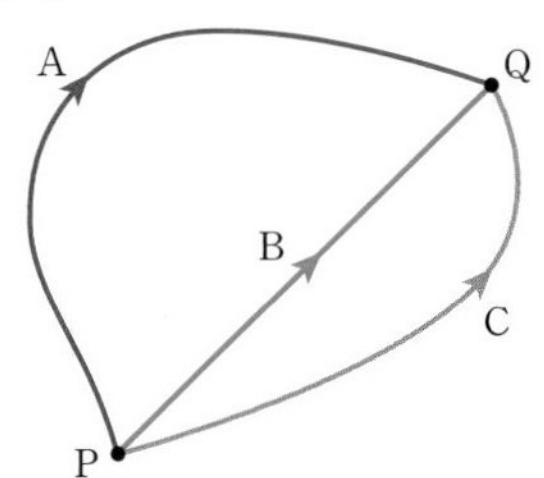

이에 대한 설명으로 옳은 것은 ○, 옳지 않은 것은 ×표 하시오. (단, 걸린 시간은 모두 같다.)

(1) 이동 거리는 A가 가장 길다. (　　)

(2) 변위의 크기는 A, B, C 모두 같다. (　　)

(3) 속도의 크기는 B가 가장 크다. (　　)

(4) 속력은 C가 가장 크다. (　　)

2-1

다음은 등속 직선 운동 하는 물체의 위치－시간 그래프와 속도－시간 그래프이다.

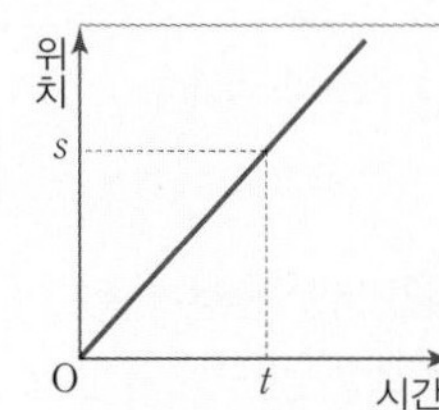

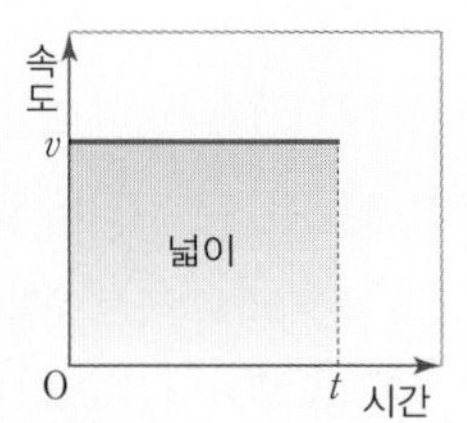

(　　) 안에 들어갈 알맞은 말을 쓰시오.

(1) 위치－시간 그래프의 기울기가 (　　)수록 속도의 크기가 크다.

(2) 속도－시간 그래프에서 그래프 아래의 넓이는 (　　)를 의미한다.

2-2

그림 (가), (나)는 등속 직선 운동 하는 물체의 이동 거리－시간 그래프, 속력－시간 그래프를 각각 나타낸 것이다.

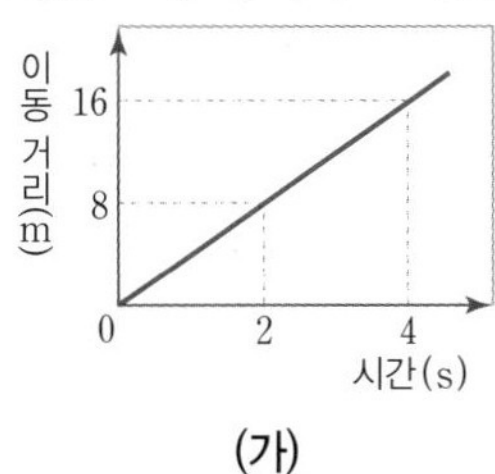

(가)

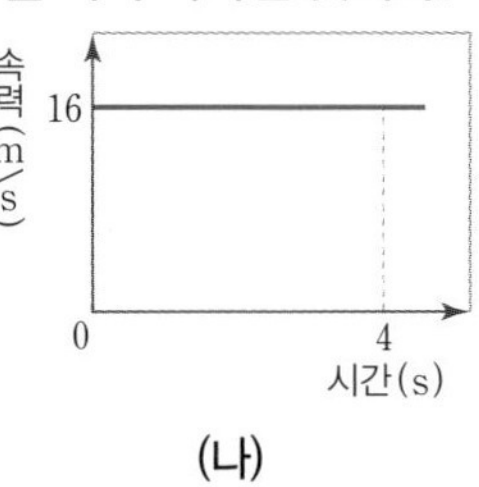

(나)

(1) (가)에서 물체의 속력은 몇 m/s인지 구하시오.

Hint 이동 거리－시간 그래프에서 기울기는 속력을 나타낸다.

(2) (나)에서 0~4초 동안 물체가 이동한 거리는 몇 m인지 구하시오.

Hint 속력－시간 그래프에서 그래프 아래의 넓이는 이동 거리를 나타낸다.

1일 여러 가지 운동

핵심 개념

3 가속도

- **가속도**: 단위 시간 동안 물체의 속도 변화량 ─ 가속도의 방향은 알짜힘의 방향과 같다.

➡ 가속도 $=\dfrac{\text{속도 변화량}}{\text{걸린 시간}}$ (단위: $\mathrm{m/s^2}$)

- 물체의 운동 방향과 가속도의 방향이 같으면 속도가 ❶ [   ]하고, 물체의 운동 방향과 가속도의 방향이 반대이면 속도가 ❷ [   ]한다.
- ❸ [   ] **가속도**: 어느 시간 동안 물체의 속도 변화량으로, 속도 변화량을 걸린 시간으로 나누어 구한다.
- **순간 가속도**: 어느 한 순간 물체의 속도 변화량으로, 시간 간격을 매우 작게 하여 구한다.

4 등가속도 직선 운동

- **등가속도 직선 운동**: 단위 시간 동안 물체의 속도 변화량이 ❹ [   ] 운동
- 등가속도 직선 운동을 하는 물체의 ❺ [   ] 속도는 처음 속도(v_0)와 나중 속도(v)의 중간값과 같다.

➡ $v_{\text{평균}}=\dfrac{v_0+v}{2}$

- **등가속도 직선 운동 방정식**: 처음 속도가 v_0인 물체가 일정한 가속도 a로 운동하여 t초 후 속도 v가 되었을 때 물체의 변위는 s이다.

➡ $v=v_0+at,\ s=v_0t+\dfrac{1}{2}at^2,\ 2as=v^2-v_0{}^2$

답 ❶ 증가 ❷ 감소 ❸ 평균 ❹ 일정한 ❺ 평균

개념 확인

정답과 해설 2쪽

3-1

그림 (가)는 직선 운동 하는 두 자동차 A, B가 기준선을 각각 1 m/s, 3 m/s의 속도로 통과하는 순간을, (나)는 A, B의 속도를 시간에 따라 나타낸 것이다.

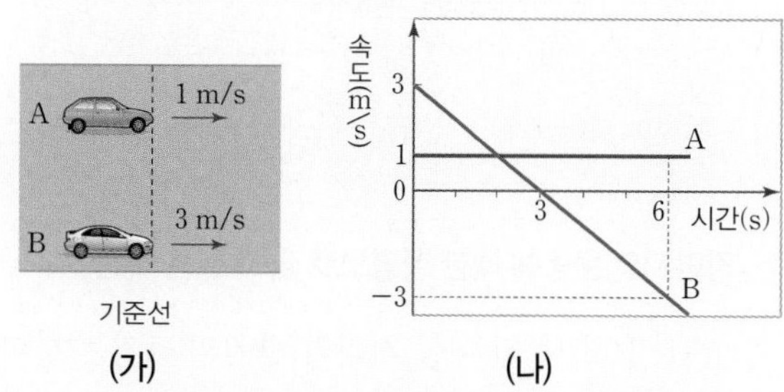

(가) (나)

( ) 안에 들어갈 알맞은 말을 쓰시오.

(1) 3초일 때 A의 속도는 ( ) m/s이다.

(2) 3초일 때 B의 가속도는 ( ) m/s^2이다.

Hint 속도－시간 그래프에서 기울기는 가속도를 나타낸다.

(3) 0~6초 동안 B의 변위의 크기는 ( ) m이다.

(4) 0~6초 동안 평균 속력은 A가 B보다 ( ).

3-2

그림은 직선 운동 하는 물체의 속도를 시간에 따라 나타낸 것이다.

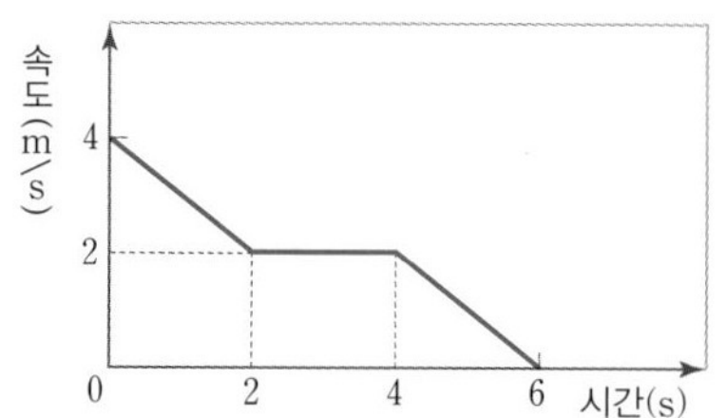

이에 대한 설명으로 옳은 것은 ○, 옳지 않은 것은 ×표 하시오.

(1) 1초일 때 물체의 가속도는 $-1\ m/s^2$이다. ( )

(2) 5초일 때 물체의 운동 방향과 가속도의 방향은 같다. ( )

Hint 물체의 운동 방향과 가속도의 방향이 반대이면 속도가 감소한다.

(3) 0~2초 동안 이동 거리는 4~6초 동안 이동 거리와 같다. ( )

4-1

그림 (가), (나)는 등가속도 직선 운동 하는 물체의 가속도－시간 그래프, 속도－시간 그래프를 나타낸 것이다.

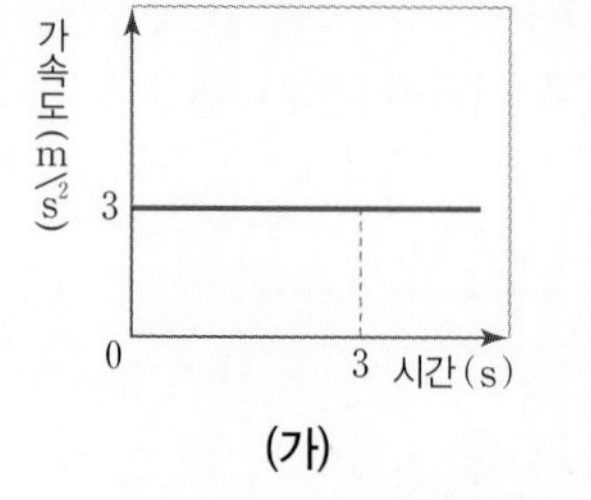

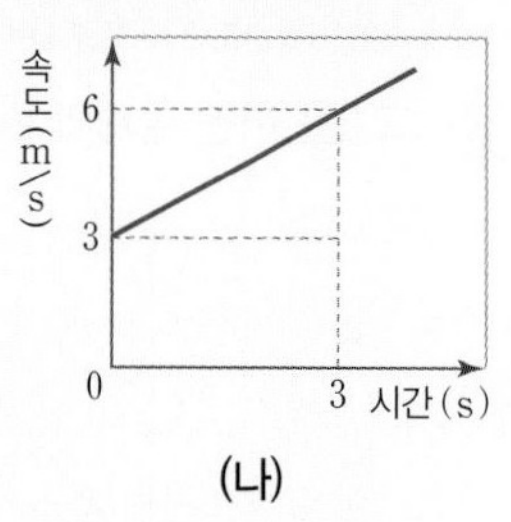

(가) (나)

(1) (가)에서 3초일 때 물체의 속도는 몇 m/s인지 구하시오.

Hint 가속도－시간 그래프 아래의 넓이는 속도 변화량을 나타낸다.

(2) (나)에서 0~3초 동안 물체가 이동한 거리는 몇 m인지 구하시오.

Hint 속도－시간 그래프 아래의 넓이는 이동 거리를 나타낸다.

(3) (나)에서 물체의 가속도는 몇 m/s^2인지 구하시오.

4-2

그림은 정지해 있던 자동차가 등가속도 직선 운동을 하여 5초일 때 속력이 20 m/s인 것을 나타낸 것이다.

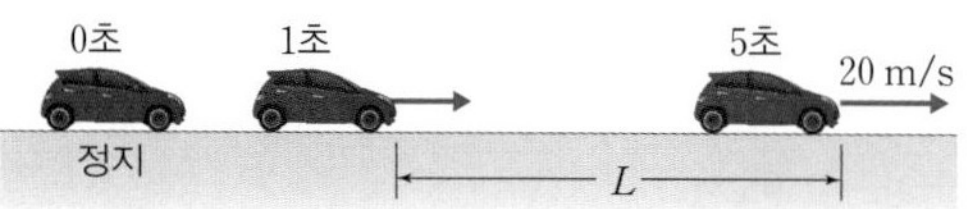

(1) 이 자동차의 가속도는 몇 m/s^2인지 구하시오.

(2) 1초 후 자동차의 속력은 몇 m/s인지 구하시오.

(3) 자동차가 1초부터 5초까지 이동한 거리 L은 몇 m인지 구하시오.

Hint 등가속도 직선 운동을 하는 자동차의 처음 속력과 나중 속력을 알면 $2as=v^2-v_0^2$ 식의 이용해 이동 거리를 구할 수 있다.

1주 1일

1일

기초 유형 연습 | 여러 가지 운동

대표 기출 유형

그림은 같은 방향으로 직선 운동 하는 물체 A, B의 위치를 시간에 따라 나타낸 것이다.

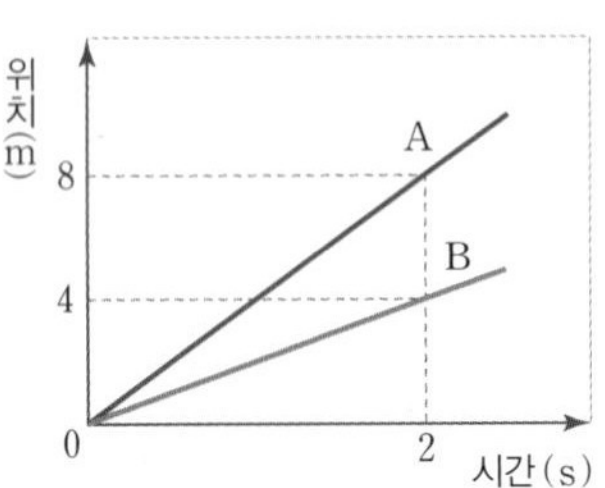

이에 대한 설명으로 옳은 것만을 〈보기〉에서 있는 대로 고른 것은?

보기

ㄱ. A, B는 각각 등속 직선 운동을 한다.
ㄴ. A의 속도는 4 m/s이다.
ㄷ. A의 속도는 B의 속도의 2배이다.

① ㄱ ② ㄱ, ㄴ ③ ㄱ, ㄷ
④ ㄴ, ㄷ ⑤ ㄱ, ㄴ, ㄷ

개념 point

직선상에서 방향 변화 없이 운동하는 물체의 이동 거리와 변위의 크기는 같다.
물체의 속력과 운동 방향이 일정한 운동을 등속 직선 운동이라고 한다.
위치－시간 그래프에서 그래프의 기울기는 속도를 나타낸다.

➡ 속도$=\frac{\text{변위}}{\text{시간}}$(단위: m/s)

|보기| 풀이

ㄱ 위치－시간 그래프의 기울기가 일정하므로 A, B는 각각 속도가 일정한 등속 직선 운동을 한다.

ㄴ A의 속도$=\frac{\text{변위}}{\text{걸린 시간}}=\frac{8\text{ m}}{2\text{ s}}=4\text{ m/s}$

ㄷ A의 속도는 4 m/s이고, B의 속도는 2 m/s이므로 A의 속도는 B의 속도의 2배이다.

답 ⑤

1 그림은 강아지가 직선상에서 일정한 빠르기로 처음 10초 동안 동쪽으로 60 m를 이동한 후 5초 동안 서쪽으로 20 m를 이동한 것을 나타낸 것이다.

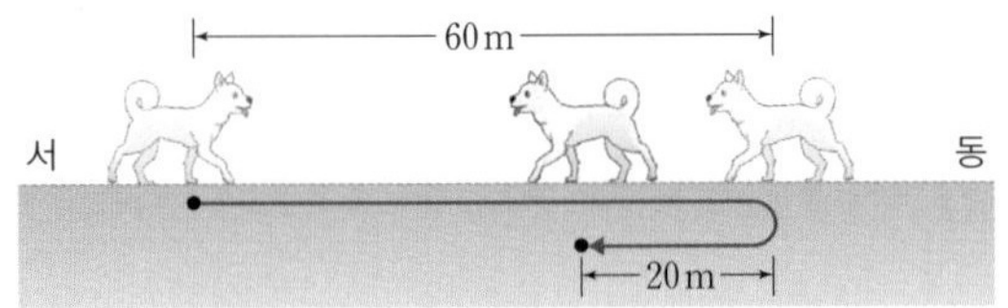

강아지의 운동에 대한 설명으로 옳지 않은 것은?

① 0~10초 동안 이동 거리와 변위의 크기는 같다.
② 0~15초 동안 변위는 동쪽으로 40 m이다.
③ 5초일 때 속도는 동쪽으로 6 m/s이다.
④ 0~15초 동안 평균 속도는 동쪽으로 10 m/s이다.
⑤ 전체 이동 거리는 80 m이다.

2016학년도 6월 모평 4번 변형

2 그림은 어떤 물체의 위치를 시간에 따라 나타낸 것이다.

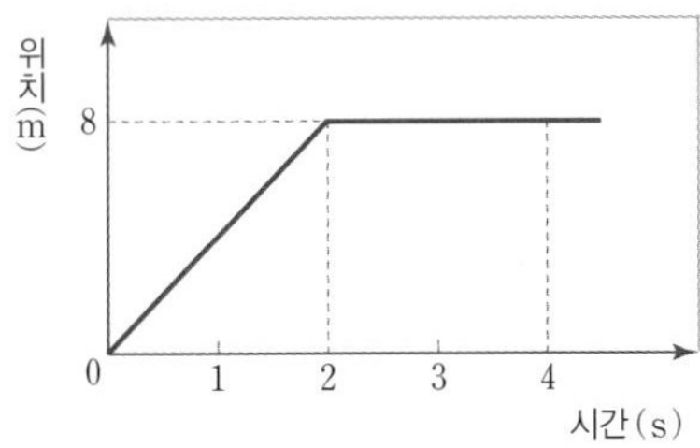

(1) 0~2초 동안 물체의 이동 거리는 몇 m인지 구하시오.

(2) 3초일 때 물체의 속력은 몇 m/s인지 구하시오.

(3) 0~4초 동안 물체의 평균 속력은 몇 m/s인지 구하시오.

정답과 해설 2쪽

3 그림은 직선상에서 운동하고 있는 어떤 물체의 속도를 시간에 따라 나타낸 것이다.

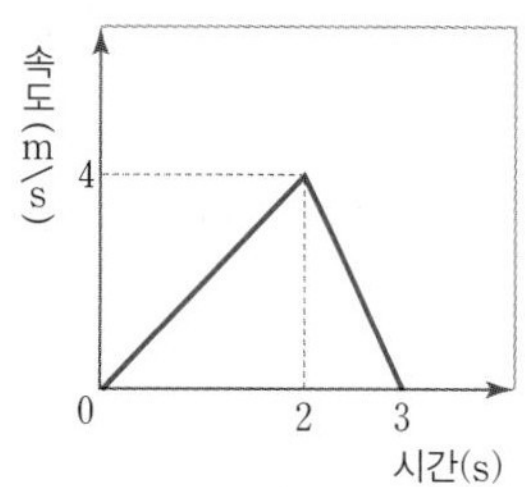

이에 대한 설명으로 옳은 것만을 〈보기〉에서 있는 대로 고른 것은?

> 보기
> ㄱ. 0~2초 동안 속도가 일정하게 증가하는 등가속도 운동을 한다.
> ㄴ. 2~3초 동안 평균 속도의 크기는 2 m/s이다.
> ㄷ. 0~3초 동안 물체의 변위는 0이다.

① ㄱ ② ㄱ, ㄴ ③ ㄱ, ㄷ
④ ㄴ, ㄷ ⑤ ㄱ, ㄴ, ㄷ

4 그림은 직선상에서 운동하는 물체 A, B의 속도를 시간에 따라 나타낸 것이다.

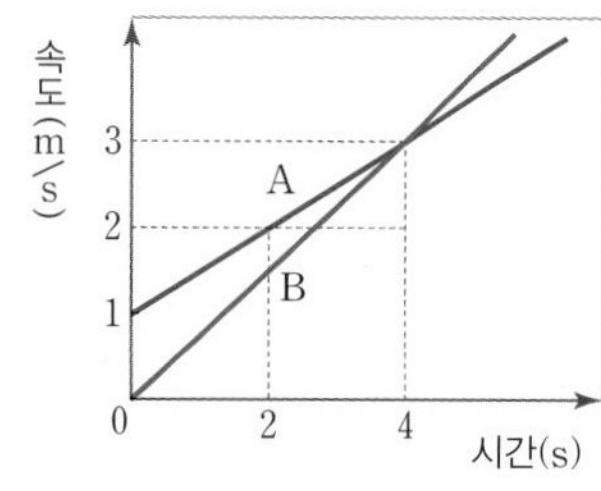

(1) 0~4초 동안 A의 평균 속도의 크기는 몇 m/s인지 구하시오.

(2) 2초일 때 A의 가속도의 크기는 몇 m/s^2인지 구하시오.

(3) 0~4초 동안 A, B의 이동 거리는 몇 m인지 각각 구하시오.

5 그림은 직선 운동을 하는 자동차의 속도를 시간에 따라 나타낸 것이다.

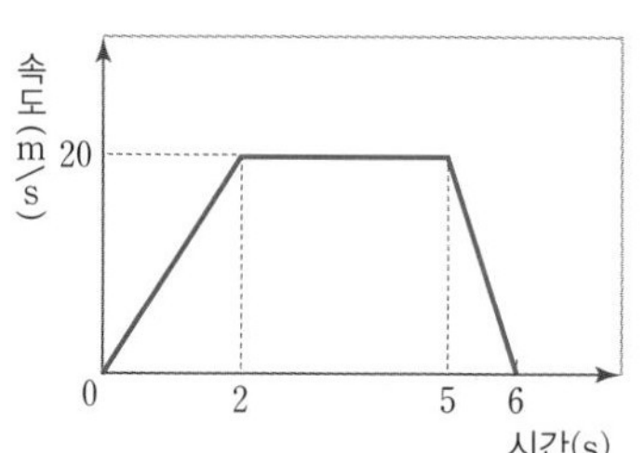

이에 대한 설명으로 옳은 것만을 〈보기〉에서 있는 대로 고른 것은?

> 보기
> ㄱ. 0~2초 동안 자동차의 가속도의 크기는 10 m/s^2이다.
> ㄴ. 0~2초 동안과 5~6초 동안의 평균 속력은 같다.
> ㄷ. 5~6초 동안 자동차의 이동 거리는 10 m이다.

① ㄱ ② ㄱ, ㄴ ③ ㄱ, ㄷ
④ ㄴ, ㄷ ⑤ ㄱ, ㄴ, ㄷ

6 그림은 직선상에서 운동하는 어떤 물체의 속도를 시간에 따라 나타낸 것이다.

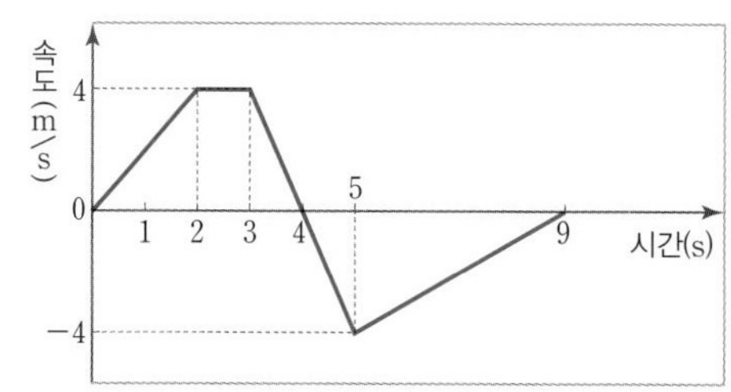

(1) 0~2초 동안 가속도의 크기와 이동 거리를 각각 구하시오.

(2) 3~5초 동안 평균 속도의 크기는 몇 m/s인지 구하시오.

(3) 5~9초 동안 이동 거리는 몇 m인지 풀이 과정과 함께 서술하시오.

2일

뉴턴 운동 법칙(1)

핵심 개념

1 힘

- **힘**: 물체의 ❶ ______ 나 모양을 변화시키는 원인
- **힘의 3요소**: 힘의 크기, ❷ ______, 힘의 작용점

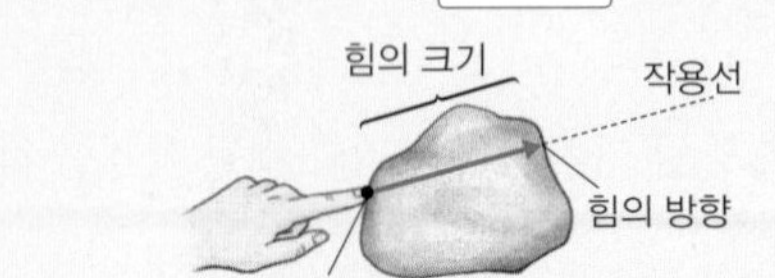

- ❸ ______ : 한 물체에 작용하는 여러 힘의 합력

① 같은 방향으로 작용하는 두 힘 F_1, F_2의 합력:
$F=F_1+F_2$

② 반대 방향으로 작용하는 두 힘 F_1, F_2의 합력:
$F=F_1-F_2$ (단, $F_1>F_2$)

- **힘의 평형**: 물체에 작용하는 알짜힘이 0인 경우
— 힘의 평형을 이루면 물체의 가속도는 0(등속 직선 운동 또는 정지)이다.

2 뉴턴 운동 제1법칙(관성 법칙)

- ❹ ______ : 물체가 처음의 운동 상태를 계속 유지하려는 성질
- **뉴턴 운동 제1법칙(관성 법칙)**: 물체에 작용하는 알짜힘이 ❺ ______ 이면 정지해 있는 물체는 계속 정지해 있고, 운동하는 물체는 등속 직선 운동 한다.
- **관성의 크기**: 물체의 질량이 클수록 관성이 ❻ ______.
➡ 질량이 클수록 물체의 운동 상태를 바꾸기 어렵다.
- **정지 관성에 의한 현상**: 버스가 갑자기 출발할 때, 컵 위의 종이를 튕길 때 등
- **운동 관성에 의한 현상**: 버스가 갑자기 정지할 때, 망치 자루를 바닥에 내리칠 때 등

답 ❶ 운동 상태 ❷ 힘의 방향 ❸ 알짜힘 ❹ 관성 ❺ 0 ❻ 크다

개념 확인

정답과 해설 3쪽

1-1

다음 (   ) 안에 들어갈 알맞은 말을 쓰시오.

(1) 두 힘 F_1, F_2가 같은 방향으로 작용할 때 알짜힘의 크기는 (   )이다.

(2) 두 힘 F_1, F_2(단, $F_1>F_2$)가 반대 방향으로 작용할 때 알짜힘의 크기는 (   )이다.

(3) 크기가 같은 두 힘 F_1, F_2가 서로 반대 방향으로 한 물체에 작용할 때 알짜힘의 크기는 (   )이고, 이때 힘의 (   )을 이룬다고 한다.

1-2

다음은 물체에 두 힘이 작용하는 몇 가지 경우를 나타낸 것이다. 각각의 경우 알짜힘의 크기와 방향을 구하시오.

(1)

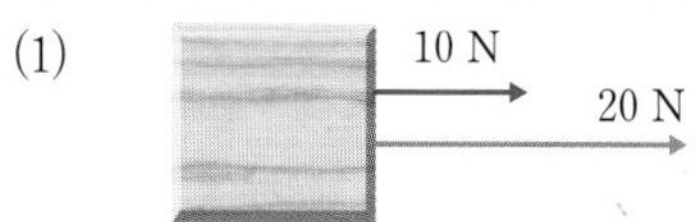

Hint 물체에 두 힘이 같은 방향으로 작용한다.

(2)

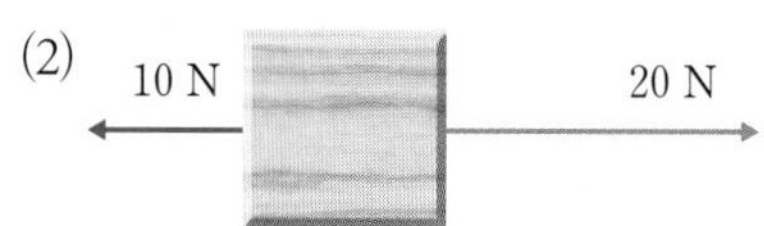

Hint 물체에 두 힘이 반대 방향으로 작용한다.

(3)

Hint 물체에 두 힘이 반대 방향으로 작용한다.

1 주

2일

2-1

다음은 일상생활에서 일어나는 여러 가지 현상들을 간단히 나타낸 것이다. 이와 같은 현상을 설명하는 법칙을 쓰시오.

- 휴지를 재빠르게 잡아당기면 휴지가 풀리지 않고 끊어진다.

- 컵 위에 종이를 놓고 종이를 빠르게 치면 동전이 컵 안으로 떨어진다.

- 망치의 자루를 바닥에 내리치면 망치 머리가 자루에 단단히 박힌다.

2-2

그림은 버스가 갑자기 출발하거나 정지할 때 경험할 수 있는 관성에 의한 현상을 나타낸 것이다.

▲ 버스가 갑자기 출발할 때

▲ 버스가 갑자기 멈출 때

이에 대한 설명으로 옳은 것은 ○, 옳지 않은 것은 ×표 하시오.

(1) 정해져 있던 버스가 갑자기 출발하면 몸이 뒤로 쏠린다. (   )

(2) 달리던 버스가 갑자기 정지하면 몸이 뒤로 쏠린다. (   )

(3) 작용하는 알짜힘이 0이면 운동하던 물체는 등가속도 직선 운동을 한다. (   )

2일 뉴턴 운동 법칙(1)

핵심 개념

3 가속도와 힘 및 질량의 관계

- **힘과 운동**: 물체에 알짜힘이 작용하면 속도의 변화(가속도)가 생긴다.
- **가속도(a)와 알짜힘(F)의 관계**: 물체의 질량이 일정할 때 물체의 가속도는 물체에 작용하는 알짜힘의 크기에 ❶ ______ 하고, 가속도의 방향은 알짜힘이 작용하는 방향과 같다. ➡ $a \propto F$
- **가속도(a)와 질량(m)의 관계**: 물체에 작용하는 알짜힘이 일정할 때 물체의 가속도는 물체의 질량에 ❷ ______ 한다.

  ➡ $a \propto \dfrac{1}{m}$

4 뉴턴 운동 제2법칙(가속도 법칙)

- **뉴턴 운동 제2법칙(가속도 법칙)**: 물체의 가속도는 물체에 작용하는 알짜힘에 비례하고, 물체의 질량에 반비례한다.

  ➡ 가속도(a)$=\dfrac{\text{알짜힘}(F)}{\text{질량}(m)}$, $F=ma$ ← 운동 방향과 알짜힘의 방향은 다를 수도 있다.
- 가속도 방향과 알짜힘의 방향은 항상 ❸ ______.
- 한 물체에 여러 힘이 작용할 때 모든 힘의 합력(알짜힘)의 크기는 물체의 질량과 가속도의 곱으로 나타낼 수 있다.

  ➡ $F=f_1+f_2+f_3+\cdots=\Sigma f=ma$
- 물체가 힘을 받아 운동할 때 힘의 방향과 운동 방향이 같으면 속도가 증가하고, 힘의 방향과 운동 방향이 반대이면 속도가 감소한다.

답 ❶ 비례 ❷ 반비례 ❸ 같다

3-1

그림 (가)는 질량이 일정한 물체에 작용하는 힘에 따른 물체의 속도를 시간에 따라 나타낸 것이고, (나)는 물체에 작용하는 힘이 일정할 때 질량에 따른 물체의 속도를 시간에 따라 나타낸 것이다.

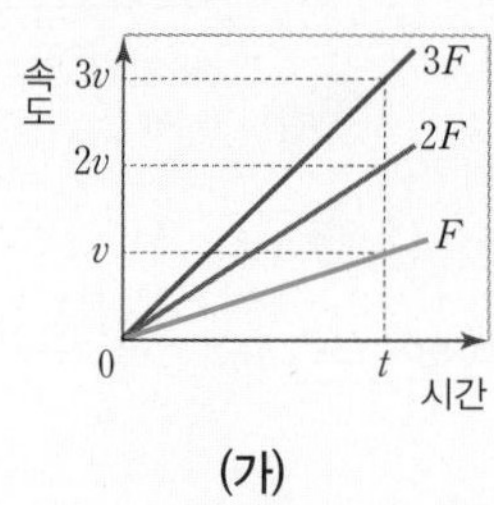

(가)

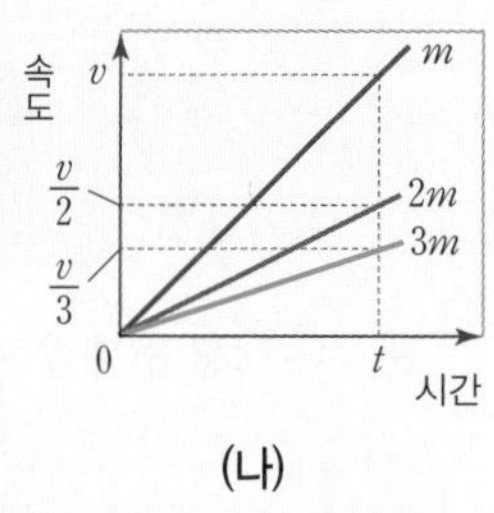

(나)

(　　) 안에 들어갈 알맞은 말을 쓰시오.

(1) 물체의 질량이 일정할 때 가속도의 크기는 알짜힘의 크기에 (　　　)한다.

(2) 알짜힘의 크기가 일정할 때 가속도의 크기는 물체의 질량에 (　　　)한다.

Hint 속도－시간 그래프의 기울기는 가속도를 나타낸다.

3-2

다음은 연수가 수행한 실험에 대한 설명이다. (　　) 안에 들어갈 알맞은 말을 쓰시오.

[실험 과정]

- 그림과 같이 실험 장치를 설치한 후 역학 수레에 용수철저울을 걸고 눈금이 일정한 값을 가리키도록 용수철저울을 당기면서 동영상을 촬영한다.
- 용수철저울을 당기는 눈금을 2배, 3배로 증가시키면서 실험을 반복한다.
- 촬영한 동영상을 분석한다.

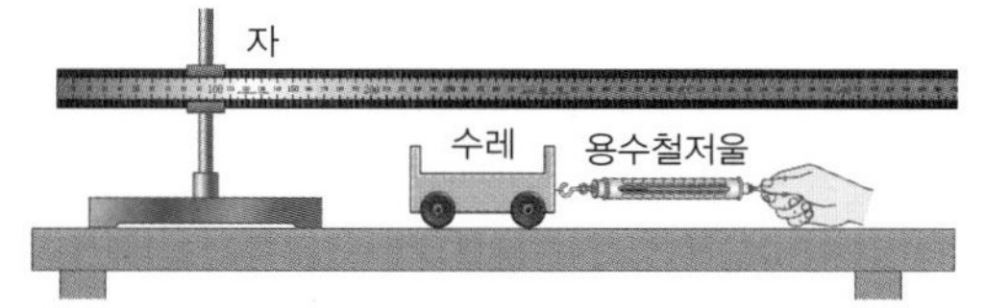

[실험 결과]

수레의 질량이 일정할 때 수레의 가속도는 수레에 작용한 힘에 (　　　)한다.

4-1

그림 (가)는 질량이 m인 물체에 6 N의 힘을 작용하는 모습을, (나)는 이 물체의 속도를 시간에 따라 나타낸 것이다.

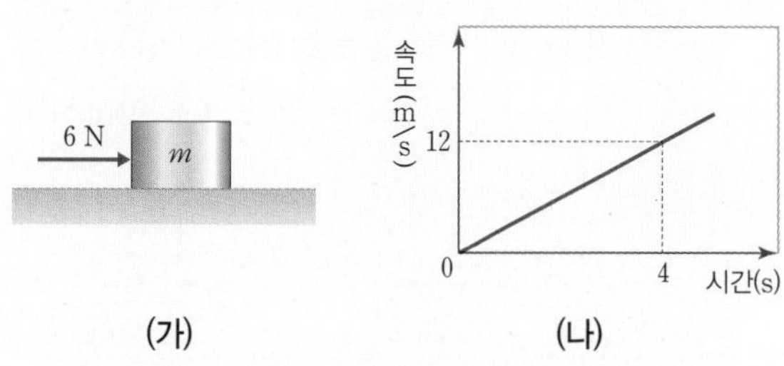

(가)　　　(나)

(1) 물체의 가속도의 크기는 몇 m/s^2인지 구하시오.

Hint 속도－시간 그래프의 기울기는 가속도를 나타낸다.

(2) 물체의 질량 m은 몇 kg인지 구하시오.

Hint 운동 방정식 $F=ma$를 적용한다.

(3) 0~4초 동안 물체가 이동한 거리는 몇 m인지 구하시오.

4-2

그림은 정지해 있던 질량이 m, $2m$, $3m$인 세 물체 A, B, C에 각각 F, $3F$, F의 힘을 수평 방향으로 작용하는 모습을 나타낸 것이다.

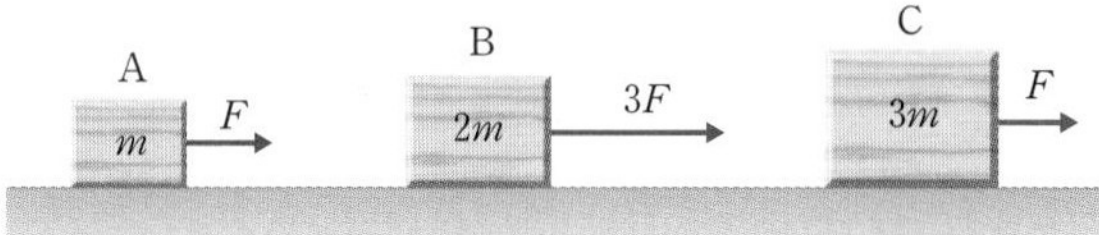

이에 대한 설명으로 옳지 않은 것은? (단, 모든 마찰은 무시한다.)

① 가속도의 크기는 B가 가장 크다.
② 물체의 가속도 방향은 모두 오른쪽이다.
③ 가속도의 크기가 가장 작은 것은 C이다.
④ 작용하는 알짜힘이 가장 큰 것은 B이다.
⑤ 물체의 가속도는 물체의 질량에 비례하고, 작용한 알짜힘에 반비례한다.

기초 유형 연습 | 뉴턴 운동 법칙(1)

대표 기출 유형

그림 (가)는 정지해 있던 버스가 정거장에서 승객을 태우고 출발하는 모습을, (나)는 달리던 버스가 정거장에 도착하여 정지하는 모습을 나타낸 것이다.

이에 대한 설명으로 옳은 것만을 <보기>에서 있는 대로 고른 것은?

보기

ㄱ. (가)에서 승객은 뒤로 쏠린다.
ㄴ. (나)에서 승객은 계속 운동하려는 관성을 가진다.
ㄷ. (가)와 (나)에서 관성이 작용하는 방향은 같다.

① ㄱ ② ㄱ, ㄴ ③ ㄱ, ㄷ
④ ㄴ, ㄷ ⑤ ㄱ, ㄴ, ㄷ

개념 point

물체가 처음의 운동 상태를 계속 유지하려는 성질을 관성이라고 한다.
알짜힘이 0이면 정지해 있는 물체는 계속 정지해 있고, 운동하던 물체는 계속 등속 직선 운동을 한다.

|보기| 풀이

ㄱ 정지해 있던 버스가 출발할 때는 정지해 있으려는 관성이 작용하여 승객은 뒤로 쏠린다.
ㄴ 달리던 버스가 정지할 때 승객은 계속 운동하려는 관성에 의해 앞으로 쏠린다.
ㄷ (가)에서는 관성이 뒤쪽으로 작용하고, (나)에서는 관성이 앞쪽으로 작용한다. 따라서 (가)와 (나)에서 관성이 작용하는 방향은 반대이다.

함정 탈출

관성은 물체의 운동 상태가 변할 때 나타난다.

답 ②

1 그림은 관성에 대해 학생들이 대화하는 모습을 나타낸 것이다.

관성에 대해 옳게 말한 사람만을 있는 대로 고른 것은?

① 철수 ② 영희 ③ 민수
④ 철수, 영희 ⑤ 철수, 민수

2 그림은 갈릴레이가 물체의 운동에 대하여 설명하는 것을 나타낸 것이다.

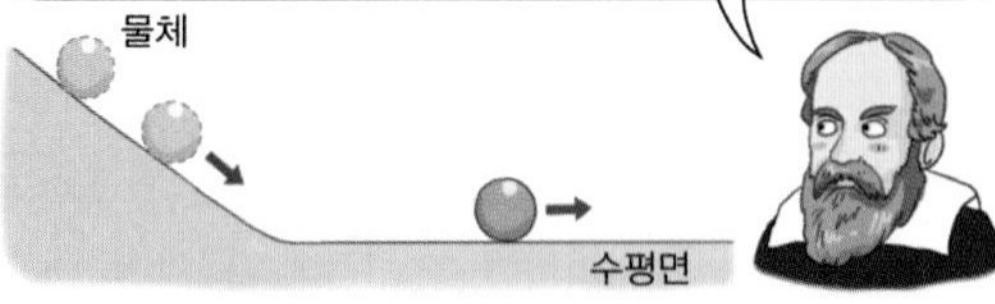

(1) ㉠에서 물체는 어떤 운동을 하는지 쓰시오.
(2) ㉡에서 물체에 작용하는 알짜힘은 얼마인지 쓰시오.
(3) ㉢과 같은 성질을 무엇이라고 하는지 쓰시오.

3 그림은 컵 위에 동전이 올려진 종이를 놓고 종이를 빠르게 치는 모습을 나타낸 것이다.

(1) 동전의 움직임을 서술하시오.
(2) 동전이 그렇게 운동한 까닭을 서술하시오.

정답과 해설 4쪽

2018학년도 6월 모평 10번 변형

4 그림 (가)는 마찰이 없는 수평면에 정지해 있던 수레에 일정한 힘을 작용하는 모습을, (나)는 (가)에서 서로 다른 두 힘이 작용할 때 수레의 속도를 시간에 따라 나타낸 것이다.

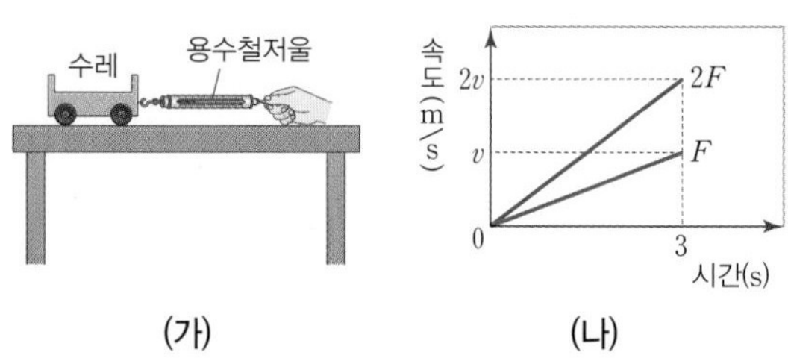

(가) (나)

수레의 운동에 대한 설명으로 옳은 것만을 〈보기〉에서 있는 대로 고른 것은?

보기
ㄱ. 수레의 이동 거리는 시간에 비례하여 증가한다.
ㄴ. 수레에 일정한 힘을 작용하면 속도가 일정하게 증가한다.
ㄷ. 가속도는 작용한 힘에 비례한다.

① ㄱ ② ㄱ, ㄴ ③ ㄱ, ㄷ
④ ㄴ, ㄷ ⑤ ㄱ, ㄴ, ㄷ

5 그림은 질량이 1 kg인 물체에 작용하는 알짜힘의 크기가 각각 2 N, F일 때 물체의 속도를 시간에 따라 나타낸 것이다.

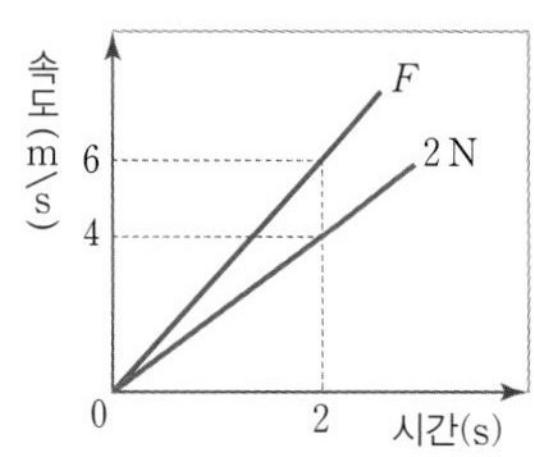

(1) 2 N의 힘을 작용하였을 때 물체의 가속도는 몇 m/s^2인지 구하시오.

(2) 힘 F의 크기는 몇 N인지 구하시오.

(3) F의 힘이 작용할 때 0~2초 동안 이동 거리는 몇 m인지 구하시오.

6 그림 (가)는 마찰이 없는 수평면 위에 놓인 질량이 3 kg인 물체를 잡아당기는 모습을, (나)는 이 물체의 속도를 시간에 따라 나타낸 것이다.

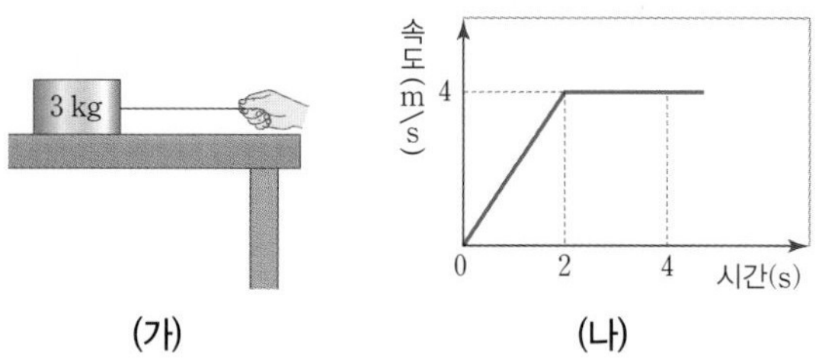

(가) (나)

(1) 0~2초 동안 가속도의 크기는 몇 m/s^2인지 구하시오.

(2) 0~2초 동안 물체에 작용한 힘의 크기는 몇 N인지 구하시오.

(3) 2~4초 동안 물체에 작용한 힘의 크기는 몇 N인지 구하시오.

7 그림 (가)는 마찰이 없는 수평면 위에 놓인 질량이 2 kg으로 같은 물체 A, B를 각각 크기가 F_A, F_B인 힘으로 잡아당기는 모습을, (나)는 A, B의 속도를 시간에 따라 나타낸 것이다.

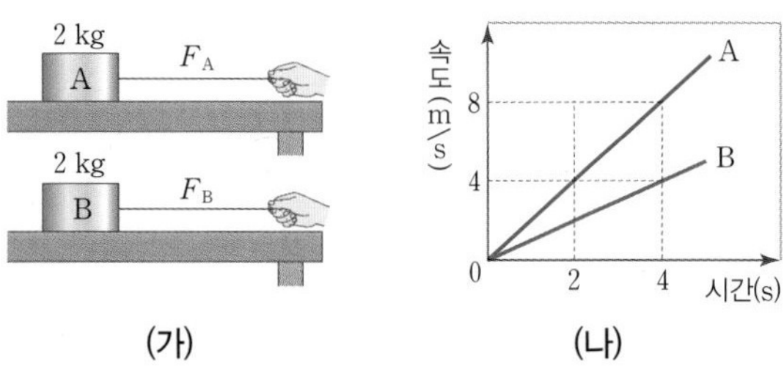

(가) (나)

이에 대한 설명으로 옳은 것만을 〈보기〉에서 있는 대로 고른 것은?

보기
ㄱ. A의 가속도는 2 m/s^2이고, B의 가속도는 1 m/s^2이다.
ㄴ. F_A의 크기는 8 N이다.
ㄷ. 0~4초 동안 B의 이동 거리는 8 m이다.

① ㄱ ② ㄱ, ㄴ ③ ㄱ, ㄷ
④ ㄴ, ㄷ ⑤ ㄱ, ㄴ, ㄷ

3일 뉴턴 운동 법칙(2)

핵심 개념

1 뉴턴 운동 제3법칙(작용·반작용 법칙)

- **뉴턴 운동 제3법칙(작용·반작용 법칙)**: 힘은 항상 두 물체 사이에서 상호 작용 하는데, A가 B에게 힘(F_{AB})을 작용하면, 동시에 B도 A에게 같은 크기의 힘(F_{BA})을 반대 방향으로 작용한다.
➡ $F_{AB}=-F_{BA}$

① A가 B에게 작용하는 힘을 ❶ [ ]이라 하면, B가 A에게 작용하는 힘을 ❷ [ ]이라고 한다.

② 작용과 반작용은 항상 크기가 ❸ [ ], 방향은 반대이다.

③ 작용과 반작용은 항상 동일한 작용선상에서 서로 다른 물체에 작용한다.

- 작용·반작용의 예

① 배의 노를 뒤로 저으면 배가 앞으로 나아간다.

② 로켓이 날아갈 때 로켓은 연료를 연소시켜 뒤로 분출시키면서 앞으로 날아간다.

③ 고무풍선을 불은 후 놓으면 바람이 빠져 나오면서 앞으로 날아간다.

④ 단거리 달리기에서 스타팅 블록을 힘껏 밀면 그 반작용으로 출발한다.

2 작용·반작용과 힘의 평형

- 작용과 반작용은 서로 다른 두 물체에 각각 작용하는 힘으로 작용점이 다른 물체에 있어서 ❹ [ ]할 수 없다.
- 평형을 이루는 두 힘은 한 물체에 작용하는 힘으로 합성 가능하고, 합력이 ❺ [ ]이다.

답 ❶ 작용 ❷ 반작용 ❸ 같고 ❹ 합성 ❺ 0

개념 확인

정답과 해설 5쪽

1-1

그림은 용수철저울 A, B를 서로 걸고 양쪽에서 당기는 모습을 나타낸 것이다.

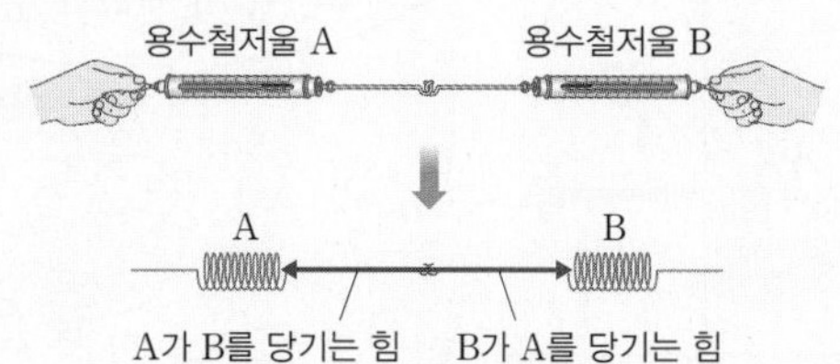

(　　) 안에 들어갈 알맞은 말을 쓰시오.

(1) A가 B를 당기는 힘을 작용이라고 하면, B가 A를 당기는 힘을 (　　　)이라고 한다.

(2) 작용과 반작용의 크기는 (　　　), 방향은 서로 (　　　)이다.

1-2

그림은 연수가 책으로 벽을 미는 모습을 나타낸 것이다.

연수가 책을 미는 힘에 대한 반작용은?

① 책에 작용하는 중력
② 책이 벽을 미는 힘
③ 책이 연수를 미는 힘
④ 벽이 책을 미는 힘
⑤ 연수에게 작용하는 중력

2-1

그림은 책상 위에 놓인 책과 작용하는 힘 F_1, F_2, F_3, F_4를 나타낸 것이다.

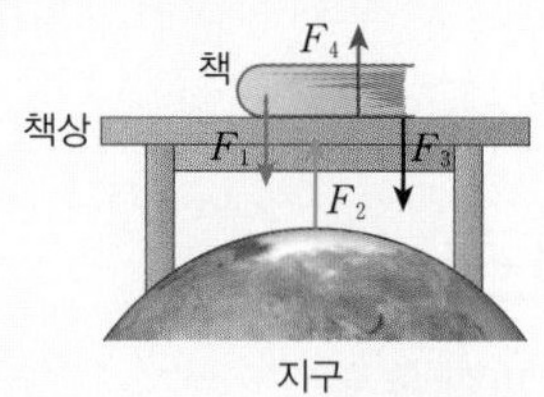

- F_1 : 지구가 책을 당기는 힘
- F_2 : 책이 지구를 당기는 힘
- F_3 : 책이 책상을 누르는 힘
- F_4 : 책상이 책을 떠받치는 힘

(1) 작용·반작용 관계인 두 힘을 쓰시오.

(2) 힘의 평형 관계인 두 힘을 쓰시오.

2-2

그림 (가)는 철수가 수영장 벽을 발로 미는 모습을, (나)는 책상 위에 책이 놓여 있는 모습을, (다)는 영희가 야구 방망이로 공을 치는 모습을 나타낸 것이다.

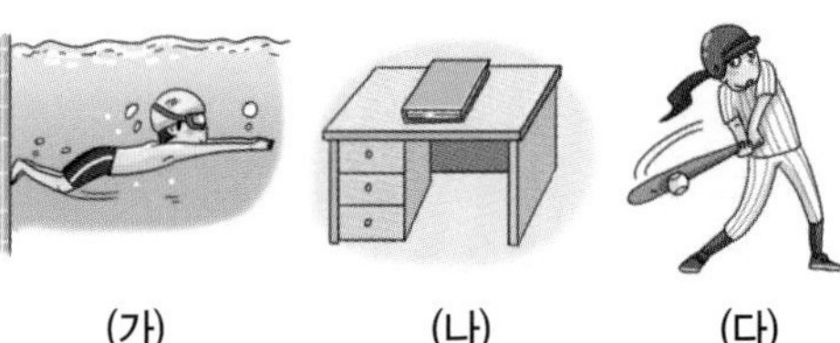

(가)　　(나)　　(다)

작용·반작용 관계에 있는 힘으로 옳은 것은 ○, 옳지 않은 것은 ×표 하시오.

(1) (가)에서 철수가 벽을 발로 미는 힘과 벽이 철수를 미는 힘 (　　　)

(2) (나)에서 지구가 책상 위의 책을 당기는 힘과 책상이 책을 떠받치는 힘 (　　　)

(3) (다)에서 영희가 휘두른 방망이가 공을 미는 힘과 공이 방망이를 미는 힘 (　　　)

3일 뉴턴 운동 법칙(2)

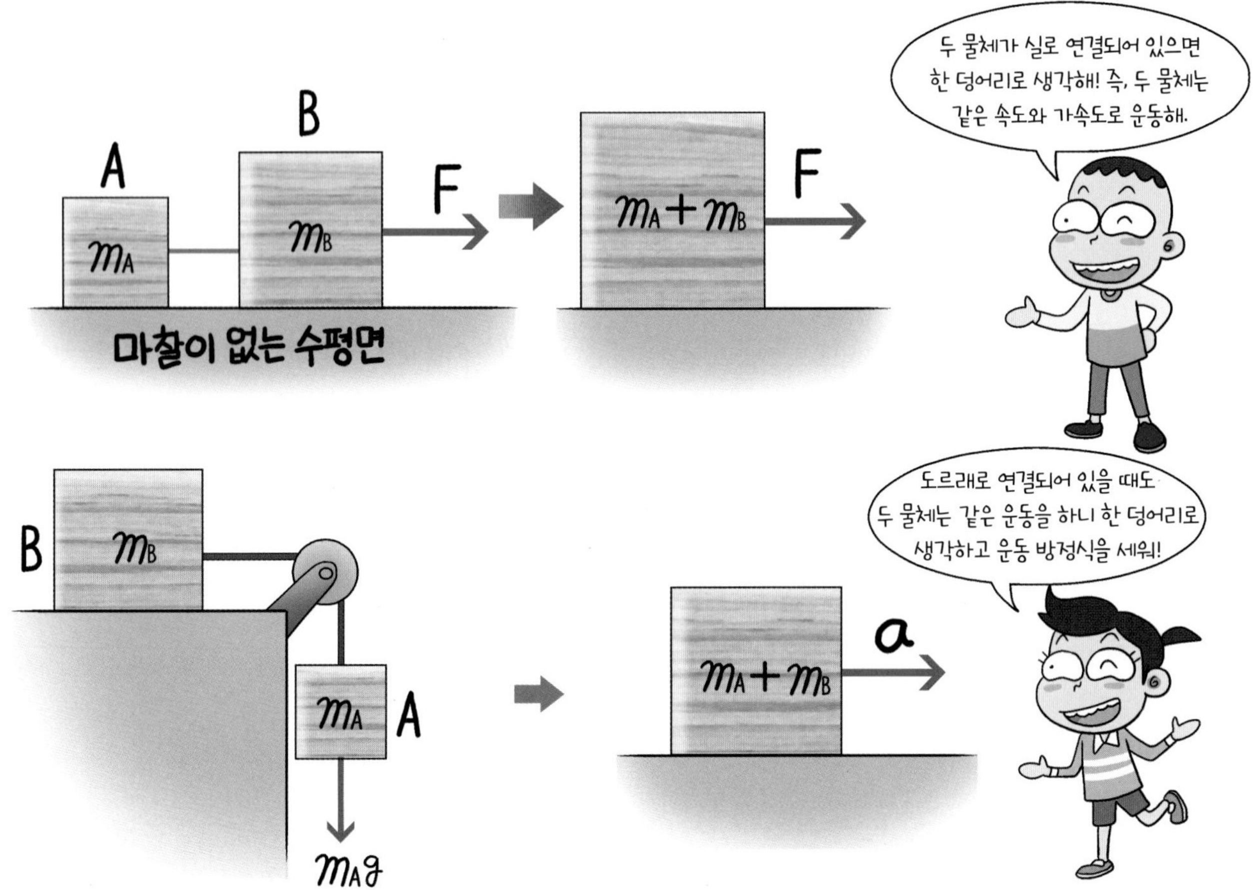

핵심 개념

3 연결된 두 물체의 운동의 운동 방정식 세우기

- 수평면 위에 놓인 두 물체

나란하게 놓인 물체를 밀 때	실로 연결된 물체를 당길 때

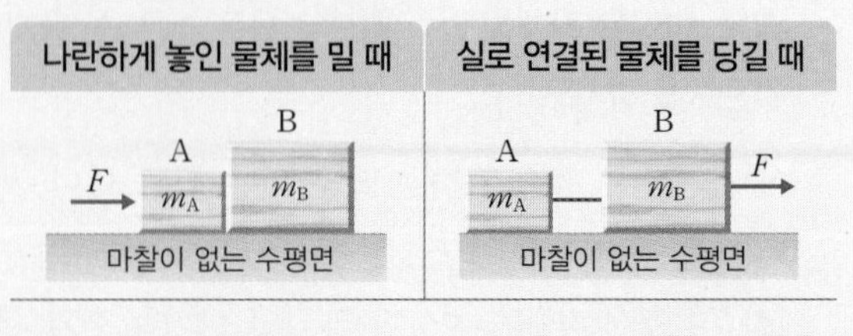

① 두 물체에 작용하는 ❶ ______ 구하기 → ② 전체 질량 구하기 → ③ $F=ma$를 이용해 ❷ ______ 구하기 → ④ 각 물체에 작용하는 알짜힘 구하기 → 두 물체 사이에 작용하는 힘 구하기

4 도르래로 연결된 두 물체의 운동

① 두 물체에 작용하는 알짜힘은 A에 작용하는 ❸ ______ 이다. 두 물체의 질량 합을 구한다.

➡ $m=m_A+m_B$

② 운동 방정식 $F=ma$를 이용해 가속도를 구한다.

➡ $a=\dfrac{F}{m_A+m_B}=\dfrac{m_Ag}{m_A+m_B}$

③ 각각의 물체에 작용하는 알짜힘을 구한다.

A가 B를 당기는 힘, 또는 B가 A를 당기는 힘과 같다.

④ 두 물체 사이의 실에 걸리는 장력(T)을 구한다.

➡ $T=F_B=m_Ag-F_A=\dfrac{m_Am_B}{m_A+m_B}g$

B m_B T T m_A A m_Ag

답 ❶ 알짜힘 ❷ 가속도 ❸ 중력(m_Ag)

개념 확인

정답과 해설 6쪽

3-1

그림 (가)는 질량이 각각 1 kg, 2 kg인 두 물체 A, B를 실로 연결하여 크기가 일정한 힘 F를 작용하는 것을, (나)는 B의 속도를 시간에 따라 나타낸 것이다.

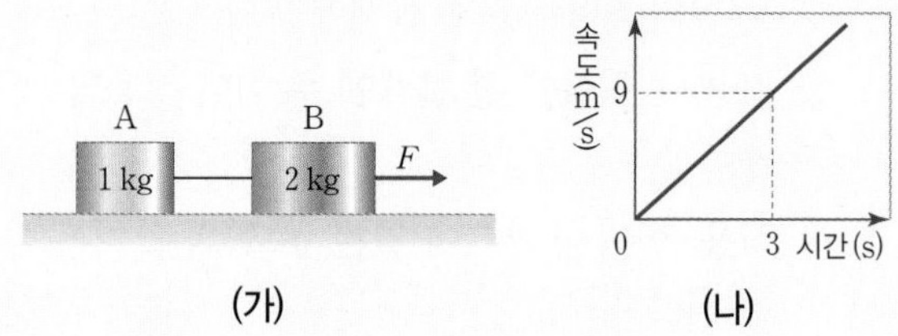

(가) (나)

( ) 안에 들어갈 알맞은 숫자를 구하시오.

(1) B의 가속도의 크기는 ( ) m/s^2이다.

(2) F의 크기는 ( ) N이다.

(3) A와 B에 작용하는 알짜힘의 크기는 각각 ( ) N, ( ) N이다.

(4) 실에 걸리는 장력의 크기는 ( ) N이다.

3-2

그림은 마찰이 없는 수평면 위에서 질량이 각각 1 kg, 2 kg인 두 물체 A, B를 붙여 놓고 6 N의 힘으로 미는 것을 나타낸 것이다.

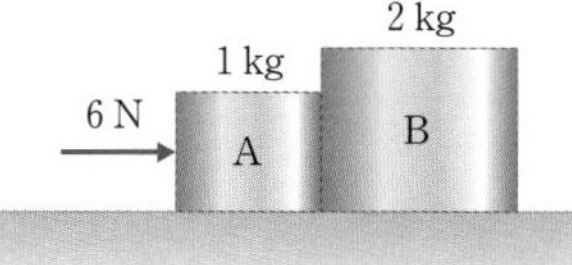

이에 대한 설명으로 옳은 것은 ○, 옳지 않은 것은 ×표 하시오.

(1) A의 가속도의 크기는 6 m/s^2이다. ( )

(2) B에 작용하는 알짜힘의 크기는 4 N이다. ( )

(3) B가 A에 작용하는 힘의 크기는 4 N이다. ( )

4-1

그림은 질량이 각각 3 kg, 2 kg인 두 물체 A, B를 도르래로 연결한 모습을 나타낸 것이다.

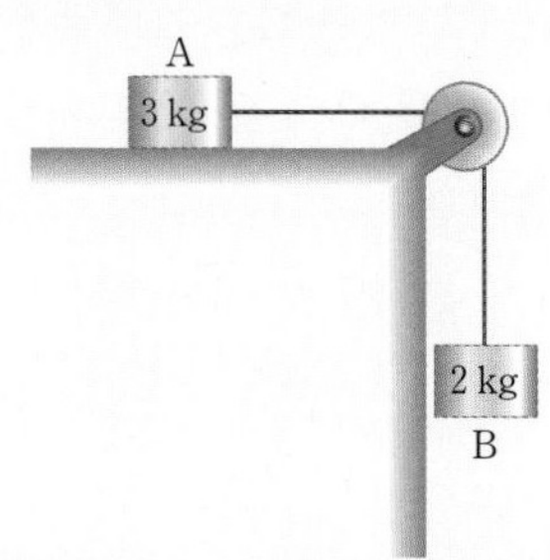

이에 대한 설명으로 옳은 것은 ○, 옳지 않은 것은 ×표 하시오. (단, 중력 가속도는 10 m/s^2이고, 모든 마찰은 무시한다.)

(1) A의 가속도의 크기는 4 m/s^2이다. ( )

(2) B가 받은 알짜힘의 크기는 8 N이다. ( )

(3) 실이 B를 잡아당기는 힘의 크기는 8 N이다. ( )

4-2

그림 (가), (나)는 질량이 1 kg인 수레에 질량이 1 kg인 추 2개를 두 가지 방법으로 연결한 모습을 나타낸 것이다. (단, 중력 가속도는 10 m/s^2이고, 모든 마찰은 무시한다.)

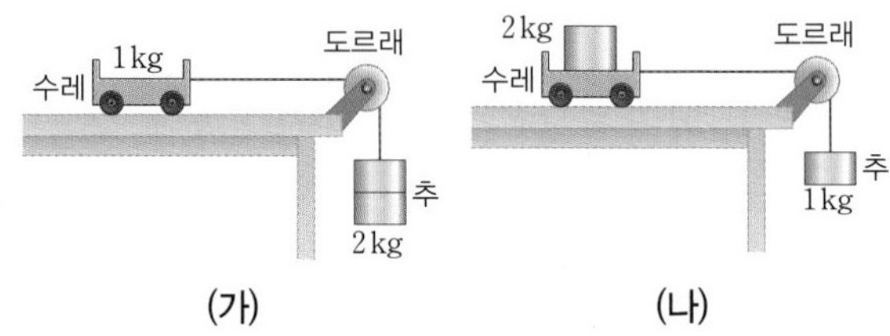

(가) (나)

(1) (가)에서 수레의 가속도의 크기는 몇 m/s^2인지 구하시오.

(2) (나)에서 수레의 가속도의 크기는 몇 m/s^2인지 구하시오.

(3) (가)와 (나)에서 실에 걸리는 장력은 각각 몇 N인지 구하시오.

1주 3일

기초 유형 연습 | 뉴턴 운동 법칙(2)

대표 기출 유형

그림 (가)는 수영 선수가 수영장 벽을 발로 미는 모습을, (나)는 야구 선수가 야구 방망이로 공을 치는 모습을 나타낸 것이다.

(가)

(나)

이에 대한 설명으로 옳은 것만을 〈보기〉에서 있는 대로 고른 것은?

보기

ㄱ. 수영 선수가 발로 벽을 차면 벽은 수영 선수를 밀어 선수가 앞으로 나아간다.

ㄴ. 수영 선수가 발로 벽을 찬 힘과 벽이 수영 선수를 미는 힘의 크기는 같다.

ㄷ. 야구 선수가 야구 방망이로 공을 치면 공은 반작용으로 날아간다.

① ㄱ ② ㄴ ③ ㄷ
④ ㄱ, ㄴ ⑤ ㄴ, ㄷ

개념 point

작용·반작용은 두 물체 사이에 힘이 작용할 때 나타난다. 작용·반작용은 크기가 같고, 방향은 반대이다.

|보기| 풀이

ㄱ, ㄴ 수영 선수가 벽을 발로 찬 것을 작용이라 하면 벽이 수영 선수를 미는 것은 반작용이다. 따라서 두 힘의 크기는 같다.

ㄷ 야구 방망이로 공을 치면, 야구 방망이가 공을 치는 것이 작용이고, 공이 야구 방망이에 힘을 작용하는 것이 반작용이다. 따라서 작용으로 공이 날아가고, 반작용으로 야구 방망이는 뒤로 밀린다.

함정 탈출

작용과 반작용은 동일 작용선 상에서 작용하며, 힘의 크기가 같으므로 그 방향을 잘 파악해야 한다.

답 ④

1 작용·반작용 관계에 있는 두 힘에 대한 설명으로 옳은 것은?

① 두 힘은 합성할 수 있다.
② 두 힘의 작용점은 한 물체에 있다.
③ 작용·반작용은 한 물체에 두 힘이 작용할 때 발생한다.
④ 작용·반작용 관계에 있는 두 힘의 크기는 다를 수 있다.
⑤ 작용·반작용은 동일 작용선상에서 반대 방향으로 작용한다.

2 작용·반작용의 예로 옳은 것은?

① 휴지를 갑자기 잡아당겨 끊는다.
② 버스가 갑자기 급정거하면 승객이 앞으로 넘어진다.
③ 테이블과 그 위에 놓여 있는 컵 사이의 테이블보를 빠르게 당기면 컵은 그대로 있는다.
④ 배를 타고 갈 때 노를 뒤로 저으면 배가 앞으로 나아간다.
⑤ 자동차가 충돌할 때 에어백이 작동한다.

3 그림은 두 용수철저울 A, B를 서로 건 다음 양쪽에서 잡아당기는 모습을 나타낸 것이다. A가 B를 당기는 힘은 F_{AB}이고, B가 A를 당기는 힘은 F_{BA}이다.

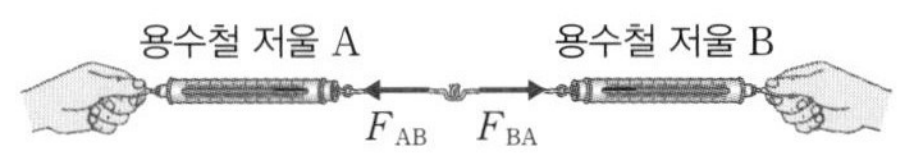

(1) F_{AB}와 F_{BA}의 크기를 비교하시오.

(2) F_{AB}를 증가시키면 F_{BA}는 어떻게 되는지 서술하시오.

정답과 해설 6쪽

4 그림은 마찰이 없는 수평면에서 질량이 각각 m_A, m_B인 두 물체 A, B를 붙여 놓고 일정한 힘 F를 작용한 것을 나타낸 것이다.

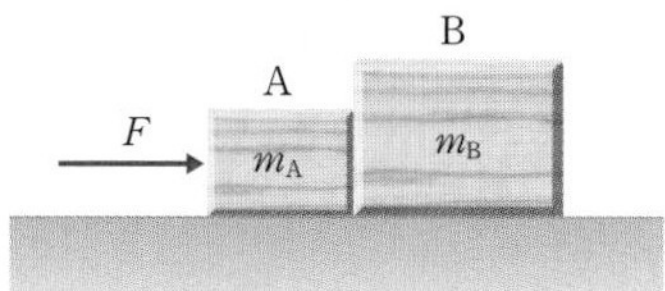

(1) A의 가속도의 크기를 구하시오.

(2) A, B에 작용하는 알짜힘을 각각 구하시오.

5 그림은 마찰이 없는 수평면에서 실로 연결한 두 물체 A, B에 일정한 힘 F를 작용한 것을 나타낸 것이다. A, B의 질량은 각각 m_A, m_B이다.

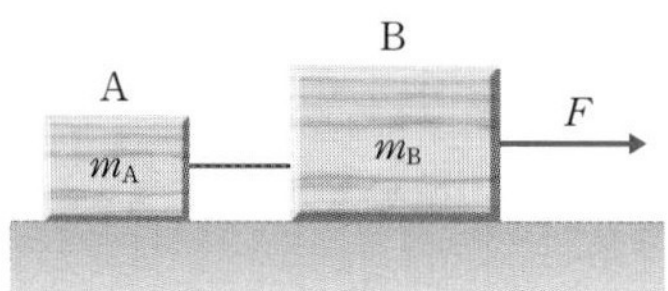

(1) A의 가속도의 크기를 구하시오.

(2) B에 작용하는 알짜힘의 크기를 구하시오.

(3) A가 B에 작용하는 힘의 크기를 구하시오.

6 그림은 질량이 각각 m, $2m$인 두 물체 A, B를 도르래로 연결하여 놓은 것을 나타낸 것이다. (단, 모든 마찰은 무시하고, 중력 가속도는 g이다.)

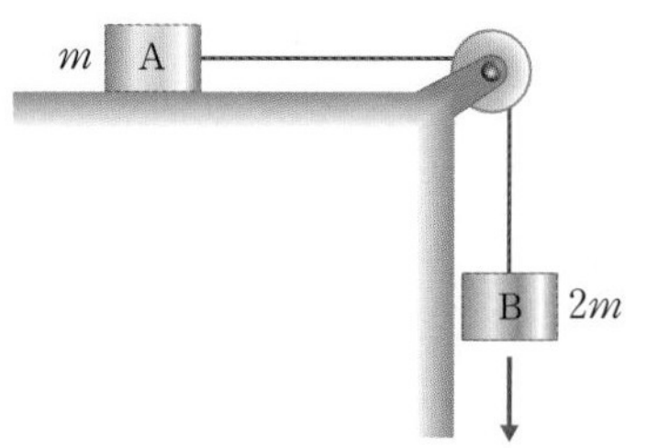

(1) A의 가속도의 크기를 구하시오.

(2) A에 작용하는 알짜힘의 크기를 구하시오.

2019학년도 9월 모평 4번 변형

7 그림 (가)는 수레와 추를 실로 연결하여 놓은 것을, (나)는 (가)에서 질량이 같은 추를 하나 더 연결한 모습을 나타낸 것이다.

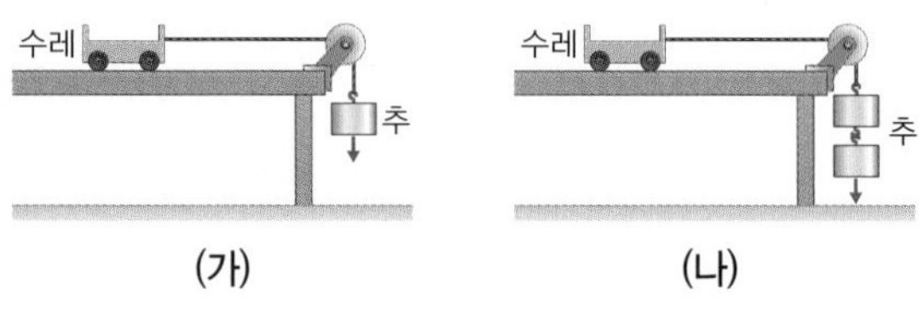

(가) (나)

이에 대한 설명으로 옳은 것만을 〈보기〉에서 있는 대로 고른 것은?

보기

ㄱ. (나)에서 매달린 추에 작용하는 중력은 (가)의 추에 작용하는 중력의 2배이다.

ㄴ. (나)에서 수레의 가속도는 (가)에서 수레의 가속도의 2배이다.

ㄷ. (나)에서 수레에 작용하는 알짜힘은 (가)에서 수레에 작용하는 알짜힘의 2배이다.

① ㄱ ② ㄷ ③ ㄱ, ㄴ
④ ㄴ, ㄷ ⑤ ㄱ, ㄴ, ㄷ

4일 운동량과 충격량

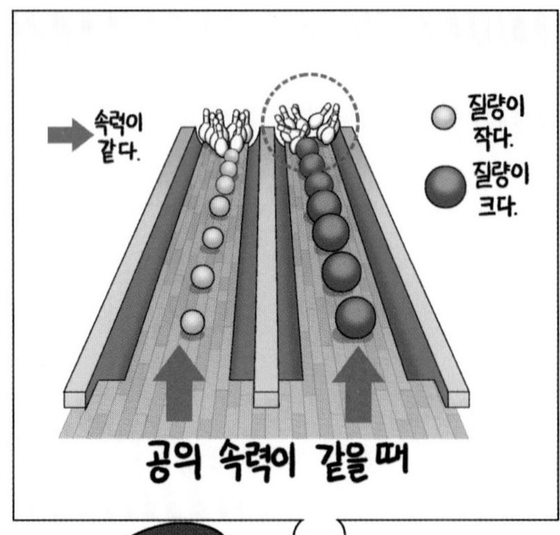

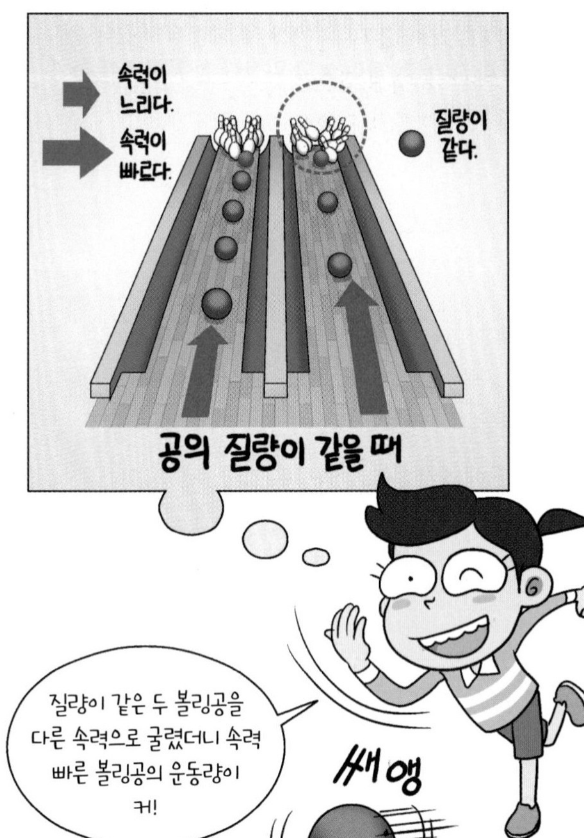

핵심 개념

1 운동량과 충격량

- **운동량**: 운동하는 물체의 운동 정도를 나타내는 양으로, 크기와 방향을 가진다.
  ➡ 운동량＝질량×속도, $p=mv$ (단위: $\mathrm{kg\cdot m/s}$)
- **운동량의 방향**: 속도의 방향과 같다.
- **충격량**: 물체가 받은 충격의 정도를 나타내는 양으로, 크기와 방향을 가진다.
  ➡ 충격량＝힘×힘을 작용한 시간, $I=F\Delta t$ (단위: $\mathrm{N\cdot s}$)
- **충격량의 방향**: 힘의 방향과 같다.
- **운동량과 충격량의 관계**: 물체가 받은 충격량은 물체의 운동량의 변화량과 ❶ ______.
  ➡ $I=\Delta p=mv-mv_0$

2 충격력과 충돌 시간의 관계

- **충격력**: 물체가 충돌할 때 받는 힘으로, 단위 시간 동안 운동량의 변화량과 같다.
  ➡ 충격력$=\dfrac{\text{충격량}}{\text{시간}}$, $F=\dfrac{m\Delta v}{\Delta t}=\dfrac{mv-mv_0}{\Delta t}=\dfrac{\Delta p}{\Delta t}$
- 충격량이 같을 때 충돌 시간이 ❷ ______ 충격력은 작다.
- **충돌 시간을 길게 하여 물체가 받는 힘을 줄이는 경우 (단, 충격량은 일정)**: 자동차가 충돌했을 때 에어백이 작동한다. 포수가 공을 받을 때 손을 뒤로 빼면서 받는다.
- **충돌 시간을 길게 하여 충격량을 크게 하는 경우 (단, 충격력은 일정)**: 대포의 포신이 길수록 포탄이 더 멀리 날아간다. 야구 방망이를 끝까지 휘두르면 공이 더 멀리 날아간다.

답 ❶ 같다 ❷ 길수록

개념 확인

정답과 해설 7쪽

1-1

그림 (가)는 마찰이 없는 수평면 위에 정지해 있는 질량이 2 kg인 물체가 수평 방향으로 힘을 받는 모습을, (나)는 물체가 받은 알짜힘을 시간에 따라 나타낸 것이다.

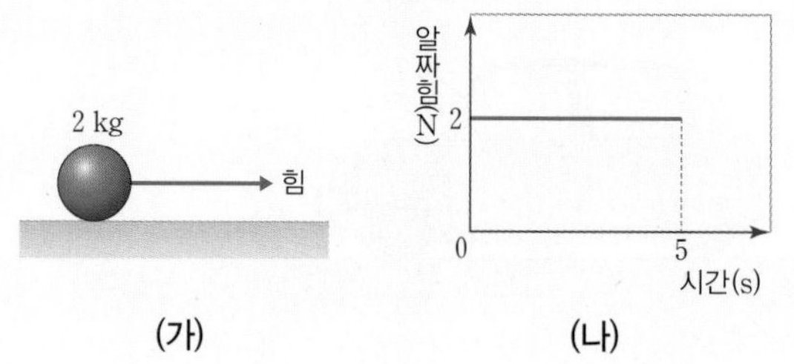

(가) (나)

(1) 0~5초 동안 물체가 받은 충격량의 크기는 몇 N·s인지 구하시오.

Hint 힘－시간 그래프에서 그래프 아래의 넓이는 충격량이다.

(2) 5초일 때 물체의 운동량의 크기는 몇 kg·m/s인지 구하시오.

(3) 5초일 때 물체의 속력은 몇 m/s인지 구하시오.

1-2

그림 (가), (나)와 같이 질량이 m인 물체 A, B가 $2v$의 속력으로 벽과 충돌하여 각각 v, $2v$의 속력으로 튀어나왔다.

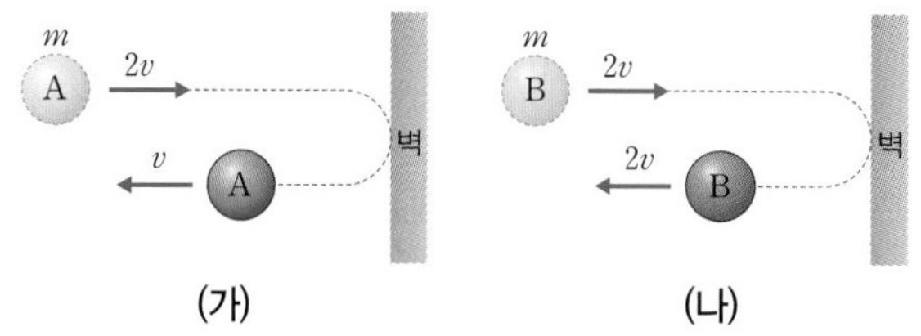

(가) (나)

(1) A의 운동량의 변화량의 크기를 구하시오.

(2) A가 벽으로부터 받은 충격량의 크기를 구하시오.

(3) B가 벽으로부터 받은 충격량의 크기를 구하시오.

2-1

그림과 같이 질량이 5 kg인 볼링공이 3 m/s의 속력으로 운동하다가 벽과 충돌한 후 멈췄다. 볼링공이 벽과 충돌하여 정지할 때까지 걸린 시간은 0.01초였다.

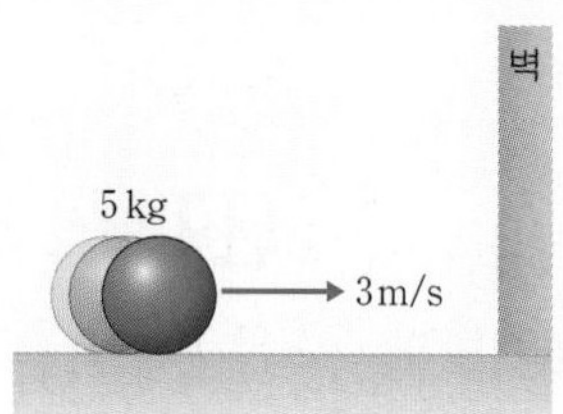

(1) 충돌 전 볼링공의 운동량의 크기는 몇 kg·m/s인지 구하시오.

(2) 볼링공이 벽으로부터 받은 충격량의 크기는 몇 N·s인지 구하시오.

(3) 볼링공이 벽으로부터 받은 충격력의 크기는 몇 N인지 구하시오.

2-2

그림은 동일한 컵 2개를 같은 높이에서 바닥 A, B에 떨어뜨렸을 때 컵에 작용한 힘을 시간에 따라 나타낸 것이다.

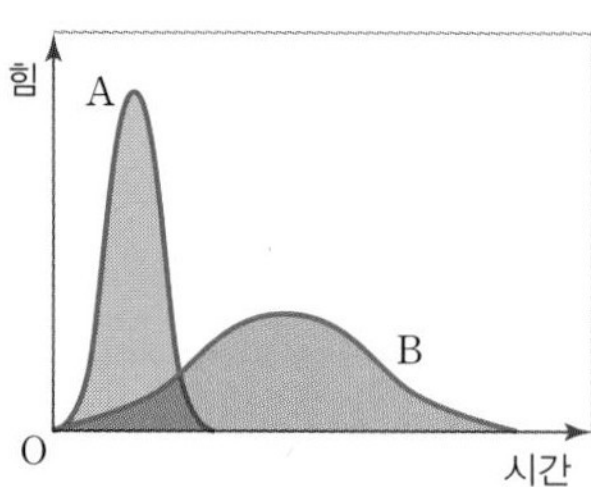

이에 대한 설명으로 옳은 것은 ○, 옳지 않은 것은 ×표 하시오.

(1) A에서 받은 충격력이 더 크다. (　　)

(2) 운동량의 변화량은 B에서가 A에서보다 크다. (　　)

(3) 무릎 보호대는 B와 같은 성질을 가진 소재를 이용한다. (　　)

1주 4일

4일 운동량과 충격량

핵심 개념

3 운동량 보존 법칙

- **운동량 보존 법칙**: 외력이 작용하지 않으면 물체들 간의 상호 작용(충돌, 분열, 융합 등)이 일어나기 전후의 운동량의 총합은 ❶ [ ]. ➡ $m_1v_1+m_2v_2=m_1v_1'+m_2v_2'$

충돌 전 / 충돌 중 / 충돌 후

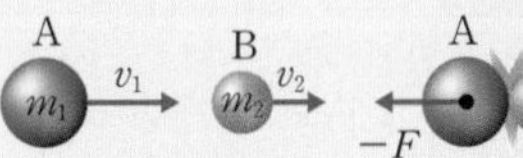

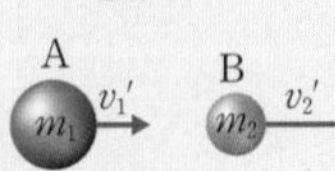

A B v_1' v_2' m_1 m_2

① 물체가 충돌할 때 두 물체가 주고받는 힘은 ❷ [ ] 관계이다. ➡ 두 힘의 크기는 같고 방향은 반대이다.

② 충돌 과정에서 두 물체가 받는 충격량의 크기는 같고 방향은 반대이다.

4 운동량 보존의 예

- **두 물체가 충돌 후 융합하는 경우**: 충돌 전 두 물체의 운동량의 합은 충돌 후 한 덩어리가 된 물체의 운동량과 같다. ➡ $m_Av_A+m_Bv_B=(m_A+m_B)v$
- **두 물체로 분열하는 경우**: 두 물체의 운동량의 크기는 같고, 방향은 ❸ [ ]이다. (분열 전 운동량의 합이 0이었으므로)

  ➡ $0=m_Av_A+m_Bv_B$
- 충돌 과정에서 운동 에너지가 보존되는 충돌을 ❹ [ ] 충돌이라 하고, 충돌 후 운동 에너지가 보존되지 않고 한 덩어리가 되는 충돌을 완전 비탄성 충돌이라고 한다.

답 ❶ 보존된다 ❷ 작용·반작용 ❸ 반대 ❹ 탄성

개념 확인

정답과 해설 8쪽

3-1

그림과 같이 마찰이 없는 수평면에서 물체 A가 일정한 속도로 운동하다가 정지해 있는 물체 B에 충돌한 후 한 덩어리가 되어 운동하였다.

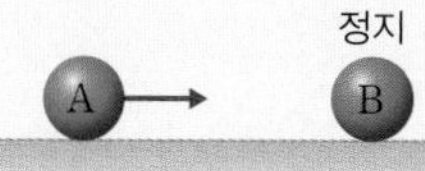

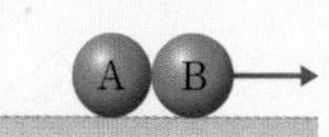

이에 대한 설명으로 옳은 것은 ○, 옳지 않은 것은 ×표 하시오.

(1) 충돌 전 A의 운동량은 충돌 후 함께 운동하는 A, B의 운동량의 합과 같다. (　　)

(2) 충돌 과정에서 A가 받은 충격량의 크기는 B가 받은 충격량의 크기보다 크다. (　　)

(3) 충돌 과정에서 A와 B가 받은 충격력의 크기는 서로 같다. (　　)

3-2

그림 (가)~(다)는 질량이 각각 m, m, $2m$이고, 속도가 v, $2v$, v인 물체 A, B, C가 질량이 m인 정지해 있는 물체에 충돌하는 것을 나타낸 것이다. (단, 모두 충돌 후 두 물체는 한 덩어리가 되어 운동하며, 모든 마찰은 무시한다.)

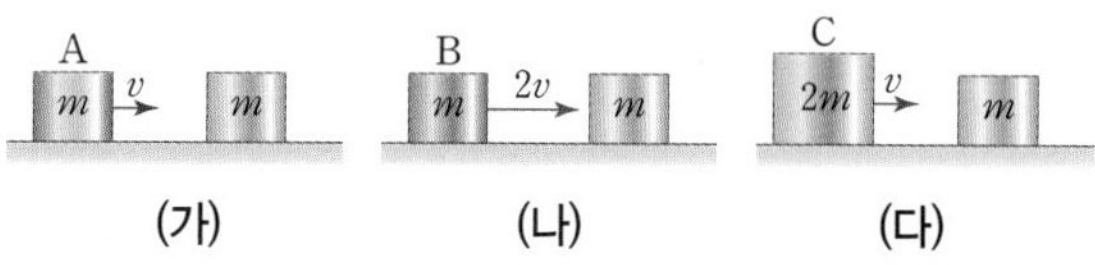

이에 대한 설명으로 옳은 것은 ○, 옳지 않은 것은 ×표 하시오.

(1) 충돌 전 B와 C의 운동량은 같다. (　　)

(2) 충돌 후 A의 속력은 충돌 후 B의 속력보다 크다. (　　)

(3) (다)에서 두 물체의 운동량의 총합은 충돌 전후 같다. (　　)

4-1

그림 (가)는 마찰이 없는 수평면에서 서로 반대 방향으로 운동하던 물체 A, C가 정지해 있는 물체 B에 동시에 충돌하는 것을, (나)는 충돌 후 세 물체가 한 덩어리가 되어 운동하는 것을 나타낸 것이다.

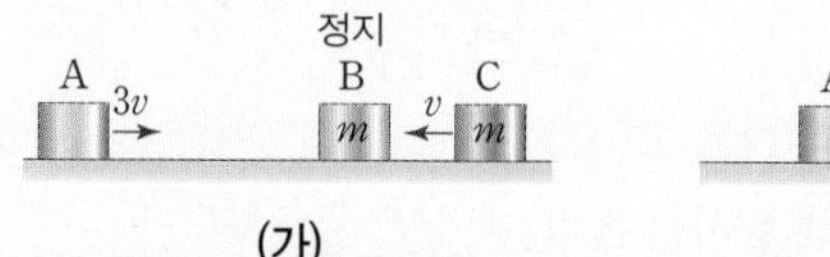

이에 대한 설명으로 옳은 것은 ○, 옳지 않은 것은 ×표 하시오.

(1) 충돌 전후 운동량의 총합은 같다. (　　)

(2) A의 질량은 m이다. (　　)

(3) 이 충돌은 완전 비탄성 충돌이다. (　　)

4-2

그림 (가)는 물체 A, B가 마찰에 없는 수평면에서 서로 반대 방향으로 운동하다 충돌하는 것을, (나)는 충돌 전후 A, B의 운동량을 시간에 따라 나타낸 것이다.

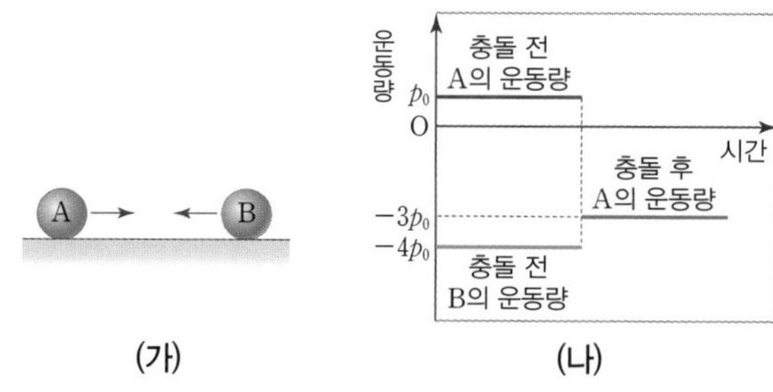

(1) 충돌 후 B의 운동량을 구하시오.

(2) 충돌하는 동안 A가 B로부터 받은 충격량을 구하시오.

(3) 충돌하는 동안 B가 A로부터 받은 충격량을 구하시오.

기초 유형 연습 | 운동량과 충격량

대표 기출 유형

그림 (가), (나)는 야구 선수가 질량과 속력이 같은 공을 각각 야구 방망이로 정반대 방향으로 쳐내는 것과 글러브로 받아 정지시키는 것을 나타낸 것이다. (가)에서 공이 야구 방망이와 충돌하는 시간은 (나)에서 공과 글러브가 충돌하는 시간보다 짧다.

(가) (나)

충돌하는 동안 (가)와 (나)의 물리량을 비교한 것으로 옳은 것만을 〈보기〉에서 있는 대로 고른 것은?

보기
ㄱ. 공의 운동량의 변화량은 (가)에서가 (나)에서보다 크다.
ㄴ. 공이 받은 충격량은 (가)에서가 (나)에서보다 크다.
ㄷ. 공이 받은 충격력은 (가)에서가 (나)에서보다 크다.

① ㄱ ② ㄱ, ㄴ ③ ㄱ, ㄷ
④ ㄴ, ㄷ ⑤ ㄱ, ㄴ, ㄷ

개념 point

운동량의 변화량은 나중 운동량에서 처음 운동량을 뺀 값으로, 충격량과 같다.

$$충격력 = \frac{충격량}{시간}$$

|보기| 풀이

ㄱ 처음 운동량을 p_0이라고 하면 공의 운동량의 변화량은 (가)에서는 p_0보다 크고 (나)에서는 p_0이다.

ㄴ 공이 받은 충격량은 운동량의 변화량과 같으므로 (가)에서가 (나)에서보다 크다.

ㄷ 공이 받은 충격량은 (가)에서가 더 크고, 충돌하는 시간은 (나)에서가 더 크므로 공이 받은 충격력은 (가)에서가 더 크다.

답 ⑤

2020학년도 4월 학평 15번 변형

1 그림 (가)는 마찰이 없는 수평면에서 각각 $2v$, v의 속력으로 운동하는 질량이 m인 공을 수평 방향으로 발로 차는 모습을, (나)는 (가)에서 공이 발로부터 받는 힘의 크기를 시간에 따라 나타낸 것이다.

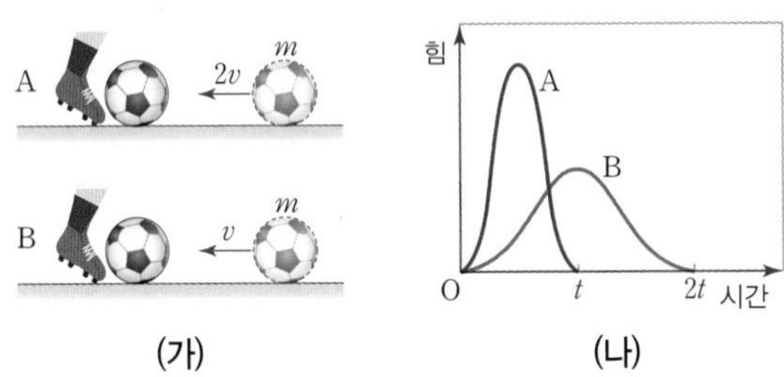

(가) (나)

이에 대한 설명으로 옳은 것만을 〈보기〉에서 있는 대로 고른 것은? (단, 그래프 아래의 넓이는 $4mv$로 같고, 공은 일직선상에서 운동한다.)

보기
ㄱ. 공이 받은 충격량의 크기는 A에서가 B에서보다 크다.
ㄴ. 공이 받은 충격력의 크기는 A에서가 B에서보다 크다.
ㄷ. 공이 발을 떠나는 순간 공의 속력은 A에서가 B에서보다 크다.

① ㄱ ② ㄴ ③ ㄷ
④ ㄱ, ㄴ ⑤ ㄱ, ㄴ, ㄷ

2 그림은 나무판에 고정된 물체를 향해 발사된 총알이 물체와 충돌한 후 정지한 모습을 나타낸 것이다. 이에 대한 설명으로 옳은 것만을 〈보기〉에서 있는 대로 고르시오.

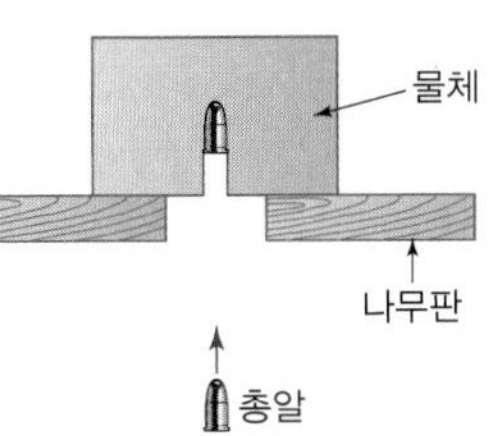

보기
ㄱ. 총알의 운동량은 변하지 않는다.
ㄴ. 총알이 받은 충격량의 크기와 물체가 받은 충격량의 크기는 같다.
ㄷ. 총알이 받은 힘과 물체가 받은 힘의 크기는 같다.

정답과 해설 8쪽

3 그림 (가), (나)와 같이 질량이 m인 물체 A, B가 $2v$의 속력으로 벽과 충돌한 후 각각 v, $2v$의 속력으로 튀어나왔다.

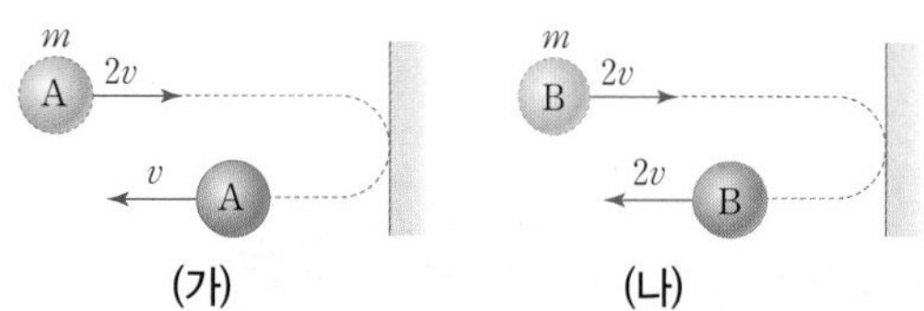

(가) (나)

이에 대한 설명으로 옳은 것만을 〈보기〉에서 있는 대로 고른 것은?

보기

ㄱ. A의 운동량의 변화량의 크기는 $3mv$이다.

ㄴ. B가 벽으로부터 받은 충격량의 크기는 $4mv$이다.

ㄷ. A, B의 충돌 시간이 같다고 할 때 충격력의 크기는 A에서가 B에서보다 크다.

① ㄱ ② ㄴ ③ ㄷ
④ ㄱ, ㄴ ⑤ ㄱ, ㄴ, ㄷ

4 그림 (가)는 질량이 m인 물체가 v의 속력으로 정지해 있는 질량이 $2m$인 물체와 충돌하는 것을, (나)는 질량이 $2m$인 물체가 v의 속력으로 정지해 있는 질량이 m인 물체와 충돌하는 것을 나타낸 것이다. (가)와 (나) 모두 충돌 후에는 두 물체가 붙어서 운동한다. (단, 모든 마찰은 무시한다.)

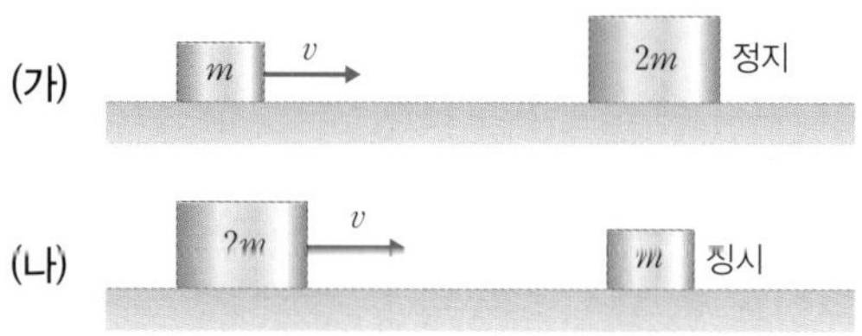

(1) (가)에서 충돌 후 두 물체의 속력을 구하시오.

(2) (나)에서 충돌 후 두 물체의 운동량의 합을 구하시오.

2018학년도 4월 학평 7번

5 그림 (가)는 수평면에서 등속 직선 운동 하는 질량이 같은 두 공 A, B를 발로 정지시키는 모습을, (나)는 (가)에서 A, B의 운동량의 크기를 시간에 따라 나타낸 것이다.

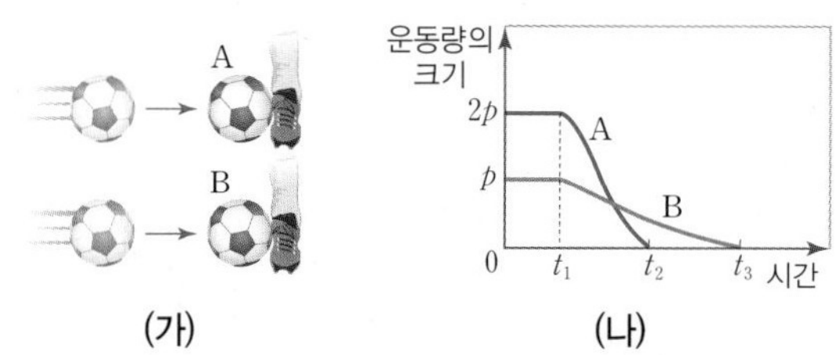

(가) (나)

이에 대한 설명으로 옳은 것만을 〈보기〉에서 있는 대로 고른 것은?

보기

ㄱ. t_1 이전의 충돌하기 전 공의 속력은 A가 B보다 더 크다.

ㄴ. A가 t_1에서 t_2까지 충돌하는 동안 받은 충격량은 B가 t_1에서 t_3까지 충돌하는 동안 받은 충격량보다 크다.

ㄷ. 충돌할 때 공이 받은 충격력은 B가 A보다 더 크다.

① ㄱ ② ㄷ ③ ㄱ, ㄴ
④ ㄴ, ㄷ ⑤ ㄱ, ㄴ, ㄷ

2017학년도 7월 학평 4번 변형

6 그림 (가)는 정지해 있는 질량이 m인 물체 A를 망치로 쳤을 때 물체가 벽에 부딪혀 튀어나오는 모습을, (나)는 A의 속도를 시간에 따라 나타낸 것이다. 망치와 벽은 A에 각각 t_0, $3t_0$ 동안 힘을 작용하였다.

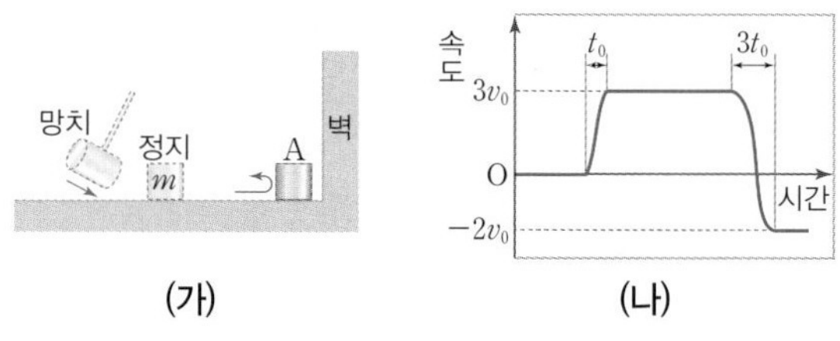

(가) (나)

(1) A가 망치와 충돌하는 동안 받은 충격력의 크기는 얼마인지 서술하시오.

(2) A가 벽과 충돌하는 동안 받은 충격력의 크기는 얼마인지 서술하시오.

1주 4일

5일 역학적 에너지 보존

핵심 개념

1 일

- **일**: 물체에 힘을 작용하여 물체가 힘의 방향으로 이동했을 때 힘이 일을 했다고 한다.

➡ 일=힘의 크기×❶ [ ], $W=Fs$ (단위: J(줄))

- 힘−이동 거리 그래프에서 그래프 아래의 넓이는 힘이 한 ❷ [ ] 을 의미한다.

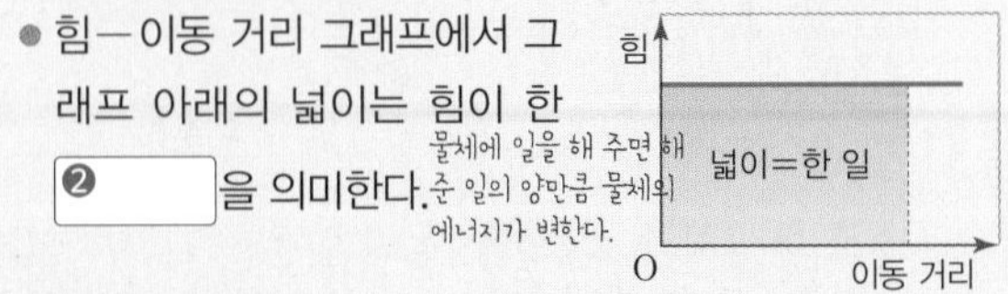

2 역학적 에너지

- **운동 에너지(E_k)**: 운동하는 물체가 가진 에너지

➡ 운동 에너지$=\frac{1}{2}$×질량×❸ [ ], $E_k=\frac{1}{2}mv^2$

- 물체에 작용한 알짜힘이 한 일(W)은 물체의 운동 에너지 변화량(ΔE_k)과 같다.

➡ $W=Fs=\frac{1}{2}mv^2-\frac{1}{2}mv_0^2=\Delta E_k$

- **퍼텐셜 에너지**: 물체가 기준 위치와 다른 위치에 있을 때 가지는 에너지

① 중력 퍼텐셜 에너지(E_p): 질량이 m인 물체가 기준점으로부터 높이 h인 곳에 있을 때 가지는 중력 퍼텐셜 에너지는 $E_p=mgh$(g: 중력 가속도)이다.

② 탄성 퍼텐셜 에너지(E_p): 탄성을 가진 물체를 변화시켰을 때 가지는 에너지로, 용수철 상수가 k인 용수철이 x만큼 변형되었을 탄성 퍼텐셜 에너지는 $\frac{1}{2}kx^2$이다.

답 ❶ 이동 거리 ❷ 일 ❸ 속도^2

개념 확인

정답과 해설 9쪽

1-1

그림 (가)는 마찰이 없는 수평면 위에 정지해 있는 질량이 1 kg인 물체에 수평 방향으로 힘을 작용하는 것을, (나)는 물체에 작용한 힘을 이동 거리에 따라 나타낸 것이다.

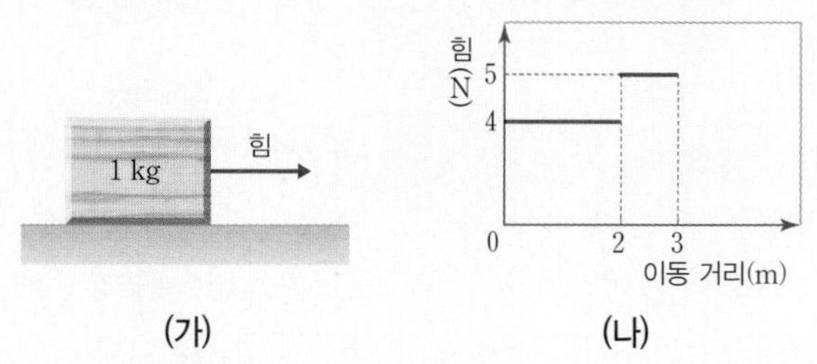

(1) 0~2 m 구간에서 힘이 한 일은 몇 J인지 구하시오.

(2) 2~3 m 구간에서 힘이 한 일은 몇 J인지 구하시오.

(3) 0~3 m 구간에서 힘이 한 일은 몇 J인지 구하시오.

1-2

그림 (가)는 수평면 위에 놓여 있는 질량이 2 kg인 물체를 힘 F로 들어 올리는 것을, (나)는 F의 크기를 수평면으로부터의 높이에 따라 나타낸 것이다.

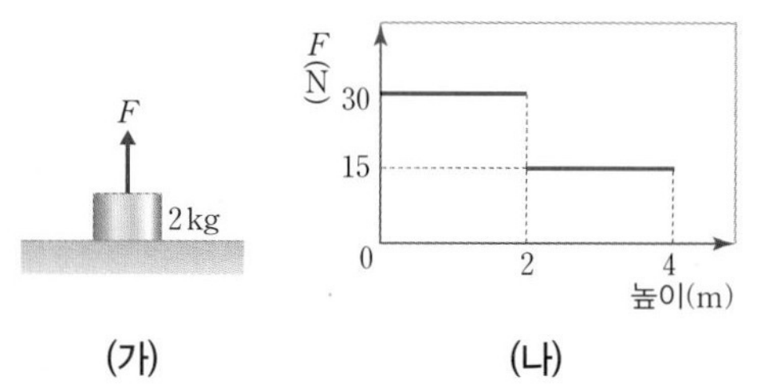

이에 대한 설명으로 옳은 것은 ○, 옳지 않은 것은 ×표 하시오.

(1) 0~2 m 구간에서 F가 한 일은 60 J이다. (　　　)

(2) 2~4 m 구간에서 F가 한 일은 60 J이다. (　　　)

(3) 0~4 m 구간에서 F가 한 일은 90 J이다. (　　　)

2-1

그림은 정지해 있는 질량이 2 kg인 물체에 수직 방향으로 30 N의 힘을 작용하여 물체를 1 m 이동시킨 모습을 나타낸 것이다. (단, 중력 가속도는 10 m/s^{2}이다.)

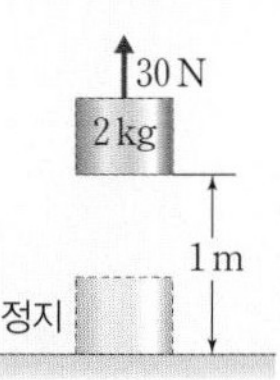

(1) 물체에 한 일은 몇 J인지 구하시오.

(2) 물체의 역학적 에너지는 몇 J인지 구하시오.

(3) 물체의 중력 퍼텐셜 에너지는 몇 J인지 구하시오.

2-2

그림은 빗면의 p점에 있던 수레가 빗면을 따라 내려와 정지해 있는 나무 도막과 부딪혀 거리 L만큼 이동한 후 정지한 것을 나타낸 것이다.

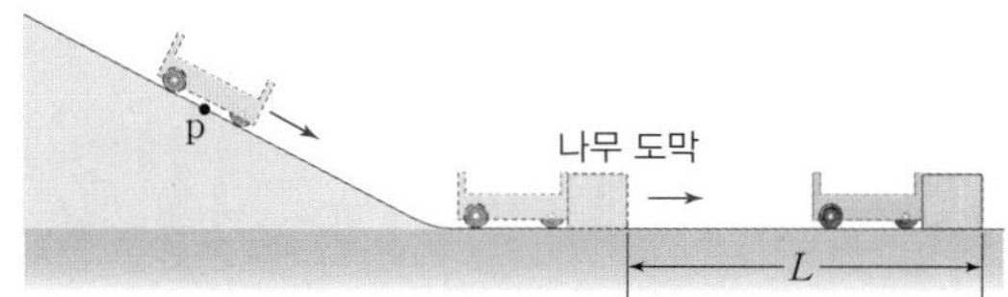

이에 대한 설명으로 옳은 것은 ○, 옳지 않은 것은 ×표 하시오.

(1) 빗면을 따라 내려올 때 수레의 중력 퍼텐셜 에너지가 운동 에너지로 전환된다. (　　　)

(2) 나무 도막과 부딪히는 수레는 나무 도막에 일을 한다. (　　　)

5일 역학적 에너지 보존

핵심 개념

3 역학적 에너지 보존

- **역학적 에너지**: 운동 에너지 퍼텐셜 에너지의 합
- **역학적 에너지 보존**: 마찰이나 공기 저항이 없으면 물체의 역학적 에너지는 항상 ❶ ______ 하게 보존된다.
- **중력에 의한 역학적 에너지 보존**:

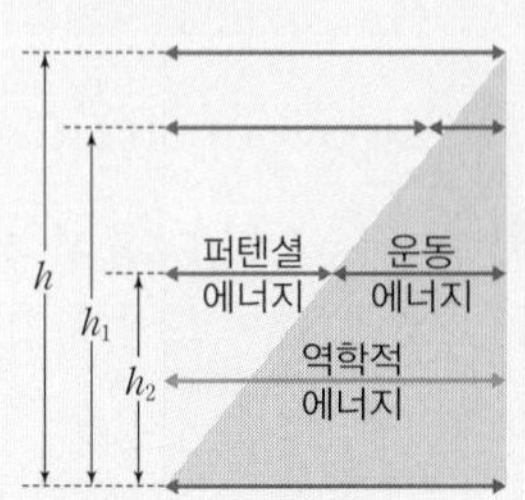

O mgh — 중력 퍼텐셜 에너지 최대
‖
A $mgh_1+\frac{1}{2}mv_1^2$
‖
B $mgh_2+\frac{1}{2}mv_2^2$
‖
C $\frac{1}{2}mv^2$ — 운동 에너지 최대

지면

- **탄성력에 의한 역학적 에너지 보존**: 용수철을 당겼다가 놓으면 용수철의 탄성력이 물체에 한 일(=감소한 탄성 퍼텐셜 에너지)만큼 물체의 ❷ ______ 에너지가 증가한다. ➡ $E=\frac{1}{2}kA^2=\frac{1}{2}mv_1^2+\frac{1}{2}kx_1^2=\frac{1}{2}mv^2$

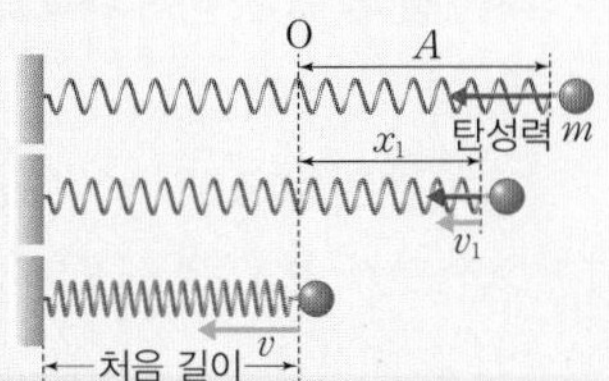

탄성 퍼텐셜 에너지 최대 / 운동 에너지 최대

4 역학적 에너지가 보존되지 않는 경우

- 물체가 운동할 때 마찰이나 공기 저항과 같이 운동을 방해하는 힘을 받으면 역학적 에너지는 보존되지 않는다.
  — 감소한 역학적 에너지는 대부분 열에너지로 변한다.

답 ❶ 일정 ❷ 운동

개념 확인

정답과 해설 9쪽

3-1

그림은 영희가 그네를 타고 점 a, b, c 사이를 왕복하는 모습을 나타낸 것이다. (단, 모든 마찰과 공기 저항은 무시한다.)

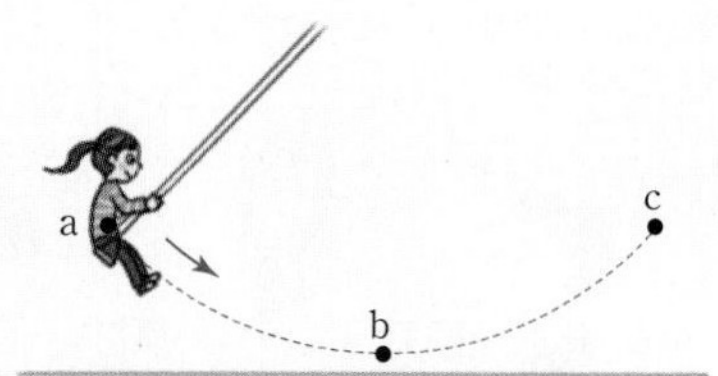

( ) 안에 들어갈 알맞은 말을 쓰시오.

(1) a에서 b로 이동하는 동안 영희의 중력 퍼텐셜 에너지는 (   )한다.

(2) b에서 c로 이동하는 동안 영희의 운동 에너지는 (   )한다.

(3) b점에서의 영희의 중력 퍼텐셜 에너지가 가장 (   ).

(4) a, b, c에서 영희의 역학적 에너지는 (   ).

3-2

그림은 곡면 위의 A 지점에 수레를 가만히 놓았을 때 수레가 곡면을 따라 B, C 지점을 차례로 지나가는 모습을 나타낸 것이다. (단, 모든 마찰과 공기 저항은 무시한다.)

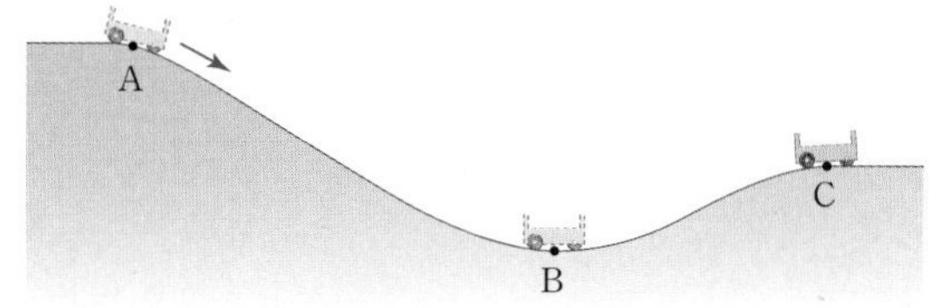

이에 대한 설명으로 옳은 것은 ○, 옳지 않은 것은 ×표 하시오.

(1) A에서 B로 이동하는 동안 운동 에너지는 증가한다. (   )

(2) B에서 C로 이동하는 동안 중력 퍼텐셜 에너지는 감소한다. (   )

(3) A점에서는 중력 퍼텐셜 에너지가 최대이고, B점에서는 운동 에너지가 최고이다. (   )

(4) A, B, C에서의 역학적 에너지는 모두 다르다. (   )

4-1

그림과 같이 마찰이 없는 수평면 위에서 한쪽 끝이 벽에 고정된 용수철에 추를 매달아 평형점 O에서 B까지 잡아당겼다가 놓았더니 추가 A점과 B점 사이를 진동하였다.

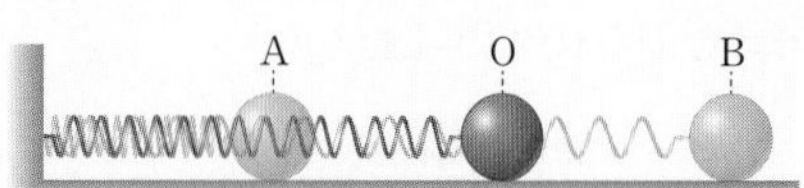

이에 대한 설명으로 옳은 것은 ○, 옳지 않은 것은 ×표 하시오. (단, 모든 마찰은 무시한다.)

(1) A, O, B 중 탄성 퍼텐셜 에너지가 가장 큰 지점은 O이다. (   )

(2) A, O, B 중 운동 에너지가 가장 큰 지점은 O이다. (   )

(3) A, O, B에서 역학적 에너지는 모두 같다. (   )

4-2

그림은 수평면에서 용수철 상수가 800 N/m인 용수철을 한쪽 벽에 고정해 놓고 질량이 2 kg인 물체를 높이 0.8 m인 빗면 위에서 가만히 놓은 모습을 나타낸 것이다. 빗면을 내려온 물체는 B점에서 용수철과 접촉하여 C점까지 압축된 뒤 다시 튕겨나왔다. (단, 중력 가속도는 10 m/s^{2}이고, 모든 마찰은 무시한다.)

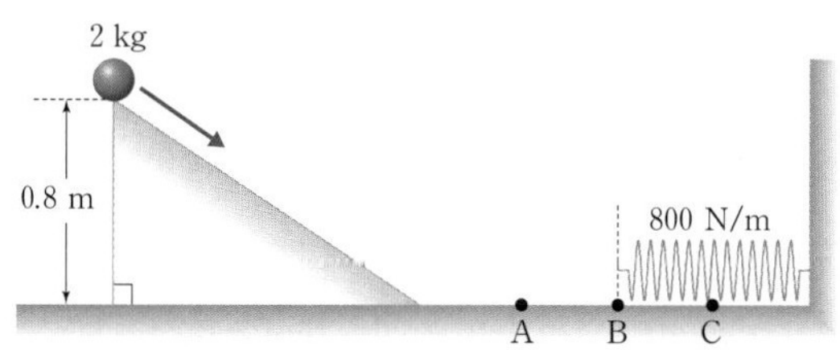

(1) A에서 물체의 운동 에너지는 몇 J인지 구하시오.

(2) B와 C 사이의 길이는 몇 m인지 구하시오.

1주
5일

기초 유형 연습 | 역학적 에너지 보존

대표 기출 유형

그림 (가)는 수평면 위에 정지해 있는 질량이 $10\ kg$인 물체를 $15\ m$ 떨어진 곳까지 미는 것을, (나)는 물체를 미는 힘을 이동 거리에 따라 나타낸 것이다.

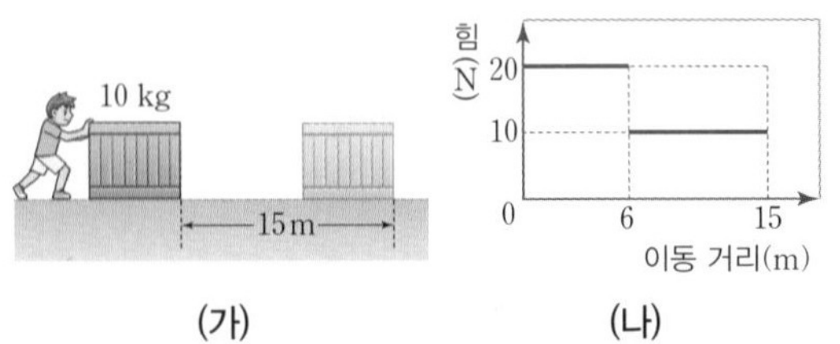

(가) (나)

이에 대한 설명으로 옳은 것만을 〈보기〉에서 있는 대로 고른 것은?

보기

ㄱ. $0\sim6\ m$ 이동하는 동안 물체에 한 일은 $120\ J$이다.

ㄴ. $6\sim15\ m$ 이동하는 동안 물체에 한 일은 $150\ J$이다.

ㄷ. 힘－이동 거리 그래프에서 그래프 아래 넓이는 힘이 한 일과 같다.

① ㄱ ② ㄴ ③ ㄷ
④ ㄱ, ㄷ ⑤ ㄱ, ㄴ, ㄷ

개념 point

물체에 한 일은 물체에 작용한 힘과 이동 거리의 곱으로 구한다. ➡ $W=Fs$

힘－이동 거리 그래프에서 그래프 아래의 넓이는 힘이 한 일을 의미한다.

|보기 풀이|

ㄱ 한 일은 미는 힘과 이동 거리의 곱이다. $0\sim6\ m$ 이동하는 동안 힘은 $20\ N$, 이동 거리는 $6\ m$이므로 한 일은 $W=Fs=20\ N\times6\ m=120\ J$이다.

ㄴ $6\sim15\ m$ 이동하는 동안 힘은 $10\ N$, 이동 거리는 $9\ m$이다. 따라서 한 일은 $10\ N\times9\ m=90\ J$이다.

ㄷ 힘－이동 거리 그래프에서 그래프 아래의 넓이는 힘이 한 일을 의미한다.

답 ④

1 그림은 학생들이 일에 대해 이야기하는 모습을 나타낸 것이다.

옳은 설명을 한 사람만을 있는 대로 고른 것은?

① 철수 ② 영희 ③ 민수
④ 철수, 영희 ⑤ 영희, 민수

2 그림은 전동기로 질량이 $3\ kg$인 물체에 힘 F를 가하여 등속으로 $2\ m$ 들어 올린 것을 나타낸 것이다. (단, 중력 가속도는 $10\ m/s^2$이다.)

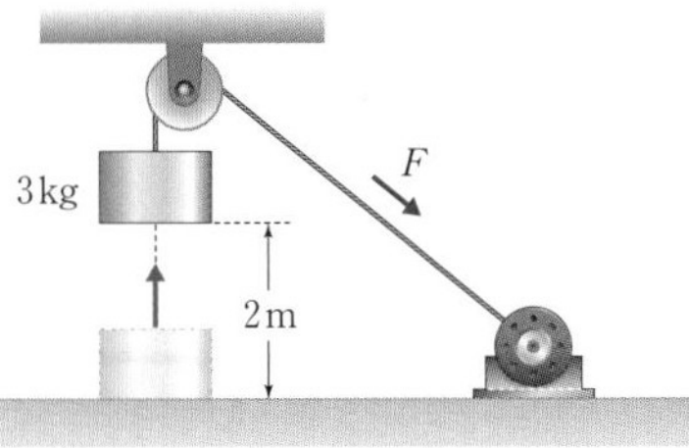

(1) 당기는 힘 F의 크기는 몇 N인지 구하시오.

(2) 물체를 들어 올리는 동안 한 일은 몇 J인지 구하시오.

정답과 해설 10쪽

3 그림은 빗면 위의 점 A에 쇠구슬을 가만히 놓았더니 점 B를 지나 수평면 위의 C점에 놓여 있는 나무 도막과 충돌하여 함께 s만큼 이동하여 정지한 것을 나타낸 것이다.

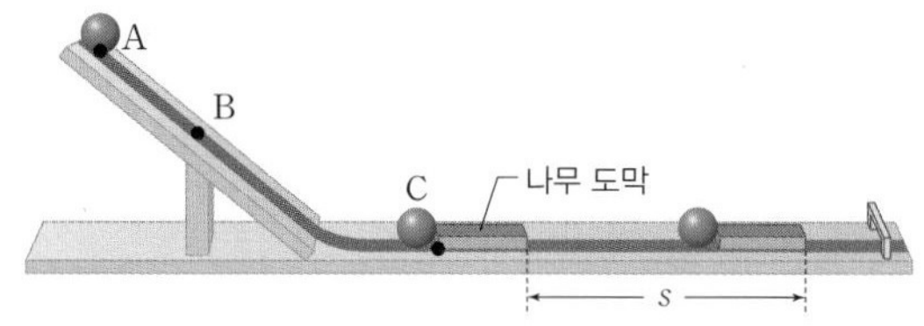

이에 대한 설명으로 옳은 것만을 〈보기〉에서 있는 대로 고른 것은? (단, 모든 마찰은 무시한다.)

보기
ㄱ. A에서 중력 퍼텐셜 에너지와 B에서 운동 에너지는 같다.
ㄴ. 구슬을 B에 놓으면 나무 도막의 이동 거리는 줄어든다.
ㄷ. A에서 중력 퍼텐셜 에너지와 나무 도막에 한 일은 같다.

① ㄱ ② ㄴ ③ ㄷ
④ ㄴ, ㄷ ⑤ ㄱ, ㄴ, ㄷ

4 그림 (가)는 마찰이 없는 수평면 위에 놓인 질량이 3 kg인 물체에 힘을 가하여 잡아당기는 모습을, (나)는 이 물체의 속도를 시간에 따라 나타낸 것이다.

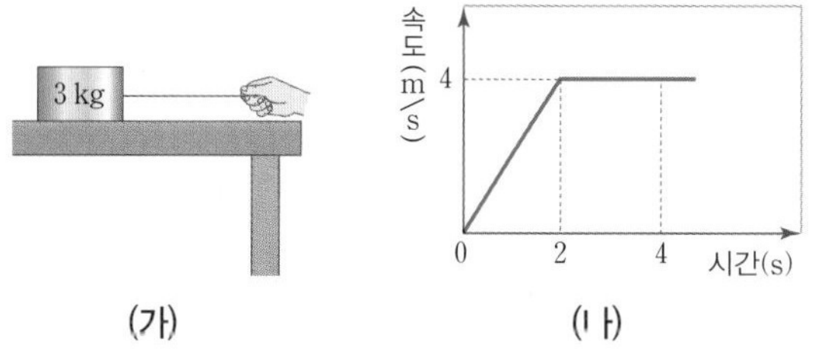

(1) 0~2초 동안 물체에 작용한 힘은 몇 N인지 구하시오.

(2) 0~2초 동안 물체에 한 일은 몇 J인지 구하시오.

(3) 0~4초 동안 물체에 한 일은 몇 J인지 구하시오.

5 그림은 마찰이 없는 수평면 위에서 용수철 상수가 k인 용수철의 한 끝을 벽에 고정하고 다른 한쪽 끝에 질량 m인 물체를 매달아 평형점 O로부터 A만큼 압축시킨 모습을 나타낸 것이다.

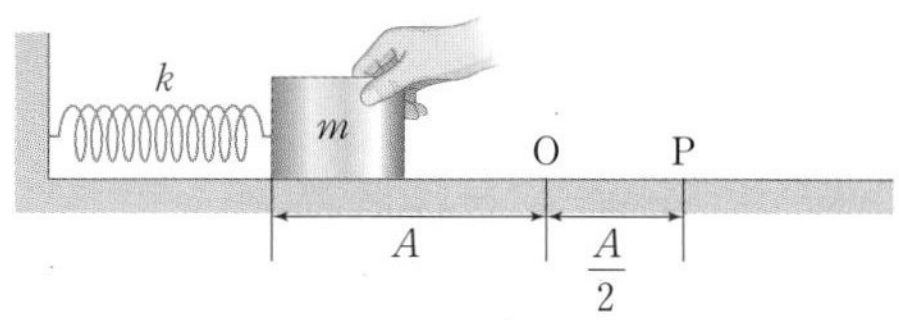

(1) 용수철을 A만큼 압축시켰을 때 탄성 퍼텐셜 에너지를 구하시오.

(2) O에서 운동 에너지는 얼마인지 구하시오.

(3) P에서 운동 에너지는 얼마인지 풀이 과정과 함께 서술하시오.

6 그림은 한쪽 끝이 천장에 매달린 용수철의 다른 쪽 끝에 물체를 매달고 가만히 놓았을 때 물체가 운동하는 것을 나타낸 것이다. 물체가 아래로 내려가면서 용수철이 늘어나는 동안 일어나는 현상에 대한 설명으로 옳은 것만을 〈보기〉에서 있는 대로 고른 것은? (단, 모든 마찰과 공기 저항은 무시한다.)

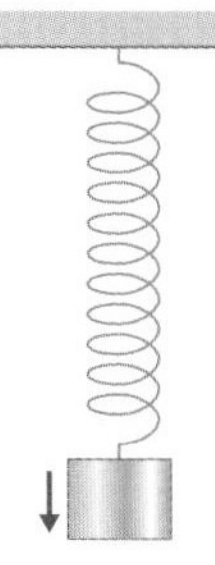

보기
ㄱ. 물체의 중력 퍼텐셜 에너지는 감소한다.
ㄴ. 물체의 탄성 퍼텐셜 에너지는 감소한다.
ㄷ. 물체의 중력 퍼텐셜 에너지와 탄성 퍼텐셜 에너지 및 운동 에너지의 합은 일정하다.

① ㄱ ② ㄴ ③ ㄷ
④ ㄱ, ㄴ ⑤ ㄱ, ㄷ

1주 5일

1주 누구나 100점 테스트

기출 문제로 이번 주 학습 내용 확인하기

2020학년도 10월 학평 1번

1 그림은 놀이 기구 A, B, C가 운동하는 모습을 나타낸 것이다.

A: 자유 낙하　　B: 회전 운동　　C: 왕복 운동

운동 방향이 일정한 놀이 기구만을 있는 대로 고른 것은?

① A　② B　③ A, C　④ B, C　⑤ A, B, C

2020학년도 7월 학평 4번

2 그림은 지면 위에 있는 받침대에 의해 지구본이 공중에 떠 정지해 있는 모습을 나타낸 것이다. 받침대와 지구본의 무게는 각각 w로 같다.

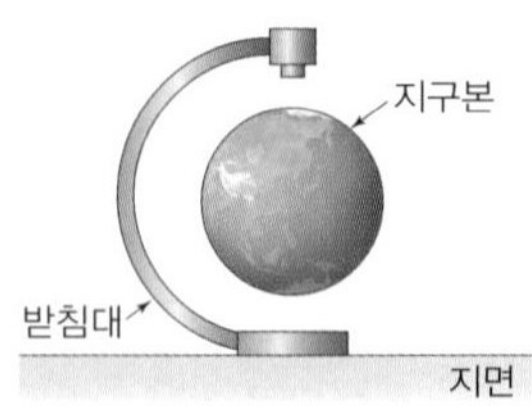

이에 대한 설명으로 옳은 것만을 〈보기〉에서 있는 대로 고른 것은?

보기
ㄱ. 지구본에 작용하는 알짜힘은 0이다.
ㄴ. 받침대에 작용하는 중력과 지면이 받침대를 떠받치는 힘은 작용·반작용 관계이다.
ㄷ. 받침대가 지면을 누르는 힘의 크기는 w이다.

① ㄱ　② ㄴ　③ ㄱ, ㄷ　④ ㄴ, ㄷ　⑤ ㄱ, ㄴ, ㄷ

3 그림은 직선 도로를 따라 등가속도 운동을 하는 자동차의 속력을 시간에 따라 나타낸 것이다.

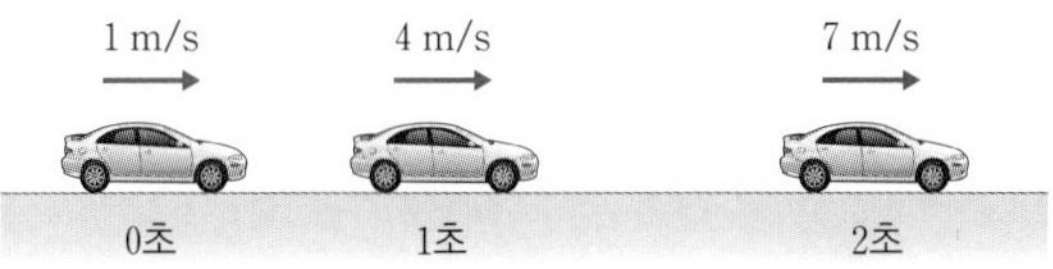

자동차의 가속도는 몇 m/s^2인지 구하시오. (단, 자동차의 크기는 무시한다.)

4 다음은 학생들이 뉴턴 운동 제2법칙에 대해 대화를 나누는 모습을 나타낸 것이다.

옳게 말한 사람을 있는 대로 고른 것은?

① 철수　② 영희　③ 민수　④ 철수, 영희　⑤ 철수, 영희, 민수

5 그림은 도르래를 이용하여 질량이 m인 물체를 일정한 속력 v로 들어 올리는 모습을 나타낸 것이다. 이에 대한 설명으로 옳은 것만을 〈보기〉에서 있는 대로 고르시오. (단, 중력 가속도는 g이고, 모든 마찰은 무시한다.)

보기
ㄱ. 물체에 작용하는 알짜힘은 0이다.
ㄴ. 줄을 당기는 힘은 일정하다.
ㄷ. 물체가 줄에 작용하는 힘의 크기는 mg이다.

① ㄱ　② ㄴ　③ ㄱ, ㄷ　④ ㄴ, ㄷ　⑤ ㄱ, ㄴ, ㄷ

정답과 해설 10쪽

6 그림은 직선상에서 운동하는 질량이 $2\ \mathrm{kg}$인 물체의 속도를 시간에 따라 나타낸 것이다.

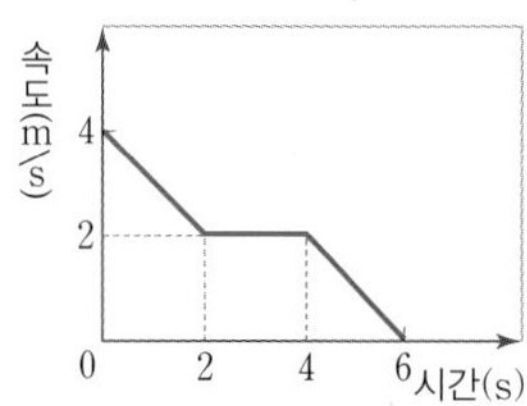

이에 대한 설명으로 옳은 것만을 <보기>에서 있는 대로 고른 것은?

보기
ㄱ. 0~2초 동안 등속 직선 운동을 한다.
ㄴ. 2~4초 동안 이동 거리는 4 m이다.
ㄷ. 4~6초 동안 작용한 평균 힘의 크기는 2 N이다.

① ㄱ　② ㄷ　③ ㄱ, ㄴ
④ ㄴ, ㄷ　⑤ ㄱ, ㄴ,

7 다음은 자동차 충돌 실험에 대한 설명이다.

자동차 충돌 실험을 할 때 일정한 속도로 달리던 자동차가 구조물에 충돌하면 자동차 안의 ⓐ인형은 자동차가 진행하던 방향으로 계속 운동하여 에어백에 충돌한다. 이때 에어백은 ⓑ인형이 충돌하는 시간을 길게 하여 인형이 받는 충격력을 감소시키는 역할을 한다.

ⓐ, ⓑ와 관련 있는 현상을 <보기>에서 골라 옳게 짝 지은 것은?

보기
ㄱ. 후추통을 흔들면 후추가 밖으로 빠져나온다.
ㄴ. 포신이 긴 대포일수록 포탄을 멀리 보낼 수 있다.
ㄷ. 높은 곳에서 뛰어내릴 때 무릎을 굽히면서 착지한다.

	ⓐ	ⓑ		ⓐ	ⓑ
①	ㄱ	ㄴ	②	ㄱ	ㄷ
③	ㄴ	ㄱ	④	ㄴ	ㄷ
⑤	ㄷ	ㄱ			

2020학년도 10월 학평 11번 변형

8 그림과 같이 $7\ \mathrm{m/s}$의 속력으로 운동하던 물체 A가 정지해 있던 물체 B와 충돌한 후 $-x$ 방향으로 운동하여 높이가 $0.2\ \mathrm{m}$인 최고점까지 올라갔다. A, B의 질량은 각각 $1\ \mathrm{kg}$, $3\ \mathrm{kg}$이고, 충돌 후 B의 속력은 v이다.

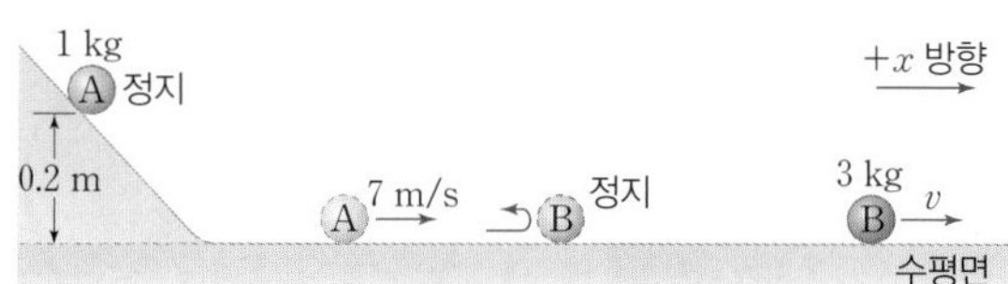

v는 몇 m/s인지 구하시오. (단, 중력 가속도는 $10\ \mathrm{m/s^2}$이고, 모든 마찰은 무시한다)

2020학년도 4월 학평 19번 변형

9 그림과 같이 질량이 m인 물체가 점 p, q를 지나 최고점 r에 도달한다. 물체의 역학적 에너지는 p에서 q까지 운동하는 동안 감소하고, p와 q의 높이 차는 h이다. 물체가 p에서 q까지 운동하는 동안 운동 에너지 감소량은 중력 퍼텐셜 에너지 증가량의 3배이다. 물체가 p에서 q까지 운동하는 동안 역학적 에너지 감소량은 얼마인지 서술하시오. (단, 중력 가속도는 g이다.)

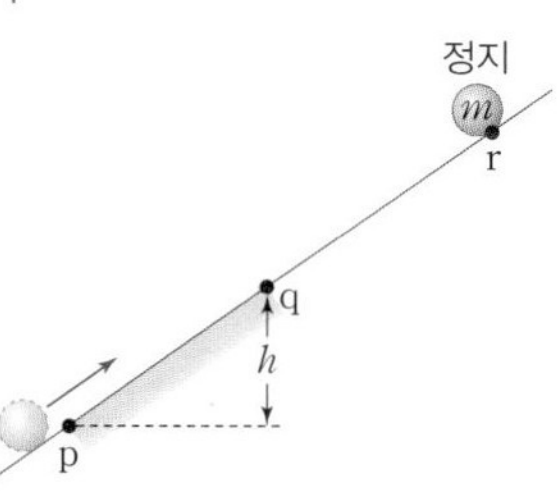

2020학년도 7월 학평 7번 변형

10 그림 (가), (나)와 같이 유리판과 사포 위에서 한쪽 끝이 벽에 고정된 용수철에 나무 도막을 연결하고 평형점 O에서 P 지점까지 당겼다 놓았다. 나무 도막이 진동하다 멈출 때까지 걸린 시간은 유리판에서는 5초, 사포에서는 2초였다.

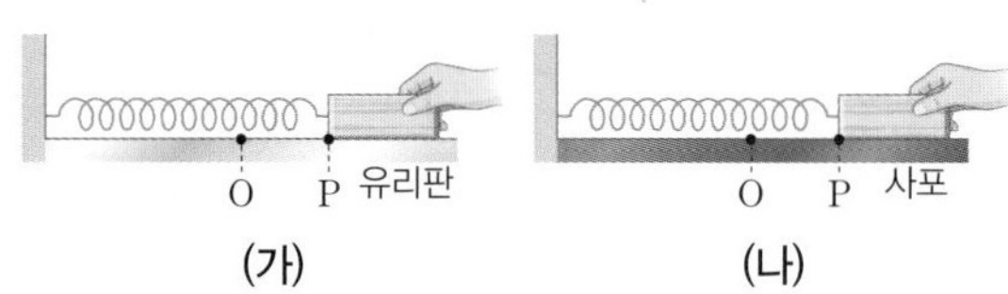

(가)와 (나) 중 멈출 때까지 이동 거리가 더 큰 경우를 고르시오.

일상생활에서 충격량을 크게 하거나 충격력을 줄이는 방법을 찾아보자!

충돌 시간을 길게 하여 충격력을 줄이는 방법

야구공을 받을 때 손을 뒤로 빼면 충격을 줄일 수 있어!

뜀틀에서 뛰어내릴 때 무릎을 구부리면 충격을 줄일 수 있어!

정답과 해설 11쪽

| 2021학년도 9월 모평 2번 |

그림 A, B, C는 충격량과 관련된 예를 나타낸 것이다.

A. 골프채를 휘두르는 속도를 더 크게 해서 공을 친다.

B. 글러브를 뒤로 빼면서 공을 받는다.

C. 사람을 안전하게 구조하기 위해 낙하 지점에 에어 매트를 설치한다.

이에 대한 설명으로 옳은 것만을 <보기>에서 있는 대로 고른 것은?

보기

ㄱ. A에서는 공이 받는 충격량이 커진다.
ㄴ. B에서는 충돌 시간이 늘어나 글러브가 받는 평균 힘이 작아진다.
ㄷ. C에서는 사람의 운동량의 변화량과 사람이 받는 충격량이 같다.

① ㄱ ② ㄷ ③ ㄱ, ㄴ ④ ㄴ, ㄷ ⑤ ㄱ, ㄴ, ㄷ

1 주 특강

특강 충격량과 충격력

- **충격량**: 물체가 받은 충격의 정도를 나타내는 양으로, 크기와 방향을 가진다.
  ① 충격량은 물체에 작용하는 힘과 힘이 작용한 시간에 비례한다.
  ② 충격량은 물체의 운동량의 변화량과 같다.
  ③ 힘－시간 그래프에서 그래프 아래의 넓이는 충격량을 나타낸다.
- **충격력(평균 힘)**: 충돌할 때 물체가 받는 힘
  ① 충격량이 같을 때 충돌 시간이 길수록 충격력이 작아진다.
  ② 충돌 시간을 길게 하여 충격력을 줄이거나 충격량을 크게 하는 방법

충돌 시간을 길게 하여 충격력을 줄이는 방법	충돌 시간을 길게 하여 충격량을 크게 하는 방법
• 자동차가 충돌할 때 에어백이 작용한다. • 포수가 야구공을 받을 때 손을 뒤로 빼면서 받는다.  	• 포신이 길수록 포탄이 더 멀리 날아간다. • 테니스 채를 끝까지 휘두를수록 공을 빠르게 칠 수 있다. 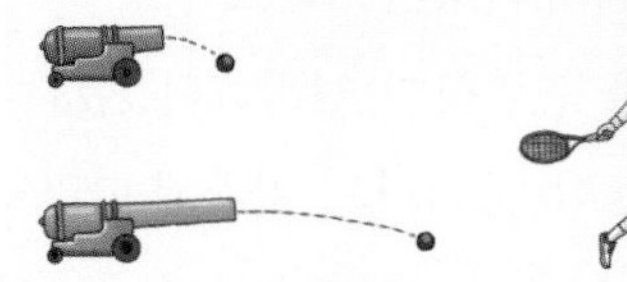 

1 2017학년도 수능 3번 등가속도 직선 운동

그림과 같이 다리 위에서 자동차가 등가속도 직선 운동❶을 하고 있다. 자동차가 이웃한 교각 사이의 구간을 지나는 데 걸린 시간은 모두 같다.❷

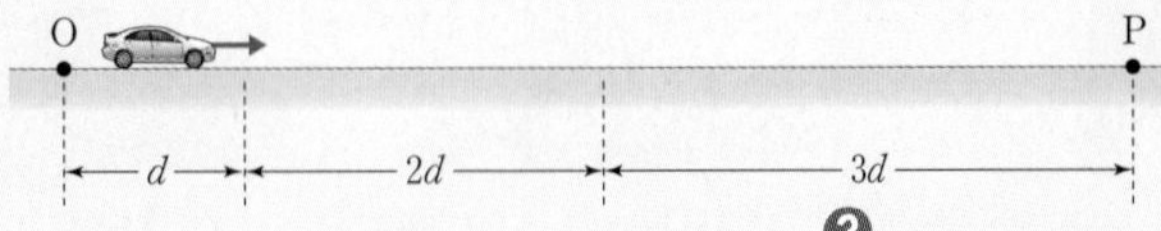

점 O에서 점 P까지 자동차의 속력을 위치에 따라 나타낸 그래프❸로 가장 적절한 것은? (단, 자동차의 크기는 무시한다.)

① 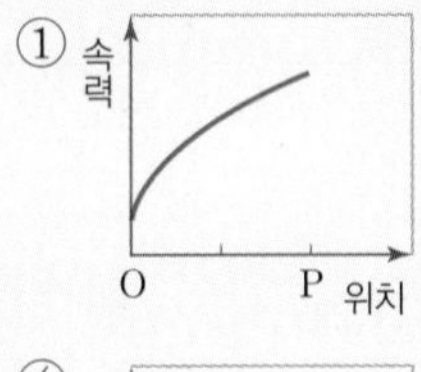

② 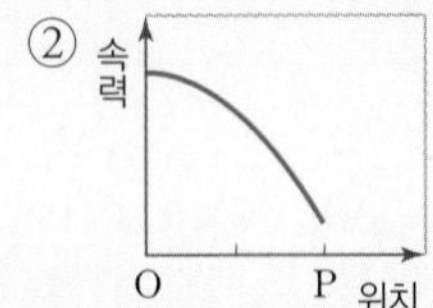

③ 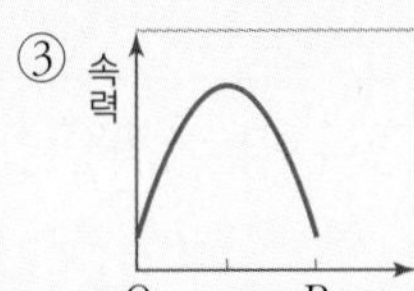

④ 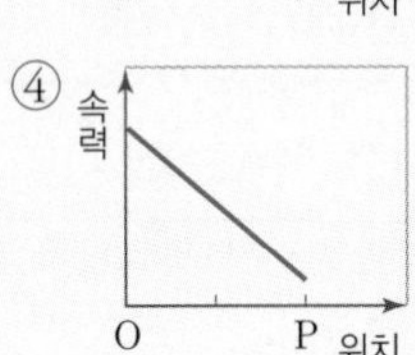

⑤ 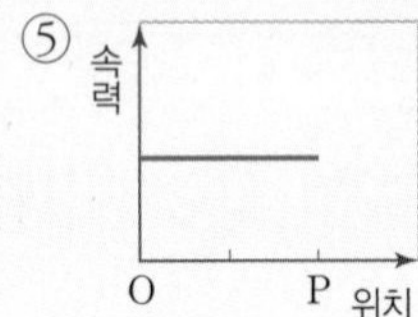

❶ 등가속도 직선 운동

등가속도 직선 운동의 식

$$v=v_0+at,\quad s=v_0t+\frac{1}{2}at^2,\quad 2as=v^2-v_0^2$$

자동차가 등가속도 직선 운동을 하므로 O점을 지나는 순간 자동차의 속도를 v_0, 가속도를 a라고 하면 시간 t초 후의 속도는 $v=v_0+at$이고, 시간 t 동안 이동 거리는 $s=v_0t+\frac{1}{2}at^2$이다.

❷ 이웃한 교각 사이의 구간을 지나는 데 걸린 시간은 모두 같다.

이웃한 교각 사이의 구간을 지나는 데 걸린 시간이 같고 교각 사이의 거리는 점점 길어진다. 즉 같은 시간 동안 이동한 거리가 점점 늘어난다. 따라서 자동차는 속도가 점점 빨라지는 등가속도 직선 운동을 한다.

❸ 속력을 위치에 따라 나타낸 그래프

❶에서 두 식을 연립하여 정리하면 $2as=v^2-v_0^2$이 되고, 거리 s만큼 이동했을 때 자동차의 속력은 $v=\sqrt{v_0^2+2as}$이다. 따라서 위치에 따라 속력을 그래프로 나타내면 거리의 제곱근에 비례하여 증가하는 그래프가 된다.

정답과 해설 11쪽

2 2020학년도 7월 학평 1번 비스듬히 던진 물체의 운동

그림과 같이 수영 선수가 점 p에서 점 q까지 곡선 경로를 따라 이동한다. 선수가 p에서 q까지 이동하는 동안, 선수의 운동에 대한 설명으로 옳은 것만을 〈보기〉에서 있는 대로 고른 것은?

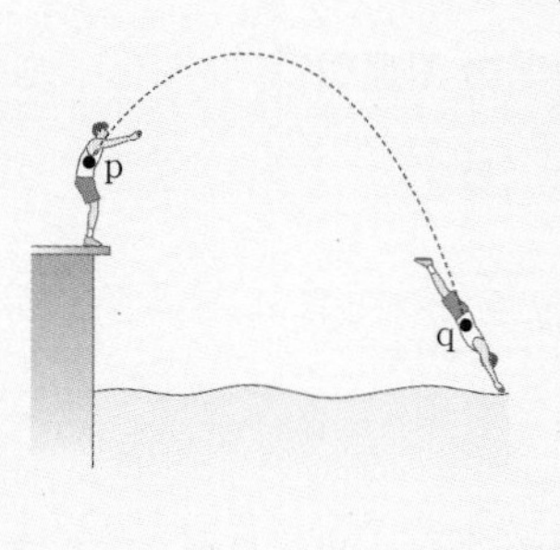

보기

ㄱ. 이동 거리와 변위의 크기는 같다.

ㄴ. 평균 속력은 평균 속도의 크기보다 크다.

ㄷ. 속력과 운동 방향이 모두 변하는 운동을 한다.

① ㄱ ② ㄴ ③ ㄱ, ㄷ ④ ㄴ, ㄷ ⑤ ㄱ, ㄴ, ㄷ

≫ 자료 분석 Tip

이동 거리와 변위, 속력과 속도의 차이를 확실히 알아야 한다. 비스듬히 던져진 물체의 운동은 속력과 운동 방향이 모두 변하는 운동이다.

≫ 문제 해결 Tip

곡선 운동에서 이동 거리는 변위의 크기보다 크다.

3 2018학년도 6월 모평 3번 변형 직선 운동의 그래프 해석

그림 (가)는 직선 운동을 하는 자동차의 모습을 나타낸 것이며, 0초일 때 점 P에서 자동차의 속력은 4 m/s이고, 6초일 때 점 Q에서 자동차의 속력은 6 m/s이다. 그림 (나)는 자동차의 가속도를 시간에 따라 나타낸 것이다.

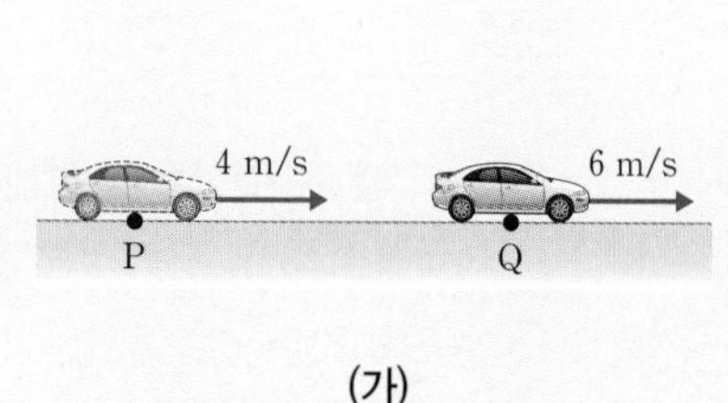

(가)

가속도 (m/s^2)
2
0
−1
2 4 6
시간 (s)

(나)

자동차의 운동에 대한 설명으로 옳은 것만을 〈보기〉에서 있는 대로 고른 것은?

보기

ㄱ. 1초일 때 가속도의 크기는 1 m/s^2이다.

ㄴ. 3초일 때 속력은 2 m/s이다.

ㄷ. 4초부터 6초까지 평균 속력은 4 m/s이다.

① ㄱ ② ㄴ ③ ㄱ, ㄷ ④ ㄴ, ㄷ ⑤ ㄱ, ㄴ, ㄷ

≫ 자료 분석 Tip

직선 운동에서 (−)부호는 방향이 반대임을 나타낸다. 가속도−시간 그래프에서 물체의 속도 변화를 알 수 있다.

≫ 문제 해결 Tip

가속도$=\frac{\text{속도 변화량}}{\text{걸린 시간}}$이고, 가속도−시간 그래프에서 그래프와 시간축 사이의 넓이는 속도 변화량을 나타낸다.

4 2021학년도 수능 6번

힘과 운동

표는 물체의 운동 A, B, C에 대한 자료이다. (○: 예, ×: 아니요)

특징	A	B	C
물체의 속력이 일정하다.	×	○	×
물체에 작용하는 알짜힘의 방향이 일정하다.	○	×	○
물체에 작용하는 알짜힘의 방향이 물체의 운동 방향과 같다.	○	×	×

이에 대한 설명으로 옳은 것만을 〈보기〉에서 있는 대로 고른 것은?

보기

ㄱ. 자유 낙하 하는 공의 등가속도 직선 운동은 A에 해당한다.❶

ㄴ. 등속 원운동을 하는 위성의 운동은 B에 해당한다.❷

ㄷ. 수평면에 대해 비스듬히 던진 공의 포물선 운동은 C에 해당한다.❸

① ㄴ ② ㄷ ③ ㄱ, ㄴ ④ ㄱ, ㄷ ⑤ ㄱ, ㄴ, ㄷ

❶ **등가속도 직선 운동:** 등가속도 직선 운동은 가속도가 일정한 운동으로, 가속도의 방향과 알짜힘의 방향이 같으며 힘의 크기도 일정하다. 또한 힘의 방향과 운동 방향이 같아서 운동 방향이 변하지 않는다.

❷ **등속 원운동:** 등속 원운동은 속력이 일정하고 운동 방향은 계속 바뀐다. 알짜힘은 항상 원운동의 중심을 향하므로 방향이 계속 바뀌며, 크기는 일정하다.

❸ **비스듬히 던진 물체의 운동:** 마찰을 무시하면 비스듬히 던진 물체에 중력만 작용하므로 알짜힘의 방향은 일정하다. 이 물체의 운동 방향은 계속 바뀌고, 물체의 속력도 계속 바뀐다.

5 2020학년도 10월 학평 16번

충격량과 충격력

다음은 충돌에 대한 실험이다.

[실험 과정]

(가) 그림과 같이 수레 A 또는 B를 벽면에 매달린 용수철을 향해 운동시킨다. A, B의 질량은 각각 1 kg, 4 kg이다.

운동 센서　A 또는 B　용수철　x　수평면

(나) 수레가 용수철과 충돌하기 전부터 충돌한 후까지 고정된 운동 센서와 수레 사이의 거리 x를 측정한다.

[실험 결과]

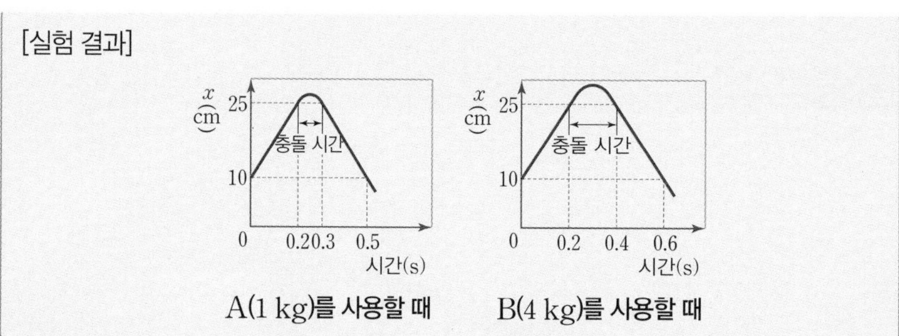

A(1 kg)를 사용할 때 B(4 kg)를 사용할 때

충돌하는 동안 A, B가 용수철로부터 받은 충격량의 크기를 각각 I_A, I_B, 평균 힘의 크기를 각각 F_A, F_B라 할 때, $I_A : I_B$와 $F_A : F_B$로 옳은 것은?

	$I_A:I_B$	$F_A:F_B$
①	1 : 4	1 : 4
②	1 : 4	1 : 2
③	1 : 2	1 : 4
④	1 : 2	1 : 2
⑤	1 : 2	1 : 1

» **자료 분석 Tip**
주어진 시간에 따른 그래프를 통해 수레의 속력과 속력 변화를 유추할 수 있어야 한다.

» **문제 해결 Tip**
충돌 전후 같은 시간 동안 이동한 거리를 비교해 보면 A, B의 속력 변화를 알 수 있고, 속력 변화량을 통해 운동량의 변화량을 알 수 있다.

1주 특강

6 2018학년도 6월 모평 3번 — 역학적 에너지 보존

그림은 높이 $4h$인 점 A에 질량이 m인 물체를 가만히 놓았을 때 물체가 B점을 지나 높이 $3h$인 C점을 통과하여 운동하는 것을 나타낸 것이다.

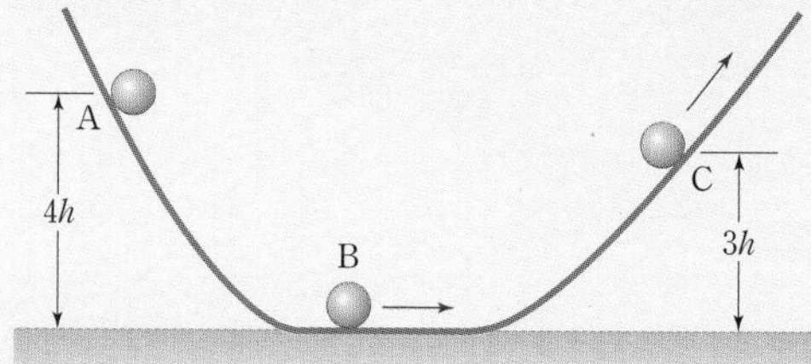

이에 대한 설명으로 옳은 것만을 〈보기〉에서 있는 대로 고른 것은? (단, 중력 가속도는 g이고, 모든 마찰은 무시한다.)

보기

ㄱ. 물체의 역학적 에너지는 A에서 가장 크다.
ㄴ. A에서 B까지 운동하는 동안 물체의 운동 에너지는 $4mgh$만큼 증가한다.
ㄷ. B에서 물체의 속력은 C에서 물체의 속력의 2배이다.

① ㄱ ② ㄷ ③ ㄱ, ㄴ ④ ㄴ, ㄷ ⑤ ㄱ, ㄴ, ㄷ

» **자료 분석 Tip**
마찰을 무시할 때 역학적 에너지는 보존된다. 물체가 내려올 때는 중력 퍼텐셜 에너지가 운동 에너지로 전환되고, 올라갈 때는 운동 에너지가 중력 퍼텐셜 에너지로 전환된다.

» **문제 해결 Tip**
역학적 에너지가 보존되므로 A, B, C에서 역학적 에너지는 같다. 운동 에너지는 물체의 속력의 제곱에 비례한다.

Week 2

이번 주에는 무엇을 공부할까? ①

I. 역학과 에너지 ~ II. 물질과 전자기장

배울 내용

Week 2

이번 주에는 무엇을 공부할까? ②

중학 기초 개념

1 온도와 열

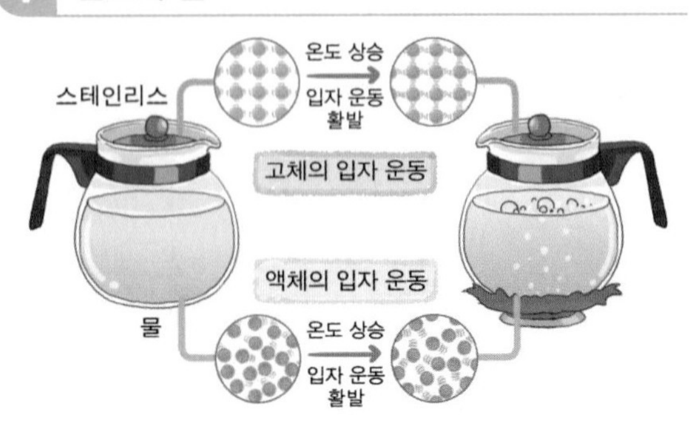

온도는 물체의 차고 뜨거운 정도를 나타내는 것으로, 온도가 높으면 분자 운동이 활발하고 온도가 낮으면 분자 운동이 느리다.

Quiz 물체를 구성하는 입자들의 운동이 활발해질 때는 온도가 ❶ ______ 지고, 물체를 구성하는 입자들의 운동이 느려질 때는 온도가 ❷ ______ 진다.

2 열평형

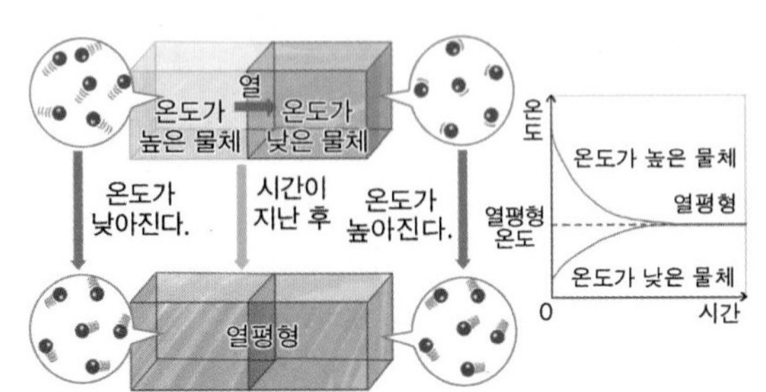

온도가 다른 두 물체가 접촉했을 때 온도가 높은 물체에서 온도가 낮은 물체로 열이 이동하여 두 물체의 온도가 같아진 상태를 열평형 상태라고 한다.

Quiz 온도가 다른 두 물체가 접촉해 있으면 온도가 높은 물체에서 온도가 ❸ ______ 물체로 열이 이동하여 온도가 변하지 않는 ❹ ______ 상태에 도달한다.

3 열팽창

▲ 다리의 이음매 ▲ 구부러진 가스관

물체의 온도가 높아지면 입자 운동이 활발해지므로 입자들 사이의 거리가 멀어져 물체의 부피가 늘어나는 현상을 열팽창이라고 한다.

Quiz 물체의 온도가 높아지면 물체를 구성하는 입자들의 운동이 활발해져 부피가 ❺ ______ 하고, 온도가 낮아지면 입자들의 운동에 둔해져서 부피가 ❻ ______ 한다.

4 기체의 온도와 부피

냉장고 안

페트병을 냉장고에 넣어 두면 찌그러진다.

냉장고 밖

따뜻한 집 안에서는 페트병이 팽팽하다.

샤를 법칙은 일정한 압력에서 일정량의 기체의 온도가 높아지면 부피는 온도에 비례하여 증가하는 성질을 나타내는 법칙이다.

Quiz 공기가 들어 있는 풍선을 드라이아이스 위에 올려 놓으면 부피가 ❼ ______ 하고, 뜨거운 물 위에 올려 놓으면 부피가 ❽ ______ 한다.

답 ❶ 높아 ❷ 낮아 ❸ 낮은 ❹ 열평형 ❺ 증가 ❻ 감소 ❼ 감소 ❽ 증가

5 기체의 압력과 부피

보일 법칙은 일정한 온도에서 일정량의 기체에 가해지는 압력과 기체의 부피는 서로 반비례하는 성질을 나타내는 법칙이다.

Quiz 일정한 온도에서 주사기 피스톤을 눌러 압력을 가할 때 압력이 2배가 되면 부피는 ❶ ____ 배가 되고, 압력이 4배가 되면 부피는 ❷ ____ 배가 된다.

6 에너지 전환과 보존

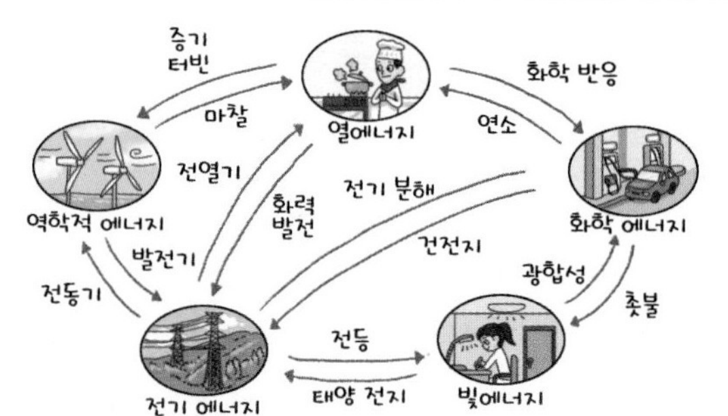

에너지는 한 종류에서 다른 종류의 에너지로 끊임없이 전환된다. 에너지가 전환될 때 에너지는 새로 생기거나 사라지지 않고 총량은 항상 일정하다.

Quiz 에너지가 한 종류에서 다른 종류로 변하는 것을 에너지 ❸ ____ 이라 하고, 이때 에너지는 생기거나 사라지지 않고 총량은 항상 일정하게 ❹ ____ 된다.

7 원자의 구조

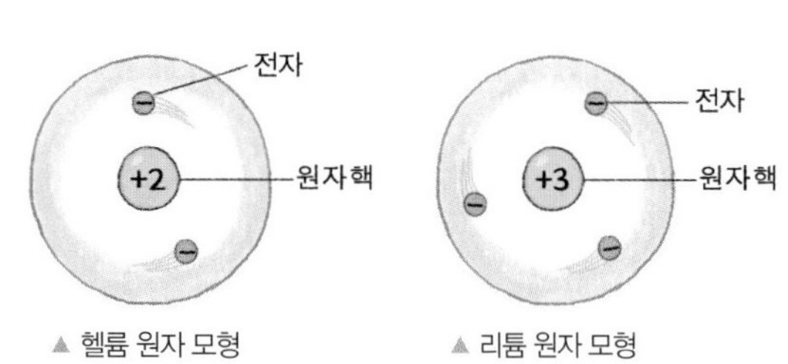

▲ 헬륨 원자 모형 ▲ 리튬 원자 모형

원자의 중심에는 (+)전하를 띤 원자핵이 있고 (−)전하를 띤 전자가 원자핵 주위를 빠르게 운동한다. 원자핵의 (+)전하는 전자의 (−)전하의 합과 같아 전기적으로 중성이다.

Quiz 원자는 원자핵의 (+)전하량과 전자의 (−)전하량이 같아 전기적으로 ❺ ____ 이다.

8 전기력

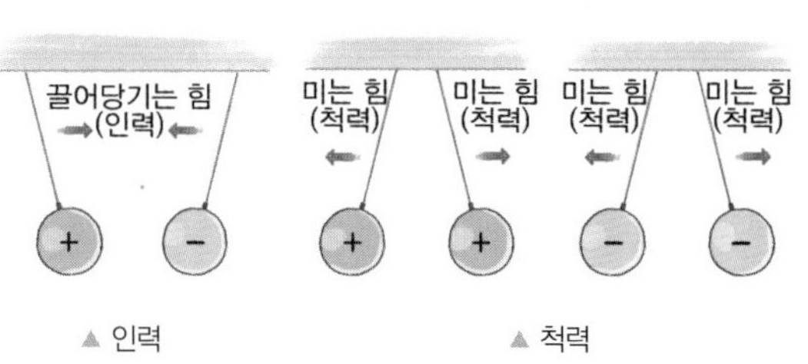

▲ 인력 ▲ 척력

전기력이란 전기를 띤 두 물체 사이에 작용하는 힘으로 다른 종류의 전하 사이는 서로 끌어당기는 인력이, 같은 종류의 전하 사이는 서로 미는 척력이 작용한다.

Quiz (+)전하와 (+)전하를 띤 물체 사이에는 서로 미는 ❻ ____ 이, (+)전하와 (−)전하를 띤 물체 사이에는 서로 끌어당기는 ❼ ____ 이 작용한다.

답 ❶ $\frac{1}{2}$ ❷ $\frac{1}{4}$ ❸ 전환 ❹ 보존 ❺ 중성 ❻ 척력 ❼ 인력

1 일

열역학 제1법칙

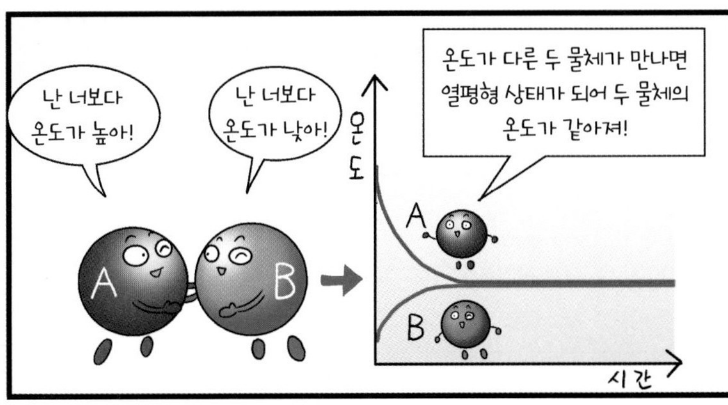

핵심 개념

1 내부 에너지

- **열**: 온도가 다른 두 물체가 접촉할 때, 온도가 높은 물체에서 낮은 물체로 이동하는 에너지
- **열평형 상태**: 두 물체가 접촉하였을 때 두 물체의 온도가 같아져 더 이상 ❶ ______이 없는 상태
- **열역학 제0법칙**: 물체 A와 B가 열평형을 이루고, A와 C가 열평형을 이룬다면, 물체 B와 C도 열평형을 이루어 온도가 모두 같다.
- **이상 기체**: 분자 사이의 인력과 분자의 크기를 무시할 수 있는 기체
- **내부 에너지**: 기체 분자의 퍼텐셜 에너지와 ❷ ______의 총합으로, 이상 기체일 때 내부 에너지는 기체 분자의 운동 에너지의 총합이고 온도에 비례한다.

  └ 이상 기체는 분자들 사이에 작용하는 힘이 매우 작아 퍼텐셜 에너지가 0이므로

2 기체가 하는 일

- 기체가 일정한 압력 P로 부피가 ΔV만큼 팽창하면 외부에 W만큼 일을 하는데, 이때 $W=P\Delta V$이다.
- 기체가 외부에 일을 할 때 $(W>0)$ 기체의 부피는 증가하고, 기체가 외부로부터 일을 받을 때 $(W<0)$ 기체의 부피는 감소한다.
- 압력-부피 그래프에서 그래프 아래의 넓이는 기체가 ❸ ______과 같다.

➡ 기체가 압축과 팽창을 반복하는 순환 과정에서 기체가 한 일 W는 그래프로 둘러싸인 부분의 넓이이다.

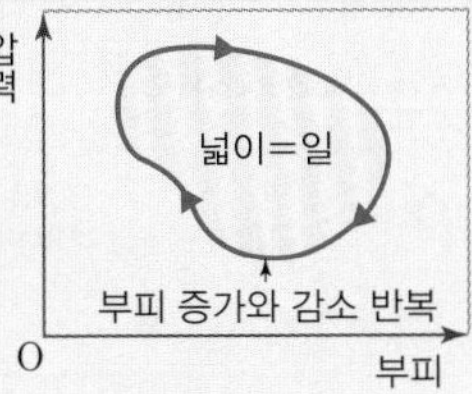

답 ❶ 열의 이동 ❷ 운동 에너지 ❸ 한 일

개념 확인

정답과 해설 13쪽

1-1

그림은 온도가 다른 두 물체 A, B를 접촉해 놓았을 때 시간에 따른 온도를 나타낸 것이다.

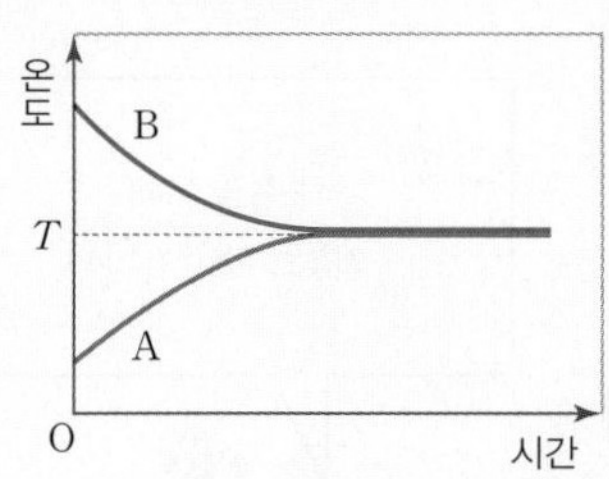

이에 대한 설명으로 옳은 것은 ○, 옳지 않은 것은 ×표 하시오.

(1) A에서 B로 열이 이동한다. (　　)

(2) A의 평균 분자 운동 에너지는 감소한다. (　　)

(3) 두 물체는 온도 T에서 열평형 상태에 이르렀다. (　　)

1-2

그림은 10 ℃의 물이 들어 있는 수조 A에 60 ℃의 물이 들어 있는 비커 B를 넣었을 때 시간에 따른 온도를 나타낸 것이다.

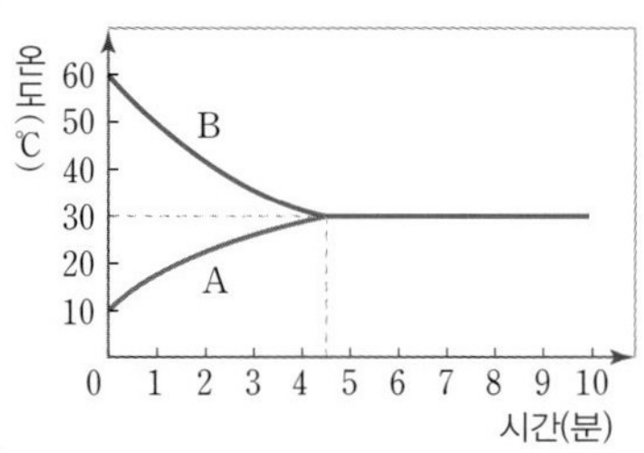

(　　) 안에 들어갈 알맞은 말을 고르거나 쓰시오.

(1) A의 내부 에너지는 (증가, 일정, 감소)한다.

(2) B의 평균 분자 운동 에너지는 (증가, 일정, 감소)한다.

(3) 위 그래프에서 열평형 온도는 몇 ℃인지 쓰시오.

2-1

그림은 공기가 들어 있는 찌그러진 페트병의 마개를 닫고 뜨거운 물속에 넣었더니 페트병이 원래 모양대로 돌아오는 것을 본 학생들의 대화이다.

옳은 의견을 제시한 학생만을 있는 대로 고른 것은?

① 철수　② 영희　③ 민수
④ 철수, 영희　⑤ 영희, 민수

2-2

그림은 일정량의 이상 기체가 A, B, C를 따라 상태가 변할 때 압력과 부피를 나타낸 것이다.

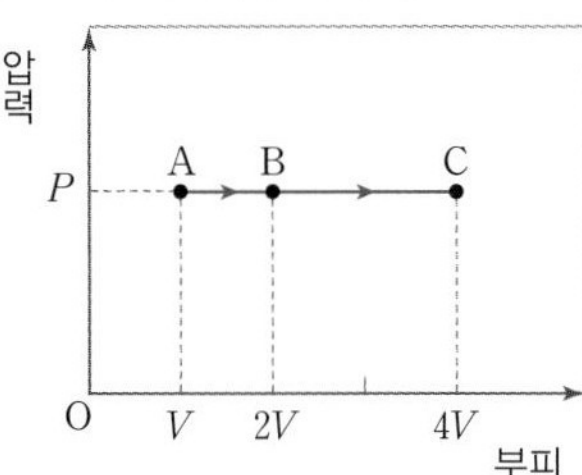

이에 대한 설명으로 옳은 것은 ○, 옳지 않은 것은 ×표 하시오.

(1) 기체의 온도는 B에서가 A에서보다 높다. (　　)

(2) A → B 과정에서 한 일은 B → C 과정에서 한 일의 2배이다. (　　)

(3) A → B 과정에서 내부 에너지의 변화는 없다. (　　)

2주 1일

1일 열역학 제1법칙

핵심 개념

3 열역학 제1법칙

- 기체에 열을 가하거나 열을 뺏으면 기체의 온도나 부피가 변한다. (온도: 내부 에너지 변화, 부피: 외부에 일을 하거나 일을 받음)
- **열역학 제1법칙**: 기체에 가해 준 열에너지 Q는 내부 에너지 변화량(ΔU)과 외부에 한 일(W)의 합과 같다.
  ➡ $Q=\Delta U+W$

① 기체가 열을 흡수한 경우 $Q>0$이고, 기체가 열을 방출한 경우 $Q<0$이다.

② 열역학 제1법칙은 열이 일과 내부 에너지로 전환되어 그 양이 보존된다는 것으로, 열에너지와 역학적 에너지를 포함한 ❶ ______ 이다.

4 열역학 과정

- **등압 과정**: ❷ ______ 이 일정하고 받은 열은 내부 에너지 증가와 외부에 한 일의 합과 같다. ➡ $Q=\Delta U+W$
- **등적 과정**: 부피가 일정해 외부에 한 일은 없고 받은 열은 내부 에너지 증가량과 같다. ➡ $W=0, Q=\Delta U$
- **등온 과정**: ❸ ______ 가 일정해 내부 에너지는 변화 없고 받은 열은 외부에 한 일과 같다. ➡ $\Delta U=0, Q=W$
- **단열 과정**: 외부와 열 출입이 없어 외부에 한 일은 내부 에너지 감소량과 같다. ➡ $Q=0, W=-\Delta U$
- 단열 팽창하면 외부에 일을 하고, 일을 한 만큼 내부 에너지는 감소하여 온도가 낮아진다.

답 ❶ 에너지 보존 법칙 ❷ 압력 ❸ 온도

개념 확인

정답과 해설 13쪽

3-1

다음은 열역학 제1법칙에 대한 설명이다. (　　) 안에 들어갈 알맞은 말을 쓰시오.

(1) 기체에 가해 준 열에너지는 (　　　)과 외부에 한 일의 합과 같다.

(2) 열역학 제1법칙은 (　　　)와 역학적 에너지를 포함한 에너지 보존 법칙이다.

(3) 이상 기체에 1000 J의 열을 가했더니 내부 에너지가 400 J 증가하였다면 이 기체가 외부에 한 일은 (　　　) J이다.

(4) 기체의 내부 에너지 변화량이 음(−)의 값을 가지면 기체의 온도는 (　　　).

3-2

그림은 일정량의 이상 기체에 열을 가했을 때 압력과 부피를 나타낸 것이다. 기체가 A에서 B로 상태가 변할 때, 이에 대한 설명으로 옳은 것은 ○, 옳지 않은 것은 ×표 하시오.

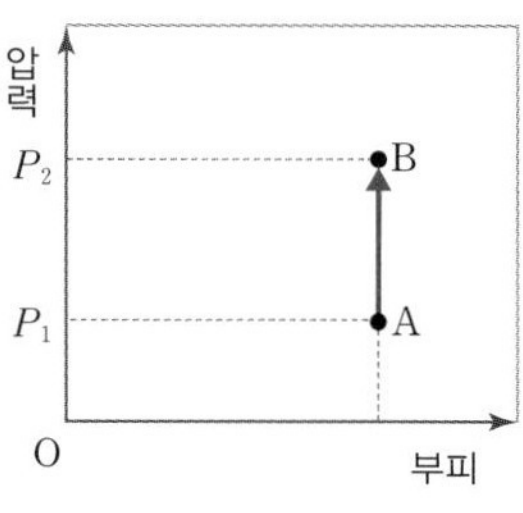

(1) 열에너지를 포함한 총 에너지는 보존된다. (　　　)

(2) 기체는 외부에 일을 한다. (　　　)

(3) 기체에 가해 준 에너지는 내부 에너지의 변화량과 같다. (　　　)

4-1

다음은 열역학 과정을 설명한 것이다. (　　) 안에 들어갈 알맞은 말을 쓰시오.

(1) 기체의 압력이 일정하고 기체의 부피와 절대 온도가 비례하는 과정은 (　　　)이다.

(2) 등적 과정에서는 기체의 부피가 일정해 외부에 한 일이 없으므로 기체가 흡수한 열량은 (　　　)과 같다.

(3) (　　　)에서는 기체의 온도가 일정해 내부 에너지의 변화가 없으므로 기체가 흡수한 열량은 기체가 한 일과 같다.

(4) 단열 과정은 외부와 열 출입이 없으므로 기체가 외부에 한 일은 기체의 내부 에너지 (　　　)과 같다.

4-2

그림과 같이 외부와 단열되고 피스톤이 고정된 실린더에 들어 있는 이상 기체에 열량 Q를 가하였다.

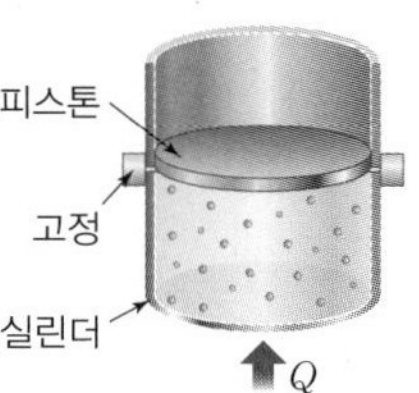

이에 대한 설명으로 옳은 것은 ○, 옳지 않은 것은 ×표 하시오. (단, 피스톤과 실린더 사이의 마찰은 무시한다.)

(1) 기체는 외부에 일을 한다. (　　　)

(2) 기체의 압력은 증가한다. (　　　)

(3) 기체의 내부 에너지 증가량은 Q와 같다. (　　　)

1일

기초 유형 연습 | 열역학 제1법칙

대표 기출 유형

그림 (가)와 같이 평형 상태에 있는 일정량의 이상 기체에 일정 시간 동안 열량 Q를 가했더니 (나)와 같이 피스톤이 이동하여 정지하였다.

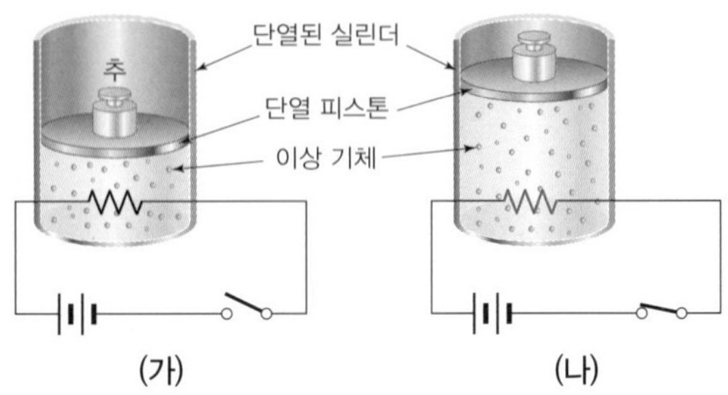

(가) (나)

이에 대한 설명으로 옳은 것만을 〈보기〉에서 있는 대로 고른 것은? (단, 실린더와 피스톤을 통한 열 출입은 없고 마찰은 무시한다.)

보기

ㄱ. 기체는 외부에 일을 한다.
ㄴ. 기체의 내부 에너지가 증가한다.
ㄷ. 내부 기체의 압력은 일정하다.

① ㄱ ② ㄱ, ㄴ ③ ㄱ, ㄷ
④ ㄴ, ㄷ ⑤ ㄱ, ㄴ, ㄷ

개념 point

기체의 부피가 증가하면 외부에 일을 한다.
온도가 올라가면 기체의 내부 에너지는 증가한다.
실린더와 피스톤 사이의 마찰을 무시하면 평형을 이룰 때 내부 기체의 압력은 추의 무게＋피스톤의 무게＋대기압과 같다.

|보기| 풀이

ㄱ 기체의 부피가 증가하였으므로 기체는 외부에 일을 한다.
ㄴ 기체의 부피가 증가하였으므로 기체 분자 운동이 활발해지고, 온도가 높아진다. 따라서 내부 에너지도 증가한다.
ㄷ (가)에서 평형을 이루고 있으므로 기체의 압력은 추의 무게＋피스톤의 무게＋대기압과 같다. (나)에서도 평형을 이루고 있으므로 압력은 일정하다.

답 ⑤

1 그림과 같이 일정량의 이상 기체가 실린더 안에 들어 있다. 이 이상 기체에 열이 들어오거나 나갔더니 피스톤이 움직여 기체의 부피가 $\varDelta V$ 만큼 증가하였다. 외부의 압력은 P로 일정하고, 피스톤의 단면적은 A이다.

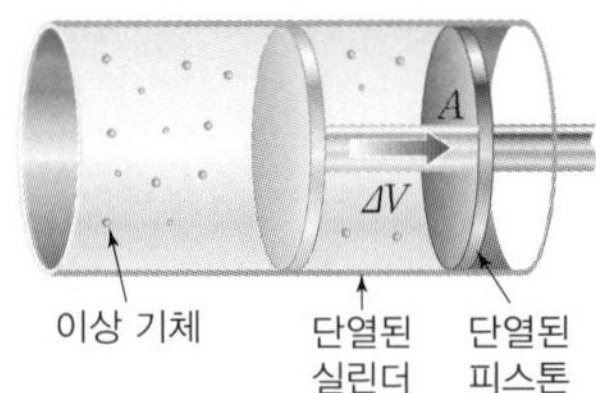

이에 대한 설명으로 옳지 않은 것은? (단, 실린더와 피스톤 사이의 마찰은 무시한다.)

① 기체의 온도는 올라간다.
② 기체는 외부에서 열을 흡수한다.
③ 기체의 내부 에너지는 증가한다.
④ 기체의 평균 운동 에너지는 감소한다.
⑤ 기체가 외부에 한 일은 $P\varDelta V$ 이다.

2 그림과 같이 일정량의 이상 기체가 들어 있는 크기가 변형되지 않는 용기 안에 열을 공급하는 장치를 연결하였다.

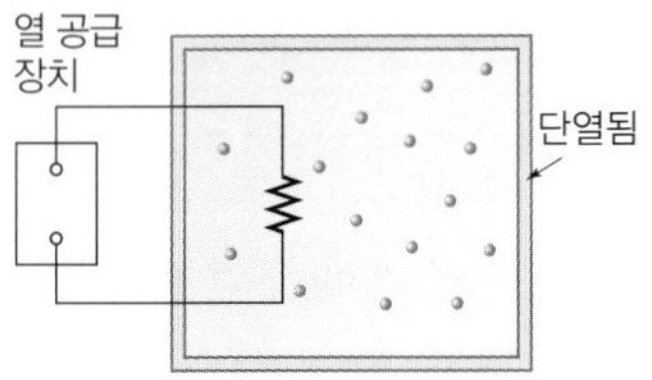

기체에 열이 공급되는 동안, 이에 대한 설명으로 옳은 것만을 〈보기〉에서 있는 대로 고른 것은?

보기

ㄱ. 기체의 압력은 증가한다.
ㄴ. 기체의 내부 에너지는 증가한다.
ㄷ. 기체는 외부에 일을 한다.

① ㄱ ② ㄴ ③ ㄱ, ㄴ
④ ㄱ, ㄷ ⑤ ㄱ, ㄴ, ㄷ

정답과 해설 13쪽

3 그림은 일정량의 이상 기체의 상태가 A → B → C → A로 변할 때 압력과 부피를 나타낸 것이다.

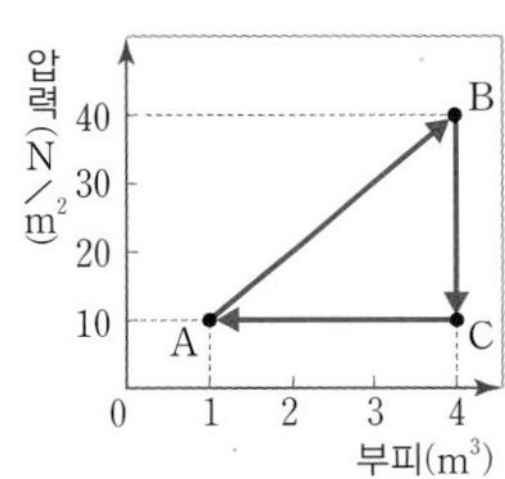

(1) A → B 과정에서 기체의 내부 에너지 변화를 쓰시오.

(2) 기체가 외부에 일을 하지 않는 과정을 쓰시오.

(3) A → B → C → A로 변하는 동안 기체가 한 일은 몇 J인지 구하시오.

4 그림은 일정량의 이상 기체의 상태가 A → B → C로 변할 때 압력과 부피를 나타낸 것이다.

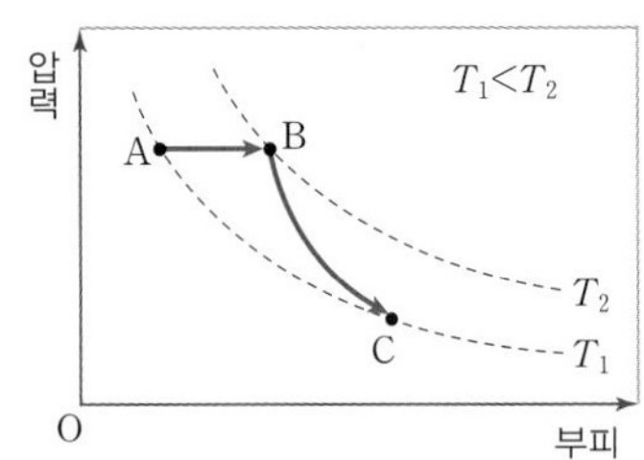

이에 대한 설명으로 옳은 것만을 〈보기〉에서 있는 대로 고른 것은?

보기

ㄱ. A → B 과정에서 기체의 내부 에너지는 증가한다.
ㄴ. B → C 과정은 단열 과정이다.
ㄷ. B → C 과정에서 기체의 내부 에너지는 증가한다.

① ㄱ ② ㄱ, ㄴ ③ ㄱ, ㄷ ④ ㄴ, ㄷ ⑤ ㄱ, ㄴ, ㄷ

5 그림은 실린더 속에 일정량의 이상 기체를 넣고 6000 J의 열을 가했을 때 단면적이 $0.1\ m^2$인 피스톤이 0.2 m 밀려난 것을 나타낸 것이다. 이 과정에서 압력은 $10^5\ N/m^2$으로 일정하게 유지되었고, 피스톤과 실린더 사이의 마찰은 무시한다.

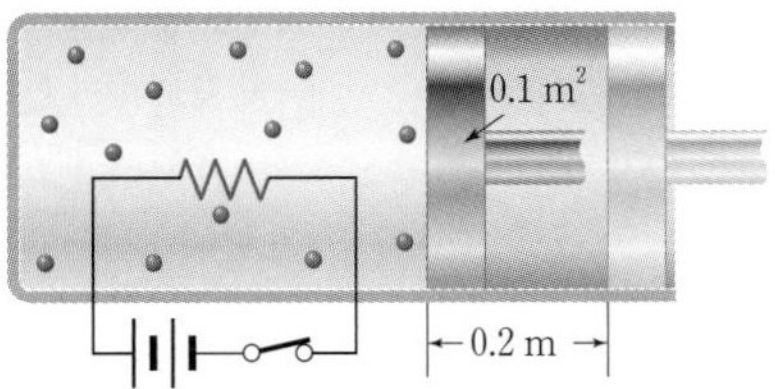

(1) 이 과정에서 기체가 외부에 한 일을 풀이 과정과 함께 서술하시오.

(2) 기체의 내부 에너지 증가량을 풀이 과정과 함께 서술하시오.

6 그림은 건조한 공기가 지표면으로부터 높이가 1 km씩 올라갈 때마다 단열 팽창하며 온도가 낮아지는 과정을 나타낸 것이다.

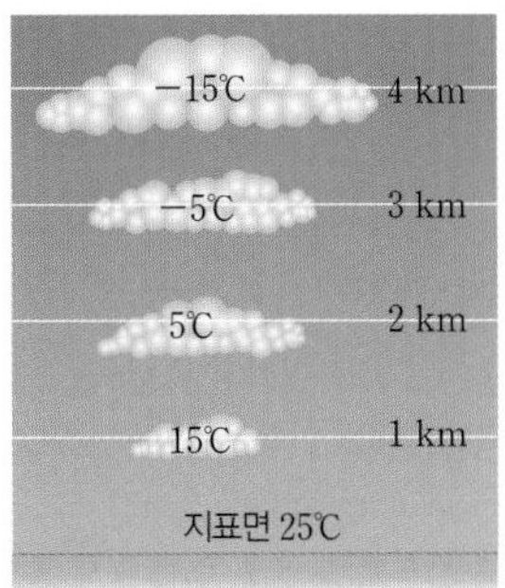

이에 대한 설명으로 옳은 것만을 〈보기〉에서 있는 대로 고른 것은?

보기

ㄱ. 공기는 외부에 일을 한다.
ㄴ. 공기의 내부 에너지는 감소한다.
ㄷ. 공기에 작용하는 압력은 점점 커진다.

① ㄱ ② ㄱ, ㄴ ③ ㄱ, ㄷ ④ ㄴ, ㄷ ⑤ ㄱ, ㄴ, ㄷ

2일 열역학 제2법칙

핵심 개념

1 가역 과정과 비가역 과정

- **가역 과정**: 외부에 아무런 변화를 남기지 않고 처음 상태로 되돌릴 수 있는 과정으로, 마찰이나 공기 저항이 없는 매우 이상적인 상황에서만 성립하는 과정이다.

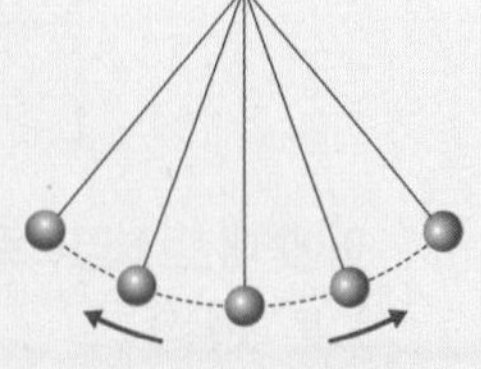
▲ 진공에서 진자가 움직일 때

  예 진공에서 진자의 운동

- **비가역 과정**: 외부에 변화를 남기지 않고는 처음 상태로 되돌릴 수 없는 과정으로, 스스로 처음 상태로 돌아갈 수 없고, ❶ [ ] 방향으로만 일어난다.

  예 물에 잉크 방울을 떨어뜨렸을 때

- 자연계에서 일어나는 대부분의 현상은 비가역 과정이다.

2 열역학 제2법칙

- **열역학 제2법칙**: 자발적으로 일어나는 비가역 현상에는 ❷ [ ]이 있음을 나타낸 법칙
- **열역학 제2법칙의 의미**

① 열은 항상 고온에서 저온으로 이동한다.

② 자연 현상은 대부분 비가역적이며 무질서도(엔트로피)가 ❸ [ ]하는 방향으로 일어난다.

예 따뜻한 물에 떨어뜨려 퍼진 잉크가 저절로 한곳에 모이지 않는다.

③ 역학적 일은 전부 열로 바꿀 수 있지만, 열은 전부 일로 바꿀 수 없다. — 공급된 열이 모두 일로 전환되지는 않는다.

④ 열효율이 100 %인 열기관은 존재할 수 ❹ [ ].

답 ❶ 한쪽 ❷ 방향성 ❸ 증가 ❹ 없다

개념 확인

■ 정답과 해설 14쪽

1-1

그림은 난로에서 물로 열이 이동하여 물이 끓는 과정에 대해 학생들이 의견을 나누고 있는 모습을 나타낸 것이다.

옳은 의견을 제시한 학생만을 있는 대로 고른 것은?

① 철수 ② 민수 ③ 영희
④ 철수, 영희 ⑤ 민수, 영희

1-2

그림은 진공 상태에서 충돌 진자를 당겼다가 놓았을 때 진자가 왕복 운동을 계속하는 것을 나타낸 것이다.

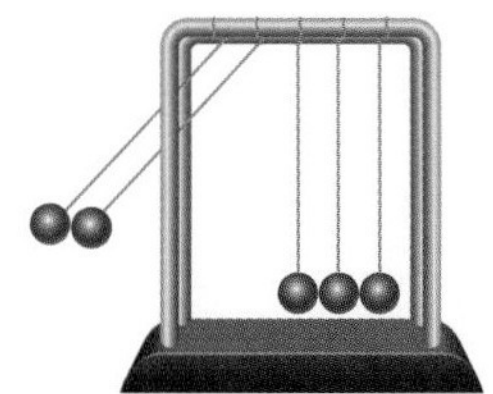
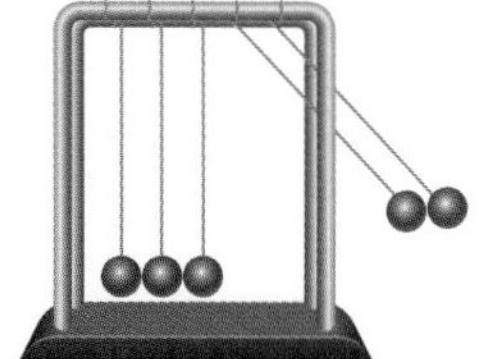

이에 대한 설명으로 옳은 것은 ○, 옳지 않은 것은 ×표 하시오. (단, 마찰이나 공기 저항은 무시한다.)

(1) 이 과정은 가역 과정이다. (　　)
(2) 진자의 운동 에너지는 보존된다. (　　)
(3) 이 과정은 한쪽 방향으로만 진행하며, 그 반대로는 저절로 일어나지 않는다. (　　)

2-1

다음은 열역학 제2법칙에 대한 설명이다. (　　) 안에 들어갈 알맞은 말을 고르시오.

(1) 열역학 제2법칙은 자발적인 (가역, 비가역) 과정에 방향성이 있다는 것을 나타내는 법칙이다.
(2) 열기관이 일을 하는 과정에서 열은 온도가 낮은 쪽으로 이동한다. 이처럼 열은 스스로 온도가 (낮은, 높은) 물체에서 온도가 (낮은, 높은) 물체로 흐른다.
(3) 열기관이 일을 하는 과정에서 열은 온도가 낮은 쪽으로 이동하기 때문에 열효율이 100 %인 열기관은 존재할 수 (있다, 없다).
(4) 자연 현상은 대부분 (가역, 비가역) 과정이며, 무질서도가 (감소, 증가)하는 방향으로 일어난다.
(5) 역학적 일은 전부 열로 바꿀 수 (있고, 없고), 열은 전부 일로 바꿀 수 (있다, 없다).

2-2

그림 (가)는 이상 기체가 들어 있는 용기 A와 진공 상태인 용기 B가 연결된 밸브가 잠겨 있는 것을, (나)는 밸브를 열어 기체가 골고루 퍼진 것을 나타낸 것이다.

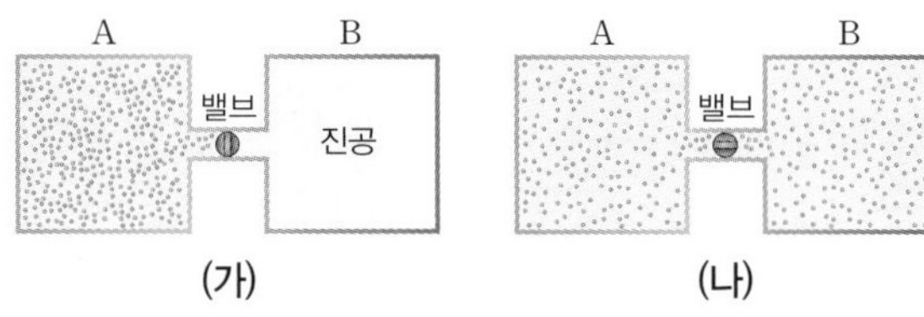

(가) (나)

이에 대한 설명으로 옳은 것은 ○, 옳지 않은 것은 ×표 하시오. (단, A, B는 단열되어 있다.)

(1) 기체의 온도는 (가)에서와 (나)에서가 같다. (　　)
(2) (나) 상태에서 자발적으로 (가) 상태로 진행할 수 있다. (　　)
(3) 이상 기체는 엔트로피가 증가하는 방향으로 이동했다. (　　)

2일 열역학 제2법칙

핵심 개념

3 열기관의 열효율

- **열기관**: 반복되는 순환 과정을 통해 열을 ❶ [   ]로 바꾸는 장치 ➡ 이상적인 순환 과정에서 열기관의 내부 에너지 변화는 없다.
- **열기관의 열효율(e)**: 고열원에서 Q_1의 열을 받아 W의 일을 하고 저열원으로 Q_2의 열을 방출할 때 열효율은 다음과 같다.

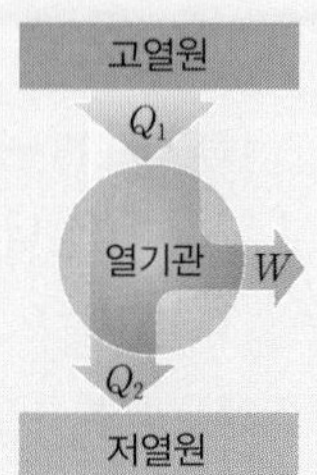

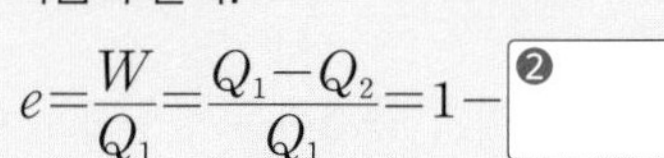

$$e=\frac{W}{Q_1}=\frac{Q_1-Q_2}{Q_1}=1-\text{❷}\;[\quad]$$

4 열기관의 종류

- ❸ [   ] **기관**: 고열원(T_1)과 저열원(T_2) 사이에서 가장 높은 효율을 낼 수 있는 이상적인 열기관

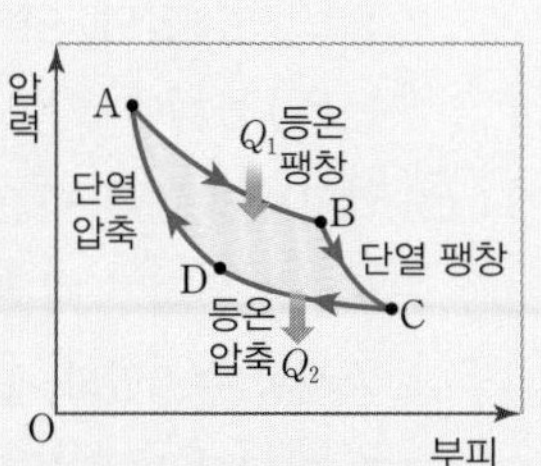

① 열효율: $e_{카}=1-\frac{Q_2}{Q_1}=1-\frac{T_2}{T_1}$

② 순환 과정: 등온 팽창→단열 팽창→등온 압축→단열 압축

- 실제 열기관의 종류와 열효율 ┌ 열효율이 가솔린 기관보다 조금 높지만 환경오염 물질을 더 많이 배출한다.

① 증기 기관: 8 %　② ❹ [   ]: 25 %~35 %

③ 가솔린 기관: 20 %~30 % (카르노 기관인 경우 58 %)

답 ❶ 일 ❷ $\frac{Q_2}{Q_1}$ ❸ 카르노 ❹ 디젤 기관

개념 확인

정답과 해설 14쪽

3-1

그림은 고열원에서 Q_1의 열을 받아 W의 일을 하고 Q_2의 열을 저열원으로 내보내는 과정을 나타낸 것이다. 이에 대한 설명으로 옳지 않은 것은?

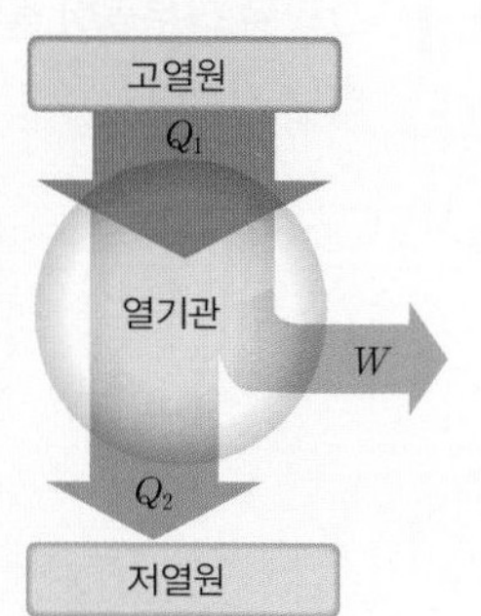

① 열기관이 외부에 한 일 $W=Q_1-Q_2$이다.

② $\dfrac{W}{Q_1}$가 작을수록 열효율은 낮다.

③ $\dfrac{Q_2}{Q_1}$가 작을수록 열효율은 낮다.

④ 열효율은 $\dfrac{Q_1-Q_2}{Q_1}$로 계산할 수 있다.

⑤ 열효율이 100 %인 열기관은 존재하지 않는다.

3-2

그림은 순환하는 열기관의 압력－부피 그래프를 나타낸 것이다. Q_1, Q_2, Q_3, Q_4는 열기관에 공급되거나 열기관에서 방출된 열량이다. ( ) 안에 들어갈 알맞은 말을 고르거나 쓰시오.

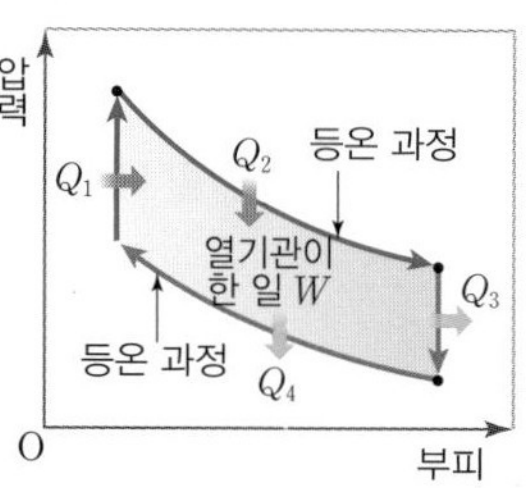

(1) 열기관은 순환 과정 후 원래 상태로 돌아오므로 내부 에너지는 (감소한다, 변하지 않는다, 증가한다).

(2) 열기관으로 공급된 열량은 (　　　)이고, 열기관에서 방출된 열량은 Q_3+Q_4이다.

(3) 열기관의 열효율 $e=\dfrac{W}{Q_1+Q_2}=1-\Big(\qquad\Big)$이다.

4-1

그림은 $\mathrm{A} \to \mathrm{B} \to \mathrm{C} \to \mathrm{D} \to \mathrm{A}$ 과정으로 순환하는 카르노 기관의 압력－부피 그래프이다. 이때 $\mathrm{B} \to \mathrm{C}$와 $\mathrm{D} \to \mathrm{A}$는 등온 과정이고 $T_1>T_2$이다.

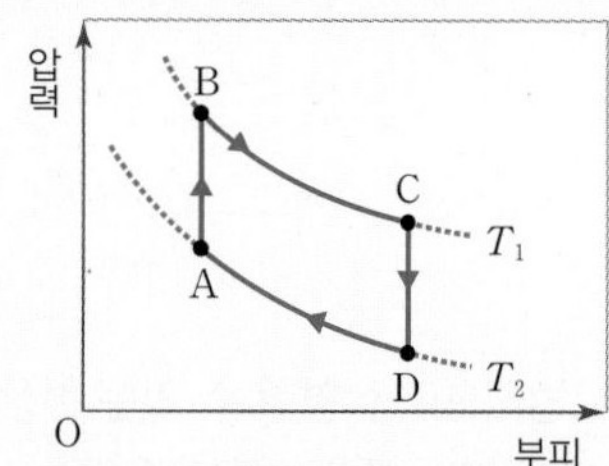

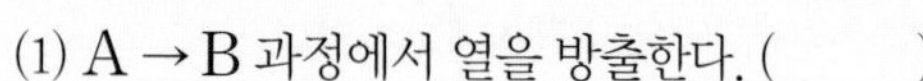
이에 대한 설명으로 옳은 것은 ○, 옳지 않은 것은 ×표를 하시오.

(1) $\mathrm{A} \to \mathrm{B}$ 과정에서 열을 방출한다. (　　　)

(2) $\mathrm{B} \to \mathrm{C}$ 과정에서 기체는 외부에 일을 한다. (　　　)

(3) 그래프 내부의 넓이는 카르노 기관이 한 일과 같다. (　　　)

(4) 1회 순환하는 동안 내부 에너지는 증가한다. (　　　)

4-2

그림은 어떤 카르노 기관이 2400 J의 열을 공급받아 $\mathrm{A} \to \mathrm{B} \to \mathrm{C} \to \mathrm{D} \to \mathrm{A}$의 순환 과정을 거쳐 일을 하는 것을 나타낸 것이다.

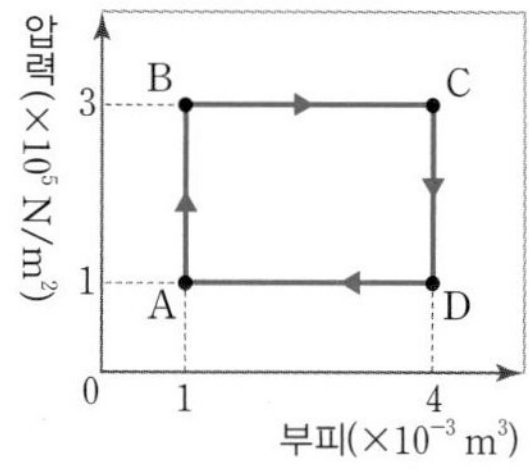

(1) 이 카르노 기관이 한 일은 몇 J인지 구하시오.

(2) 이 카르노 기관의 열효율은 몇 %인지 구하시오.

(3) 이 카르노 기관에서 외부로 방출된 열량은 몇 J인지 구하시오.

2주 2일

2일 기초 유형 연습 | 열역학 제2법칙

대표 기출 유형

그림은 일정량의 이상 기체의 상태가 A → B → C → A를 따라 변할 때 압력과 부피를 나타낸 것이다.

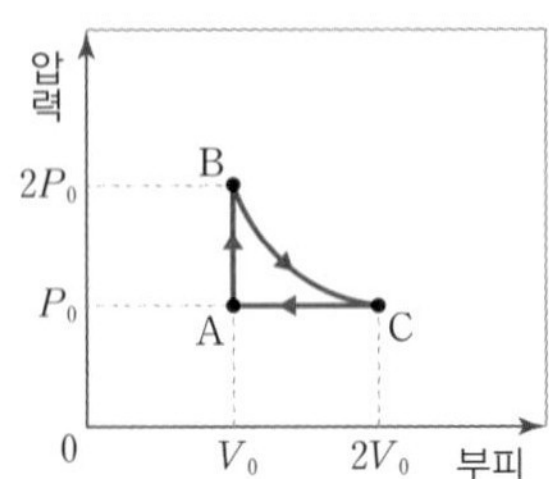

이에 대한 설명으로 옳은 것만을 〈보기〉에서 있는 대로 고른 것은?

보기

ㄱ. A → B 과정에서 기체는 외부에 일을 한다.
ㄴ. B → C 과정에서 기체는 열을 흡수한다.
ㄷ. C → A 과정에서 기체는 내부 에너지가 감소한다.

① ㄱ ② ㄴ ③ ㄱ, ㄷ
④ ㄴ, ㄷ ⑤ ㄱ, ㄴ, ㄷ

개념 point

기체의 부피가 증가할 때 기체는 외부에 일을 하고, 부피가 감소할 때 외부에서 일을 받는다.
기체의 온도는 기체의 압력과 부피의 곱에 비례한다.
기체의 온도가 증가하면 내부 에너지가 증가하고, 온도가 감소하면 내부 에너지가 감소한다.

|보기| 풀이

ㄱ A → B 과정에서 기체의 부피는 변하지 않으므로 기체는 외부에 일을 하지 않는다.
ㄴ B → C 과정에서 기체는 일정한 온도에서 부피가 증가해 외부에 일을 한다. 따라서 기체는 외부에서 열을 흡수한다.
ㄷ 기체의 온도는 압력×부피에 비례한다. C → A 과정에서 기체는 압력이 일정하고 부피가 감소했다. 따라서 온도가 낮아지므로 내부 에너지는 감소한다.

답 ④

1 그림은 더운물이 들어 있는 수조에 찬물을 넣은 것을 나타낸 것이다.

이에 대한 설명으로 옳은 것만을 〈보기〉에서 있는 대로 고른 것은?

보기

ㄱ. 이 과정은 비가역 과정이다.
ㄴ. 시간이 지나면 다시 더운물과 찬물로 분리된다.
ㄷ. 물이 미지근해지면서 무질서도는 감소한다.

① ㄱ ② ㄷ ③ ㄱ, ㄴ
④ ㄴ, ㄷ ⑤ ㄱ, ㄴ, ㄷ

2 열역학 제2법칙으로 설명할 수 있는 현상으로 옳은 것만을 〈보기〉에서 있는 대로 고른 것은?

보기

ㄱ. 열은 항상 저온에서 고온으로 이동한다.
ㄴ. 열을 전부 일로 전환시킬 수 없다.
ㄷ. 물에 퍼진 잉크는 다시 나눠지지 않는다.
ㄹ. 잔에 담긴 커피에서 나온 향기가 방안 전체로 퍼진다.

① ㄱ, ㄴ ② ㄴ, ㄷ ③ ㄷ, ㄹ
④ ㄱ, ㄴ, ㄷ ⑤ ㄴ, ㄷ, ㄹ

정답과 해설 15쪽

3 그림과 같이 어떤 열기관이 고열원에서 2000 J의 열을 흡수하여 일을 하고 1500 J의 열을 저열원으로 내보냈다.

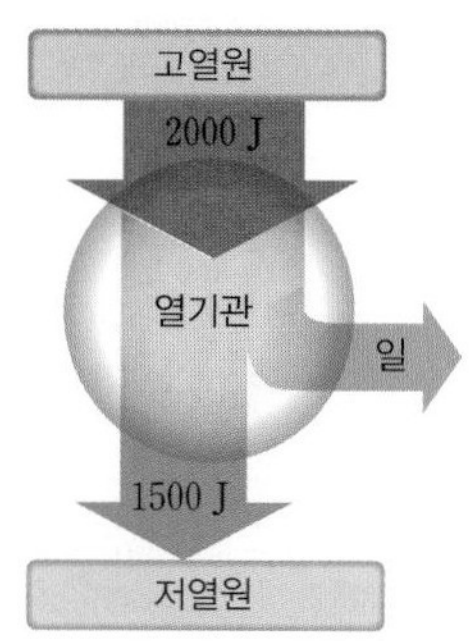

(1) 이 열기관이 한 일은 몇 J인지 구하시오.

(2) 이 열기관의 열효율은 몇 %인지 구하시오.

(3) 이 열기관의 열효율을 30 %로 개선할 때 저열원으로 내보내는 열은 몇 J인지 구하시오.

4 그림은 일정량의 이상 기체의 상태가 A → B → C → D → A를 따라 변할 때 압력과 부피를 나타낸 것이다. A → B와 C → D 과정은 등압 과정이고, B → C와 D → A과정은 단열 과정이다.

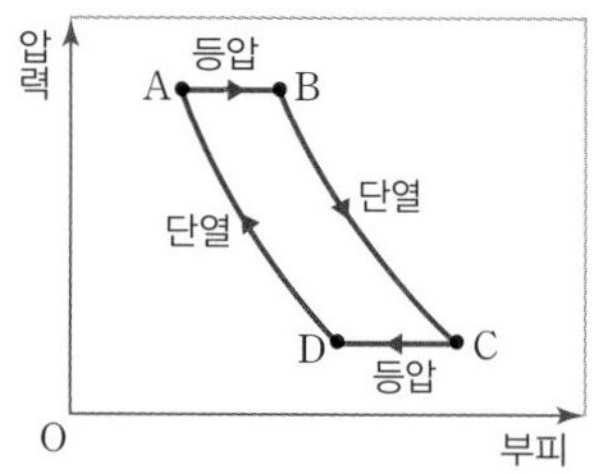

이에 대한 설명으로 옳은 것만을 〈보기〉에서 있는 대로 고른 것은?

보기
ㄱ. A → B 과정에서 기체는 외부에 일을 한다.
ㄴ. B → C 과정에서 기체의 온도는 높아진다.
ㄷ. C → D 과정에서 내부 에너지가 감소한다.

① ㄱ ② ㄱ, ㄴ ③ ㄱ, ㄷ
④ ㄴ, ㄷ ⑤ ㄱ, ㄴ, ㄷ

5 그림은 고열원에서 Q의 열을 흡수하여 일을 하는 열기관 (가), (나), (다), (라)를 나타낸 것이다.

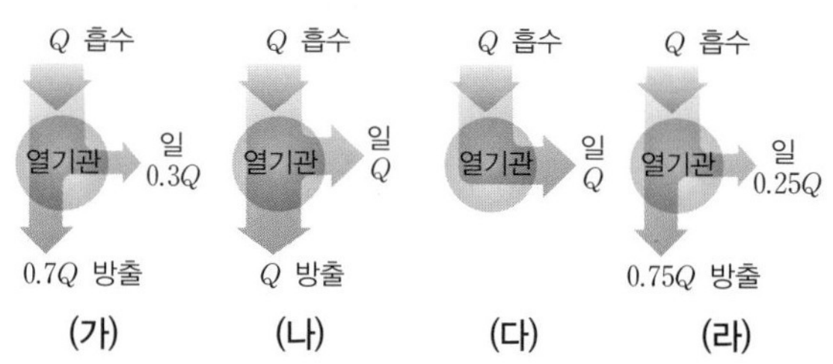

이에 대한 설명으로 옳은 것만을 〈보기〉에서 있는 대로 고른 것은?

보기
ㄱ. 실현 가능한 열기관은 (가), (라)이다.
ㄴ. (나)의 열기관은 열역학 제1법칙을 따른다.
ㄷ. (다)의 열효율은 100 %이다.

① ㄱ ② ㄱ, ㄴ ③ ㄱ, ㄷ
④ ㄴ, ㄷ ⑤ ㄱ, ㄴ, ㄷ

6 여러 가지 열기관에 대한 설명으로 옳은 것은?

① 카르노 기관의 열효율은 100 %이다.
② 증기 기관의 열효율은 약 80 % 정도이다.
③ 가솔린 기관을 카르노 기관으로 생각했을 때 열효율은 약 58 %이다.
④ 가솔린 기관의 실제 열효율은 50 % 정도이다.
⑤ 디젤 기관은 가솔린 기관보다 열효율이 높고, 환경오염 문제가 적다.

3일 특수 상대성 이론

핵심 개념

1 마이컬슨·몰리 실험

- **상대 속도**: 관찰자(A)의 운동 상태에 대한 물체(B)의 속도
  ➡ $v_{AB}=v_B-v_A$
- **마이컬슨·몰리 실험**: 에테르의 존재를 확인하기 위한 실험으로 에테르가 존재하지 않음을 밝혀냈다. (빛을 전달하는 매질이라고 생각했던 가상의 물질)

① 가정: 에테르의 흐름이 있다면 빛이 두 거울 M_1, M_2에서 반사되어 탐지기에 도달하는 시간이 다를 것이다.

② 결과: 빛이 두 거울에서 반사되어 탐지기에 도달하는 시간이 같으므로 빛의 속력은 동일하다.

③ 결론: ❶ [ ] 는 존재하지 않는다.

- **아인슈타인의 해석**: 빛은 매질 없이 전파될 수 있고, 빛의 속력은 관찰자의 속력에 관계없이 항상 동일하다.

2 특수 상대성 이론의 두 가지 가설

- **상대성 원리**: 모든 관성 좌표계에서 ❷ [ ] 은 동일하게 성립한다. (한 좌표계에 대해서 일정한 속도로 운동하는 좌표계는 관성 좌표계이다.)

① 관성 좌표계: 힘이 작용하지 않을 때 물체가 균일한 운동을 유지하는 좌표계로, 관성 법칙이 성립한다.

② 서로 다른 관성 좌표계에서 관찰되는 물리량은 다를 수 있지만, 그 물리량 사이의 관계식은 동일하게 성립한다.

- **광속 불변의 원리**: 모든 관성 좌표계에서 보았을 때 진공 중에서 진행하는 빛의 속력은 관찰자나 광원의 속력에 관계없이 ❸ [ ]. ➡ 빛의 속력 $c=3\times10^8$ m/s

답 ❶ 에테르 ❷ 물리 법칙 ❸ 동일하다

개념 확인

정답과 해설 16쪽

1-1

그림은 마이컬슨·몰리 실험 장치를 모식적으로 나타낸 것이다. 이에 대한 설명으로 옳은 것은 ○, 옳지 않은 것은 ×표 하시오. (단, M_0과 M_1, M_2까지의 거리는 같다.)

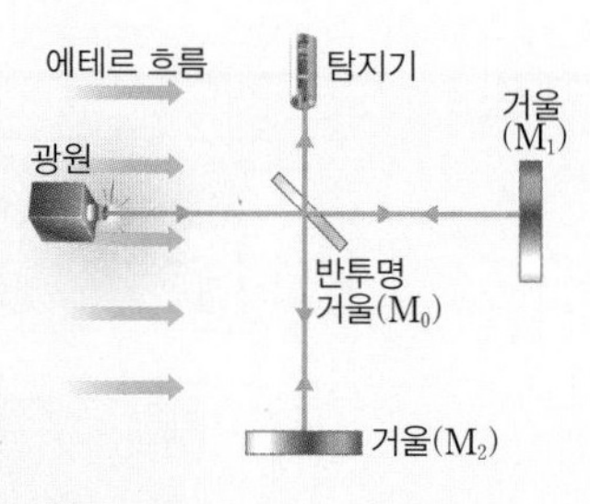

(1) 에테르의 흐름이 있다면 M_1, M_2에서 반사된 빛이 탐지기에 도달하는 시간은 같다. (   )

(2) 실험 결과 탐지기에 도달하는 시간이 같기 때문에 에테르는 존재하지 않는다. (   )

(3) 실험 결과 빛은 파동이지만 진공에서 전파될 수 있고, 빛의 속력은 방향에 따라 일정하지 않다. (   )

1-2

마이컬슨·몰리 실험 결과인 '두 거울에서 반사한 빛이 탐지기에 도달하는 시간이 같다.'에 대한 아인슈타인의 해석으로 옳은 것은?

① 마이컬슨과 몰리의 실험이 잘못되었으므로 에테르는 존재한다.
② 에테르가 존재하지만 빛의 속력은 방향에 관계없이 일정하다.
③ 에테르에 의해 두 거울까지의 거리가 달라지므로 빛이 도달한 시간이 같다.
④ 빛은 파동이므로 매질인 에테르는 존재하고 빛의 속력은 일정하다.
⑤ 빛은 매질 없이 전파될 수 있고, 빛의 속력은 관찰자의 속력에 관계없이 동일하다.

2-1

특수 상대성 이론에 대한 설명으로 옳은 것만을 〈보기〉에서 있는 대로 고른 것은?

보기
ㄱ. 모든 관성 좌표계에서 물리 법칙은 동일하게 성립한다.
ㄴ. 모든 관성 좌표계에서 진공에서 진행하는 빛의 속력은 동일하다.
ㄷ. 모든 관성 좌표계의 관찰자에게 시간의 흐름은 동일하다.

① ㄱ ② ㄱ, ㄴ ③ ㄷ
④ ㄴ, ㄷ ⑤ ㄱ, ㄴ, ㄷ

2-2

그림은 정지해 있는 행성에 $0.9c$의 속력으로 접근하는 우주선에서 행성의 기지국으로 레이저 빛을 보낸 것을 나타낸 것이다. (단, 빛의 속력은 c이다.)

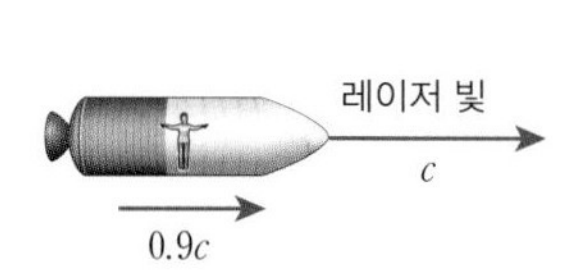

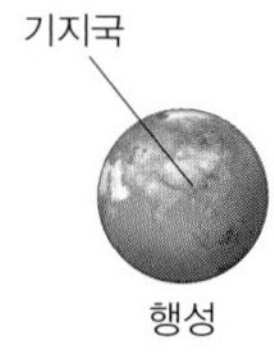

(1) 우주선에서 관찰한 레이저 빛의 속력을 구하시오.

(2) 기지국에서 관찰한 레이저 빛의 속력을 구하시오.

3일 특수 상대성 이론

핵심 개념

3 특수 상대성 이론에 의한 현상

- **두 사건의 동시성**: 한 관찰자에게 동시에 일어난 사건이 다른 관찰자에게는 동시에 일어난 사건이 아닐 수 있다.
  ① 공간의 상대성: 같은 지점도 관찰자의 위치에 따라 다르게 표현된다.
  ② 시간의 상대성: 일반적으로 두 사건이 발생한 시간 차이는 관찰자에 따라 다르게 측정된다.
- **시간 지연**: 정지한 관찰자가 매우 빠르게 운동하는 관찰자를 보면 상대방의 시간이 ❶ ______ 가는 것으로 관측된다.
  ① 고유 시간($\Delta t_{고유}$): 사건과 같은 관성계의 관찰자가 측정한 시간 ➡ 사건 발생 시간을 측정할 때 고유 시간이 가장 짧다.
  ② 정지한 관찰자가 운동하는 물체의 시간 Δt를 측정하면 고유 시간보다 길다. ➡ $\Delta t > \Delta t_{고유}$
- **길이 수축**: 정지한 관찰자가 매우 빠르게 움직이는 물체를 볼 때, 물체의 길이가 줄어든 것으로 관측된다.
  ① 고유 길이($L_{고유}$): 물체에 대해 정지한 관찰자가 측정한 물체의 길이
  ② 운동하는 관찰자가 운동 방향과 나란한 거리 L을 측정하면 고유 길이보다 ❷ ______ 관측된다. ➡ $L < L_{고유}$ (— 길이 수축은 운동 방향으로만 일어난다.)
- **특수 상대성 이론의 증거**: 지상에 정지한 관찰자가 볼 때 빠르게 움직이는 뮤온의 수명(시간)이 늘어나고, 뮤온과 함께 움직이는 관찰자가 볼 때 지표면까지의 거리에 ❸ ______ 이 일어난다.

답 ❶ 느리게 ❷ 짧게 ❸ 길이 수축

개념 확인

정답과 해설 16쪽

3-1

그림은 광속에 가까운 속력 v로 등속 운동 하는 우주선 안에 있는 민호와 우주선 밖에 정지해 있는 은수를 나타낸 것이다. 민호와 은수는 우주선 바닥에 있는 광원에서 나온 빛이 천정의 거울에서 반사되어 광원으로 되돌아오는 시간을 측정하였다. 이에 대한 설명으로 옳은 것은 ○, 옳지 않은 것은 ×표 하시오.

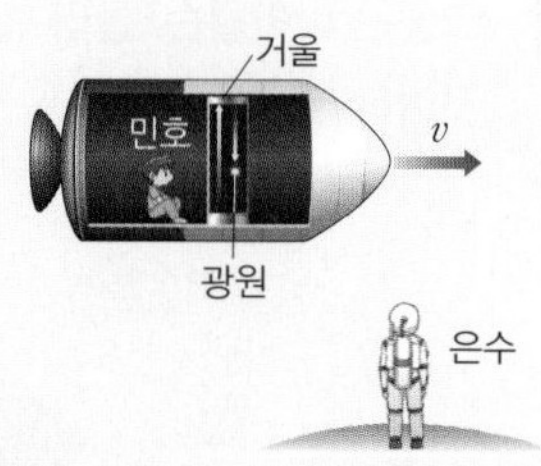

(1) 민호와 은수는 서로 같은 관성 좌표계에 있다. (　　　)

(2) 민호가 측정한 시간이 고유 시간이다. (　　　)

(3) 우주선의 속력이 더 빨라지면 은수와 민호가 측정한 시간의 차이는 작아진다. (　　　)

3-2

그림과 같이 광속에 가까운 속력 v로 등속 운동 하는 우주선 바닥에 있는 광원에서 나온 빛이 천정의 거울에서 반사되어 광원으로 돌아오는 것을 우주선 안의 철수와 우주선 밖에 정지해 있는 민수가 관찰하였다. (　) 안에 들어갈 알맞은 말을 고르시오.

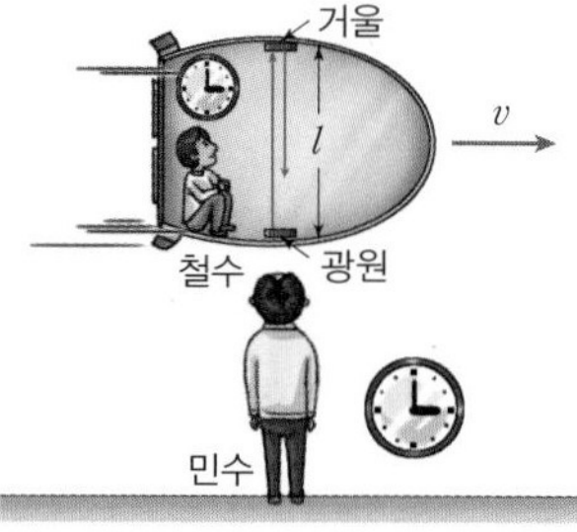

(1) 철수와 민수가 본 빛의 속력은 (짧다, 같다, 길다).

(2) 철수가 측정한 빛의 왕복 시간은 민수가 측정한 왕복 시간과(보다) (짧다, 같다, 길다).

(3) 철수가 측정한 광원과 거울 사이 거리 l은 민수가 측정한 거리와(보다) (짧다, 같다, 길다).

4-1

그림은 매우 빠른 속력으로 운동하는 우주선을 탄 철수와 우주선 밖에 정지한 상태로 있는 영희를 나타낸 것이다. 우주선은 행성 A를 지나 행성 B까지 운동하고 있다.

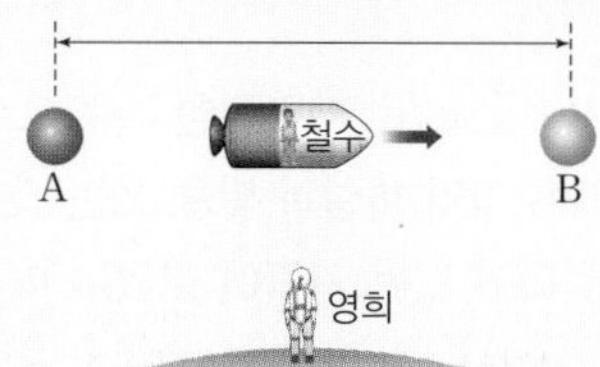

이에 대한 설명으로 옳은 것은 ○, 옳지 않은 것은 ×표 하시오.

(1) 영희가 관측한 A와 B 사이의 거리는 고유 거리이다. (　　　)

(2) 철수가 측정한 A와 B 사이의 거리는 우주선의 속력이 빠를수록 짧아진다. (　　　)

(3) 철수가 측정한 A와 B 사이의 거리는 영희가 측정한 A와 B 사이의 거리보다 길다. (　　　)

4-2

그림은 우주선이 매우 빠른 속력 v로 $+x$ 방향으로 등속 운동 하는 것을 나타낸 것이다.

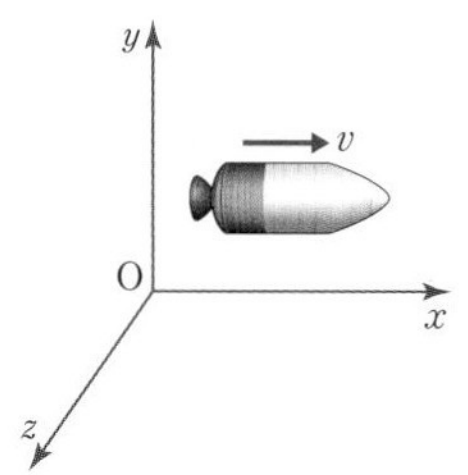

O점에 정지한 관찰자가 본 우주선의 길이에 대한 설명으로 옳은 것만을 <보기>에서 있는 대로 고른 것은?

보기

ㄱ. 우주선은 x축 방향 길이가 줄어든다.
ㄴ. 우주선은 y축 방향 길이가 줄어든다.
ㄷ. 우주선은 z축 방향 길이가 줄어든다.

① ㄱ　② ㄴ　③ ㄷ
④ ㄱ, ㄴ　⑤ ㄱ, ㄴ, ㄷ

기초 유형 연습 | 특수 상대성 이론

대표 기출 유형

그림과 같이 우주 정거장에 대해 $0.6c$의 일정한 속력으로 운동하는 우주선이 있다. 우주선 안의 광원에서 나온 빛이 거울에 도달할 때까지 우주선과 우주 정거장에서 측정한 빛의 이동 거리는 각각 $L_{우주선}$, $L_{정거장}$이고, 걸린 시간은 각각 $t_{우주선}$, $t_{정거장}$이다.

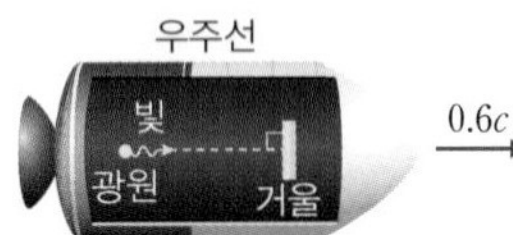

우주 정거장

이에 대한 설명으로 옳은 것만을 〈보기〉에서 있는 대로 고른 것은?

보기

ㄱ. $L_{우주선} < L_{정거장}$

ㄴ. $t_{우주선} < t_{정거장}$

ㄷ. $\dfrac{L_{우주선}}{t_{우주선}} < \dfrac{L_{정거장}}{t_{정거장}}$

① ㄱ ② ㄴ ③ ㄷ
④ ㄱ, ㄴ ⑤ ㄴ, ㄷ

개념 point

정지한 관찰자가 보면 빠르게 운동하는 물체의 길이가 줄어든 것으로 관측된다.
정지한 관찰자가 보면 빠르게 운동하는 물체의 시간이 느리게 가는 것으로 관측된다.

|보기| 풀이

ㄱ 길이 수축이 일어나므로 광원과 거울 사이의 거리는 정거장에서 측정한 것이 더 짧다.

ㄴ 시간 지연이 일어나므로 빛이 광원에서 거울까지 가는 데 걸리는 시간은 정거장에서 측정한 것이 더 길다.

ㄷ 빛의 속력은 모든 관성계에서 동일하므로 $\dfrac{L_{우주선}}{t_{우주선}} = \dfrac{L_{정거장}}{t_{정거장}}$이다.

답 ②

1 그림은 마이컬슨·몰리 실험 장치를 모식적으로 나타낸 것이다.

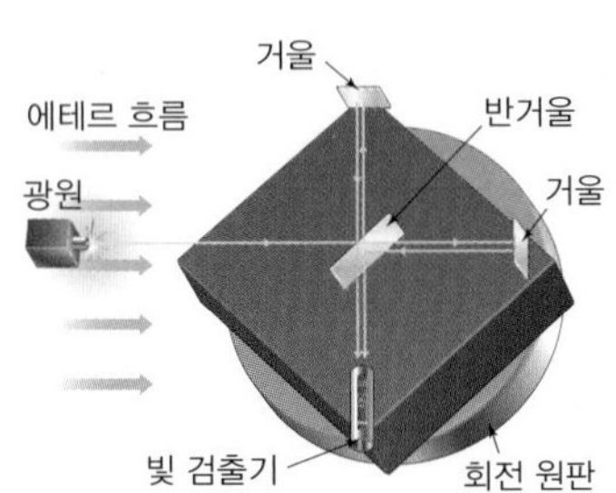

이에 대한 설명으로 옳지 않은 것은?

① 이 실험에서 에테르는 가상의 매질이다.
② 반거울에 의해 두 빛이 분리된다.
③ 빛은 매질인 에테르를 통해 전파된다.
④ 회전 원판은 에테르의 흐름에 대한 빛의 진행 방향을 바꿀 수 있다.
⑤ 아인슈타인은 이 실험의 해석으로 빛의 속력은 모든 방향에서 같다고 하였다.

2 그림은 $120\ \text{km/h}$의 일정한 속력으로 달리는 기차 (가), (나)에서 각각 화살과 빛을 쏘는 것을 나타낸 것이다. 기차에 타고 있는 사람이 보았을 때 화살의 속력은 $150\ \text{km/h}$이고, 빛의 속력은 c이다.

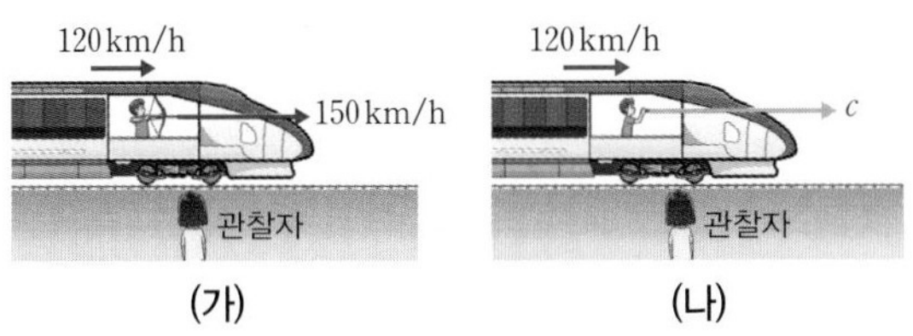

(1) 지상에 정지해 있는 관찰자가 본 화살의 속력은 몇 km/h인지 구하시오.

(2) 지상에 정지해 있는 관찰자가 본 빛의 속력은 얼마인지 서술하시오.

정답과 해설 17쪽

3 특수 상대성 이론의 가정으로 옳은 것을 모두 고르면? (정답 2개)

① 모든 관성 좌표계에서 물리 법칙은 동일하게 성립한다.
② 모든 관성 좌표계에서 진공에서 빛의 속력은 동일하다.
③ 모든 관성 좌표계에서 시간은 동일하게 흐른다.
④ 한 관성 좌표계에서 측정한 물리량은 다른 관성계에서도 동일하다.
⑤ 한 관찰자에게 동시에 일어난 사건은 다른 관찰자에게도 동시에 일어난다.

4 그림은 철수에 대해 $0.9c$의 일정한 속력으로 운동하는 우주선을 나타낸 것이다. 우주선의 운동 방향은 광원과 측정기 A를 연결하는 직선 방향이고, A와 측정기 B는 서로 수직으로 광원에서 고유 길이 L 만큼 떨어져 있다. 영희는 우주선 안에 있다.

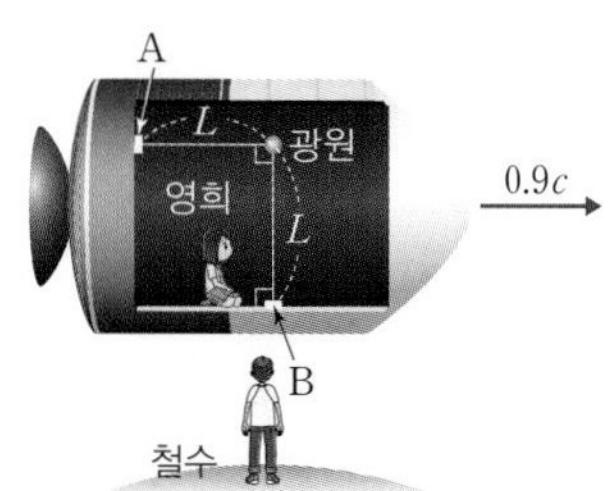

이에 대한 설명으로 옳은 것만을 〈보기〉에서 있는 대로 고른 것은?

보기
ㄱ. 영희가 측정할 때 광원에서 발생한 빛은 A, B에 동시에 도달한다.
ㄴ. 철수가 측정할 때 광원에서 A, B까지의 거리는 L로 같다.
ㄷ. 철수가 측정할 때 광원에서 발생한 빛은 A, B에 동시에 도달한다.

① ㄱ ② ㄴ ③ ㄷ
④ ㄱ, ㄴ ⑤ ㄱ, ㄷ

5 그림은 철수가 우주선을 타고 행성 P에서 행성 Q까지 매우 빠른 속력으로 운동하는 것을 나타낸 것이다. 영희는 우주선 밖에서 정지한 상태로 우주선의 운동을 관찰하고 있다.

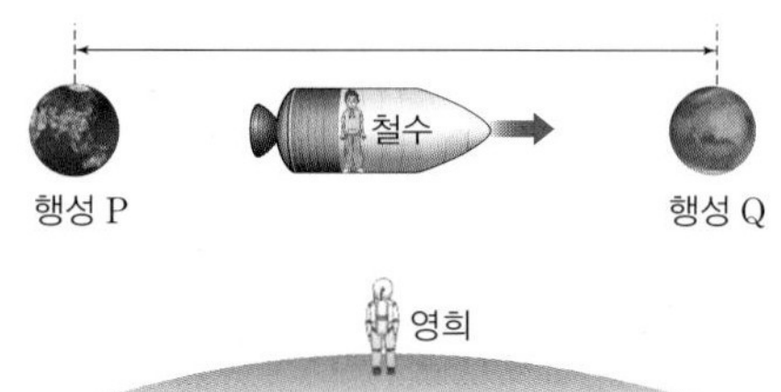

이에 대한 설명으로 옳은 것만을 〈보기〉에서 있는 대로 고른 것은? (단, P, Q는 영희에 대해 정지해 있다.)

보기
ㄱ. 철수가 측정할 때 영희의 시간이 철수의 시간보다 느리게 간다.
ㄴ. 영희가 측정할 때 철수의 시간이 영희의 시간보다 느리게 간다.
ㄷ. 철수가 측정한 P에서 Q까지 거리는 영희가 측정한 것보다 짧다.

① ㄱ ② ㄴ ③ ㄷ
④ ㄱ, ㄴ ⑤ ㄱ, ㄴ, ㄷ

6 그림은 철수가 높이 H인 곳에서 생성된 뮤온이 $0.99c$의 속력으로 운동하고 있는 것을 관찰하는 모습이다. 이에 대한 설명으로 옳은 것만을 〈보기〉에서 있는 대로 고른 것은? (단, 뮤온의 고유 수명은 t이다.)

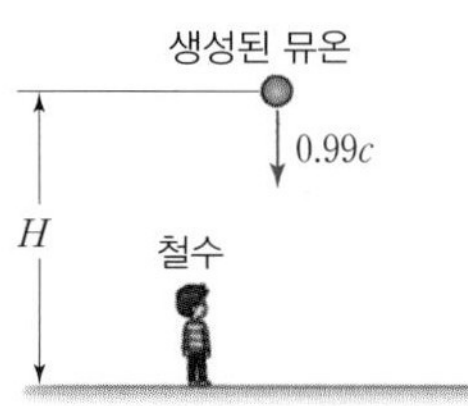

보기
ㄱ. 철수가 측정한 뮤온의 수명은 t보다 길다.
ㄴ. 뮤온 좌표계에서 측정한 지표면까지 거리는 H보다 길다.
ㄷ. 이 현상을 실제 측정하여 특수 상대성 이론을 증명할 수 있다.

① ㄱ ② ㄴ ③ ㄷ
④ ㄱ, ㄴ ⑤ ㄱ, ㄷ

4일 질량-에너지 등가성

질량은 변하지 않는
고유의 양이 아니라 상대적인
물리량이야!

$E = mc^2$

물체의 속력 UP!
→물체의 에너지 UP!
→물체의 질량 UP!

질량 $4m_0$ $3m_0$ $2m_0$ m_0 0 0.2c 0.6c 1.0c 속력

핵심 개념

1 질량-에너지 등가성

- **질량-에너지 등가성**: 질량과 에너지는 상호 전환될 수 있다. 이때 질량 m에 해당하는 에너지는 $E=mc^2$(c: 빛의 속력)이다.
- **질량 증가**: 물체의 운동 에너지가 ❶ ______ 하면 물체의 속력뿐 아니라 물체의 질량도 증가한다.

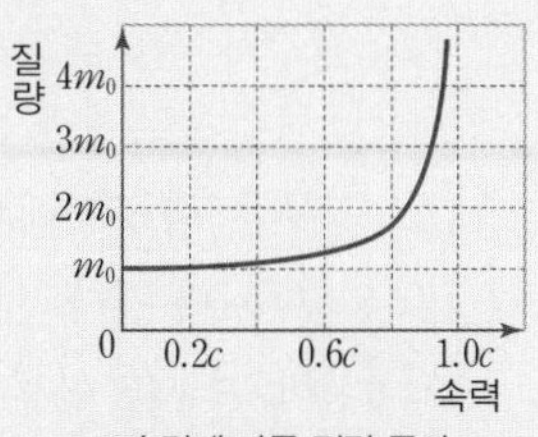

▲ 속력에 따른 질량 증가

① 질량은 에너지의 또 다른 형태로 볼 수 있다.

② 질량은 속력에 따라 변하는 상대적인 물리량이다.

- **정지 에너지**: $E_0=m_0c^2$ (m_0: 정지 질량, c: 빛의 속력)
  - 정지 에너지: 정지해 있는 물체가 가지는 에너지
  - 정지 질량: 정지 상태에서 물체의 질량

2 핵반응

- **핵반응**: 핵이 분열하거나 융합하는 반응

① 원자핵의 표시: $^{A}_{Z}\mathrm{X}$ (질량수 → A, 원자 번호 → Z, X ← 원소 기호)
  - 원자 번호 = 양성자수

② 핵반응 전후 양성자수와 중성자수는 보존되지만 입자들의 질량의 합은 변한다.
  - 질량수 = 양성자수 + 중성자수

③ 핵반응 시 질량 결손이 일어나 ❷ ______ 가 방출된다.

- **질량 결손**: 핵반응 후 질량의 총합이 핵반응 전 질량의 총합보다 줄어드는 것
- **질량 결손과 에너지**: 질량-에너지 등가성에 따라 핵반응이 일어날 때 생기는 ❸ ______ 만큼 에너지가 방출된다.

➡ $E=\Delta mc^2$ (Δm: 질량 결손, c: 빛의 속력)

답 ❶ 증가 ❷ 에너지 ❸ 질량 결손

개념 확인

정답과 해설 17쪽

1-1

질량과 에너지에 대한 설명으로 옳은 것은 ○, 옳지 않은 것은 ×표 하시오.

(1) 질량은 물체가 가지고 있는 고유의 양이다. (　　)

(2) 물체에 일을 해 주어 물체의 운동 에너지가 증가하면 물체의 질량은 감소한다. (　　)

(3) 질량과 에너지는 별개의 양이 아니므로 서로 전환될 수 있다. (　　)

(4) 물체가 매우 빠른 속력으로 움직이면 질량이 증가하므로 물체가 가지는 에너지도 증가한다. (　　)

(5) 정지 상태인 물체의 질량이 m_0일 때 정지 에너지는 $E_0=\frac{c^2}{m_0}$이다. (　　)

1-2

그림은 정지 질량이 m_0인 물체에 힘을 가하여 물체의 속력이 증가할 때 속력에 따른 질량을 나타낸 것이다. 이에 대한 설명으로 옳은 것은 ○, 옳지 않은 것은 ×표 하시오. (단, c는 빛의 속력이다.)

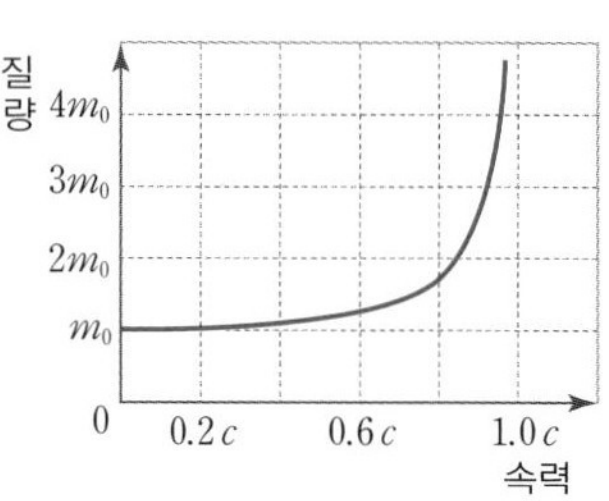

(1) 물체의 속력이 증가하면 질량도 증가한다. (　　)

(2) 물체의 질량은 정지 질량의 정수배로만 증가한다. (　　)

(3) 물체의 속력이 빛의 속력에 가까울수록 질량의 증가율이 크다. (　　)

2-1

어떤 핵반응에서 반응 전 반응물의 질량이 300 g이었고 반응 후 생성물의 질량이 299.9 g이었다고 한다. (단, 빛의 속력은 3×10^8 m/s이다.)

(1) 이 핵반응에서 일어나는 질량 결손은 몇 g인지 구하시오.

(2) 이 핵반응에 의해 방출되는 에너지는 몇 J인지 구하시오.

2-2

다음은 핵융합로에서 고온 플라즈마 상태인 중수소와 삼중수소가 원자핵 반응을 하는 과정의 핵반응식이다.

$${}^{2}_{1}\mathrm{H}+{}^{3}_{1}\mathrm{H} \longrightarrow (\quad ㉠ \quad)+{}^{1}_{0}\mathrm{n}+\text{에너지}$$

이에 대한 설명으로 옳은 것은 ○, 옳지 않은 것은 ×표 하시오.

(1) ㉠ 원자핵의 질량수는 4이다. (　　)

(2) 이 핵반응에서 질량 결손이 일어난다. (　　)

(3) 핵반응 전후 양성자수와 중성자수는 보존되지 않는다. (　　)

2주 4일

질량-에너지 등가성

핵분열과 핵융합의 비교

중성자(n)
우라늄(U)
핵분열
중성자(n)
바륨(Ba)
핵분열 생성물
크립톤(Kr)

우라늄 원자핵이 중성자를 흡수하여 질량수가 작은 2개의 원자핵으로 핵분열시켜 에너지를 얻어!

초고온, 초고압 상태에서 중수소 원자핵과 삼중수소 원자핵을 융합하여 헬륨 원자핵을 생성해!

중수소
삼중수소
핵융합
중성자(n)
헬륨(He)

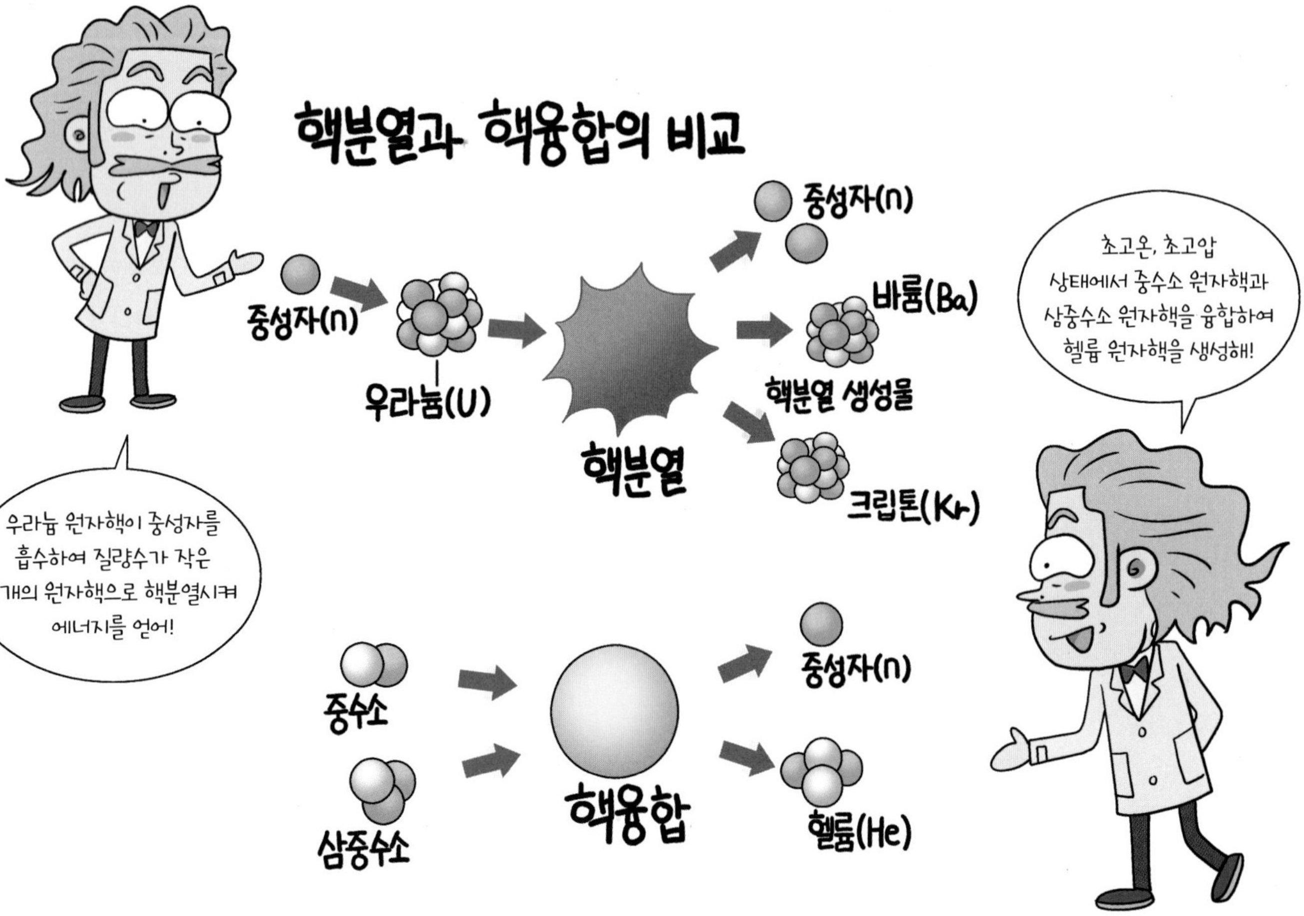

핵심 개념

3 핵분열 반응

- **핵분열**: 무거운 원자핵이 원래 원자핵보다 가벼운 둘 이상의 원자핵으로 분열하는 반응 ➡ 핵분열 반응이 일어날 때 질량 결손에 의해 에너지가 발생한다.
- **우라늄의 핵분열 반응**: 우라늄 235($^{235}_{92}U$) 원자핵이 중성자(^1_0n)를 흡수하여 질량수가 작은 바륨과 크립톤, ❶ [　　] 로 분열하는 반응이다.
  ➡ $^{235}_{92}U + ^1_0n \rightarrow ^{92}_{36}Kr + ^{141}_{56}Ba + 3^1_0n + 200\ MeV$
- 핵발전소에서는 우라늄이나 플루토늄 원자핵을 핵분열시켜 에너지를 얻는다.

4 핵융합 반응

- **핵융합**: 두 개 이상의 원자핵이 결합하여 무거운 원자핵으로 융합하는 반응 ➡ 질량 결손에 의해 에너지가 발생
- **수소 핵융합 반응**: 초고온, 초고압 상태에서 중수소 원자핵(^2_1H)과 삼중수소 원자핵(^3_1H)이 융합하여 안정한 ❷ [　　] 원자핵을 생성한다.
  ➡ $^2_1H + ^3_1H \rightarrow ^4_2He + ^1_0n + 17.6\ MeV$
- **태양 중심부의 수소 핵융합 반응**: 태양 중심부에서 수소 원자핵들이 융합하여 무거운 헬륨 원자핵으로 융합하는 핵융합 반응으로 많은 에너지가 발생한다.
  ➡ $4^1_1H \longrightarrow ^4_2He + 2e^+ + 26\ MeV$

답 ❶ 중성자 ❷ 헬륨

개념 확인

정답과 해설 18쪽

3-1

그림은 원자로에서 핵반응 과정을 간단히 나타낸 것이다.

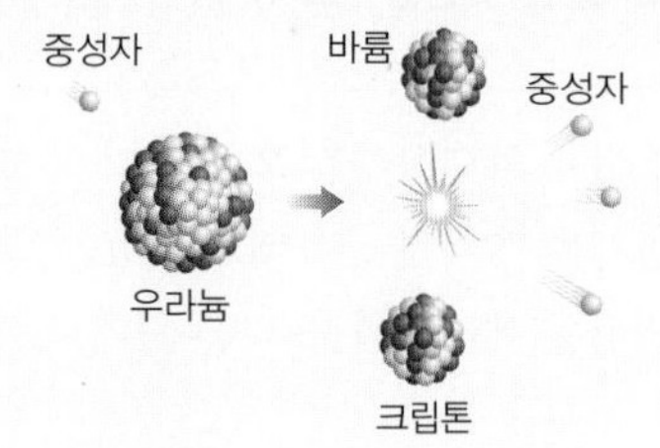

(1) 이와 같은 핵반응의 종류를 쓰시오.

(2) 이와 같은 핵반응이 일어날 때 질량 변화와 에너지 변화를 서술하시오.

3-2

다음은 우라늄이 중성자를 흡수하여 바륨과 크립톤으로 분열하는 핵반응을 나타낸 것이다.

$$^{235}_{92}U + ^{1}_{0}n \longrightarrow ^{141}_{56}Ba + ^{92}_{36}Kr + 3^{1}_{0}n + \text{에너지}$$

이에 대한 설명으로 옳지 않은 것은?

① 총 양성자수는 보존된다.
② 총 질량수는 보존된다.
③ 총 질량의 합은 보존된다.
④ 총 중성자수는 보존된다.
⑤ 많은 에너지가 발생한다.

4-1

그림은 태양 중심부에서 일어나는 핵융합 반응을 모식적으로 나타낸 것이다.

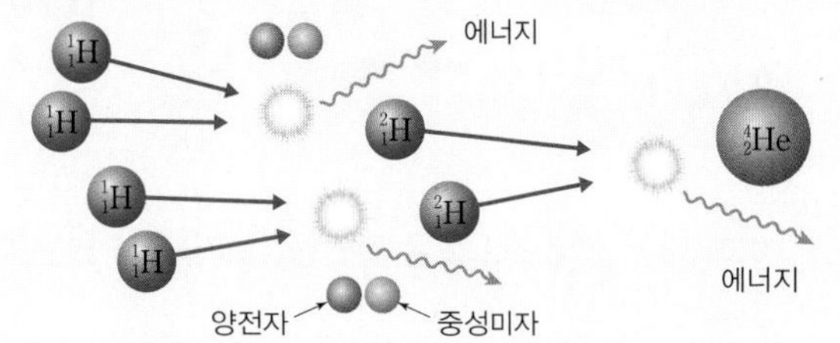

이에 대한 설명으로 옳은 것은 ○, 옳지 않은 것은 ×표 하시오.

(1) 이 핵반응에 의해 많은 에너지가 발생한다. (　　　)

(2) 이 핵반응 전후 질량은 보존된다. (　　　)

(3) 가벼운 원자핵들이 융합하여 더 무거운 원자핵으로 변하는 반응이다. (　　　)

4-2

그림은 태양 중심부에서 일어나는 핵융합 반응 중 하나로, 두 개의 헬륨($^{3}_{2}He$) 원자핵이 결합하여 에너지가 방출되는 것을 나타낸 것이다.

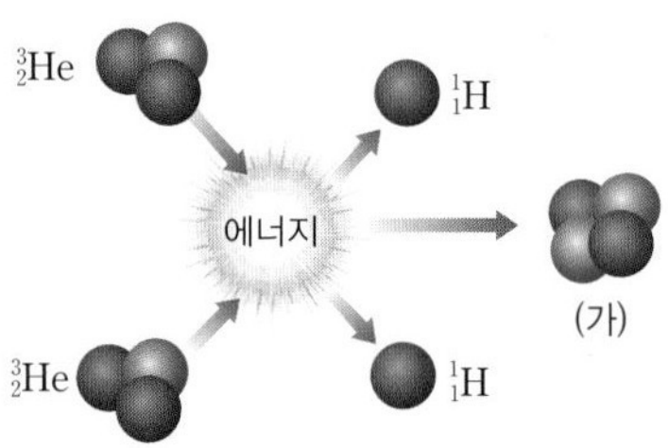

(　　) 안에 들어갈 알맞은 말을 고르시오.

(1) (가)는 (수소, 헬륨)원자핵이다.

(2) 핵반응 전후 질량수는 (같다, 다르다).

(3) 핵반응 전 질량이 핵반응 후 질량보다 (작다, 크다).

2주
4일

4일 기초 유형 연습 | 질량-에너지 등가성

대표 기출 유형

그림은 우라늄의 핵반응 과정을 간단히 나타낸 것이다.

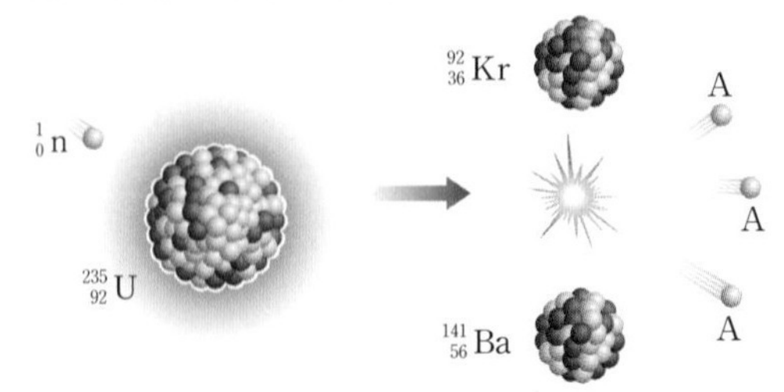

이에 대한 설명으로 옳은 것만을 〈보기〉에서 있는 대로 고른 것은?

보기
ㄱ. A는 중성자이다.
ㄴ. 반응 전후 질량수와 전하량은 보존된다.
ㄷ. 핵반응 후 에너지가 방출된다.

① ㄱ ② ㄱ, ㄴ ③ ㄱ, ㄷ
④ ㄴ, ㄷ ⑤ ㄱ, ㄴ, ㄷ

개념 point

우라늄 핵분열 반응: 우라늄 235 원자핵에 중성자가 충돌하면 바륨과 크립톤, 3개의 중성자로 분열된다.
핵반응 전후 질량수와 전하량은 보존되며, 질량 결손이 발생한 만큼 에너지가 방출된다.

|보기| 풀이

ㄱ 우라늄 핵분열 반응에서는 3개의 중성자가 생성된다. 따라서 A는 중성자이다.
ㄴ 핵반응 전후 질량수와 전하량은 보존된다.
ㄷ 핵분열 시 질량 결손이 일어나며 그에 해당하는 에너지가 방출된다.

답 ⑤

1 특수 상대성 이론에 따른 질량-에너지 등가성에 대한 설명으로 옳은 것만을 〈보기〉에서 있는 대로 고른 것은?

보기
ㄱ. 질량과 에너지는 상호 전환될 수 있다.
ㄴ. 물체의 속력이 증가해도 질량은 일정하다.
ㄷ. 질량은 에너지의 또 다른 형태로 볼 수 있다.

① ㄱ ② ㄴ ③ ㄷ
④ ㄱ, ㄴ ⑤ ㄱ, ㄷ

2 그림 (가)와 (나)는 핵반응의 예를 나타낸 것이다.

(가)
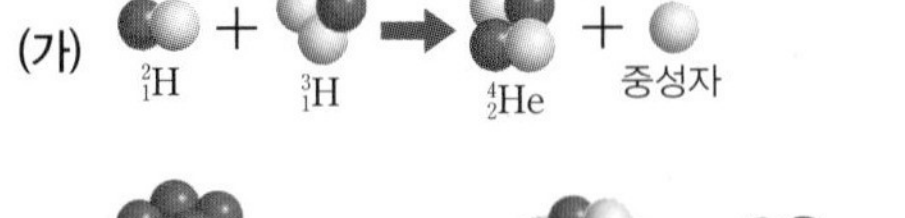

(나)
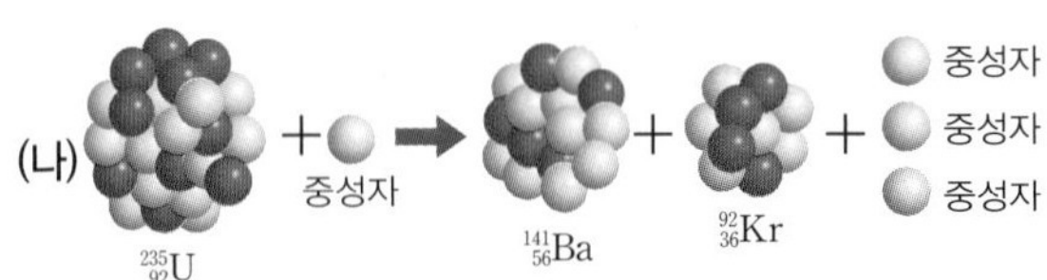

이에 대한 설명으로 옳은 것만을 〈보기〉에서 있는 대로 고른 것은?

보기
ㄱ. (가)는 핵융합 반응이고, (나)는 핵분열 반응이다.
ㄴ. (가)에서 두 개 이상의 원자핵이 결합하여 무거운 원자핵이 될 때 에너지가 발생한다.
ㄷ. (가)와 (나) 모두 핵반응 전후 질량수는 다르다.

① ㄱ ② ㄴ ③ ㄱ, ㄴ
④ ㄴ, ㄷ ⑤ ㄱ, ㄴ, ㄷ

정답과 해설 18쪽

3 다음은 원자로에서 일어나는 우라늄($^{235}_{92}U$) 원자핵의 핵분열 반응식을 나타낸 것이다.

$$^{235}_{92}U + ^{1}_{0}n \longrightarrow ^{141}_{56}Ba + ^{㉠}_{36}Kr + 3^{1}_{0}n + 200\ MeV$$

이에 대한 설명으로 옳은 것만을 〈보기〉에서 있는 대로 고른 것은?

보기
ㄱ. ㉠에 들어갈 숫자는 92이다.
ㄴ. 입자들의 질량의 합은 반응 전보다 반응 후에 더 크다.
ㄷ. 200 MeV의 에너지는 질량 결손에 의해 발생한 것이다.

① ㄱ ② ㄴ ③ ㄷ
④ ㄱ, ㄴ ⑤ ㄱ, ㄷ

4 그림은 양성자 2개와 중성자 2개가 결합하여 헬륨이 되는 과정을, 표는 이때 입자의 질량을 나타낸 것이다. u는 핵의 질량을 나타내는 단위이다.

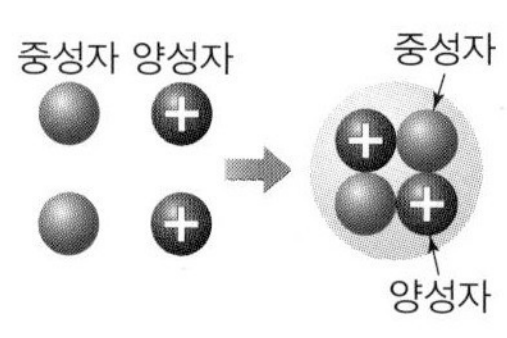

입자	질량
양성자	1.0078 u
중성자	1.0087 u
헬륨 원자핵	4.0026 u

이에 대한 설명으로 옳은 것만을 〈보기〉에서 있는 대로 고른 것은?

보기
ㄱ. 핵반응 전후 질량수는 동일하다.
ㄴ. 핵반응 과정에서 질량 결손이 생긴다.
ㄷ. 에너지가 필요한 흡열 반응이 일어난다.

① ㄱ ② ㄴ ③ ㄷ
④ ㄱ, ㄴ ⑤ ㄴ, ㄷ

5 그림은 원자로에서 일어나는 핵반응 과정을 간단히 나타낸 것이다.

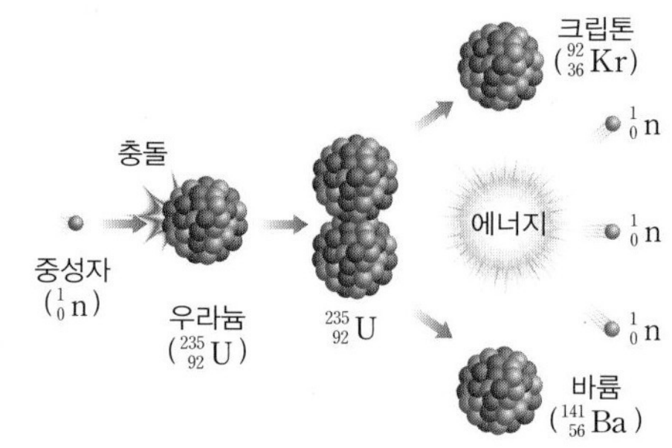

이에 대한 설명으로 옳지 않은 것은?

① 이 반응은 핵분열 반응이다.
② 반응 과정에서 질량수는 보존된다.
③ 반응 과정에서 에너지가 발생한다.
④ 반응 전후 질량의 합은 같다.
⑤ 반응 과정에서 양성자수는 보존된다.

6 그림은 핵융합로에서 고온 플라스마 상태인 중수소와 삼중수소가 원자핵 반응을 하는 것을 나타낸 것이다. 이 과정의 핵반응식은 다음과 같다.

$$^{2}_{1}H + (가) \longrightarrow ^{4}_{2}He + ^{1}_{0}n + 17.6\ MeV$$

(1) (가)에 들어갈 알맞은 원소를 쓰시오.

(2) 이 반응 과정에서 에너지는 어떻게 발생하였는지 서술하시오.

(3) 이 반응 과정에서 질량은 어떻게 되는지 쓰시오.

2주 4일

5일 전자의 에너지 준위

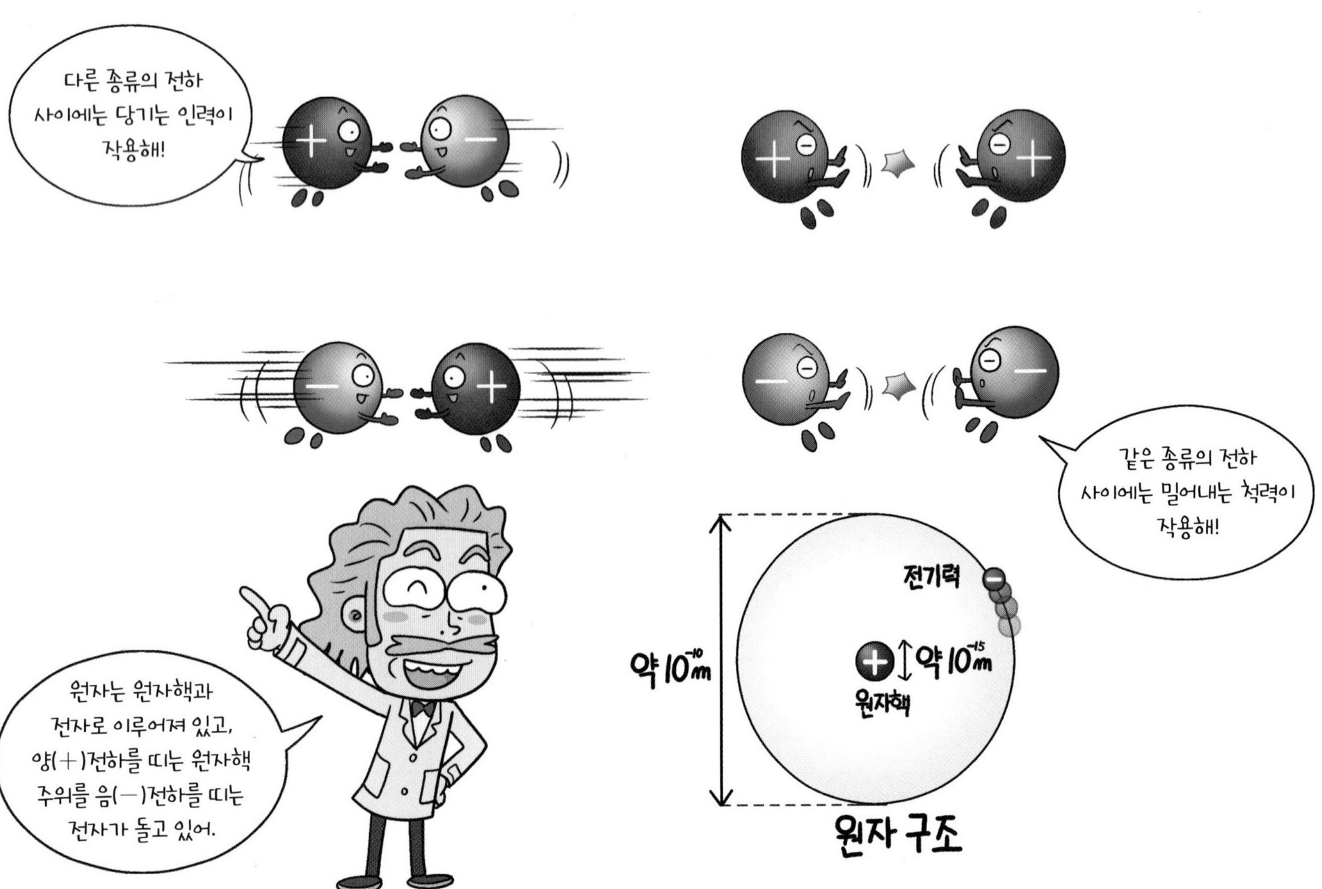

핵심 개념

1 전기력과 원자 구조

- **전기력**: 전하를 띤 물체 사이에 작용하는 힘 ➡ 같은 종류의 전하 사이에는 ❶ ______이 작용하고, 다른 종류의 전하 사이에는 인력이 작용한다.
- **쿨롱 법칙**: 두 전하 사이에 작용하는 전기력 F는 두 전하의 전하량 q_1, q_2의 곱에 ❷ ______하고, 두 전하 사이의 거리 r의 제곱에 반비례한다.
  ➡ $F=k\frac{q_1q_2}{r^2}$ (쿨롱 상수 $k=9\times10^9\,\mathrm{N\cdot m^2/C^2}$)
- **원자 구조**: 중심에 (+)전하를 띤 원자핵이 있고, 그 주위를 (−)전하를 띤 전자가 돌고 있다.
- 톰슨의 음극선 실험 → 전자의 발견, 러더퍼드의 α입자 산란 실험 → 원자핵의 발견

2 스펙트럼

- **스펙트럼**: 빛이 파장에 따라 분산되어 나타나는 색의 띠
- **연속 스펙트럼**: 무지개처럼 연속적인 색의 띠
  ㉠ 햇빛, 백열등
- **선 스펙트럼**: 선이 띄엄띄엄 나타나는 색의 띠
  ㉠ 방출 스펙트럼, 흡수 스펙트럼
  ① 기체 원자가 방출 또는 흡수하는 빛의 파장이 달라 선의 위치와 색이 다르다.
  ② 선 스펙트럼을 분석하면 기체의 종류를 알 수 있다.
- **빛의 에너지**: 빛의 에너지는 빛의 진동수(f)에 ❸ ______하고, 빛의 파장(λ)에 ❹ ______한다.
  ➡ $E=hf=\frac{hc}{\lambda}$ (h: 플랑크 상수, c: 빛의 속도)

답 ❶ 척력 ❷ 비례 ❸ 비례 ❹ 반비례

개념 확인

정답과 해설 18쪽

1-1

그림과 같이 전하량이 각각 $+2Q$, $+Q$, $-Q$인 세 물체 A, B, C가 일직선 상에서 r만큼씩 떨어져 놓여 있다.

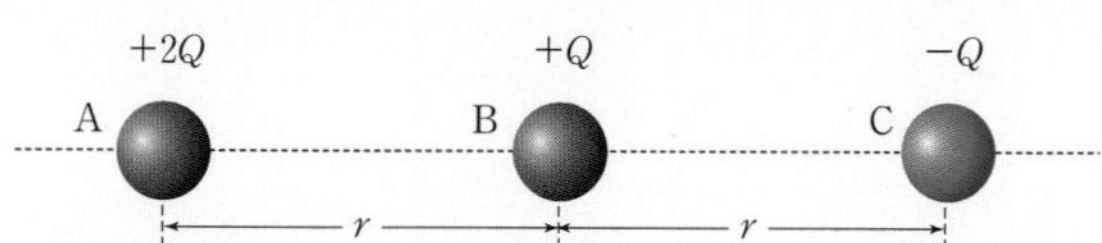

이에 대한 설명으로 옳은 것은 ○, 옳지 않은 것은 ×표 하시오.

(1) 전하량의 크기는 A가 B보다 크다. (　　　)

(2) B와 C 사이에는 척력이 작용한다. (　　　)

(3) B가 A에 작용하는 전기력의 크기와 C가 A에 작용하는 전기력의 크기는 같다. (　　　)

1-2

그림은 러더퍼드의 알파(α) 입자 산란 실험 장치를 간단히 나타낸 것이다.

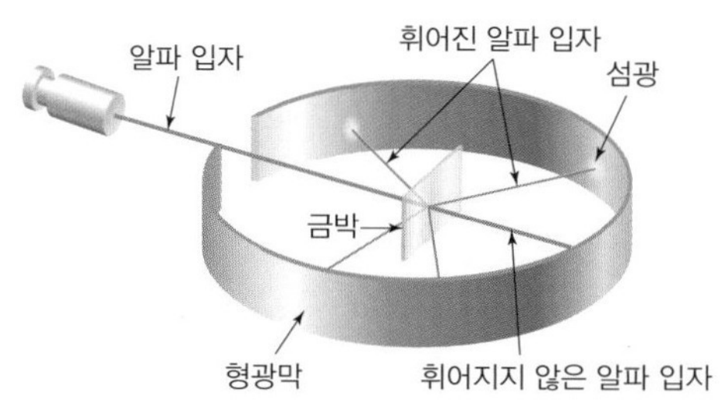

이에 대한 설명으로 옳은 것은 ○, 옳지 않은 것은 ×표 하시오.

(1) 실험 결과 전자를 발견하였다. (　　　)

(2) 원자 중심에 (+)전하를 띤 입자가 있다. (　　　)

(3) 원자의 내부는 꽉 찬 구와 같다. (　　　)

2-1

그림 (가)는 여러 빛의 스펙트럼을 관찰하는 모습을, (나)는 관찰된 스펙트럼을 나타낸 것이다.

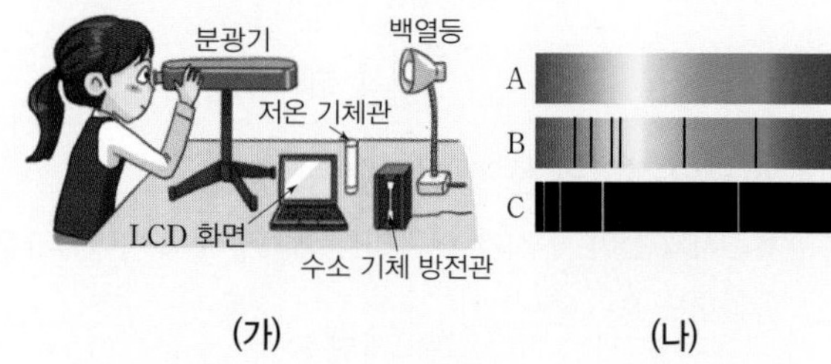

(가)　　　(나)

(1) 백열등에서 나오는 빛의 스펙트럼을 쓰시오.

(2) 저온 기체관을 통과한 빛의 스펙트럼을 쓰시오.

(3) 수소 기체 방전관에서 나온 빛의 스펙트럼을 쓰시오.

2-2

그림은 수소와 헬륨 기체에서 나오는 빛의 스펙트럼을 나타낸 것이다. (단, 빛의 파장은 a가 b보다 작다.)

이에 대한 설명으로 옳은 것은 ○, 옳지 않은 것은 ×표 하시오.

(1) 수소와 헬륨의 방출 스펙트럼이다. (　　　)

(2) 진동수는 a가 b보다 크다. (　　　)

(3) a의 에너지는 b의 에너지보다 크다. (　　　)

5일 전자의 에너지 준위

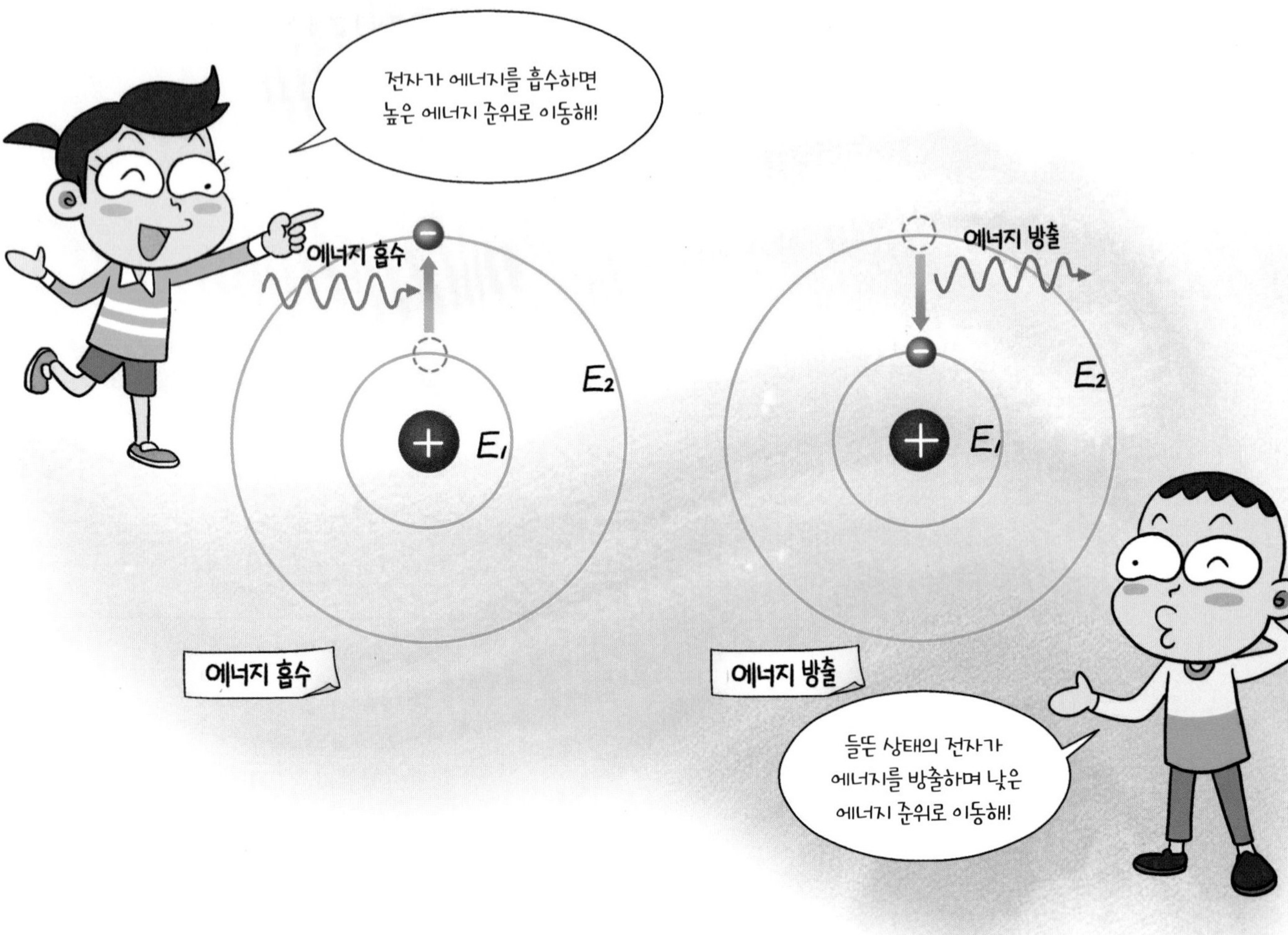

전자가 에너지를 흡수하면 높은 에너지 준위로 이동해!

에너지 흡수

E_2

E_1

에너지 방출

E_2

E_1

에너지 흡수

에너지 방출

들뜬 상태의 전자가 에너지를 방출하며 낮은 에너지 준위로 이동해!

핵심 개념

3 보어 원자 모형과 에너지 준위

- **보어 원자 모형**: 전자는 원자핵 주위의 특정한 궤도에서만 돌고 있다. 원자핵에 가까운 궤도부터 양자수(n)로 구분한다.
- **에너지 준위**: 특정 궤도에서 전자가 갖는 에너지

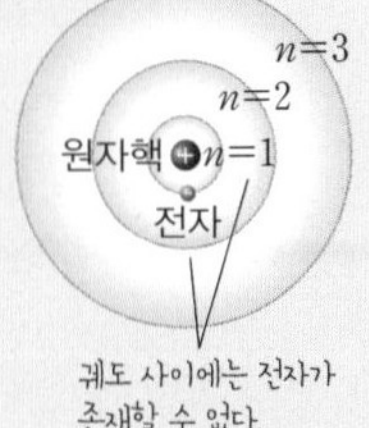

① ❶ [　　　]: $n=1$일 때, 전자의 에너지가 가장 낮은 안정한 상태이다.

② 들뜬상태: $n=2, 3, 4 \cdots$일 때, 전자는 바닥상태의 전자보다 ❷ [　　　] 에너지를 갖는 불안정한 상태이다.

4 전자의 전이와 선 스펙트럼

- **전자의 전이**: 전자가 서로 다른 에너지 준위 사이에서 이동하는 것

➡ 낮은 에너지 준위 $\underset{\text{에너지 방출}}{\overset{\text{에너지 흡수}}{\rightleftarrows}}$ 높은 에너지 준위

- **광자의 에너지**: 빛의 진동수(f)에 비례하고 파장(λ)에 반비례하며, $m<n$이면 에너지 흡수, $m>n$이면 에너지를 방출한다. ➡ $E_{\text{광자}}=|E_m-E_n|=hf=\frac{hc}{\lambda}$
- **수소 원자의 선 스펙트럼**: 라이먼 계열($n=1$인 상태로 전이, 자외선 영역), 발머 계열($n=2$인 상태로 전이, 가시광선 영역), 파셴 계열($n=3$인 상태로 전이, 적외선 영역)

답 ❶ 바닥상태 ❷ 높은

개념 확인

정답과 해설 19쪽

3-1

그림은 여러 가지 원자 모형을 간단히 나타낸 것이다.

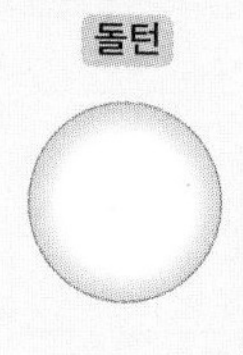

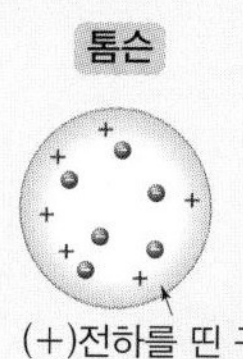

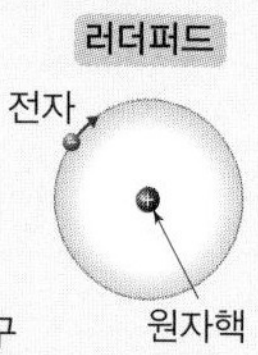

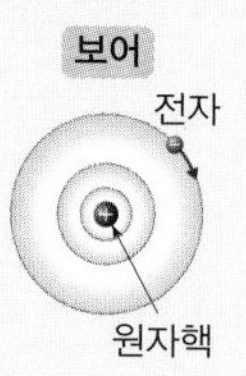

원자 모형에 대한 설명으로 옳지 않은 것은?

① 돌턴에 의하면 물질은 원자라는 더 이상 쪼개지지 않는 입자로 구성되어 있다.
② 톰슨은 전자를 발견했다.
③ 러더퍼드는 전자가 원자핵 주위를 도는 모형을 제안했다.
④ 보어는 원자핵 주위에 연속된 궤도에 전자가 존재한다고 주장했다.
⑤ 양자수가 커질수록 에너지 준위는 커진다.

3-2

그림은 보어의 원자 모형을 간단히 나타낸 것이다.

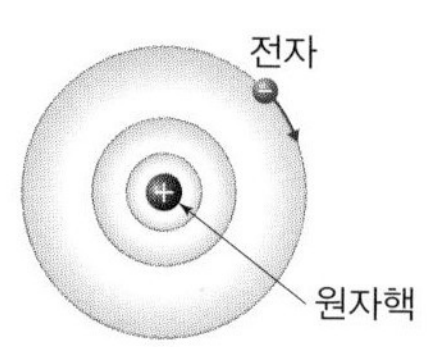

이에 대한 설명으로 옳은 것은 ○, 옳지 않은 것은 ×표 하시오.

(1) 전자는 특정한 궤도에만 존재할 수 있다. (　　)
(2) 원자 내 전자가 갖는 에너지는 연속적으로 분포한다. (　　)
(3) 양자수가 $n=1$일 때 전자는 가장 낮은 에너지를 갖는다. (　　)
(4) 전자가 에너지를 방출하면 양자수가 높은 궤도로 전이한다. (　　)

4-1

그림은 보어 원자 모형에서 전자 궤도 a, b, c와 전자의 전이 과정 p, q를 간단히 나타낸 것이다.

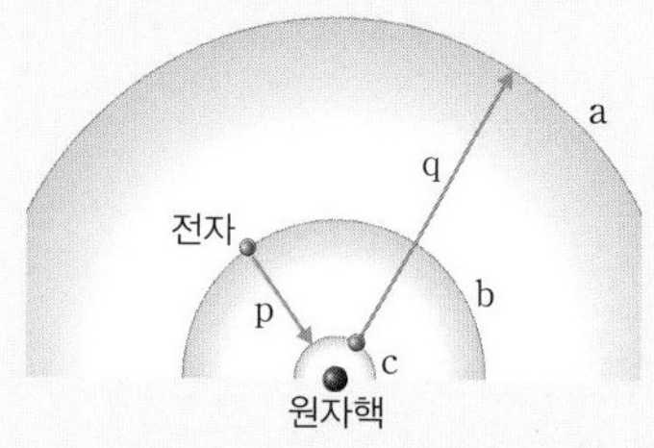

(1) a, b, c 중 전자의 에너지 준위가 가장 높은 준위를 쓰시오.
(2) p와 같은 전이 과정에서 빛은 방출되는지 흡수되는지 쓰시오.
(3) p와 q 중 들뜬상태로 전이되는 과정을 쓰시오.
(4) 흡수 또는 방출하는 빛의 파장은 p와 q 중 어느 것이 짧은지 쓰시오.

4-2

그림은 수소 원자의 에너지 준위에서 전자의 전이를 나타낸 것이다. 전이 과정 A, B, C에서는 빛 a, b, c를 흡수하거나 방출한다.

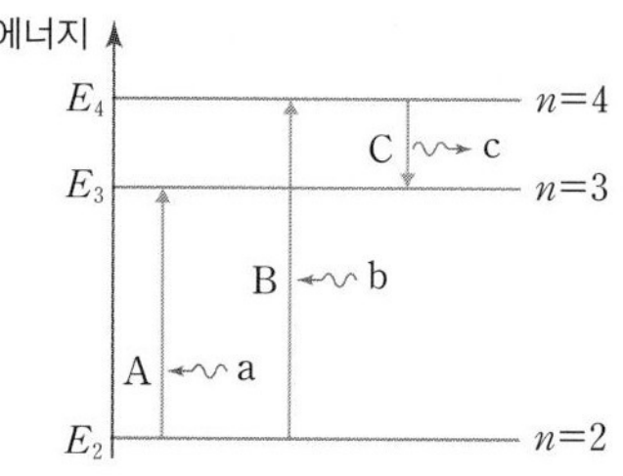

이에 대한 설명으로 옳은 것은 ○, 옳지 않은 것은 ×표 하시오.

(1) A, B에서는 빛을 흡수한다. (　　)
(2) a의 파장이 b의 파장보다 크다. (　　)
(3) C에서 방출한 빛은 자외선 영역이다. (　　)

기초 유형 연습 | 전자의 에너지 준위

대표 기출 유형

그림 (가)~(다)는 수소 원자에서 전자가 전이하는 세 가지 경우를 모식적으로 나타낸 것이다. (가)~(다)에서 흡수하거나 방출하는 빛은 각각 a, b, c이다.

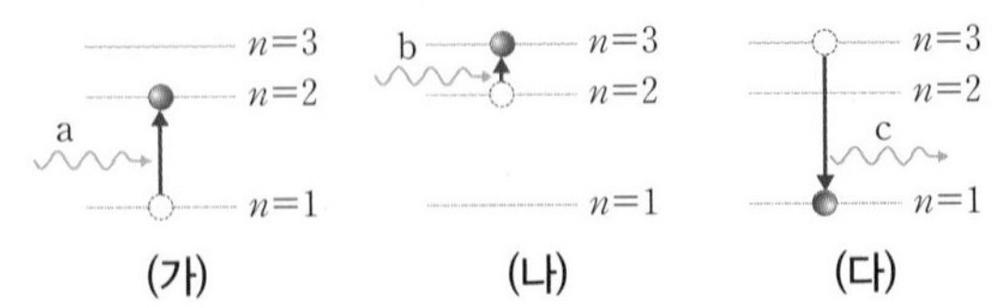

(가) (나) (다)

이에 대한 설명으로 옳은 것만을 〈보기〉에서 있는 대로 고른 것은?

보기

ㄱ. (가), (나)에서는 빛을 흡수한다.

ㄴ. a와 b의 에너지의 합은 c의 에너지와 같다.

ㄷ. (다)에서 자외선을 방출한다.

① ㄱ ② ㄴ ③ ㄷ
④ ㄱ, ㄷ ⑤ ㄱ, ㄴ, ㄷ

개념 point

전자의 전이: 전자가 낮은 에너지 준위에서 높은 에너지 준위로 전이할 때는 빛을 흡수하고, 높은 에너지 준위에서 낮은 에너지 준위로 전이할 때는 빛을 방출한다.

|보기| 풀이

ㄱ (가), (나)에서는 전자가 낮은 에너지 준위에서 높은 에너지 준위로 전이하므로 빛을 흡수한다.

ㄴ a, b에 의해 전이된 궤도와 c에서 전이된 궤도의 에너지 준위 차이가 같으므로 에너지가 같다.

ㄷ 전자가 $n=1$인 바닥 상태로 전이할 때 방출하는 빛은 자외선 영역이며, 라이먼 계열에 속한다.

답 ⑤

1 그림은 학생들이 보어의 수소 원자 모형에 대해 이야기하는 것을 나타낸 것이다.

옳은 설명을 한 사람만을 있는 대로 고른 것은?

① 철수 ② 영희 ③ 민수
④ 철수, 영희 ⑤ 영희, 민수

2 그림은 보어의 원자 모형을 모식적으로 나타낸 것이다.

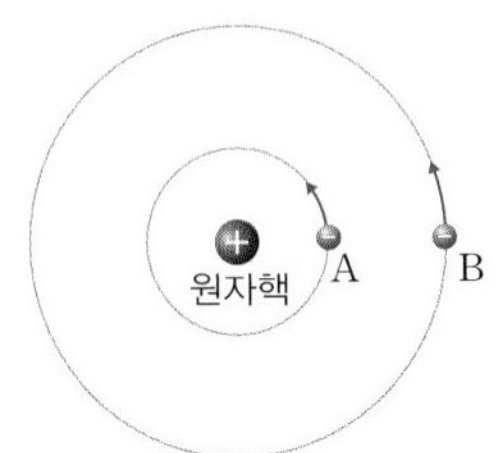

이에 대한 설명으로 옳은 것만을 〈보기〉에서 있는 대로 고른 것은?

보기

ㄱ. 원자핵과 전자 사이에는 전기력이 작용한다.

ㄴ. 전자가 A에 있을 때보다 B에 있을 때 에너지 준위가 높다.

ㄷ. 전자는 A에 있을 때 에너지가 가장 작고 안정적인 상태이다.

① ㄱ ② ㄴ ③ ㄷ
④ ㄴ, ㄷ ⑤ ㄱ, ㄴ, ㄷ

정답과 해설 19쪽

3 그림 (가)는 저온의 수소 기체를 통과한 백색광을 분광기로 관찰하는 모습을, (나)는 (가)에서 관찰한 스펙트럼을 나타낸 것이다. 이때 a, b는 스펙트럼에서 검은 선에 해당하는 파장이다.

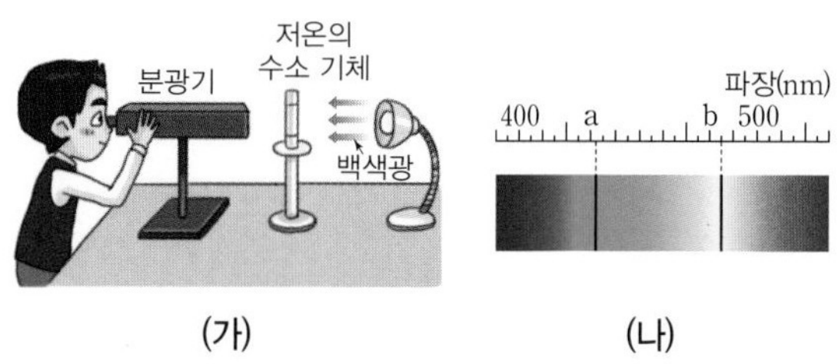

(가) (나)

이에 대한 설명으로 옳은 것만을 〈보기〉에서 있는 대로 고른 것은?

> **보기**
> ㄱ. (나)는 방출 스펙트럼이다.
> ㄴ. 수소 원자의 에너지 준위는 양자화되어 있다.
> ㄷ. a에서 나타나는 빛의 에너지는 b의 에너지보다 크다.

① ㄱ ② ㄴ ③ ㄷ
④ ㄴ, ㄷ ⑤ ㄱ, ㄴ, ㄷ

4 그림은 보어의 수소 원자 모형을 간단히 나타낸 것이다. a, b, c는 전자의 전이를 나타낸 것이다. 양자수 n에 따라 에너지 E_n은 각각 $E_1=-13.6\text{ eV}$, $E_2=-3.4\text{ eV}$, $E_3=-1.5\text{ eV}$이다.

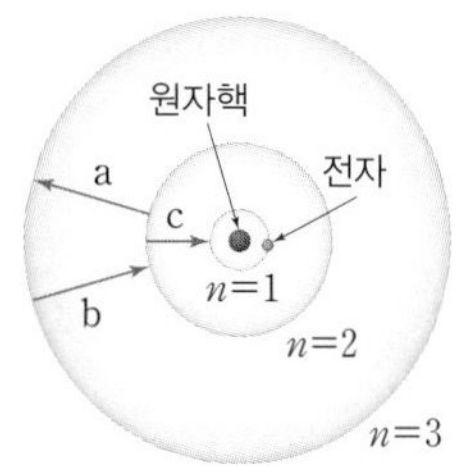

(1) 전자가 a와 같이 전이할 때 흡수하는 에너지는 몇 eV인지 구하시오.

(2) 전자가 c와 같이 전이할 때 방출하는 에너지는 몇 eV인지 구하시오.

(3) b에서 방출하는 빛의 영역을 쓰시오.

5 그림은 보어의 수소 원자 모형에서 에너지 준위와 전이 과정 A, B, C를 나타낸 것이고, 표는 전이 과정 A, B, C에서 방출하는 빛의 에너지를 나타낸 것이다.

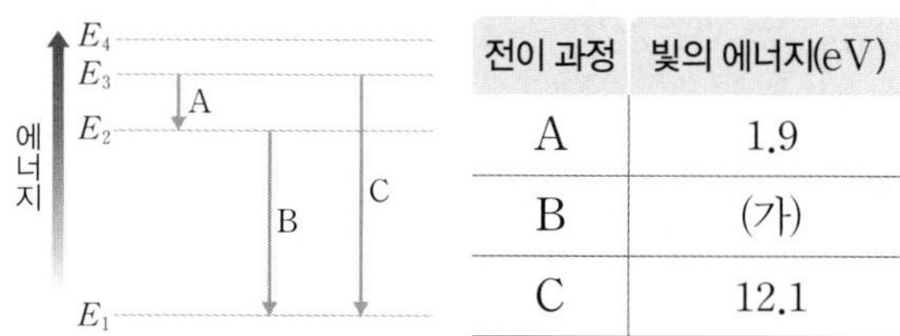

전이 과정	빛의 에너지(eV)
A	1.9
B	(가)
C	12.1

(1) (가)에 들어갈 알맞은 값을 구하시오.

(2) 진동수가 가장 큰 빛이 방출되는 전이 과정을 쓰시오.

(3) 파장이 가장 큰 빛이 방출되는 전이 과정을 쓰시오.

6 그림 (가)는 보어 원자 모형에서 전자가 전이하는 것을, (나)는 이때 방출하는 빛의 스펙트럼을 나타낸 것이다. f_2는 b의 진동수이다.

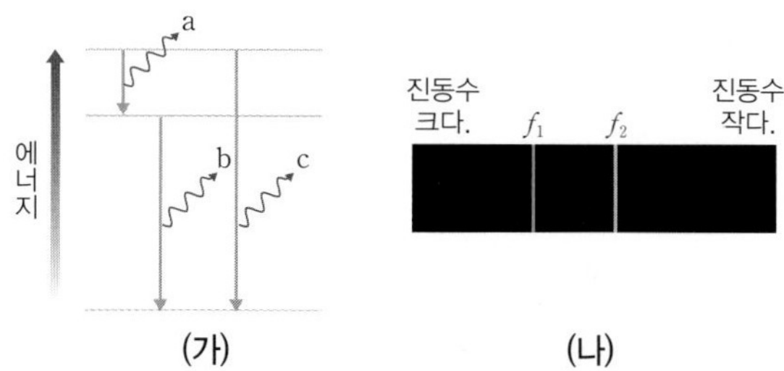

(가) (나)

이에 대한 설명으로 옳은 것만을 〈보기〉에서 있는 대로 고른 것은?

> **보기**
> ㄱ. f_1은 c의 진동수이다.
> ㄴ. a의 진동수는 b의 진동수보다 작다.
> ㄷ. a 광자의 에너지는 c 광자의 에너지보다 작다.

① ㄱ ② ㄴ ③ ㄷ
④ ㄱ, ㄷ ⑤ ㄱ, ㄴ, ㄷ

2주 5일

2019학년도 수능 17번

1 그림 (가)와 같이 실린더 안의 동일한 이상 기체 A와 B가 열전달이 잘되는 금속판에 의해 분리되어 열평형 상태에 있다. A, B의 압력과 부피는 각각 P, V로 같다. 그림 (나)는 (가)에서 피스톤에 힘을 가하여 B의 부피가 감소한 상태로 A와 B가 열평형을 이룬 모습을 나타낸 것이다.

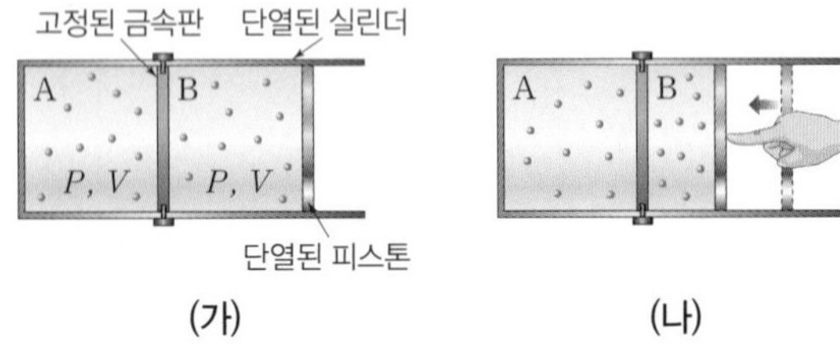

이에 대한 설명으로 옳은 것만을 〈보기〉에서 있는 대로 고른 것은? (단, 피스톤의 마찰, 금속판이 흡수한 열량은 무시한다.)

보기
ㄱ. A의 온도는 (가)에서가 (나)에서보다 높다.
ㄴ. (나)에서 기체의 압력은 A가 B보다 작다.
ㄷ. (가) → (나) 과정에서 B가 받은 일은 B의 내부 에너지 증가량과 같다.

① ㄱ ② ㄴ ③ ㄱ, ㄷ
④ ㄴ, ㄷ ⑤ ㄱ, ㄴ, ㄷ

2 그림은 풍선이 지상에서 위로 올라갈 때 고도와 풍선 속 공기 온도의 관계를 나타낸 것이다. (단, 풍선 속 공기는 이상 기체이고, 풍선은 위로 올라갈 때 단열 팽창한다.)

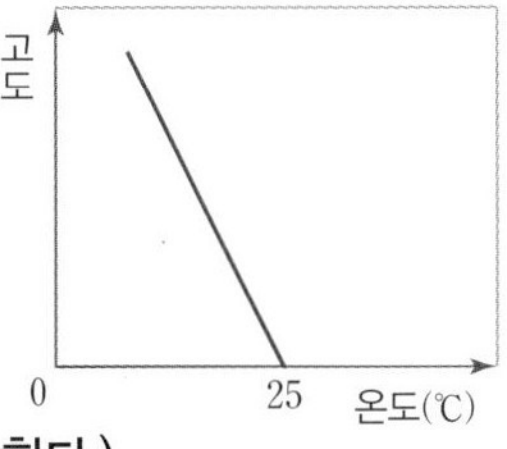

(1) 풍선이 위로 올라갈 때 풍선 속 내부 기체 분자 1개의 평균 운동 에너지는 어떻게 되는지 쓰시오.

(2) 풍선이 위로 올라갈 때 풍선 속 내부 기체의 압력은 어떻게 되는지 쓰시오.

2020학년도 7월 학평 8번 변형

3 표는 동일한 열기관의 두 가지 상황 A, B에서 고열원에서 받은 열량(Q_1), 한 일(W), 저열원으로 방출한 열량(Q_2)을 나타낸 것이다. ㉠, ㉡에 들어갈 알맞은 값을 구하시오. (단, 열기관의 효율은 일정하다.)

	A	B
Q_1	200 kJ	㉡
W	㉠	30 kJ
Q_2	150 kJ	

2020학년도 3월 학평 12번

4 그림은 고열원에서 열을 흡수하여 W의 일을 하고 저열원으로 Q의 열을 방출하는 열기관을 나타낸 것이다. 이 열기관의 열효율은?

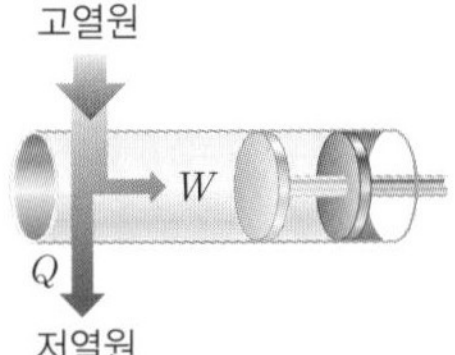

① $\dfrac{W}{Q}$ ② $\dfrac{Q}{W}$ ③ $\dfrac{W}{Q+W}$
④ $\dfrac{Q}{Q+W}$ ⑤ $\dfrac{W}{Q-W}$

2020학년도 7월 학평 18번 변형

5 그림은 철수에 대해 영희가 탄 우주선이 $0.9c$의 속력으로 운동하는 것을 나타낸 것이다. 영희가 측정할 때 P, Q에서 동시에 발생한 빛이 R에 동시에 도달하였다. P, R, Q는 직각을 이루고, Q는 진행 방향이다.

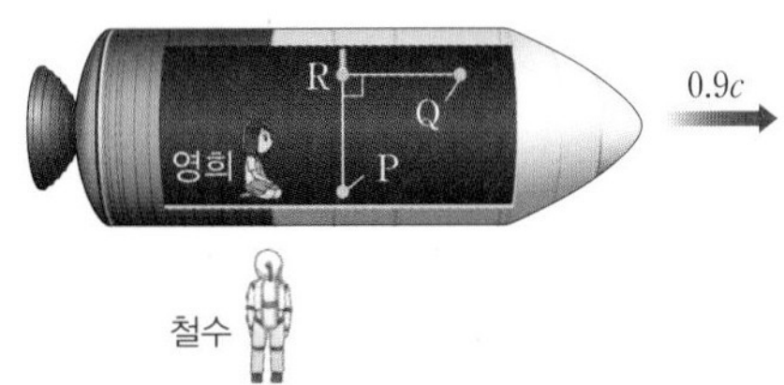

이에 대한 설명으로 옳은 것만을 〈보기〉에서 있는 대로 고르시오.

보기
ㄱ. 철수와 영희가 측정한 빛의 속력은 같다.
ㄴ. 철수가 측정한 $\overline{PR}$과 $\overline{RQ}$의 거리는 같다.
ㄷ. 영희가 측정한 $\overline{PR}$과 $\overline{RQ}$의 거리는 같다.

정답과 해설 20쪽

6 그림은 A에 대해 $0.8c$의 속력으로 운동하는 B가 탄 우주선을 나타낸 것이다. 광원과 검출기 사이의 고유 길이는 L이고 운동 방향에 수직이다.

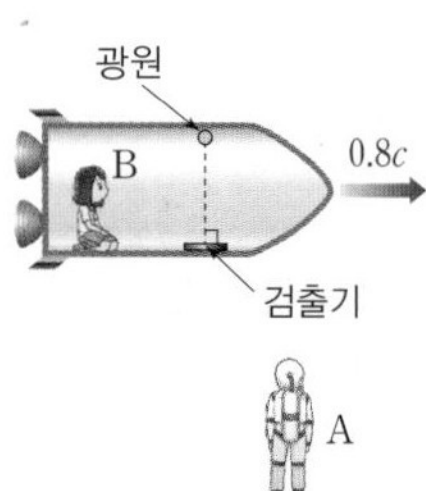

이에 대한 설명으로 옳은 것을 <보기>에서 있는 대로 고른 것은? (단, c는 빛의 속력이다.)

> 보기
> ㄱ. A가 관찰할 때 광원과 검출기 사이 거리는 L이다.
> ㄴ. A가 측정한 광원에서 나온 빛의 속력은 c이다.
> ㄷ. 빛이 광원에서 검출기까지 가는 데 걸린 시간은 A가 측정한 것이 B가 측정한 것보다 작다.

① ㄱ ② ㄴ ③ ㄱ, ㄴ
④ ㄴ, ㄷ ⑤ ㄱ, ㄴ, ㄷ

2014학년도 7월 학평 14번 변형

7 다음은 원자로에서 일어나는 핵반응식이다.

$$^{235}_{92}\mathrm{U}+(ⓐ)\longrightarrow {}^{141}_{56}\mathrm{Ba}+{}^{㉠}_{36}\mathrm{Kr}+3(ⓐ)+\text{에너지}$$

이에 대한 설명으로 옳은 것을 <보기>에서 있는 대로 고른 것은?

> 보기
> ㄱ. ㉠은 92이다.
> ㄴ. ⓐ는 전자이다.
> ㄷ. 핵반응 전후 질량수의 합은 같다.

① ㄱ ② ㄴ ③ ㄱ, ㄷ
④ ㄴ, ㄷ ⑤ ㄱ, ㄴ, ㄷ

8 다음은 원자핵 X를 생성하는 두 핵반응식을 나타낸 것이다.

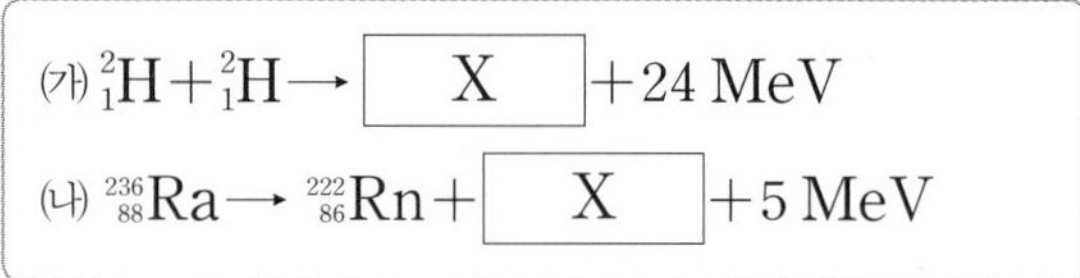

(가) $^{2}_{1}\mathrm{H}+{}^{2}_{1}\mathrm{H}\rightarrow$ X $+24\ \mathrm{MeV}$
(나) $^{236}_{88}\mathrm{Ra}\rightarrow{}^{222}_{86}\mathrm{Rn}+$ X $+5\ \mathrm{MeV}$

이에 대한 설명으로 옳지 않은 것은?

① X의 원자 번호는 2이다.
② (가)는 핵융합 과정이다.
③ (가)에서 질량 결손이 더 많이 일어난다.
④ (나)에서 핵반응 전후 질량수의 총합은 같다.
⑤ (가)는 원자로에서, (나)는 태양에서 일어난다.

9 그림은 바닥상태의 수소 원자가 진동수 f_0인 빛을 흡수한 후 진동수 f_1, f_2인 빛을 방출하며 다시 바닥상태가 된 것을 나타낸 것이다.

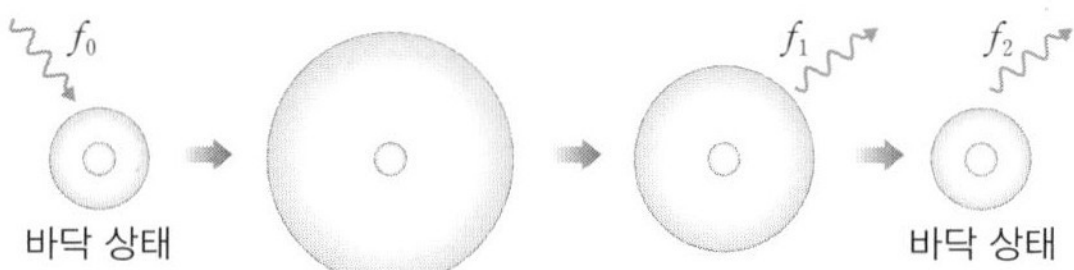

세 빛의 진동수의 관계를 간단한 식으로 나타내시오.

2020년 10월 학평 10번 변형

10 그림 (가)는 보어의 수소 원자 모형을, (나)는 관찰한 스펙트럼을 나타낸 것이다. ㉡은 a에 의해 나타난 스펙트럼선이다.

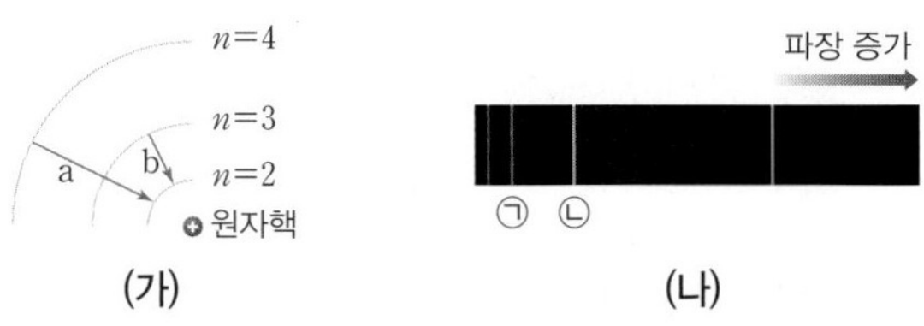

이에 대한 설명으로 옳은 것만을 <보기>에서 있는 대로 고르시오.

> 보기
> ㄱ. ㉠은 b에 의해 나타난 스펙트럼선이다.
> ㄴ. ㉠의 에너지는 ㉡의 에너지보다 크다.
> ㄷ. $n=2$의 전자는 $n=4$의 전자보다 에너지 준위가 낮다.

2주 100점

특수 상대성 이론에 의한 현상을 알아볼까?

정답과 해설 21쪽

| 2021학년도 수능 17번 변형 |

그림과 같이 지구에 있는 영희에 대해 철수가 탄 우주선이 $0.9c$의 속력으로 지구에서 거리 L만큼 떨어진 행성을 향해 등속 직선 운동 하고 있다. 철수가 영희를 스쳐 지나가는 순간 철수로부터 같은 거리만큼 떨어져 있는 광원 A, B에서 빛이 동시에 발생한다.

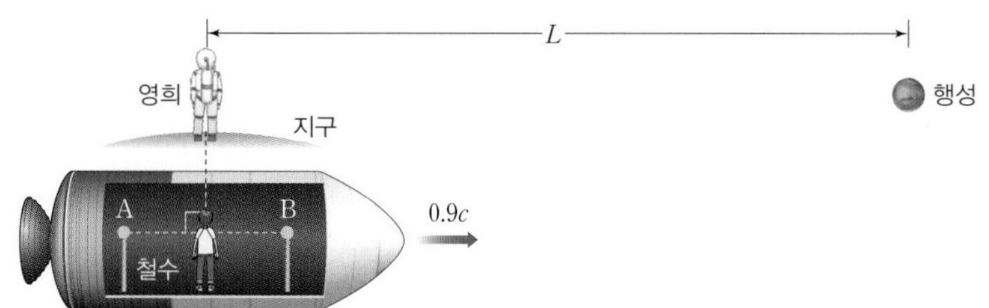

이에 대한 설명으로 옳은 것만을 <보기>에서 있는 대로 고른 것은? (단, c는 빛의 속력이다.)

보기

ㄱ. 철수는 A, B에서 발생한 빛이 자신에게 동시에 도달한 것으로 관찰한다.
ㄴ. 영희는 A, B에서 발생한 빛이 철수에게 동시에 도달한 것으로 관찰한다.
ㄷ. 철수가 관측한 지구에서 행성까지 거리는 L보다 짧다.

① ㄴ ② ㄷ ③ ㄱ, ㄴ ④ ㄱ, ㄷ ⑤ ㄱ, ㄴ, ㄷ

특강 특수 상대성 이론

- **동시성의 상대성**: 한 관찰자에게 동시에 일어난 사건이 다른 관찰자에게는 동시에 일어나지 않을 수 있다.
  ① 공간의 상대성: 같은 지점도 관찰자의 위치에 따라 다르게 표현된다.
  ② 시간의 상대성: 두 사건이 발생한 시간 차이는 관찰자에 따라 다르게 측정된다.
- **시간 지연**: 정지한 관찰자가 광속에 가까운 속도로 운동하는 관찰자를 보면 상대방의 시간이 느리게 가는 것으로 관측된다.
- **고유 시간**: 사건과 같은 관성계의 관찰자가 측정한 시간

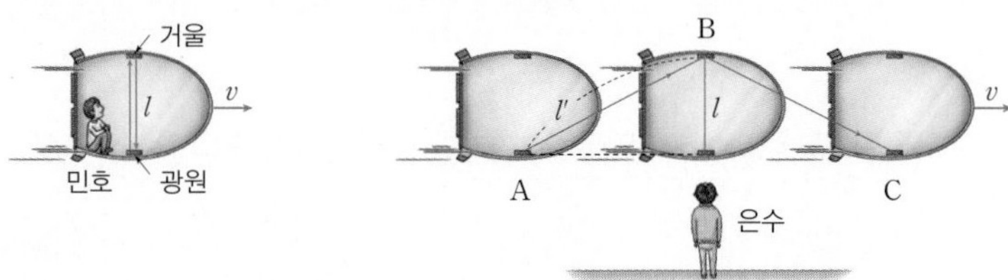

① 민호의 측정 시간: $\Delta t_{고유}=\dfrac{2l}{c}$

② 은수의 측정 시간: $\Delta t=\dfrac{2l'}{c}$ ➡ $\Delta t_{고유}<\Delta t$

- **길이 수축**: 정지한 관찰자가 빠른 속도로 운동하는 물체의 길이를 관찰하면 길이가 줄어든 것으로 관측된다.
- **고유 길이**: 물체에 대해 정지한 관찰자가 측정한 물체의 길이

2주 특강

1

2021학년도 수능 12번

열기관과 열효율

❶ 그림은 열효율이 0.3인 열기관에서 일정량의 이상 기체가 상태 A → B → C → D → A를 따라 순환하는 동안 기체의 압력과 부피를, 표는 각 과정에서 기체가 흡수 또는 방출하는 열량을 나타낸 것이다.

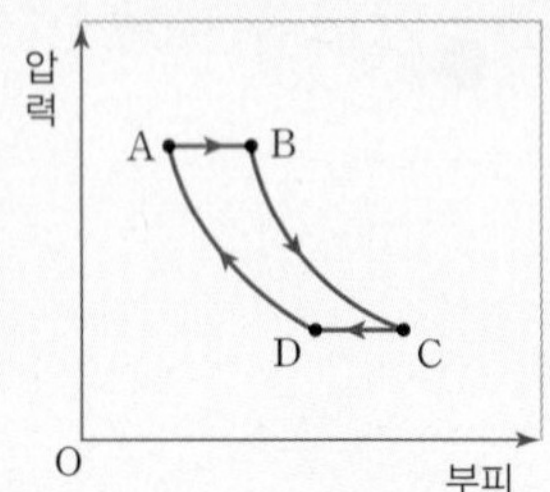

과정	흡수 또는 방출하는 열량 ❷
A → B	㉠
B → C	0
C → D	140
D → A	0

이에 대한 설명으로 옳은 것만을 〈보기〉에서 있는 대로 고른 것은?

보기

ㄱ. A → B 과정에서 기체의 내부 에너지는 증가한다.

ㄴ. C → D 과정에서 기체는 외부로부터 열을 흡수한다.

ㄷ. ㉠은 200이다.

① ㄴ ② ㄴ ③ ㄱ, ㄴ ④ ㄱ, ㄷ ⑤ ㄱ, ㄴ, ㄷ

❶ 열효율

- 열기관: 반복되는 순환 과정 통해 열에너지를 일로 바꾸는 장치이다. 고열원으로부터 Q_1의 열을 흡수하여 외부에 W의 일을 한 후 저열원으로 Q_2의 열을 방출한다.
- 열기관의 열효율: 열기관에 공급된 열량 Q_1에 대해 열기관이 한 일 $W(=Q_1-Q_2)$의 비율 ➡ 열효율$(e)=\frac{W}{Q_1}=\frac{Q_1-Q_2}{Q_1}=1-\frac{Q_2}{Q_1}$

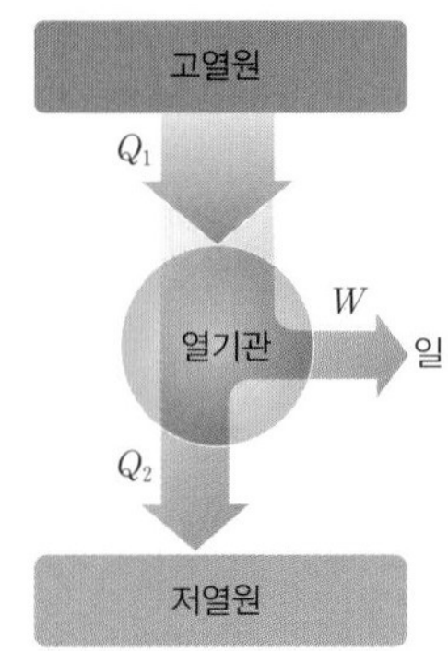

❷ 순환 과정과 열효율

- 열기관은 순환 과정 후 원래 상태로 돌아오므로 온도와 내부 에너지의 변화는 없다.
- 순환 과정은 열을 흡수하는 두 개의 과정과 열을 방출하는 두 개의 과정으로 이루어진다.
- 열기관에 공급된 열량은 Q_1+Q_2, 열기관이 한 일은 W, 열기관이 방출한 열량은 Q_3+Q_4이므로 열효율은 $e=\frac{W}{Q_1+Q_2}=1-\frac{Q_3+Q_4}{Q_1+Q_2}$이다.

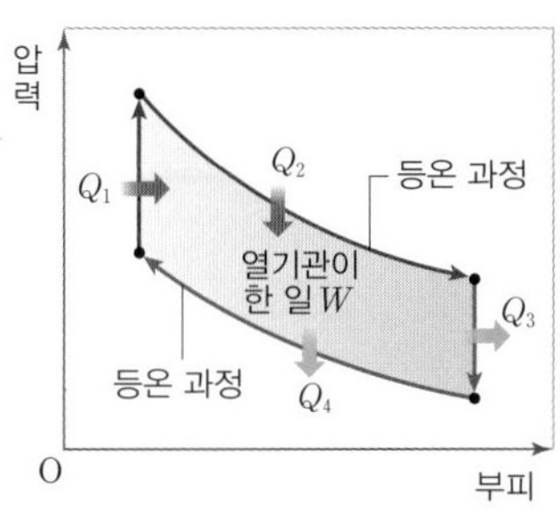

정답과 해설 21쪽

2 2020학년도 4월 학평 5번 — 열역학 법칙

표는 고열원에서 열을 흡수하여 일을 하고 저열원으로 열을 방출하는 열기관 A, B가 1회의 순환 과정 동안 한 일과 저열원으로 방출한 열을 나타낸 것이다. 열효율은 A가 B의 2배이다.

열기관	한 일	방출한 열
A	8 kJ	12 kJ
B	W_1	8 kJ

이에 대한 설명으로 옳은 것만을 <보기>에서 있는 대로 고른 것은?

보기

ㄱ. A의 열효율은 $\frac{2}{5}$이다.

ㄴ. $W_1=2$ kJ이다.

ㄷ. 1회의 순환 과정 동안 고열원에서 흡수한 열은 A가 B의 2배이다.

① ㄱ ② ㄴ ③ ㄱ, ㄷ ④ ㄴ, ㄷ ⑤ ㄱ, ㄴ, ㄷ

>> 자료 분석 Tip

열기관은 고열원에서 열을 흡수하여 일을 하고 남은 열을 저열원으로 방출하는 순환 과정을 반복한다.

>> 문제 해결 Tip

고열원에서 흡수한 열＝한 일＋저열원으로 방출한 열, 즉 $Q_1=W+Q_2$이 성립한다. 열효율은 흡수한 열량에 대한 한 일의 비율이므로 $e=\frac{W}{Q_1}$이다.

3 2015학년도 3월 학평 8번 — 특수 상대성 이론

그림과 같이 철수가 탄 우주선이 영희에 대해 일정한 속도 $0.8c$로 운동하고 있다. 우주선 바닥에서 출발한 빛이 P에 도달할 때까지 철수와 영희가 측정한 빛의 이동 거리는 각각 $L_{철수}$, $L_{영희}$이고, 걸린 시간은 각각 $t_{철수}$, $t_{영희}$이다. 이에 대한 옳은 관계식만을 <보기>에서 있는 대로 고른 것은? (단, c는 빛의 속력이다.)

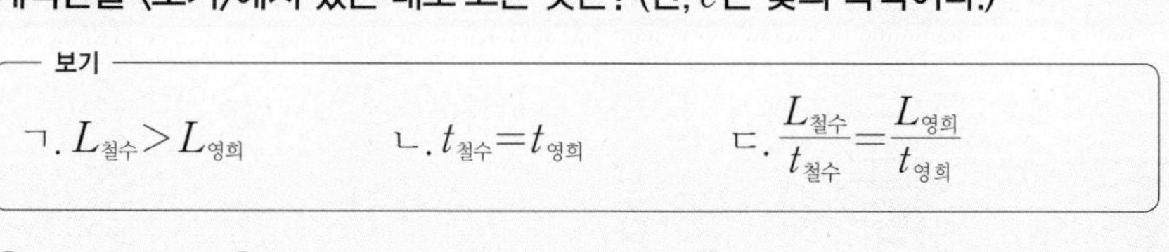

보기

ㄱ. $L_{철수}>L_{영희}$ ㄴ. $t_{철수}=t_{영희}$ ㄷ. $\frac{L_{철수}}{t_{철수}}=\frac{L_{영희}}{t_{영희}}$

① ㄱ ② ㄴ ③ ㄷ ④ ㄱ, ㄷ ⑤ ㄱ, ㄴ, ㄷ

>> 자료 분석 Tip

정지 관성계에서 빠르게 운동하는 관성계를 관찰하면 시간이 느리게 간다.

>> 문제 해결 Tip

바닥에서 출발한 빛이 P에 도달하는 동안 우주선은 $0.8c$의 속도로 앞으로 운동하며, 광속 불변 원리에 의해 $\frac{\text{이동 거리}}{\text{걸린 시간}}$는 c로 같다.

4 2021학년도 수능 8번

수소 원자 모형

그림 (가)는 보어의 수소 원자 모형에서 양자수 n에 따른 에너지 준위의 일부와 전자의 전이 a~d를 나타낸 것이다. 그림 (나)는 (가)의 b, c, d에서 방출되는 빛의 스펙트럼을 파장에 따라 나타낸 것이고, ㉠은 c에 의해 나타난 스펙트럼선이다.

❶

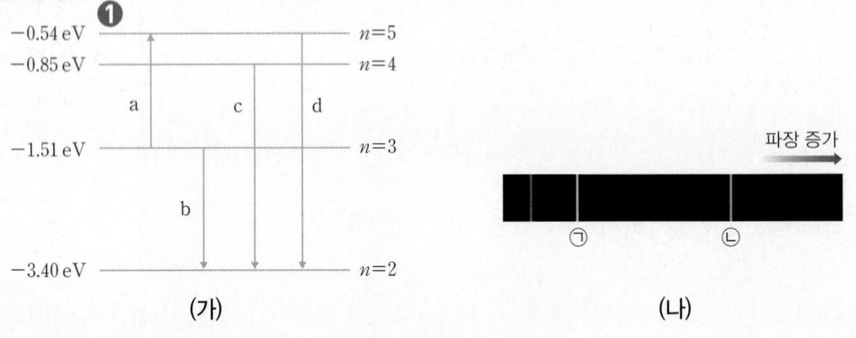

이에 대한 설명으로 옳은 것만을 〈보기〉에서 있는 대로 고른 것은?

보기

ㄱ. a에서 흡수되는 광자 1개의 에너지는 1.51 eV이다.
ㄴ. 방출되는 빛의 진동수는 c에서가 b에서보다 크다. ❷
ㄷ. ㉡은 d에 의해 나타난 스펙트럼선이다. ❸

① ㄴ ② ㄷ ③ ㄱ, ㄴ ④ ㄴ, ㄷ ⑤ ㄱ, ㄴ, ㄷ

❶ **빛의 에너지**: 빛의 에너지는 빛의 진동수(f)에 비례하고, 빛의 파장(λ)에 반비례한다.

➡ $E=hf=\dfrac{hc}{\lambda}$(h: 플랑크 상수, c: 빛의 속도)

❷ **전자의 전이**: 전자가 서로 다른 에너지 준위 사이의 궤도를 이동하는 것

- 전자가 낮은 에너지 준위에서 높은 에너지 준위로 전이하면 에너지를 흡수하고, 높은 에너지 준위에서 낮은 에너지 준위로 전이하면 에너지를 방출한다.
- 광자의 에너지는 빛의 진동수(f)에 비례하고 빛의 파장(λ)에 반비례한다.

➡ $E_{광자}=|E_m-E_n|=hf=\dfrac{hc}{\lambda}$($h$: 플랑크 상수, c: 빛의 속도)

❸ **스펙트럼**: 빛이 프리즘이나 분광기를 통과할 때 분산되어 나타나는 여러 가지 색의 띠

- 연속 스펙트럼: 색의 띠가 무지개처럼 모든 파장에서 연속적으로 나타나는 스펙트럼이다.
- 선 스펙트럼: 색의 띠가 선으로 띄엄띄엄 나타나는 색의 띠

① 방출 스펙트럼: 기체 방전관에서 나오는 빛을 분광기로 관찰하면 밝은 선들이 띄엄띄엄 나타난다.
② 흡수 스펙트럼: 백색광을 저온의 기체에 통과시키면 특정 파장의 선들이 검게 나타난다.

정답과 해설 21쪽

5 2020학년도 3월 학평 3번 질량-에너지 등가성

그림은 중수소($^2_1$H)와 삼중수소($^3_1$H)가 충돌하여 헬륨($^4_2$He), 입자 a, 에너지가 생성되는 핵반응을 나타낸 것이다. $^2_1$H, $^3_1$H, a의 질량은 각각 m_1, m_2, m_3이다. 이에 대한 설명으로 옳은 것만을 〈보기〉에서 있는 대로 고른 것은?

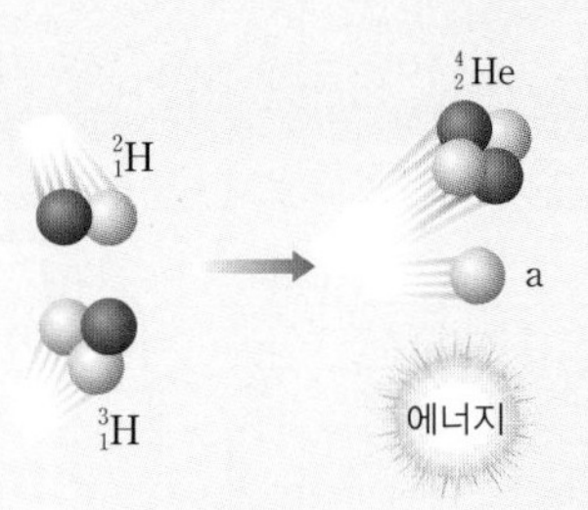

보기

ㄱ. a는 중성자이다.
ㄴ. 이 반응은 핵융합 반응이다.
ㄷ. $^4_2$He의 질량은 $m_1+m_2-m_3$이다.

① ㄱ ② ㄷ ③ ㄱ, ㄴ ④ ㄱ, ㄷ ⑤ ㄱ, ㄴ, ㄷ

≫ 자료 분석 Tip

제시된 핵반응은 두 개 이상의 원자핵이 결합하여 무거운 원자핵이 되는 반응이다. 핵반응 전후 양성자수와 질량수는 보존된다는 것을 알고 있어야 한다.

≫ 문제 해결 Tip

핵반응에서 양성자수와 질량수는 보존되므로 핵반응식을 통해 a의 양성자수와 질량수를 알 수 있다. 핵반응 시 에너지는 질량 결손에 의해 나타난다.

2주 특강

6 2020학년도 7월 학평 10번 변형 보어 수소 원자 모형

그림은 보어의 수소 원자 모형에서 양자수 n에 따른 에너지 준위와 전자의 전이 P, Q, R를 나타낸 것이고, 표는 양자수 n에 따른 핵과 전자 사이의 거리와 핵과 전자 사이에 작용하는 전기력을 나타낸 것이다.

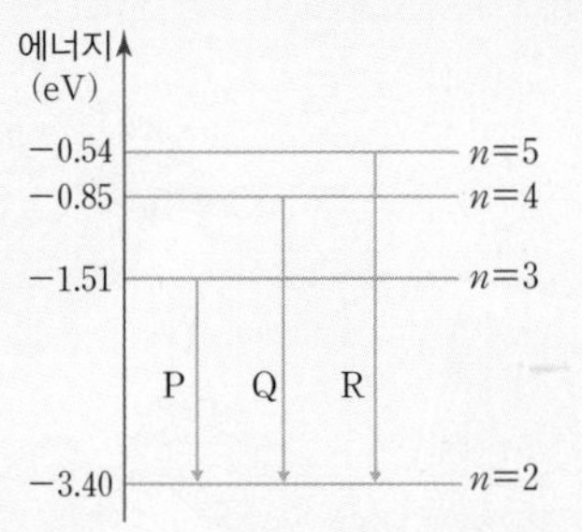

양자수	핵과 전자 사이의 거리	전기력의 크기
$n=2$	$4r$	㉠
$n=3$	$9r$	㉡

이에 대한 설명으로 옳은 것만을 〈보기〉에서 있는 대로 고른 것은?

보기

ㄱ. 방출되는 광자 한 개의 에너지는 R에서 가장 크다.
ㄴ. 방출되는 빛은 라이먼 계열의 적외선 영역이다.
ㄷ. 전기력의 크기는 ㉠이 ㉡보다 크다.

① ㄱ ② ㄷ ③ ㄱ, ㄴ ④ ㄱ, ㄷ ⑤ ㄱ, ㄴ, ㄷ

≫ 자료 분석 Tip

광자의 에너지와 전기력의 크기를 어떻게 비교할 수 있는지 각각 알고 있어야 한다.

≫ 문제 해결 Tip

• 원자에서 방출되는 광자의 에너지는 전이하는 에너지 준위 차이에 해당하며, 에너지가 클수록 파장이 짧고 진동수가 크다.

• 전기력은 $F=k\frac{Q_1Q_2}{r^2}$로 두 전하량 곱에 비례하고 전하 사이의 거리의 제곱에 반비례한다.

Week

3 이번 주에는 무엇을 공부할까? ①

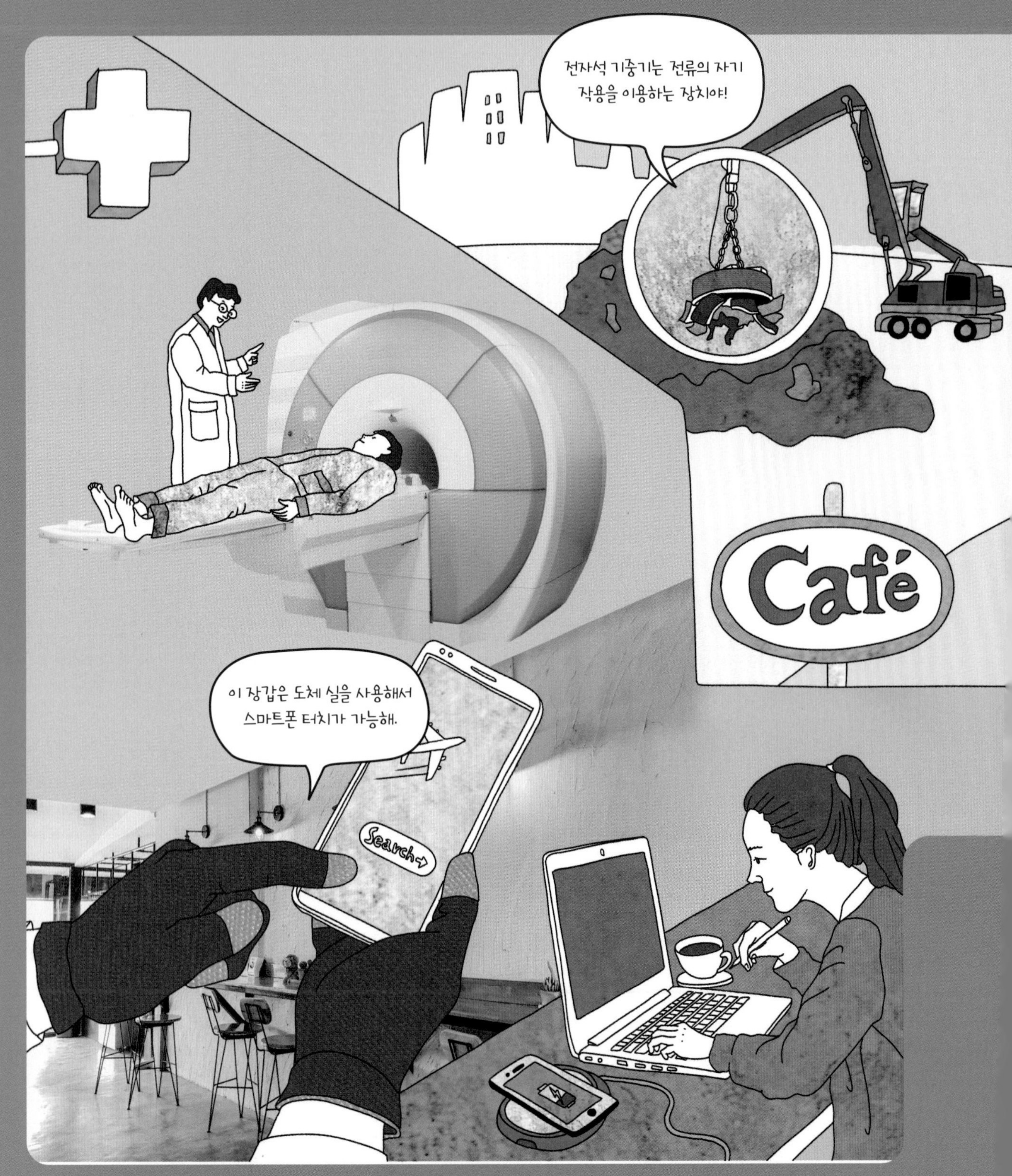

Ⅱ. 물질과 전자기장 ~ Ⅲ. 파동과 정보 통신

배울 내용

Week 3

이번 주에는 무엇을 공부할까? ②

중학 기초 개념

1 전기 저항

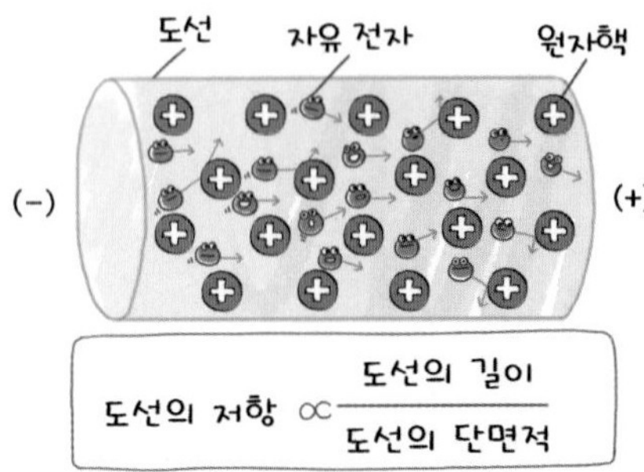

전기 저항은 전류의 흐름을 방해하는 정도로, 도선의 길이에 비례하고, 도선의 단면적에 반비례한다.

Quiz 전류가 흐를 때 도선 내부에서 이동하는 원자핵들과 ❶ ______ 들이 충돌하기 때문에 전기 저항이 생긴다. 도선의 전기 저항에 영향을 주는 요인으로는 도선을 이루는 물질의 ❷ ______, 도선의 길이, 도선의 단면적이 있다.

2 자기장과 자기력선

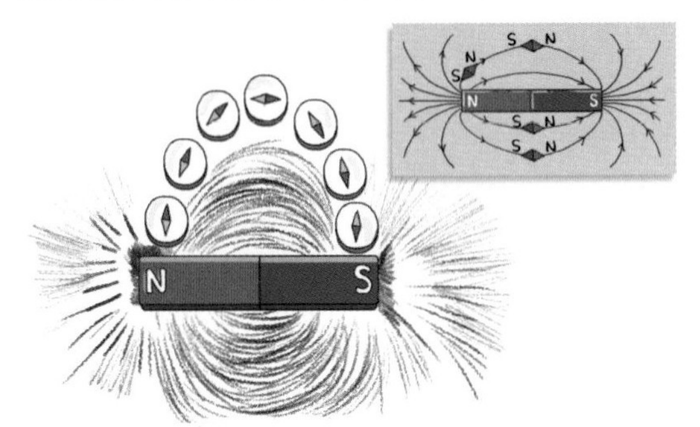

자기력이 작용하는 공간을 자기장이라 하고, 자기장의 모습을 선으로 나타낸 것을 자기력선이라고 한다.

Quiz 자기장의 방향은 나침반 자침의 ❸ ______ 이 가리키는 방향으로, 자기력선은 N극에서 나와 S극으로 들어간다. 자기력선은 중간에 끊어지거나 교차하지 않으며, 촘촘할수록 자기장의 세기가 ❹ ______.

3 직선 도선 주위의 자기장

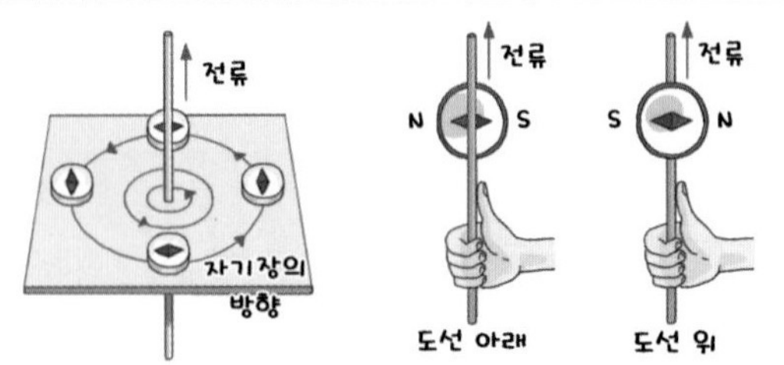

직선 도선에 전류가 흐르면 직선 도선을 중심으로 동심원 모양의 자기장이 생긴다. 이때 자기장의 세기는 도선에 흐르는 전류의 세기가 클수록, 도선으로부터의 거리가 가까울수록 세다.

Quiz 오른손의 엄지손가락이 직선 도선에 흐르는 ❺ ______ 의 방향을 가리킬 때, 나머지 네 손가락이 도선을 감아쥔 방향이 ❻ ______ 의 방향이다. 따라서 나침반을 도선 아래와 도선 위에 둘 때 자기장의 방향은 달라진다.

4 자기장에서 전류가 흐르는 도선이 받는 힘

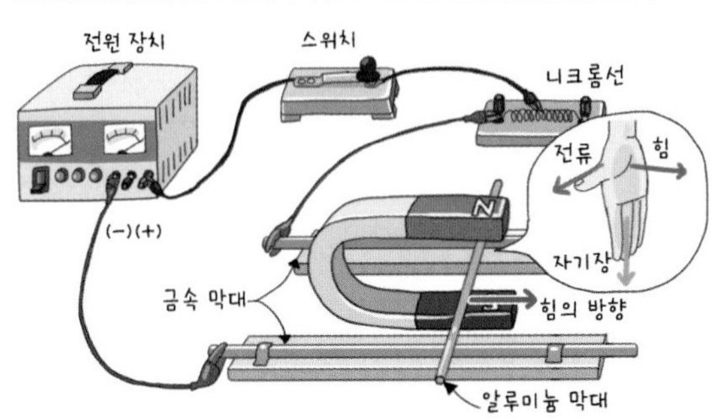

자기장 안에 놓여 있는 도선에 전류가 흐르면 도선은 힘(자기력)을 받아 움직인다.

Quiz 오른손의 네 손가락을 자기장의 방향으로 향하게 하고, 엄지손가락을 전류의 방향으로 향하게 할 때 손바닥이 향하는 방향이 ❼ ______ 의 방향이다. 전류의 세기가 셀수록, 자기장의 세기가 셀수록 도선이 받는 힘의 크기가 ❽ ______.

답 ❶ 전자 ❷ 종류 ❸ N극 ❹ 세다 ❺ 전류 ❻ 자기장 ❼ 힘 ❽ 크다

5 전동기의 원리

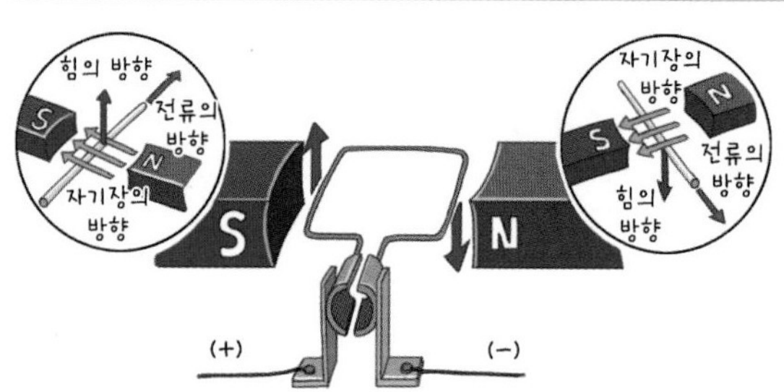

자기력을 이용하여 자기장 내의 코일이 회전하도록 하는 장치를 전동기라고 하며, 세탁기, 선풍기, 스피커 등에 이용된다.

Quiz 위 그림에서 코일의 왼쪽과 오른쪽 부분에 흐르는 전류의 방향이 서로 ❶ ______ 방향이다. 따라서 두 부분이 받는 힘의 방향도 ❷ ______ 방향이 되어 코일이 시계 방향으로 회전하게 된다.

6 파동의 전달과 매질의 이동

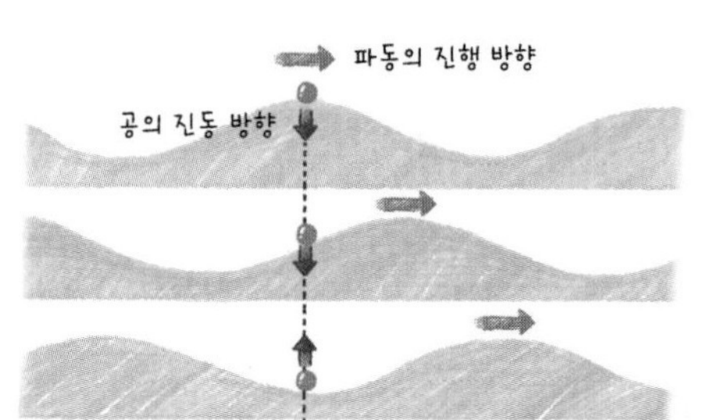

어느 한 점에서 만들어진 진동이 주변으로 퍼져 나가는 현상을 파동이라 하며, 파동을 전달해 주는 물질을 매질이라고 한다.

Quiz 파동이 전달될 때 ❸ ______ 은 이동하지 않고 제자리에서 진동한다. 따라서 공은 매질인 물과 함께 제자리에서 위아래로 진동만 한다. 파동이 전달될 때 파동을 따라 전달되는 것은 ❹ ______ 이다.

7 파동의 종류

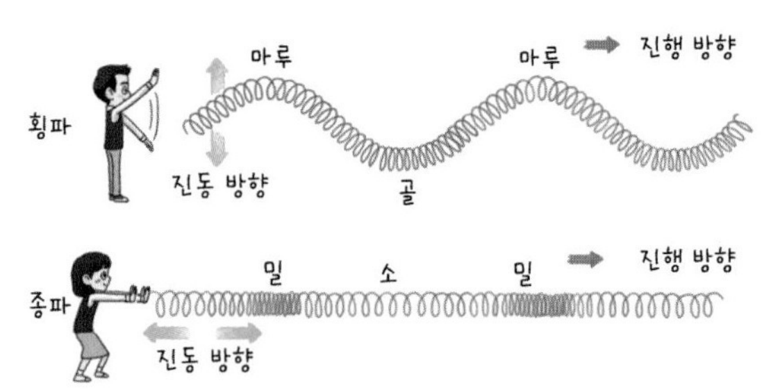

파동의 진행 방향과 매질의 진동 방향의 관계에 따라 횡파와 종파로 나눌 수 있다.

Quiz 파동의 진행 방향과 매질의 진동 방향이 ❺ ______ 파동을 횡파라 하며, 파동의 진행 방향과 매질의 진동 방향이 ❻ ______ 파동을 종파라고 한다.

8 빛의 굴절

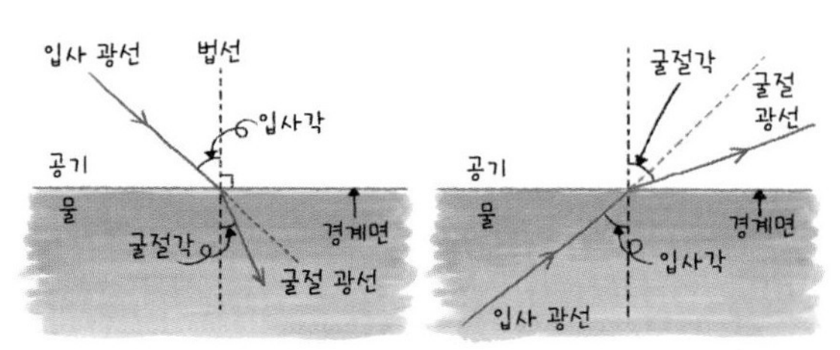

빛이 진행하다가 성질이 다른 두 물질의 경계면에서 진행 방향이 꺾이는 현상을 빛의 굴절이라고 하며, 빛의 속력이 느린 쪽으로 굴절한다.

Quiz 빛이 공기에서 물로 진행할 때는 빛의 속력이 느려지므로 입사각이 굴절각보다 ❼ ______ , 빛이 물에서 공기로 진행할 때는 빛의 속력이 빨라지므로 입사각이 굴절각보다 ❽ ______ .

답 ❶ 반대 ❷ 반대 ❸ 매질 ❹ 에너지 ❺ 수직인 ❻ 나란한 ❼ 크고 ❽ 작다

3주

1일 고체의 에너지띠와 전기 전도성

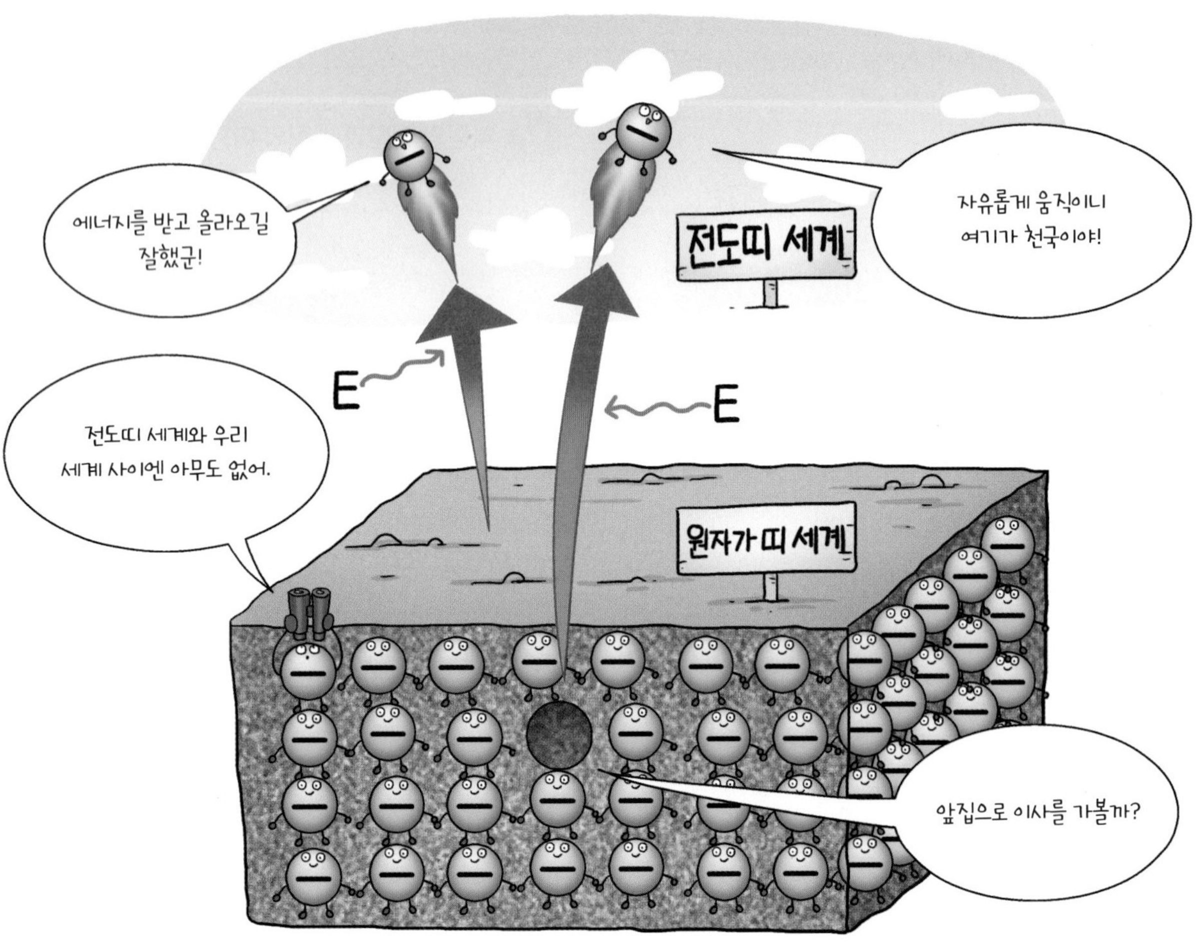

핵심 개념

1 원자의 에너지 준위

- ❶ [ ] 원자의 에너지 준위: 원자들은 서로 떨어져 있어 다른 원자에 영향을 주지 않는다.
- ❷ [ ] 원자의 에너지 준위: 수많은 원자가 매우 가까이 있어 인접한 원자끼리 전자의 궤도에 영향을 준다. ➡ 에너지 준위가 미세한 차이를 두고 나눠지면서 연속적인 띠와 같은 모양을 가지게 되는데, 이를 에너지띠라고 한다.

2 고체의 에너지띠

- ❸ [ ]: 고체에서 전자가 존재할 수 있는 영역

① 원자가 띠: 원자의 전자가 채워지는 가장 바깥쪽의 에너지띠

② 전도띠: 원자가 띠 위에 있는 에너지띠

- ❹ [ ]: 인접한 허용된 띠 사이의 에너지 간격으로 전자가 존재할 수 없는 영역 ➡ 원자가 띠에 있던 전자가 띠 간격보다 큰 에너지를 흡수하면 전도띠로 전이한다.

- 에너지띠와 전기 전도성

① 자유 전자: 원자가 띠에서 에너지를 받아 전도띠로 전이한 전자 자유 전자가 많으면 전류가 잘 흐른다.

② ❺ [ ]: 원자가 띠의 전자가 전도띠로 전이해 생긴 빈 자리로, 양(+)전하를 띠는 것과 같은 효과를 갖는다.

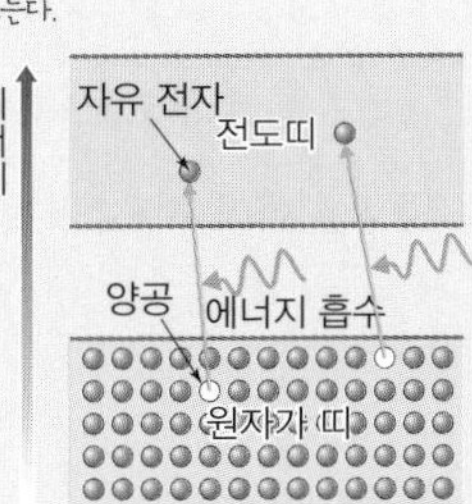

답 ❶ 기체 ❷ 고체 ❸ 허용된 띠 ❹ 띠 간격 ❺ 양공

개념 확인

정답과 해설 22쪽

1-1

다음은 원자의 에너지 준위에 대한 설명이다. (   ) 안에 들어갈 알맞은 말을 고르시오.

기체 원자들은 서로 멀리 떨어져 있어서 다른 원자의 전자 궤도에 영향을 주지 않기 때문에 에너지 준위가 ㉠(연속적, 불연속적)이다.

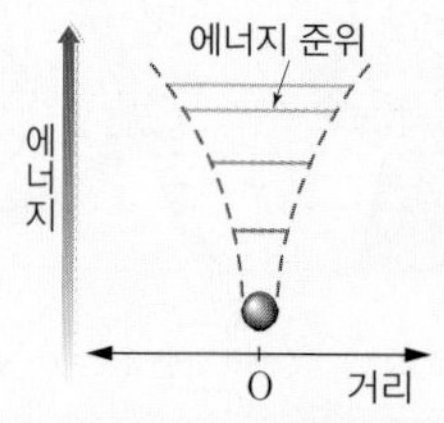

그러나 고체 원자는 수많은 원자가 가까이 위치하기 때문에 인접한 원자들이 전자의 궤도에 영향을 주어 에너지 준위가 ㉡(연속적, 불연속적)인 에너지띠를 이루게 된다. 따라서 그림은 ㉢(기체, 고체) 원자의 에너지띠 구조를 나타낸 것이다.

1-2

그림 (가)~(다)는 매우 가까이 있는 원자의 개수가 각각 1개, 2개, 3개일 때의 원자의 에너지 준위를 순서 없이 나열한 것이다.

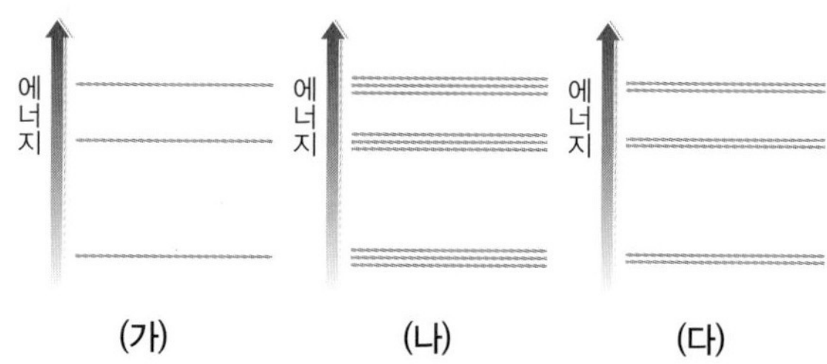

(가)~(다)에서 매우 가까이 있는 원자의 개수는 각각 몇 개인지 쓰시오.

Hint 하나의 양자 상태에 두 개 이상의 전자가 존재할 수 없다. 각각의 전자들은 모두 다른 에너지 준위를 가져야 한다.

3주 1일

2-1

그림은 고체의 에너지띠 구조를 나타낸 것이다.

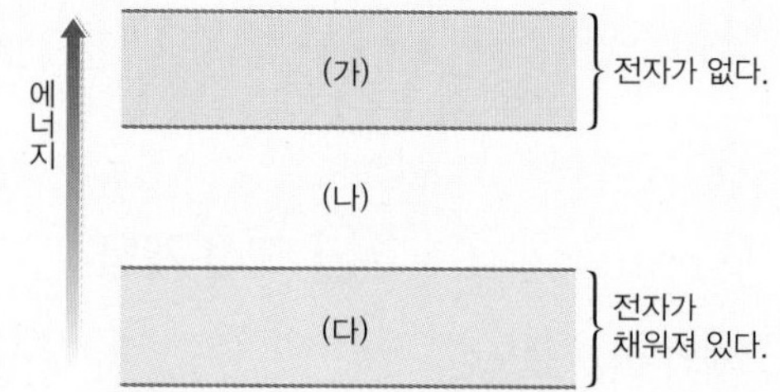

(1) (가)~(다)는 각각 무엇인지 다음에서 골라 쓰시오.

원자가 띠, 띠 간격, 전도띠

(2) 원자의 전자가 채워진 가장 바깥에 있는 에너지띠는 무엇인지 (가)~(다) 중에서 골라 쓰시오.

2-2

다음은 고체의 에너지띠 구조에 대한 설명이다.

원자가 띠에 있는 A가 띠 간격보다 더 큰 에너지를 얻으면 전도띠로 전이하게 된다. 이렇게 A가 전도띠로 이동하면 원자가 띠에 A의 빈자리인 B가 생긴다.

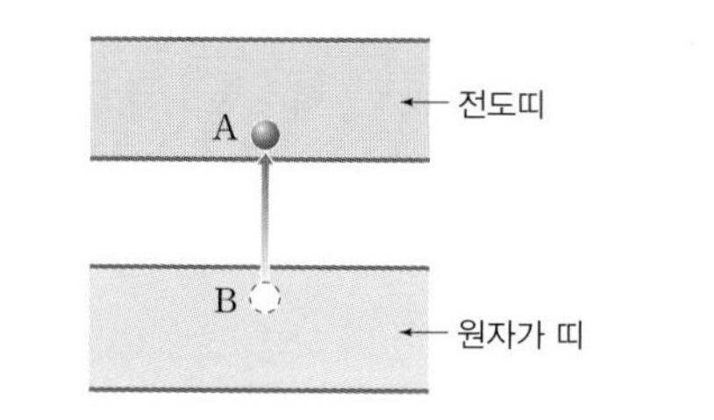

(1) A와 B는 무엇인지 각각 쓰시오.

Hint 원자가 띠는 전자로 채워져 있다.

(2) A, B 중 (+)전하의 성질을 띠는 것을 쓰시오.

Hint 전자는 (−)전하, 양공은 (+)전하의 성질을 띤다.

1일

고체의 에너지띠와 전기 전도성

핵심 개념

3 전기 전도성

- **전기 전도성**: 고체에서 외부 전기장의 작용으로 전자가 자유롭게 이동할 수 있는 정도 ➡ 전류가 잘 흐르는 물질일수록 전기 전도성이 ❶ [ ].
- **비저항(ρ)**: 물체의 전기 저항 R는 물체의 길이 L에 비례하고, 단면적 S에 반비례한다. 이때 비례 상수(ρ)를 비저항이라고 한다. ➡ $R=\rho\dfrac{L}{S}$ (ρ의 단위: $\Omega\cdot\mathrm{m}$)
- **전기 전도도(σ)**: 단위 길이, 단위 면적에 전류가 흐르는 정도로, 비저항(σ)의 ❷ [ ]이다. 전기 전도성을 정량적으로 나타낸 물리량이며 비저항이 작을수록 전기 전도성이 좋다.
➡ $\sigma=\rho^{-1}=\dfrac{L}{RS}$ (단위: $\Omega^{-1}\cdot\mathrm{m}^{-1}$)

4 고체의 전기 전도성

도체	• 원자가 띠와 전도띠가 일부 겹쳐 있다. • 전기 전도성이 좋아서 전류가 잘 흐른다. 예 은, 구리, 알루미늄
절연체 (부도체)	• 원자가 띠와 전도띠 사이의 띠 간격이 매우 넓다. • 전기 전도성이 매우 나빠서 전류가 잘 흐르지 않는다. 예 나무, 고무, 유리
반도체	• 원자가 띠와 전도띠 사이의 띠 간격이 좁다. • 전기 전도성과 전기 저항이 도체와 절연체의 중간이다. 경우에 따라 전류가 흐를 수 있다. 예 규소(Si), 저마늄(Ge)

답 ❶ 좋다 ❷ 역수

개념 확인

정답과 해설 22쪽

3-1

다음은 전기 전도도와 비저항에 대한 설명이다. ( ) 안에 들어갈 알맞은 말을 쓰시오.

- 전기 전도도는 단위 길이, 단위 면적에 전류가 흐르는 정도를 정량적으로 나타낸 것이고, 비저항은 물질이 갖는 저항률을 말한다. 즉, 전기 전도도는 전류가 얼마나 잘 흐르는지를 나타내는 물리량이라면, 비저항은 어떤 물질이 전류의 흐름을 얼마나 방해하는지 나타내는 물리량이다. 따라서 전기 전도도와 비저항은 서로 (㉠) 관계이다.
- 물질의 비저항이 (㉡) 전기 전도도가 커서 전류가 잘 흐른다.
- 절연체는 비저항이 (㉢) 전류가 잘 흐르지 않는다.

3-2

다음은 여러 가지 물질의 저항, 비저항, 전기 전도도이다. (단, 연필심은 반도체에 속한다.)

물질	저항 (Ω)	비저항 (Ω·m)	전기 전도도 ($\Omega^{-1}\cdot m^{-1}$)
연필심	5.7	3.0×10^{-4}	3.4×10^{3}
철	0.0637	1.00×10^{-7}	1.00×10^{7}
구리	0.0107	1.68×10^{-8}	5.95×10^{7}
플라스틱	측정 불가	측정 불가	측정 불가

(1) 각 물질의 전기 전도성을 부등호를 이용해 비교하시오.

(2) 연필심을 기준으로 절연체인 물질을 모두 쓰시오.

Hint 반도체는 도체보다 전기 전도성이 낮고, 절연체보다 전기 전도성이 좋다.

(3) 연필심을 기준으로 도체인 물질을 모두 쓰시오.

3 주 1일

4-1

그림은 절연체의 에너지띠 구조를 나타낸 것이다. 이에 대한 설명으로 옳은 것은 ○, 옳지 않은 것은 ×표 하시오.

전도띠
⊖ 전자
원자가띠

(1) 약간의 에너지만 흡수해도 원자가 띠의 전자가 쉽게 전도띠로 이동한다. ( )

(2) 띠 간격이 매우 넓으므로 원자가 띠에서 전도띠로 전자의 이동이 거의 불가능하다. ( )

(3) 규소(Si), 저마늄(Ge)의 에너지띠 구조이다. ( )

4-2

그림은 고체 (가)~(다)의 에너지띠 구조를 나타낸 것이다.

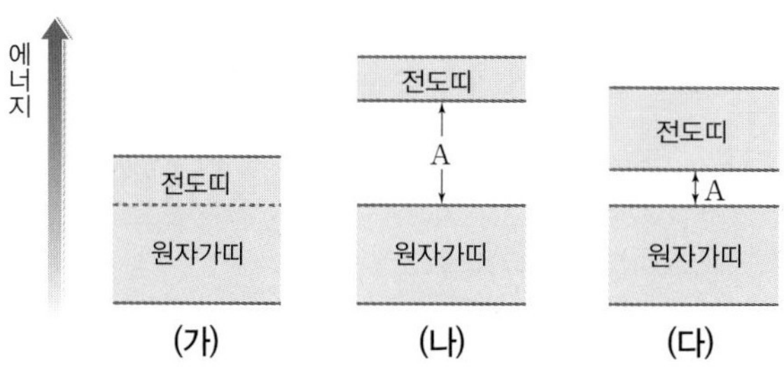

(1) A는 무엇인지 쓰시오.

(2) (가), (나), (다)에 해당하는 고체의 종류를 각각 쓰시오.

(3) (가)~(다) 중 나무, 고무, 유리 등이 속하는 에너지띠 구조는 무엇인지 쓰시오.

Hint 나무, 고무, 유리 등은 절연체에 해당한다.

1일 기초 유형 연습 | 고체의 에너지띠와 전기 전도성

대표 기출 유형

그림은 고체의 에너지띠 구조를 나타낸 것이고, 표는 그림의 A, B에 대한 설명이다.

에너지 / A / 띠 간격 / B

구분	설명
A	자유 전자가 존재할 수 있는 띠
B	원자가 전자가 있는 띠

이에 대한 설명으로 옳은 것만을 〈보기〉에서 있는 대로 고른 것은?

보기

ㄱ. A는 원자가 띠, B는 전도띠이다.
ㄴ. 띠 간격은 전자가 존재할 수 없는 영역이다.
ㄷ. B의 전자가 에너지를 잃으면 A로 전이할 수 있다.

① ㄱ ② ㄴ ③ ㄷ
④ ㄱ, ㄴ ⑤ ㄴ, ㄷ

개념 point

원자가 띠: 원자의 전자가 채워지는 가장 바깥쪽의 에너지띠
전도띠: 원자가 띠 위에 있는 에너지띠
띠 간격: 인접한 허용된 띠 사이의 간격으로 전자가 존재하지 않는다.

보기 풀이

ㄱ A는 전도띠, B는 원자가 띠이다.
ㄴ 원자가 띠와 전도띠 사이의 띠 간격에는 전자가 존재할 수 없다.
ㄷ 원자가 띠에 있는 전자가 띠 간격 이상의 에너지를 얻으면 에너지 준위가 높은 전도띠로 전이할 수 있다.

함정 탈출

원자가 띠의 전자가 에너지를 얻어야 전도띠로 전이할 수 있다는 것에 주의한다.

답 ②

1 그림은 각각 고체, 기체 중 한 물질인 A, B의 에너지 준위를 나타낸 것이다.

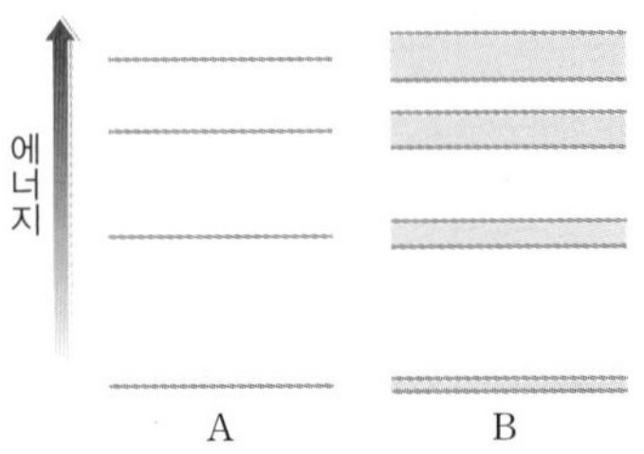

이에 대한 설명으로 옳은 것만을 〈보기〉에서 있는 대로 고른 것은?

보기

ㄱ. A의 에너지 준위는 불연속적이다.
ㄴ. B는 기체의 에너지 준위를 나타낸 것이다.
ㄷ. 수많은 원자들이 인접해 있는 경우 B와 같은 에너지 준위를 갖게 된다.

① ㄱ ② ㄴ ③ ㄱ, ㄷ
④ ㄴ, ㄷ ⑤ ㄱ, ㄴ, ㄷ

2 다음은 고체 내에서 전류가 흐르는 까닭을 고체의 에너지띠 구조를 이용하여 설명한 것이다.

원자가 띠에 있던 A가 전도띠로 이동하면 원자가 띠에는 A의 빈 자리인 B가 생기고, 전도띠로 이동한 A는 자유롭게 움직일 수 있으므로 전류가 흐를 수 있다.

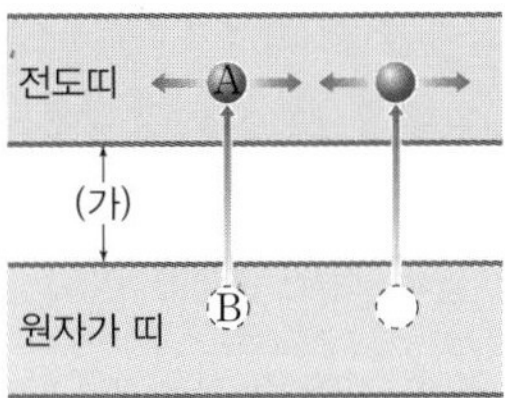

(1) A, B는 무엇인지 각각 쓰시오.

(2) (가)는 무엇인지 쓰고, 도체, 절연체에서의 (가)에 대해 서술하시오.

정답과 해설 23쪽

3 고체의 에너지띠에서 양공과 전자에 대한 설명으로 옳지 않은 것은?

① 양공은 (+)전하를 띤 것과 같은 효과를 갖는다.
② 전자가 모두 채워진 원자가 띠에는 양공이 없다.
③ 전도띠의 전자가 원자가 띠로 전이하면 전도띠의 빈 자리에 양공이 생긴다.
④ 전도띠의 자유 전자나 원자가 띠의 양공이 많을수록 전기 전도성이 좋다.
⑤ 전류가 흐를 때 전도띠의 전자와 원자가 띠의 양공의 이동 방향은 반대이다.

2018학년도 9월 모평 2번 변형

4 그림은 고체 A와 B의 에너지띠 구조를 나타낸 것이다. A와 B는 각각 도체와 절연체 중 하나이고, 색칠한 부분은 에너지띠에 전자가 채워져 있는 것을 나타낸다.

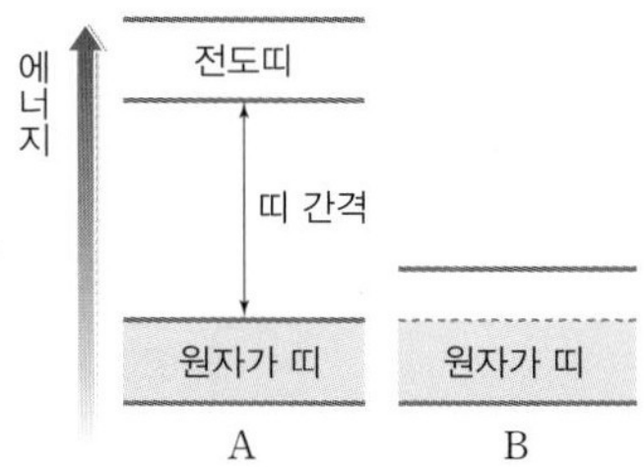

이에 대한 설명으로 옳은 것만을 ⟨보기⟩에서 있는 대로 고른 것은?

보기
ㄱ. 구리, 알루미늄과 같은 금속의 에너지띠 구조는 A와 같다.
ㄴ. A에서 원자가 띠의 전자가 전도띠로 전이하려면 띠 간격 이상의 에너지를 얻어야 한다.
ㄷ. B에는 상온에서 원자 사이를 자유롭게 이동할 수 있는 전자들이 많다.

① ㄱ ② ㄷ ③ ㄱ, ㄴ
④ ㄴ, ㄷ ⑤ ㄱ, ㄴ, ㄷ

5 그림 (가)~(다)는 전자가 비어 있는 A와 채워져 있는 B로 이루어진 도체, 절연체, 반도체의 에너지띠 구조를 순서 없이 나타낸 것이다.

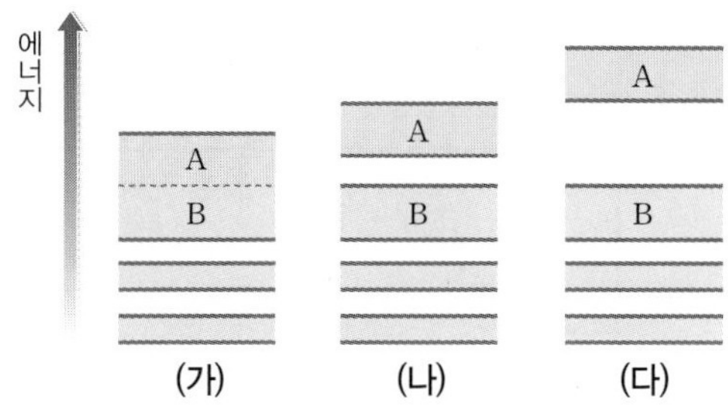

(1) A, B는 무엇인지 각각 쓰시오.

(2) (가)~(다) 중 절연체의 에너지띠 구조는 무엇인지 쓰시오.

2020학년도 수능 3번 변형

6 그림은 상온에서 고체 A와 B의 에너지띠 구조를 나타낸 것이다. A와 B는 반도체와 절연체를 순서 없이 나타낸 것이다.

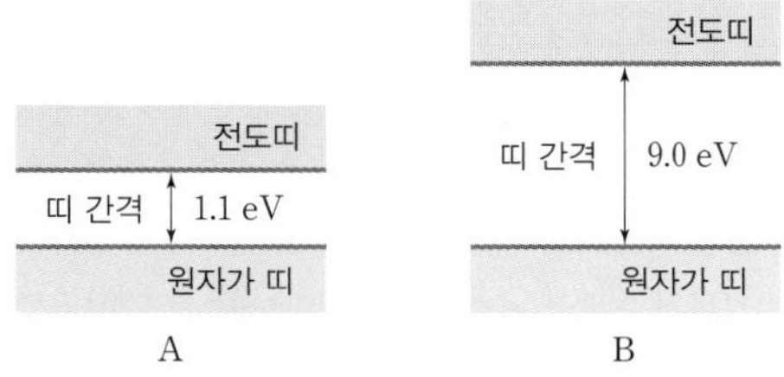

이에 대한 설명으로 옳은 것만을 ⟨보기⟩에서 있는 대로 고른 것은?

보기
ㄱ. A는 반도체이다.
ㄴ. 전기 전도성은 A가 B보다 좋다.
ㄷ. B의 띠 간격에는 전자가 존재할 수 있다.

① ㄱ ② ㄷ ③ ㄱ, ㄴ
④ ㄴ, ㄷ ⑤ ㄱ, ㄴ, ㄷ

3주 1일

2일 반도체 소자

핵심 개념

1 반도체 소자

- **순수(고유) 반도체**: 불순물이 없는 순수한 반도체로 원자가 전자가 4개인 규소(Si)나 저마늄(Ge) 등이 있다. ➡ 모든 원자가 전자가 공유 결합에 참여하므로 전기 전도성이 낮다.
- **도핑**: 순수 반도체에 불순물을 첨가하는 과정 ➡ 불순물을 첨가하면 남는 전자나 양공이 생겨 전기 전도성이 좋아진다.

Si Si Si
자유 전자
Si As Si
Si Si Si

▲ n형 반도체

- **n형 반도체**: 순수 반도체에 인(P), 비소(As) 등 원자가 전자가 5개인 5족 원소를 도핑한 반도체 ➡ ❶ ______ 가 주요 전하 운반체
- **p형 반도체**: 순수 반도체에 붕소(B), 알루미늄(Al) 등 원자가 전자가 3개인 3족 원소를 도핑한 반도체 ➡ ❷ ______ 이 주요 전하 운반체

2 p−n 접합 다이오드

- **p−n 접합 다이오드**: p형 반도체와 n형 반도체를 접합한 것 ➡ ❸ ______ 바이어스일 때에만 전류가 흐른다.
- **순방향 바이어스**: p형 반도체 쪽에 (+)극을, n형 반도체 쪽에 (−)극을 연결 ➡ 다이오드의 양끝에서 양공과 전자를 계속 공급하므로 전류가 계속 흐른다.
  — 자유 전자와 양공은 접합면에서 결합한다.
- **역방향 바이어스**: p형 반도체 쪽에 (−)극을, n형 반도체 쪽에 (+)극을 연결 ➡ 접합면에 남는 양공이나 전자가 없어 전류가 흐르지 않는다.

답 ❶ 전자 ❷ 양공 ❸ 순방향

개념 확인

정답과 해설 23쪽

1-1

그림 (가)와 (나)는 n형 반도체와 p형 반도체의 구조를 순서 없이 나열한 것이다.

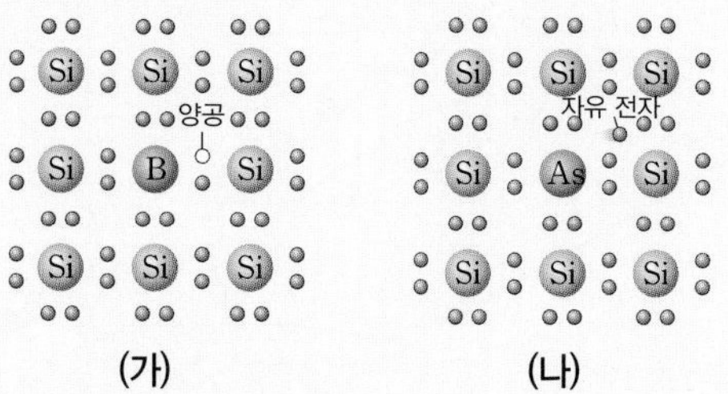

(1) (가), (나) 중 n형 반도체는 어떤 것인지 쓰시오.

(2) 서로 관계있는 것끼리 옳게 연결하시오.

① n형 반도체 •   • ㉠ 전자 수 > 양공 수

② p형 반도체 •   • ㉡ 전자 수 < 양공 수

1-2

그림은 저마늄(Ge)에 불순물 A를 첨가하여 만든 반도체의 원자가 전자의 배열과 에너지 띠 구조를 나타낸 것이다.

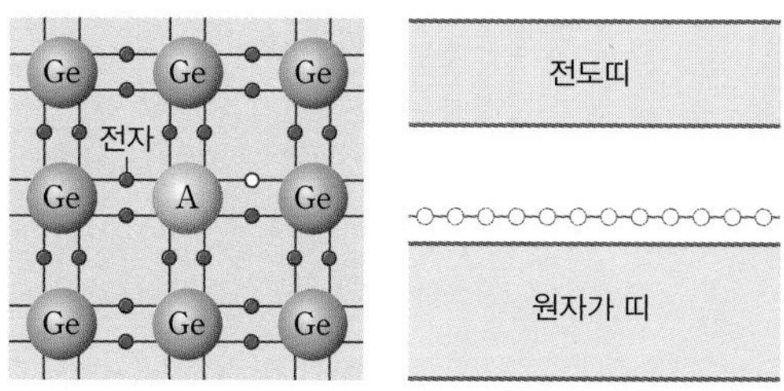

(1) A의 원자가 전자는 몇 개인지 쓰시오.

Hint 공유 결합 후 전자의 빈 자리인 양공이 존재한다.

(2) 이 반도체의 주요 전하 운반체는 무엇인지 쓰시오.

Hint 이 반도체는 p형 반도체이다.

2-1

그림은 p−n 접합 다이오드, 스위치, 전구, 전원 장치를 연결한 회로를 나타낸 것이다.

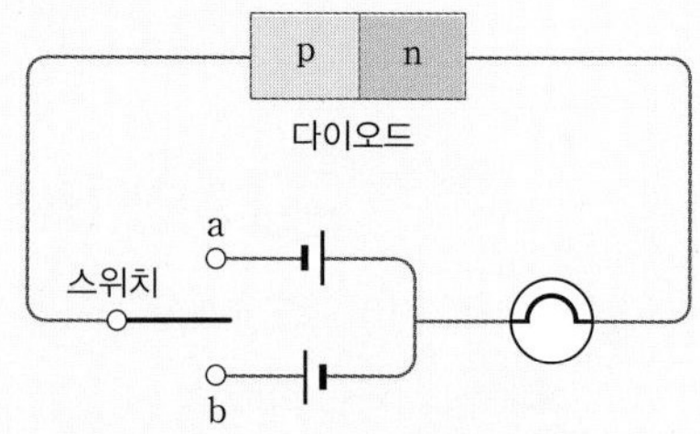

(1) (　　) 안에 들어갈 알맞은 말을 쓰시오.

> p−n 접합 다이오드는 p형 반도체 쪽에 전원의 (㉠)극을, n형 반도체 쪽에 전원의 (㉡)극을 연결할 때에만 전류가 흐른다.

(2) 전구에 불이 켜지려면 스위치를 a, b 중 어느 쪽에 연결해야 하는지 쓰시오.

2-2

그림은 불순물을 첨가한 반도체 X, Y를 접합하여 만든 p−n 접합 다이오드 A가 전지에 연결된 회로를 나타낸 것이다. X, Y에 첨가한 불순물의 원자가 전자 수는 각각 3개, 5개이다.

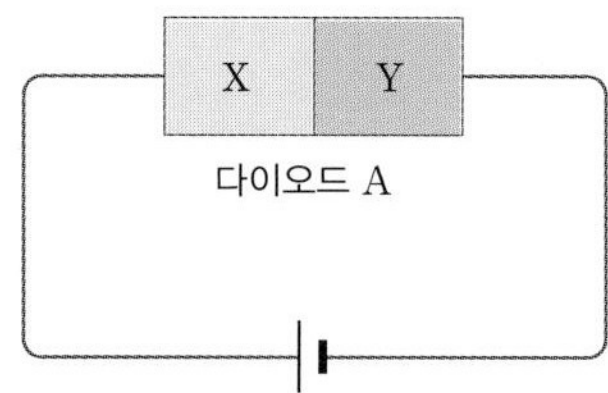

(1) X, Y 중 p형 반도체는 어느 것인지 쓰시오.

Hint p형 반도체는 원자가 전자가 3개인 불순물을 첨가하여 만든다.

(2) 다이오드 A에 순방향 바이어스가 걸리는지 역방향 바이어스가 걸리는지 쓰시오.

Hint p형 반도체는 (+)극 쪽에, n형 반도체는 (−)극 쪽에 연결한 것이 순방향 바이어스이다.

3 주 2일

2일 반도체 소자

반파 정류터널
전파 정류터널
나는 왼쪽 터널! 있다가 만나.
신호가 반쪽만 나왔어, 반쪽은 어디로 간 거지?
신호의 모든 방향이 같아졌어! 신기한 터널이야.
신호 잘 챙겨!

핵심 개념

3 정류 회로

- 순방향 바이어스일 때만 전류가 흐르는 다이오드를 이용해 전류의 방향을 제어할 수 있다.
- **정류 회로**: 다이오드를 이용해 전류를 ❶ ______ 으로 흐르게 하는 회로 ➡ 대부분의 가정용 전자 제품에서 교류를 직류로 바꾸는 데 이용된다.

① 반파 정류 회로: 다이오드 1개를 사용하여 입력 신호의 절반만 통과시키는 회로

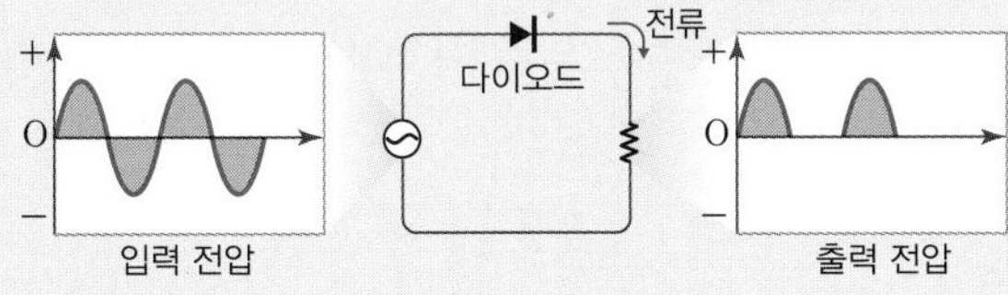

② 전파 정류 회로: 다이오드 4개를 사용하여 입력 신호 ❷ ______ 를 통과시키는 회로

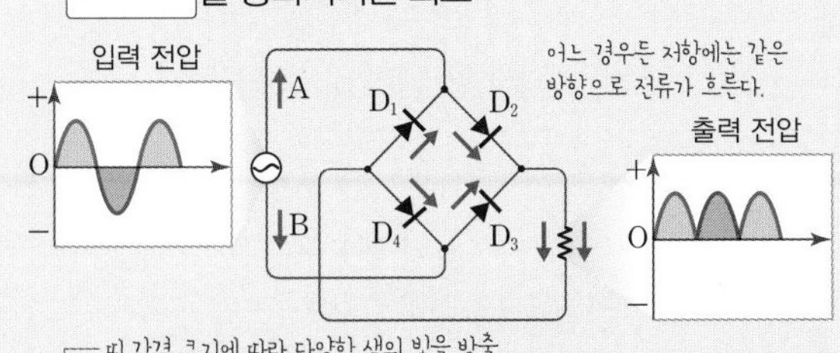

띠 간격 크기에 따라 다양한 색의 빛을 방출

- **발광 다이오드(LED)**: 전류가 흐를 때 ❸ ______ 을 방출 ➡ 신호등, 영상 표시 장치, 조명 등에 활용
- **반도체 레이저 다이오드**: 전류가 흐를 때 파장과 위상이 동일한 레이저 방출 ➡ 레이저 포인터, 광통신 등에 활용

답 ❶ 한 방향 ❷ 전체 ❸ 빛

개념 확인

정답과 해설 24쪽

3-1

그림과 같이 다이오드 1개와 저항 R를 교류 전원 장치에 연결하였다.

R에 흐르는 전류를 시간에 따라 나타낸 그래프로 가장 적절한 것을 <보기>에서 골라 쓰시오.

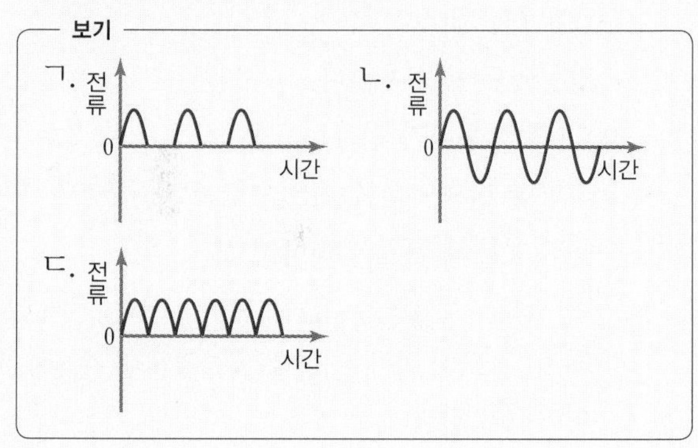

3-2

그림과 같이 동일한 다이오드 4개와 저항 R를 교류 전원 장치에 연결하였다.

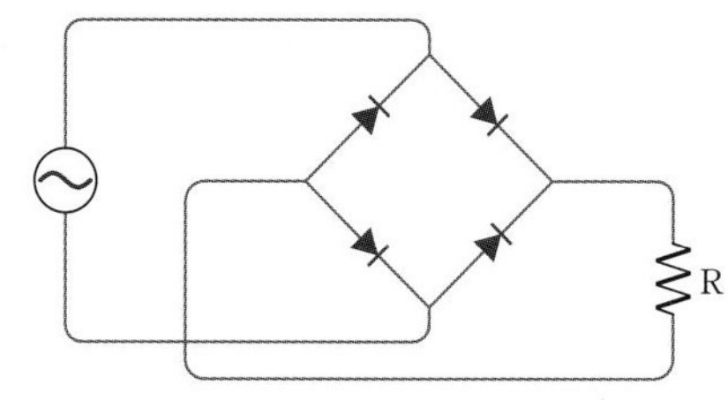

R에 흐르는 전류를 시간에 따라 나타낸 그래프로 가장 적절한 것을 <보기>에서 골라 쓰시오.

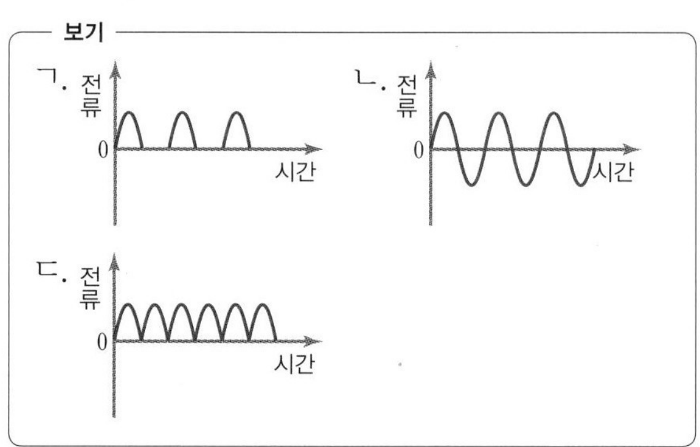

Hint 어느 경우든 저항에는 항상 같은 방향으로 전류가 흐른다.

4-1

그림은 발광 다이오드의 구조를 나타낸 것이다.

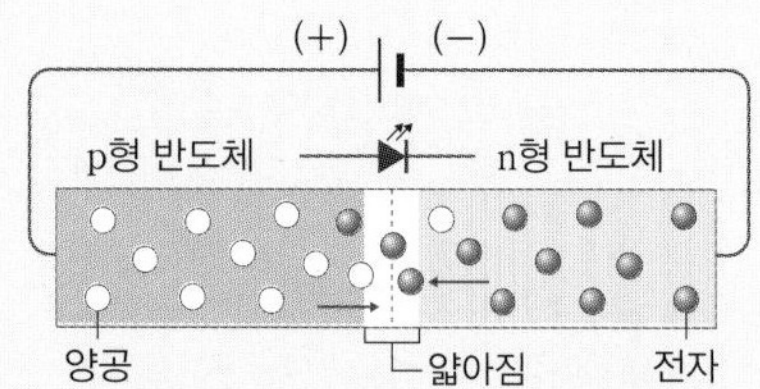

이에 대한 설명으로 옳은 것은 ○, 옳지 않은 것은 ×표 하시오.

(1) 전류가 흐르지 않을 때 빛을 방출한다. (　　　)

(2) 순수 반도체만을 사용하여 발광 다이오드를 만들 수 있다. (　　　)

(3) 띠 간격의 크기에 따라 다양한 색의 빛을 방출할 수 있다. (　　　)

4-2

다음은 다이오드를 이용하는 사례에 대한 설명이다.

(가) 소모 전력이 작고 소형으로 제작할 수 있어 각종 영상 표시 장치나 조명 장치로 활용된다.

(나) 파장과 위상이 같은 빛을 방출하며, 광통신이나 레이저 프린터, 레이저 거리 측정기에 활용된다.

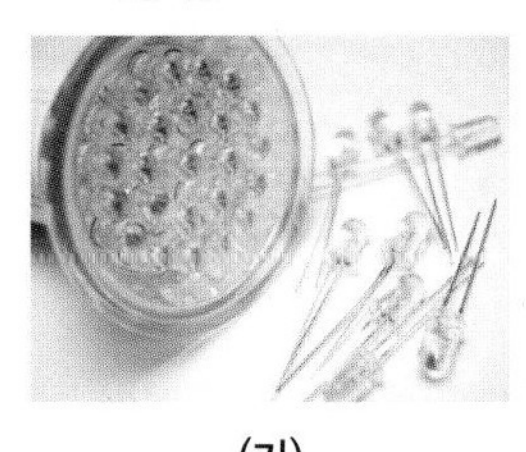

(가)

(나)

(가), (나)에 해당하는 다이오드를 각각 쓰시오.

3
주
2일

2일

기초 유형 연습 | 반도체 소자

대표 기출 유형

그림 (가)는 저마늄(Ge)에 비소(As)를 첨가한 반도체 A와 저마늄(Ge)에 인듐(In)을 첨가한 반도체 B를, (나)는 A와 B를 접합하여 만든 다이오드가 연결된 회로를 나타낸 것이다.

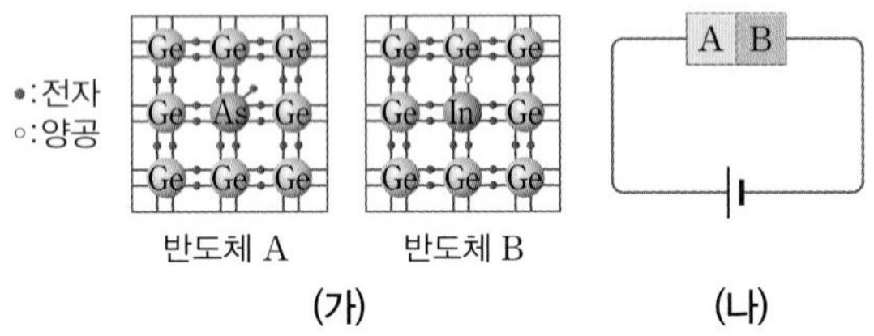

이에 대한 설명으로 옳은 것만을 〈보기〉에서 있는 대로 고른 것은?

보기

ㄱ. A는 p형 반도체이다.

ㄴ. B에서는 주로 양공이 전류를 흐르게 한다.

ㄷ. (나)의 다이오드에는 역방향 바이어스가 걸린다.

① ㄱ ② ㄴ ③ ㄷ

④ ㄱ, ㄴ ⑤ ㄴ, ㄷ

개념 point

n형 반도체: 순수 반도체에 인(P), 비소(As), 안티모니(Sb)와 같이 원자가 전자가 5개인 원소를 도핑한 반도체
p형 반도체: 순수 반도체에 붕소(B), 알루미늄(Al), 갈륨(Ga), 인듐(In)과 같이 원자가 전자가 3개인 원소를 도핑한 반도체

|보기| 풀이

ㄱ A는 전자 1개가 공유 결합에 참여하지 못하고 남으므로 n형 반도체이다.

ㄴ B는 공유 결합 후 양공이 생기므로 양공이 주로 전류를 흐르게 한다.

ㄷ n형 반도체인 A 쪽에 (+)극, p형 반도체인 B 쪽에 (−)극이 연결되어 있으므로 역방향 바이어스가 걸린다.

함정 탈출

n형 반도체는 공유 결합 후 전자가 남고, p형 반도체는 공유 결합 후 양공이 생김을 주의한다.

답 ⑤

1 그림은 순수(고유) 반도체에 인(P)을 도핑하여 만든 불순물 반도체의 원자 주변 전자의 배열을 나타낸 것이다.

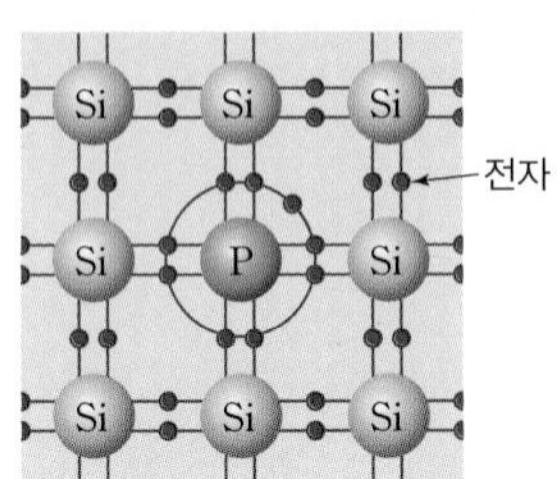

이에 대한 설명으로 옳은 것은?

① p형 반도체이다.

② 양공이 전자보다 많다.

③ 인(P)의 원자가 전자는 5개이다.

④ 순방향 바이어스를 걸어주었을 때 양공이 주요 전하 운반체 역할을 한다.

⑤ 이 반도체로 p−n 접합 다이오드를 만들었을 때 이 반도체 쪽에 (+)극을 연결하면 순방향 바이어스가 걸린다.

2 그림은 반도체의 종류를 그 특성에 따라 분류한 것이다.

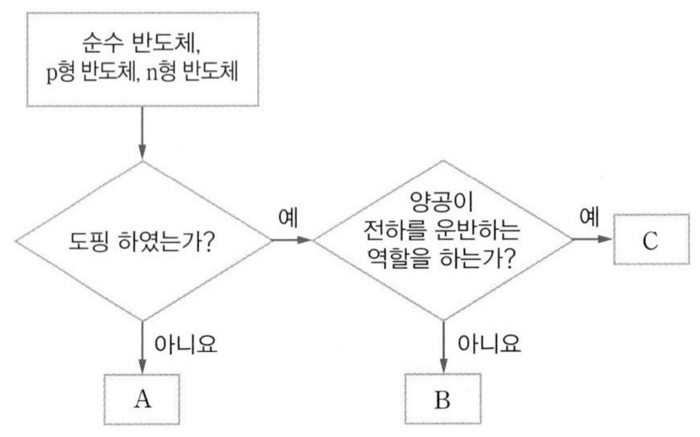

A~C에 해당하는 반도체의 종류를 옳게 짝 지은 것은?

	A	B	C
①	순수 반도체	p형 반도체	n형 반도체
②	순수 반도체	n형 반도체	p형 반도체
③	p형 반도체	n형 반도체	순수 반도체
④	n형 반도체	p형 반도체	순수 반도체
⑤	n형 반도체	순수 반도체	p형 반도체

정답과 해설 24쪽

3 그림 (가)는 순수한 규소(Si) 반도체 X의 전자 배열을, (나)는 X에 원소 a를 첨가한 불순물 반도체 Y의 에너지띠 구조를 나타낸 것이다.

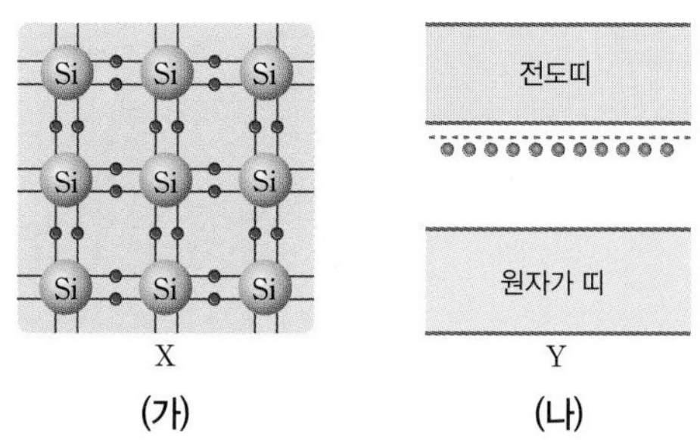

(1) a의 원자가 전자는 몇 개인지 쓰시오.

(2) X, Y 중 전기 전도성이 더 좋은 것을 쓰시오.

2016학년도 수능 12번 변형

4 그림 (가)는 실리콘(Si) 결정의 에너지띠 구조를, (나)는 실리콘에 갈륨(Ga)을 첨가한 반도체와 불순물 a를 첨가한 반도체를 접합한 p−n 접합 다이오드의 원자가 전자의 배열을 나타낸 것이다. (가)의 원자가 띠에는 전자가 가득 차 있다.

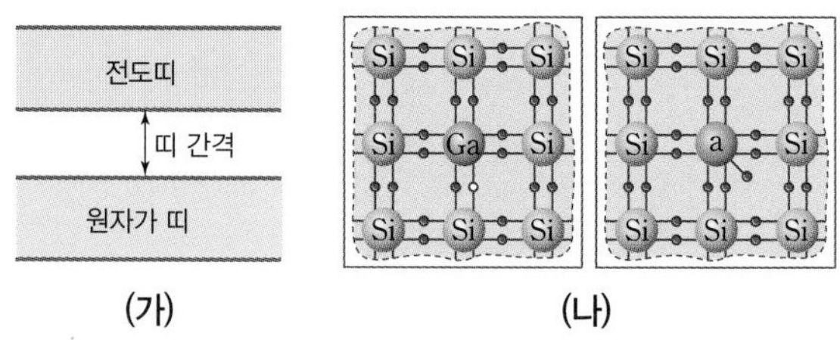

이에 대한 설명으로 옳은 것만을 〈보기〉에서 있는 대로 고른 것은?

보기
ㄱ. (가)에서 원자가 띠에 있는 전자의 에너지는 모두 같다.
ㄴ. (나)에서 a의 원자가 전자는 5개이다.
ㄷ. (나)에서 p−n 접합 다이오드에 역방향 바이어스를 걸어주면 다이오드에 전류가 흐르지 않는다.

① ㄱ ② ㄷ ③ ㄱ, ㄴ
④ ㄴ, ㄷ ⑤ ㄱ, ㄴ, ㄷ

5 그림과 같이 발광 다이오드(LED)를 이용하여 회로를 구성하였다. X, Y는 p형 반도체와 n형 반도체를 순서 없이 나타낸 것이다. 스위치를 닫았을 때 LED에서 빛이 방출되었다.

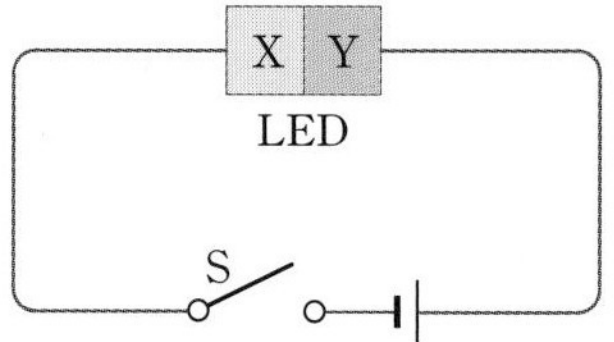

X와 Y의 반도체 종류는 무엇인지 그렇게 생각한 까닭과 함께 서술하시오.

2015학년도 10월 학평 2번 변형

6 그림과 같이 전원 장치에 p−n 접합 발광 다이오드(LED) A, B를 연결하여 회로를 구성하였더니 A에 불이 켜졌다. X, Y는 p형 반도체와 n형 반도체를 순서 없이 나타낸 것이다.

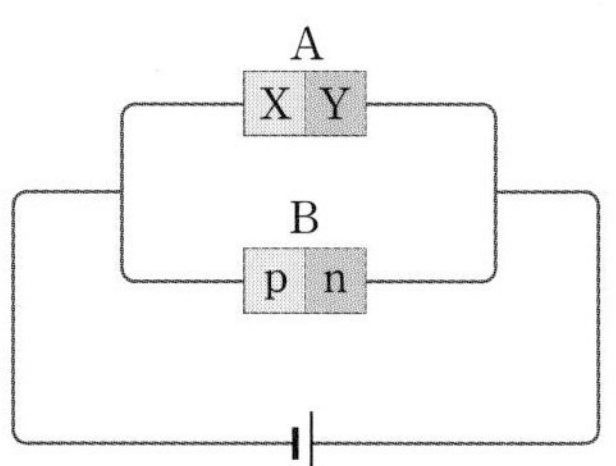

이에 대한 설명으로 옳은 것만을 〈보기〉에서 있는 대로 고른 것은?

보기
ㄱ. A에는 전류가 흐른다.
ㄴ. B에는 전류가 흐르지 않는다.
ㄷ. X는 p형 반도체이다.

① ㄱ ② ㄷ ③ ㄱ, ㄴ
④ ㄴ, ㄷ ⑤ ㄱ, ㄴ, ㄷ

3주 2일

3일 전류에 의한 자기장

핵심 개념

1 직선 전류에 의한 자기장

- **자기장**: 자석이나 전류 주위에 ❶ ______ 이 작용하는 공간
- **자기력선**: 자기장의 모습을 선으로 나타낸 것 ➡ 자기력선이 촘촘할수록 자기장의 세기가 ❷ ______.
- **직선 전류에 의한 자기장**

① 세기(B): 도선에 흐르는 전류의 세기(I)에 ❸ ______ 하고, 도선으로부터의 수직 거리(r)에 반비례 ➡ $B \propto \frac{I}{r}$

② 방향: 오른손의 엄지손가락이 전류의 방향을 향하게 할 때, 나머지 네 손가락이 도선을 감아쥐는 방향이 자기장의 방향이다.

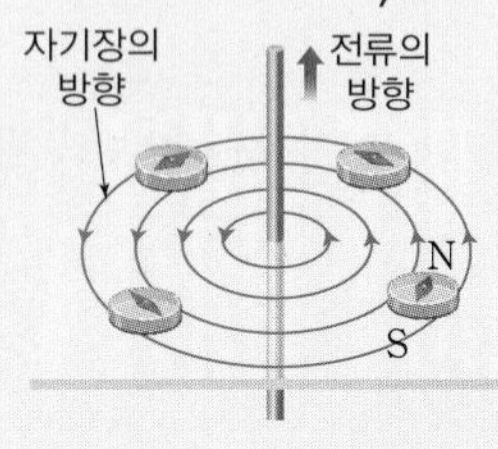

2 원형 전류에 의한 자기장

- **원형 도선 중심에서 자기장의 세기(B)**: 전류의 세기(I)에 비례하고, 도선이 만드는 원의 반지름(r)에 ❹ ______ 한다. ➡ $B \propto \frac{I}{r}$
- 원형 도선 내부의 자기장의 세기는 도선 외부보다 세다.
  — 내부에선 양쪽에 있는 도선에 의한 자기장이 합성되기 때문이다.

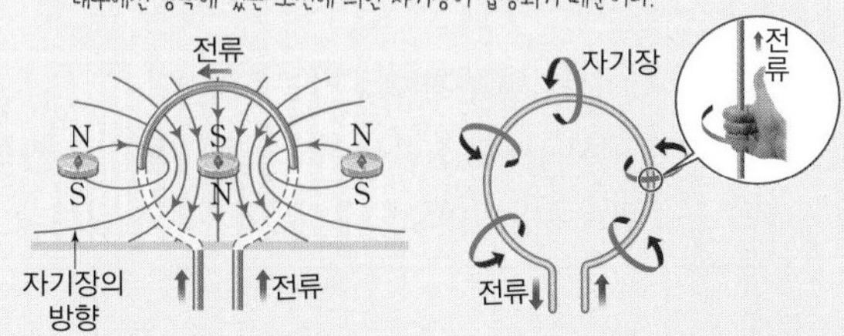

▲ 원형 전류 주위의 자기장　　▲ 원형 전류의 자기장 방향 찾기

답 ❶ 자기력 ❷ 세다 ❸ 비례 ❹ 반비례

개념 확인

정답과 해설 25쪽

1-1

그림은 오른손과 오른 나사를 이용하여 직선 전류에 의한 자기장의 방향을 찾는 방법을 나타낸 것이다.

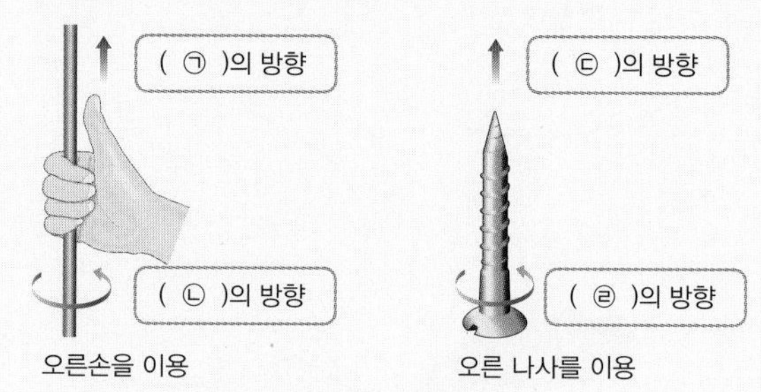

㉠~㉣에 들어갈 알맞은 말을 쓰시오.

1-2

그림 (가)~(라)는 직선 도선의 위와 아래에 나침반을 놓고 화살표 방향으로 전류를 흐르게 한 모습을 나타낸 것이다.

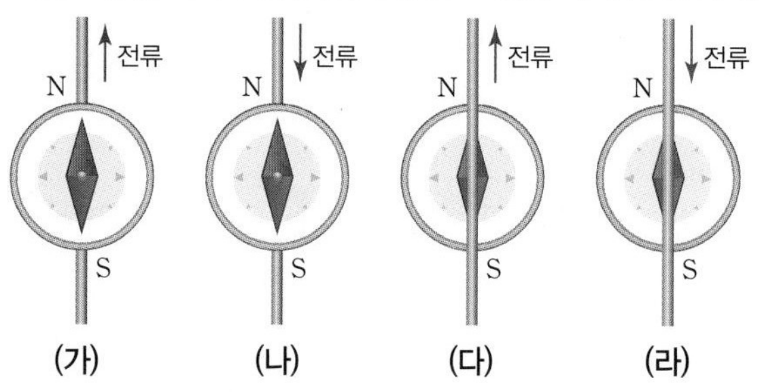

나침반 자침의 N극이 동쪽으로 회전하는 것을 모두 쓰시오.

Hint 나침반 자침의 N극은 도선에 흐르는 전류에 의한 자기장 방향으로 회전한다.

2-1

그림과 같이 반지름이 r인 원형 도선에 세기가 I인 전류가 화살표 방향으로 흐를 때 원형 도선의 중심에서 자기장의 세기가 B였다.

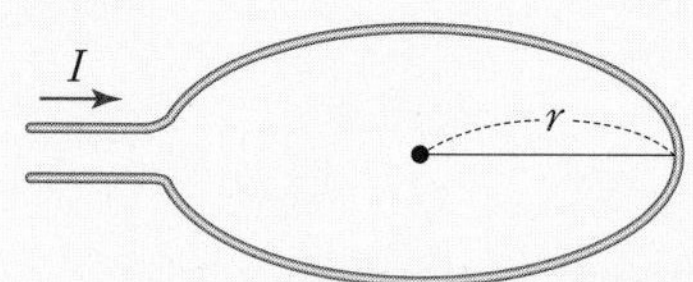

(1) 이 상태에서 원형 도선의 반지름이 2배가 되었을 때 원형 도선 중심에서의 자기장의 세기를 쓰시오.

(2) 원형 도선의 반지름과 전류의 세기가 모두 2배가 되었을 때 원형 도선의 중심에서 자기장의 세기를 쓰시오.

2-2

그림과 같이 세기가 I인 전류가 서로 같은 방향으로 흐르는 두 원형 도선 A, B가 있다. 점 P는 두 원형 도선의 중심이며, 점 P에서 도선 A에 흐르는 전류에 의한 자기장의 세기는 B이다.

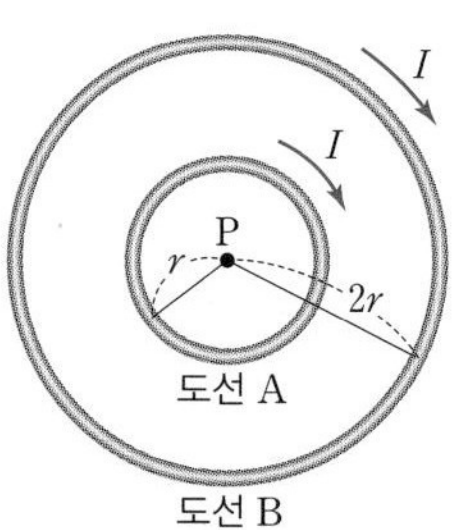

(1) 점 P에서 도선 B에 흐르는 전류에 의한 자기장의 세기를 쓰시오.

Hint 도선 B의 반지름은 A의 2배이다.

(2) 점 P에서 도선 A와 B에 흐르는 전류에 의한 합성 자기장의 세기를 쓰시오.

Hint 도선 A와 B에 흐르는 전류에 의한 자기장의 방향은 같다.

3일 전류에 의한 자기장

핵심 개념

3 솔레노이드에 의한 자기장

- **솔레노이드 내부에서 자기장의 세기(B)**: 도선에 흐르는 전류의 세기(I)와 단위 길이당 도선의 감은 수(n)에 각각 ❶ [ ] 한다. ➡ $B \propto nI$
- **솔레노이드 내부에서 자기장의 방향**: 오른손 네 손가락을 전류의 방향으로 감아쥘 때 엄지손가락의 가리키는 방향

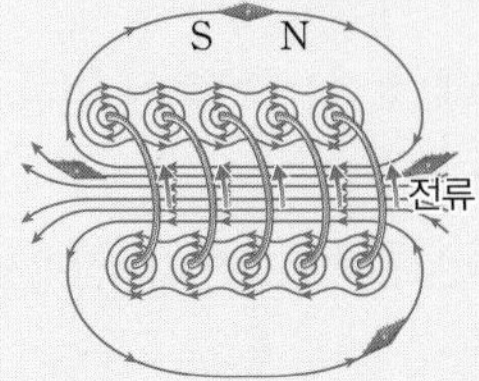

▲ 솔레노이드 주위의 자기장

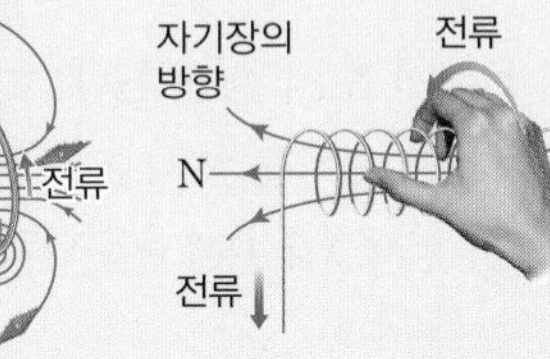

▲ 솔레노이드 내부의 자기장 방향 찾기

4 전류에 의한 자기장의 이용

- **전자석**: 솔레노이드 내부에 철심을 넣어 만든 자석 ➡ 코일에 흐르는 전류의 세기가 ❷ [ ], 코일의 감은 수가 ❸ [ ] 전자석의 세기가 세진다. 예) 자기 부상 열차, 자기 공명 영상 장치 등
- **자기력**: 자기장 속에서 전류가 흐르는 도선이 받는 힘
- **전동기**: 영구 자석 사이의 도선에 전류가 흐르면 도선에 자기력이 작용해 회전하는 원리를 이용한다. ➡ ❹ [ ] 에너지가 운동 에너지로 전환된다.

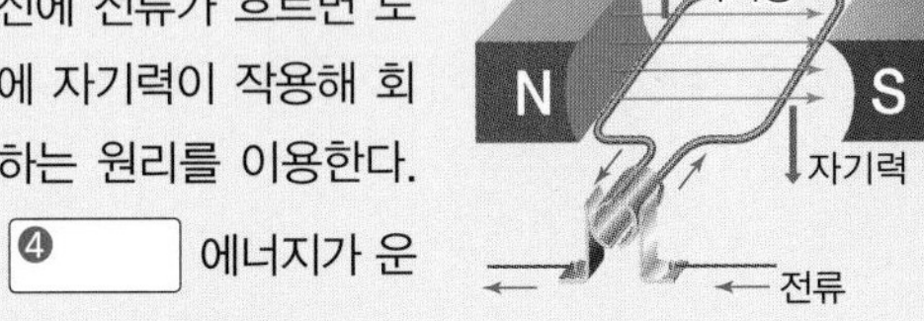
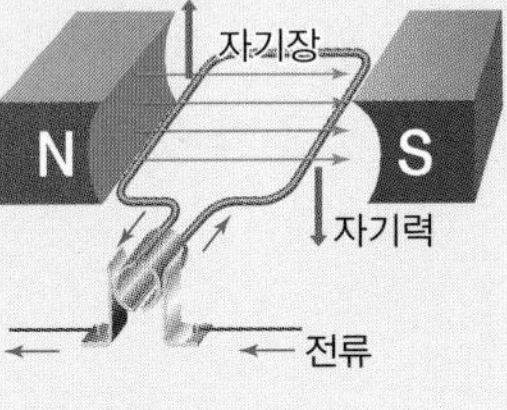

답 ❶ 비례 ❷ 셀수록 ❸ 많을수록 ❹ 전기

정답과 해설 25쪽

3-1

그림은 전류가 흐르고 있는 솔레노이드를 나타낸 것이다.

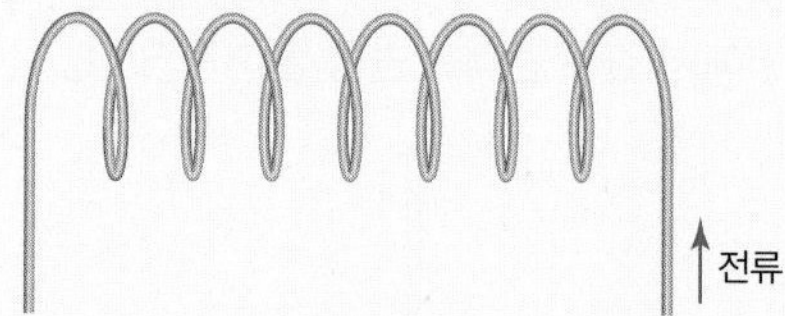

이에 대한 설명으로 옳은 것은 ○, 옳지 않은 것은 ×표 하시오.

(1) 솔레노이드 외부에는 중심축과 나란한 방향으로 균일한 자기장이 형성된다. (　　)

(2) 솔레노이드 내부에서 자기장의 세기는 도선에 흐르는 전류의 세기에 비례한다. (　　)

(3) 솔레노이드 내부에서 자기장의 세기는 단위 길이당 도선의 감은 수에 비례한다. (　　)

(4) 솔레노이드 내부에서 자기장의 방향은 솔레노이드에 흐르는 전류의 방향으로 오른손의 네 손가락을 감아쥘 때 엄지손가락이 가리키는 방향이다. (　　)

3-2

그림과 같이 솔레노이드를 전지에 연결하고 스위치를 닫아 전류를 흐르게 하였다. (단, 지구 자기장은 무시한다.)

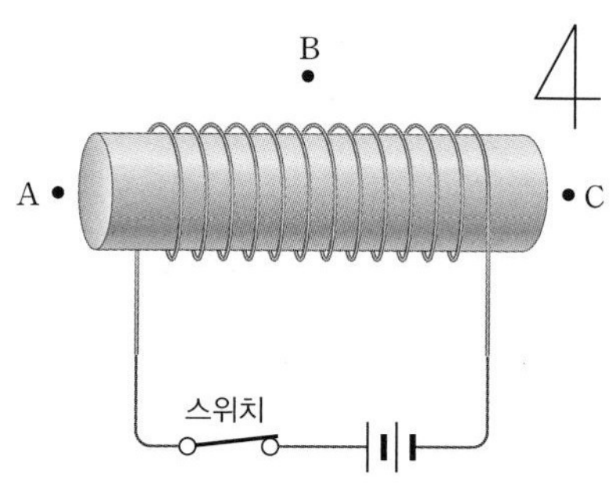

(1) A에 나침반을 놓을 때 나침반 자침의 N극은 어느 쪽을 가리키는지 쓰시오.

Hint 나침반 자침의 N극은 솔레노이드에 의한 자기장의 방향을 가리킨다.

(2) B에 나침반을 놓을 때 나침반 자침의 N극은 어느 쪽을 가리키는지 쓰시오.

(3) C에 나침반을 놓을 때 나침반 자침의 N극은 어느 쪽을 가리키는지 쓰시오.

3 주 3일

4-1

그림은 전동기의 구조를 나타낸 것이다.

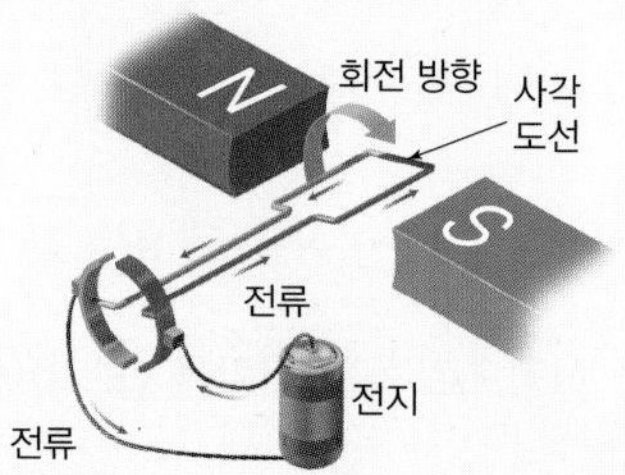

이에 대한 설명으로 옳은 것은 ○, 옳지 않은 것은 ×표 하시오.

(1) 전동기는 운동 에너지를 전기 에너지로 전환시킨다. (　　)

(2) 전류가 흐르는 사각 도선은 자석 사이에서 자기력을 받아 회전하게 된다. (　　)

4-2

다음은 스피커의 작동 원리에 대한 설명이다.

코일에 전류가 흐르면 자기장 속에 놓인 코일이 힘을 받는다. 이때 전류의 신호를 주기적으로 바꿔 주면 코일이 받는 힘도 주기적으로 변하여 진동하게 된다. 이 코일에 진동판을 붙이면 진동판이 진동하여 소리가 발생한다.

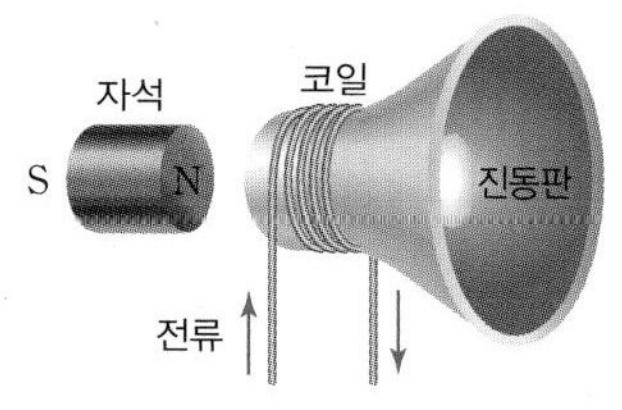

코일이 받는 힘의 종류는 무엇인지 쓰시오.

Hint 자기장 속에서 전류가 흐르는 도선은 힘을 받는다.

기초 유형 연습 | 전류에 의한 자기장

대표 기출 유형

그림과 같이 전원에 연결된 솔레노이드에 전류가 흐르고 있다. 솔레노이드 중심축 위의 P는 솔레노이드 외부의 점이고, Q는 내부의 점이다.

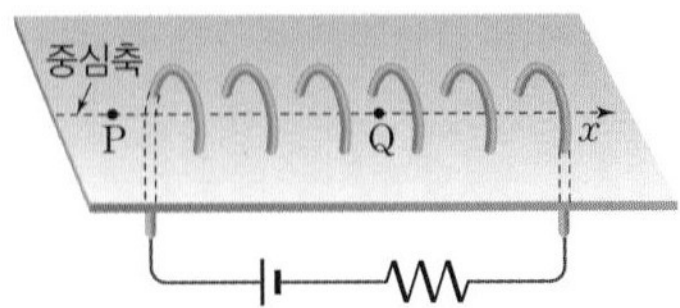

이에 대한 설명으로 옳은 것만을 〈보기〉에서 있는 대로 고른 것은? (단, 지구 자기장은 무시한다.)

보기

ㄱ. P에서 자기장의 방향은 $-x$ 방향이다.

ㄴ. Q에 나침반을 놓으면 나침반 자침의 N극은 $+x$ 방향을 가리킨다.

ㄷ. 전류의 세기를 증가시키면 Q에서 자기장의 세기는 증가한다.

① ㄱ ② ㄴ ③ ㄷ
④ ㄱ, ㄴ ⑤ ㄴ, ㄷ

개념 point

솔레노이드 내부에서 자기장의 세기: 전류의 세기와 단위 길이당 도선의 감은 수에 각각 비례한다.

|보기| 풀이

ㄱ 솔레노이드 내부에서 자기장의 방향은 오른손 네 손가락을 전류의 방향으로 감아쥘 때 엄지손가락이 가리키는 방향이다. 전류는 (+)극 쪽에서 (−)극 쪽으로 흐르므로, 솔레노이드 오른쪽이 N극, 왼쪽이 S극을 띤다. 따라서 P점에서 자기장의 방향은 S극 쪽으로 들어가는 방향인 $+x$ 방향이다.

ㄴ 나침반의 자침의 N극은 자기장의 방향을 가리키므로 Q에서 자침의 N극은 $+x$ 방향을 가리킨다.

ㄷ 솔레노이드 내부에서 자기장의 세기는 전류의 세기에 비례한다.

함정 탈출

나침반 자침의 N극은 솔레노이드에 의한 자기장의 방향을 가리킨다.

답 ⑤

1 그림과 같이 세기가 I인 전류가 흐르는 무한히 긴 직선 도선이 종이면에 놓여 있다. 도선과 점 A, B, C는 같은 종이면에서 같은 간격 d만큼 떨어져 있다.

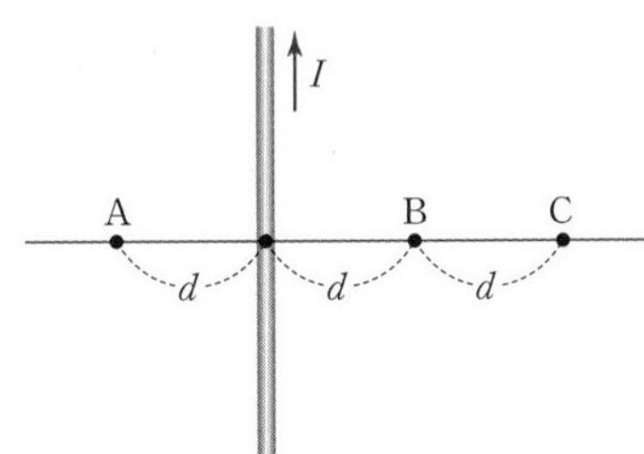

점 A, B, C에서의 자기장 세기의 비($B_A : B_B : B_C$)는 얼마인지 쓰시오. (단, 지구 자기장은 무시한다.)

2020학년도 4월 학평 11번 변형

2 그림과 같이 일정한 세기의 전류가 흐르는 무한히 긴 직선 도선 A, B, C가 xy 평면에 고정되어 있다. A, B에 흐르는 전류의 방향이 각각 $+y$ 방향, $-y$ 방향이고, 세기가 I로 같다. p는 x축 상의 점이고, p에서 A, B, C에 흐르는 전류에 의한 자기장은 0이다.

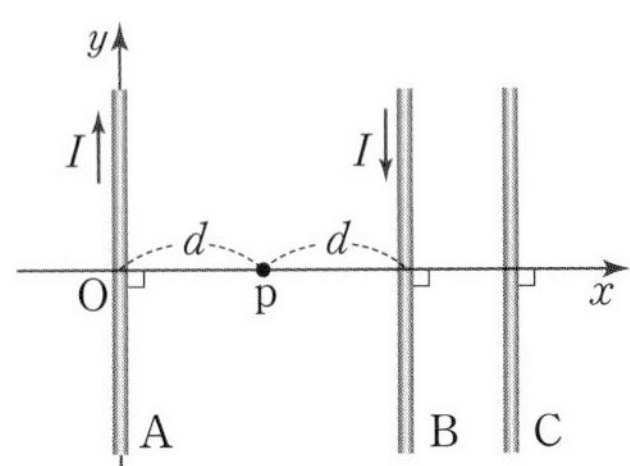

이에 대한 설명으로 옳은 것만을 〈보기〉에서 있는 대로 고른 것은?

보기

ㄱ. p에서 A와 B에 흐르는 전류에 의한 자기장의 방향과 세기는 같다.

ㄴ. C에 흐르는 전류의 방향은 $+y$ 방향이다.

ㄷ. C에 흐르는 전류의 세기는 I보다 크다.

① ㄱ ② ㄷ ③ ㄱ, ㄴ
④ ㄴ, ㄷ ⑤ ㄱ, ㄴ, ㄷ

정답과 해설 25쪽

2019학년도 수능 4번 변형

3 다음은 직선 도선에 흐르는 전류에 의한 자기장에 대한 실험이다.

[실험 과정]

(가) 그림과 같이 직선 도선이 수평면에 놓인 나침반의 자침과 나란하도록 실험 장치를 구성한다.

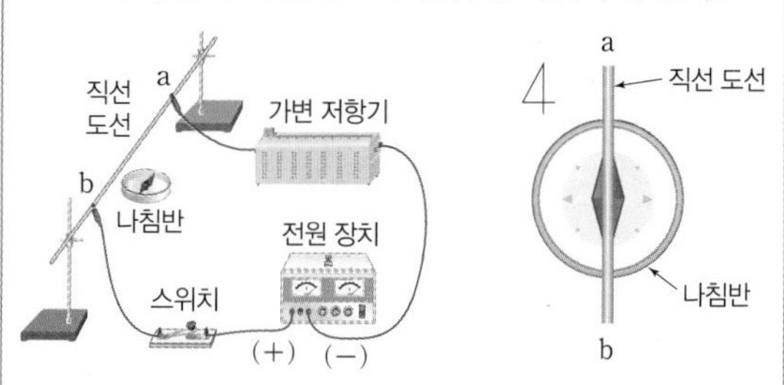

▲ 위에서 본 모습

(나) 스위치를 닫고, 나침반 자침의 방향을 관찰한다.

(다) (가)의 상태에서 가변 저항기의 저항값을 변화시킨 후, (나)를 반복한다.

[실험 결과]

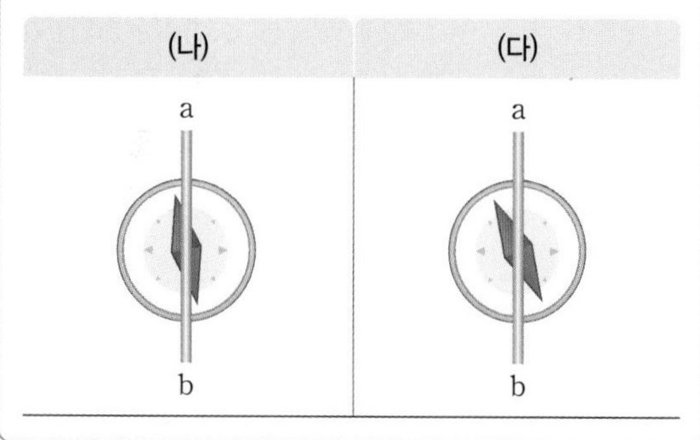

이에 대한 설명으로 옳은 것만을 ⟨보기⟩에서 있는 대로 고른 것은?

보기

ㄱ. (나)에서 직선 도선에 흐르는 전류의 방향은 a → b 방향이다.

ㄴ. 직선 도선에 흐르는 전류의 세기는 (다)에서가 (나)에서보다 크다.

ㄷ. 직선 도선에 흐르는 전류에 의한 자기장의 세기는 (다)에서가 (나)에서보다 크다.

① ㄱ ② ㄷ ③ ㄱ, ㄴ
④ ㄴ, ㄷ ⑤ ㄱ, ㄴ, ㄷ

4 그림 (가)는 전류가 흐르는 직선 도선 주위에 놓은 나침반을 나타낸 것이고, (나)는 전류가 시계 방향으로 흐르는 구부린 도선을 나타낸 것이다.

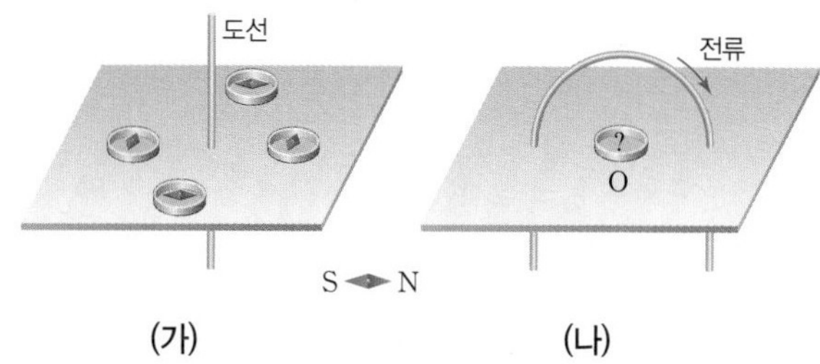

(가)에서 도선에 흐르는 전류의 방향과 (나)에서 원형 도선의 중심 O에 놓인 나침반 자침이 가리키는 방향을 옳게 짝 지은 것은? (단, 지구 자기장은 무시한다.)

	(가)	(나)		(가)	(나)
①	위(↑)		②	위(↓)	
③	위(↑)		④	아래(↓)	
⑤	아래(↓)				

5 그림과 같이 길이가 같은 원통에 코일을 감은 수가 각각 N, $2N$인 두 솔레노이드 A, B를 가까이 놓았다. 두 솔레노이드에는 화살표 방향으로 같은 세기의 전류가 흐른다. p, q는 A와 B의 중심축을 잇는 직선상의 점이다. (단, 지구 자기장은 무시한다.)

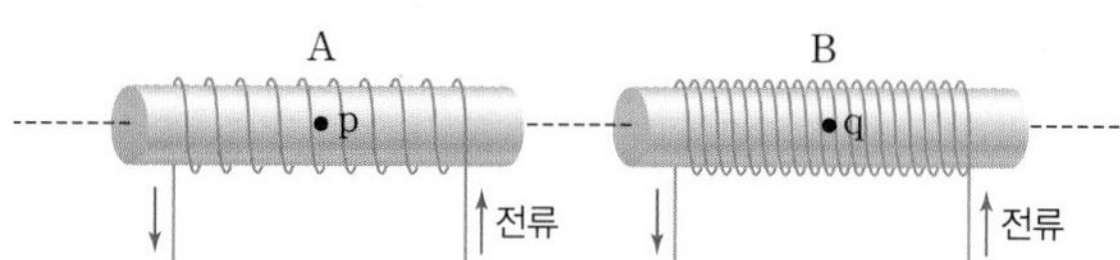

(1) A, B 사이에 작용하는 전기력의 종류를 쓰시오.

(2) p, q에서의 자기장의 세기를 비교하여 서술하시오.

4일 전자기 유도

핵심 개념

1 자성의 원인

- **자성**: 물질이 자석 또는 외부 자기장에 반응하는 성질
- **자성의 원인**: 물질을 구성하는 원자 내 ❶ ______ 의 운동에 의해 자기장이 발생하기 때문 ➡ 하나의 원자를 작은 자석으로 생각할 수 있다. — 대부분의 물질은 각 원자의 자기장 방향이 무질서하므로 자성을 띠지 않는다.

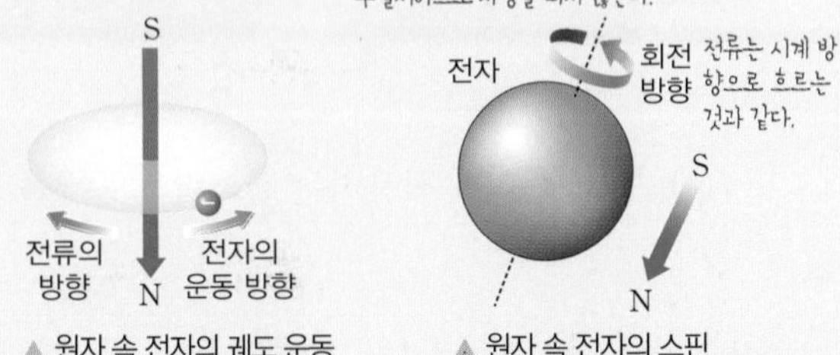

▲ 원자 속 전자의 궤도 운동 ▲ 원자 속 전자의 스핀

- **자기화**: 원자 자석들이 외부 자기장의 영향으로 일정한 방향으로 정렬되어 물체가 ❷ ______ 을 띠게 되는 현상

2 자성체의 종류

- **강자성체**: 자석에 강하게 달라붙는 성질을 가진 물체로, 외부 자기장을 가할 때 외부 자기장의 방향으로 강하게 자기화되며, 외부 자기장을 제거해도 자성을 오래 유지한다. 예 철, 니켈, 코발트 등
- **상자성체**: 강한 자석에 약하게 끌려오는 성질을 가진 물체로, 외부 자기장을 가할 때 외부 자기장의 방향으로 약하게 자기화되며, 외부 자기장을 제거하면 자성의 효과가 바로 사라진다. 예 종이, 알루미늄, 나트륨, 산소 등
- **반자성체**: 자석을 가까이 했을 때 약하게 ❸ ______ 성질을 가진 물체로, 외부 자기장을 가하면 외부 자기장의 반대 방향으로 약하게 자기화되며, 외부 자기장을 제거하면 자성의 효과가 바로 사라진다. 예 구리, 유리, 물, 탄소 등

답 ❶ 전자 ❷ 자성 ❸ 밀려나는

개념 확인

정답과 해설 26쪽

1-1

그림은 원자핵 주위에서 원 궤도를 따라 전자가 시계 반대 방향으로 운동하고 있는 모습을 나타낸 것이다.

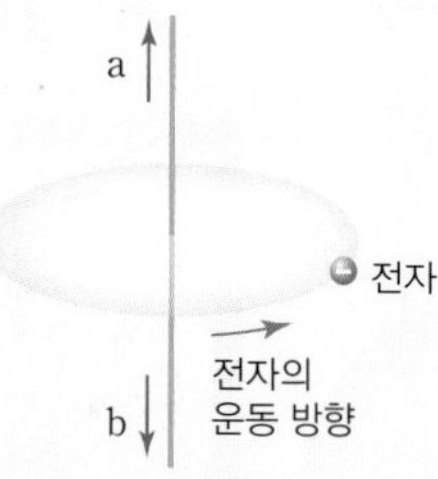

(　　) 안에 들어갈 알맞은 말을 고르시오.

(1) 전자의 운동에 의해 전류가 (시계, 시계 반대) 방향으로 흐르는 효과가 나타난다.

(2) 전류가 흐르는 효과가 나타나므로 (a, b) 방향으로 자기장이 형성된다.

1-2

다음은 물체가 자성을 띠는 까닭에 대한 설명이다. (　　) 안에 들어갈 알맞은 말을 쓰시오.

> 전자의 (㉠) 방향이 시계 반대 방향이면 전류의 방향은 시계 방향이 된다. 따라서 (㉡) 방향으로 자기장이 형성된다.

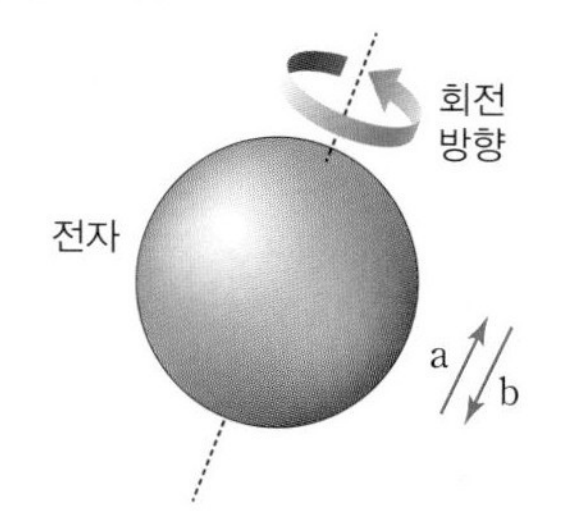

2-1

그림은 물질 (가)~(다)에 외부 자기장을 가했을 때와 외부 자기장을 제거했을 때 물질 내 원자 자석의 배열을 모식적으로 나타낸 것이다.

물질	외부 자기장을 가했을 때	외부 자기장을 제거했을 때
(가)	N S	
(나)	N S	
(다)	N S	

(가)~(다)의 자성체를 각각 쓰시오.

2-2

그림은 강자성체가 외부 자기장을 따라 자기화되는 모습을 나타낸 것이다.

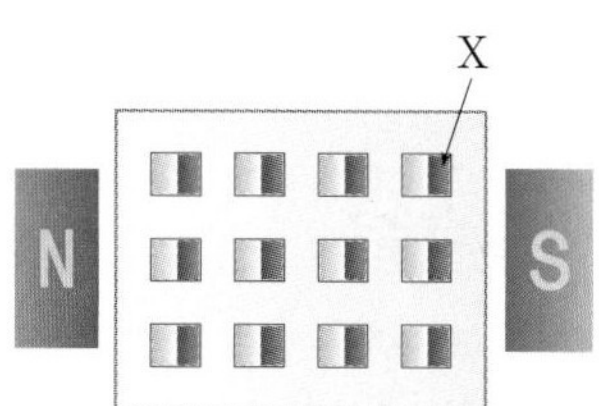

이에 대한 설명으로 옳은 것은 ○, 옳지 않은 것은 ×표 하시오.

(1) X는 N극이다. (　　　)

Hint 강자성체는 외부 자기장의 방향으로 정렬된다.

(2) 강자성체 내부의 원자 자석의 배열 방향은 외부 자기장과 반대 방향이다. (　　　)

(3) 외부 자기장을 제거해도 어느 정도 자기화된 상태를 유지한다. (　　　)

(4) 강자성체는 외부 자기장이 가해지기 전에도 자석의 효과가 나타난다. (　　　)

4일 전자기 유도

핵심 개념

3 전자기 유도

- **전자기 유도**: 자석과 코일의 상대적 운동에 의해 코일을 통과하는 ❶ [ ]이 변할 때 코일에 유도 전류가 흐르는 현상 (└ 자기장에 수직인 단면을 지나가는 자기력선의 총 개수)
- **렌츠 법칙**: 유도 전류는 코일을 통과하는 자기 선속의 변화를 ❷ [ ]하는 방향으로 흐른다.

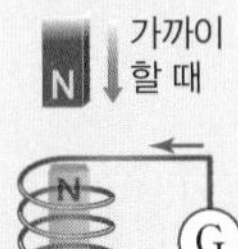

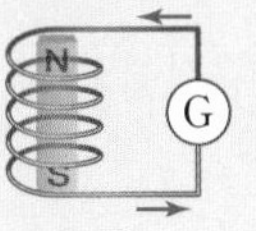
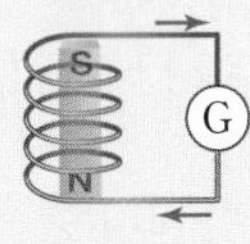
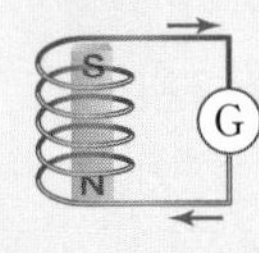
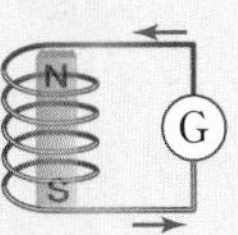

▲ 코일에 흐르는 유도 전류의 방향

- **유도 전류의 세기**: 코일의 감은 수와 코일을 통과하는 자기 선속의 변화율에 각각 ❸ [ ]한다. ➡ 자석을 빨리 움직일수록, 자석의 세기가 강할수록, 코일을 많이 감을수록 유도 전류의 세기가 세진다. (└ 코일을 통과하는 자기장의 시간당 변화량)

4 전자기 유도의 이용

- **발전기의 원리**: 강한 자석 사이에서 코일이 회전하면 코일을 통과하는 자기 선속이 변하여 코일에 유도 전류가 흐른다.

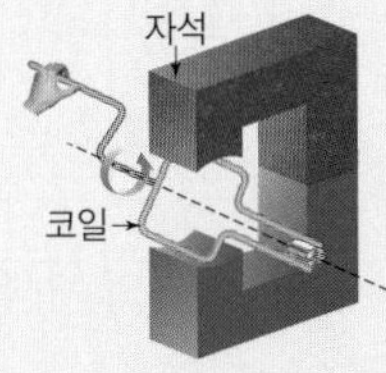

예 신용카드 판독기, 금속 탐지기, 교통 카드, 발광 킥보드 등

답 ❶ 자기 선속 ❷ 방해 ❸ 비례

개념 확인

정답과 해설 26쪽

3-1

그림은 자석의 N극이 코일에 접근할 때 발생하는 유도 전류의 방향을 찾는 과정을 나타낸 것이다. ( ) 안에 들어갈 알맞은 말을 쓰시오.

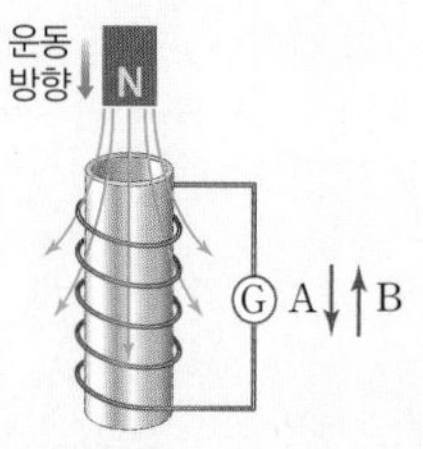

N극이 코일에 접근해 코일의 아래 방향으로 통과하는 자기 선속이 증가한다.

↓

자석의 운동을 방해하기 위해 코일 위쪽에 (㉠)극이 유도된다.

↓

검류계에는 (㉡) 방향으로 유도 전류가 흐른다.

3-2

그림은 코일에 흐르는 유도 전류의 방향을 보고 자석의 운동 방향을 찾는 과정을 나타낸 것이다. ( ) 안에 들어갈 알맞은 말을 쓰시오.

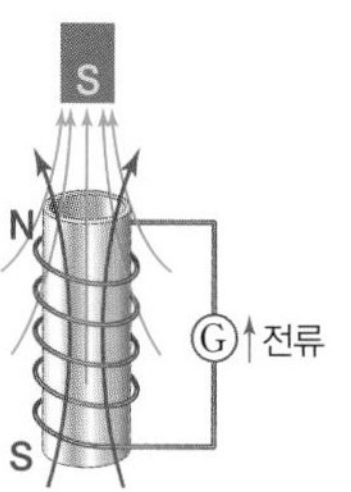

코일에 흐르는 유도 전류에 의해 코일 위쪽에 N극이 유도된다.

↓

자석과 코일 사이에 (㉠)이 작용한다.

↓

자석은 코일에서 (㉡) 방향으로 운동한다.

4-1

그림은 발전기의 구조를 나타낸 것으로, 도선 고리에는 전구가 연결되어 있다.

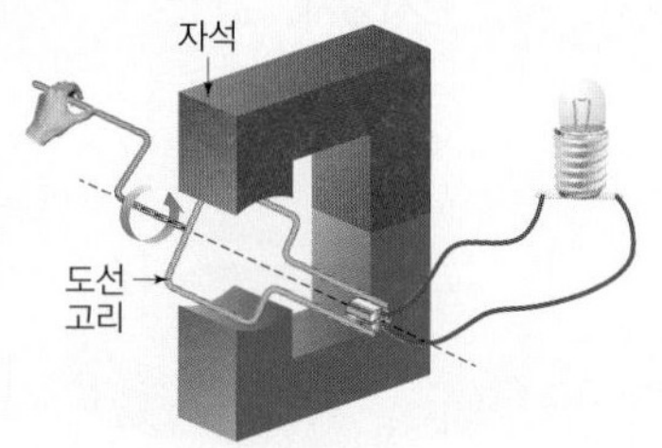

이에 대한 설명으로 옳은 것은 ○, 옳지 않은 것은 ×표 하시오.

(1) 고리를 회전시키면 고리를 통과하는 자기 선속이 변한다. ( )

(2) 고리를 회전시키는 속력과 전구의 밝기는 아무 관계가 없다. ( )

(3) 고리를 회전시키지 않고 정지시켜 놓으면 전구에 불이 들어오지 않는다. ( )

4-2

다음은 발광 킥보드에 불이 들어오는 원리에 대한 설명이다. ( ) 안에 들어갈 알맞은 말을 쓰시오.

킥보드 바퀴축에 고정된 코일을 감은 철심은 바퀴가 회전함에 따라 영구 자석 주위를 회전하게 된다. 이때 코일을 통과하는 자기 선속의 변화에 의해 ( )이/가 발생하여 발광 다이오드에 불이 들어온다.

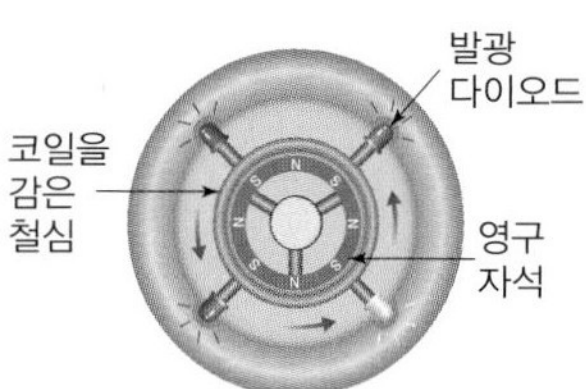

3주 4일

기초 유형 연습 | 전자기 유도

대표 기출 유형

그림은 솔레노이드와 검류계를 연결하고 막대자석의 N극을 솔레노이드에 가까이 가져갈 때 검류계 바늘이 a 방향으로 움직이는 것을 나타낸 것이다. 이에 대한 설명으로 옳은 것만을 〈보기〉에서 있는 대로 고른 것은?

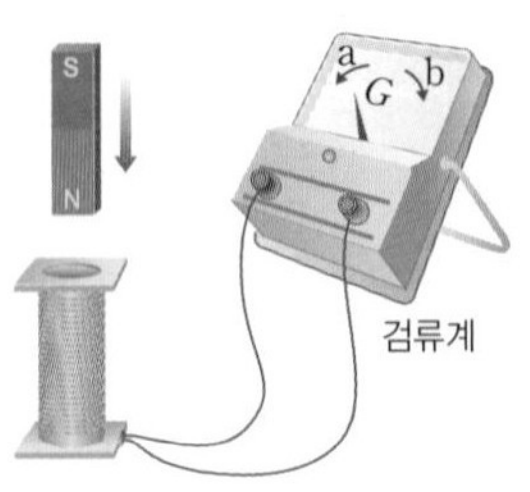

보기

ㄱ. N극을 솔레노이드에 가까이 가져갈 때 막대자석과 솔레노이드 사이에는 밀어내는 힘이 작용한다.
ㄴ. S극을 솔레노이드에 가까이 가져갈 때 검류계 바늘은 b 방향으로 움직인다.
ㄷ. 솔레노이드에 전류가 흐르는 것을 전자기 유도 현상으로 설명할 수 있다.

① ㄱ ② ㄷ ③ ㄱ, ㄴ
④ ㄴ, ㄷ ⑤ ㄱ, ㄴ, ㄷ

개념 point

렌츠 법칙: 유도 전류는 코일을 통과하는 자기 선속의 변화를 방해하는 방향으로 흐른다.

|보기| 풀이

ㄱ 자석을 솔레노이드에 가까이 가져가면 아래 방향으로 솔레노이드를 통과하는 자기 선속이 증가하므로 이 변화를 방해하는 방향으로 자기력이 발생하여 밀어내는 힘이 작용한다.
ㄴ S극을 솔레노이드에 가까이 가져가면 전류는 반대 방향으로 유도되어 검류계 바늘은 b 방향으로 움직인다.
ㄷ 솔레노이드를 통과하는 자기 선속의 변화를 방해하는 방향으로 전류가 발생하는 것은 전자기 유도 현상이다.

함정 탈출

N극과 S극 주위의 자기장 방향이 다르므로 N극과 S극을 각각 가까이 가져갈 때 발생하는 유도 전류의 방향이 다르다.

답 ⑤

1 다음은 물질의 자성에 대해 학생 A, B, C가 나눈 대화이다.

제시한 내용이 옳은 학생만을 있는 대로 고른 것은?

① A ② B ③ C
④ A, B ⑤ B, C

2016학년도 3월 학평 3번 변형

2 그림은 자기화되어 있지 않은 물체 A를 자석 위에 올려놓았더니 A가 자석 위에 떠서 정지해 있는 모습을 나타낸 것이다. A는 강자성체, 상자성체, 반자성체 중 하나이다.

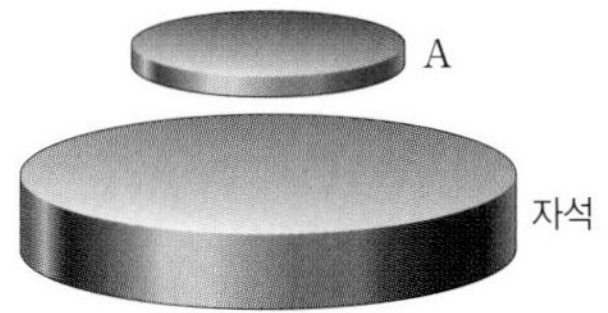

이에 대한 설명으로 옳은 것만을 〈보기〉에서 있는 대로 고른 것은?

보기

ㄱ. A는 강자성체이다.
ㄴ. A와 자석 사이에는 척력이 작용한다.
ㄷ. A는 원자 자석들이 외부 자기장의 방향과 반대 방향으로 자기화되는 성질이 있다.

① ㄱ ② ㄷ ③ ㄱ, ㄴ
④ ㄴ, ㄷ ⑤ ㄱ, ㄴ, ㄷ

정답과 해설 27쪽

3 그림은 외부 자기장의 변화에 따른 물질 내부의 원자 자석의 변화를 나타낸 것이다. 외부 자기장을 가하기 전과 제거한 후 물질에는 자석의 효과가 나타나지 않았다.

외부 자기장을 가하기 전

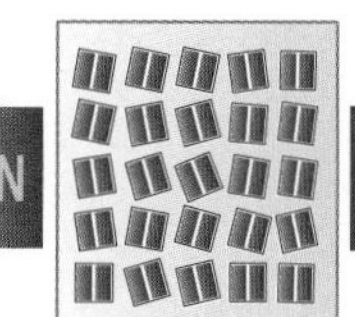

외부 자기장을 가했을 때

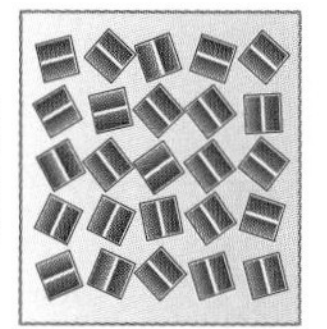
외부 자기장을 제거했을 때

(1) 이와 같은 변화를 보이는 물질이 갖는 자성은 무엇인지 쓰시오.

(2) 이 물질에 외부 자기장을 가하기 전후 자성의 효과가 나타나지 않는 까닭을 서술하시오.

2016학년도 3월 학평 5번 변형

4 그림 (가), (나)는 코일을 감은 투명한 관을 좌우로 흔들었을 때, 관 내부에서 각각 자석의 N극과 S극이 코일로부터 같은 거리에서 같은 속력으로 코일에 가까이 가는 순간의 모습을 나타낸 것이다. (가)와 (나)에서 모두 LED(발광 다이오드)에 불이 켜졌다.

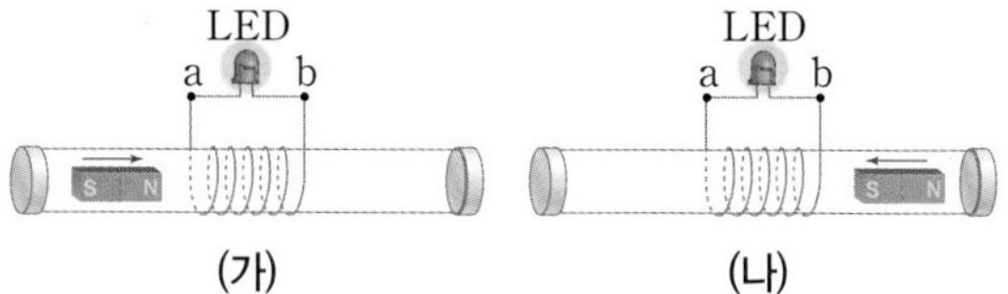

(가) (나)

이에 대한 설명으로 옳은 것만을 <보기>에서 있는 대로 고른 것은?

보기

ㄱ. (가)에서 전류의 방향은 b → LED → a이다.

ㄴ. (가)에서 자석이 받는 자기력의 방향은 왼쪽이다.

ㄷ. (나)에서 코일의 오른쪽이 S극이 되도록 유도 전류가 흐른다.

① ㄱ ② ㄷ ③ ㄱ, ㄴ
④ ㄴ, ㄷ ⑤ ㄱ, ㄴ, ㄷ

5 그림과 같이 종이면에 수직으로 들어가는 방향의 균일한 자기장 영역에 저항이 연결된 ㄷ자형 도선을 고정시키고, 도선 위에 놓인 도체 막대를 일정한 속력 v로 오른쪽으로 잡아당겼다.

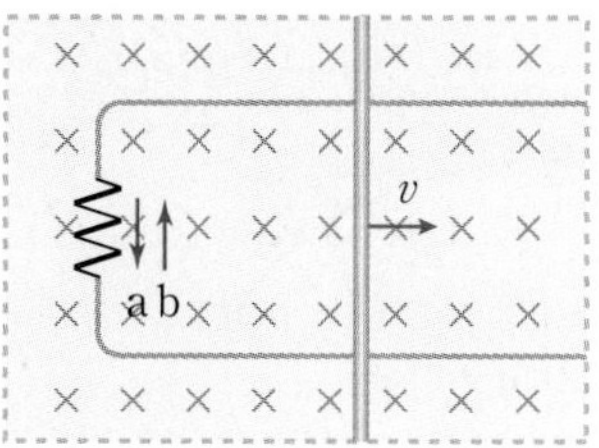

(1) 저항에 흐르는 유도 전류의 방향을 쓰시오.

(2) v를 증가시킬 때 유도 전류의 세기는 어떻게 될지 쓰시오.

6 다음은 자전거 발전기의 구조와 램프에 불이 켜지는 원리에 대한 설명이다.

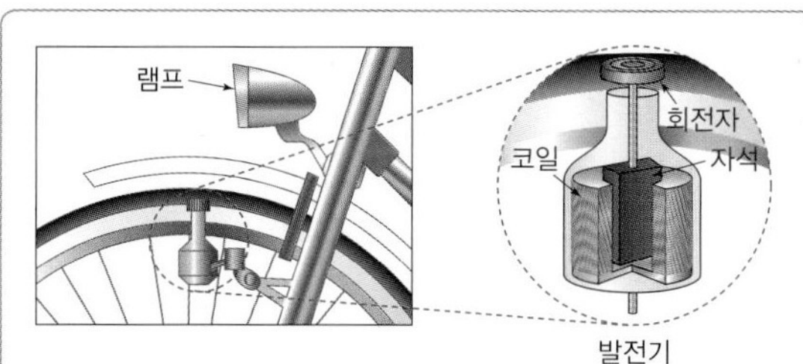

자전거 바퀴가 회전하면 바퀴에 접촉되어 있는 발전기의 회전자가 돌아가고, 회전자에 연결된 자석이 회전하면서 램프에 불이 켜진다.

이에 대한 설명으로 옳지 않은 것은?

① 바퀴가 회전하면 코일에 전류가 흐른다.

② 바퀴가 회전하면 발전기의 코일을 통과하는 자기 선속이 변한다.

③ 바퀴가 회전하는 속력이 클수록 코일에 흐르는 전류의 세기가 커진다.

④ 자전거 발전기는 역학적 에너지를 전기 에너지로 전환시키는 장치이다.

⑤ 발전기 속 자석을 더 센 자석으로 바꾸면 코일에 흐르는 전류의 세기가 작아진다.

파동의 성질

돌이 멀리멀리 가고 있어!

돌은 가라앉고 파동만 크게 생겼어.

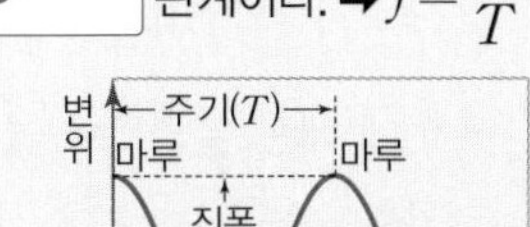

1 파동

- **파동**: 한곳에서 발생한 진동이 주위로 퍼져 나가는 현상
  ➡ 파동이 전파될 때 ❶ ( ) 은 제자리에서 진동할 뿐 파동과 함께 이동하지 않는다.
- **횡파**: 매질의 진동 방향과 파동의 진행 방향이 수직인 파동
  ㉮ 물결파, 전자기파, 지진파의 S파 등
- **종파**: 매질의 진동 방향과 파동의 진행 방향이 나란한 파동
  ㉮ 음파, 초음파, 지진파의 P파 등

2 파동의 요소

- **파장(λ)**: 위상이 동일한 이웃한 두 지점 사이의 거리
- **주기(T)**: 매질이 한 번 진동하는 데 걸리는 시간 [단위: s]
- **진동수(f)**: 매질이 1초 동안 진동한 횟수 [단위: Hz]

➡ 주기와 진동수는 서로 ❷ ( ) 관계이다. ➡ $f=\frac{1}{T}$

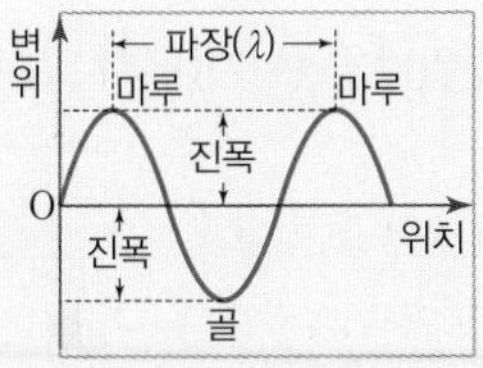

▲ 변위 – 위치 그래프

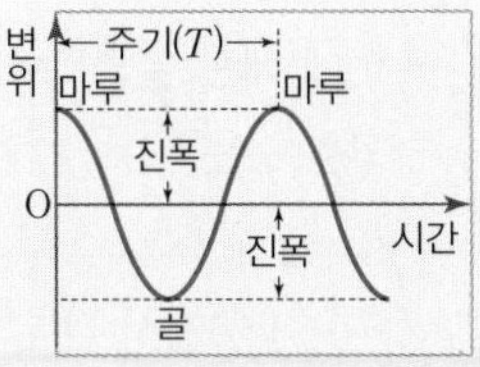

▲ 변위 – 시간 그래프

- **매질에 따른 파동의 속력(v)**: 동일한 매질에서는 파동의 속력이 ❸ ( ) ➡ $v=\frac{\lambda}{T}=f\lambda$

① 소리의 속력은 고체＞액체＞기체 순으로 빠르고, 공기의 온도가 높을수록 빠르다.

② 물결파는 수심이 깊을수록 빠르다.

답 ❶ 매질 ❷ 역수 ❸ 일정하다

개념 확인

정답과 해설 27쪽

1-1

그림은 용수철의 진동 방향과 나란한 방향으로 파동이 진행하는 것을 나타낸 것이다.

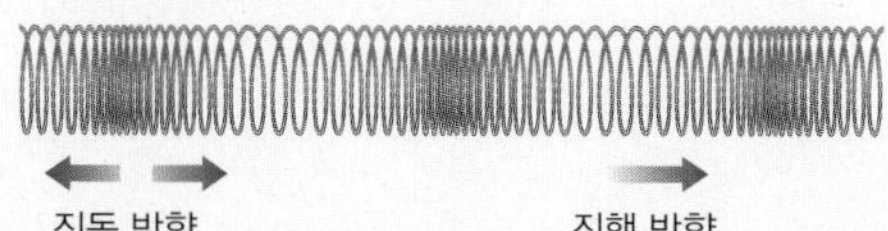

파동을 매질의 진동 방향과 파동의 진행 방향의 관계에 따라 구분할 때, 위 파동과 같은 종류의 파동을 〈보기〉에서 모두 골라 쓰시오.

보기
ㄱ. 빛
ㄴ. 물결파
ㄷ. 지진파의 S파
ㄹ. 지진파의 P파
ㅁ. 초음파

1-2

그림은 두 파동 A, B가 용수철을 따라 진행하는 모습을 비교하여 나타낸 것이다.

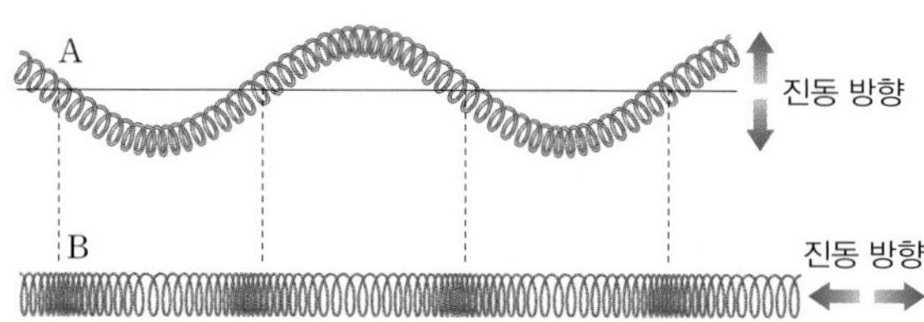

이에 대한 설명으로 옳은 것은 ○, 옳지 않은 것은 ×표 하시오.

(1) A는 횡파이고, B는 종파이다. (   )

(2) A는 파동의 진행 방향과 용수철의 진동 방향이 나란하다. (   )

(3) 소리, 초음파 등은 A에 해당한다. (   )

2-1

(1) 그림은 파동의 변위－위치 그래프를 나타낸 것이다. A ~ D가 의미하는 것은 무엇인지 각각 쓰시오.

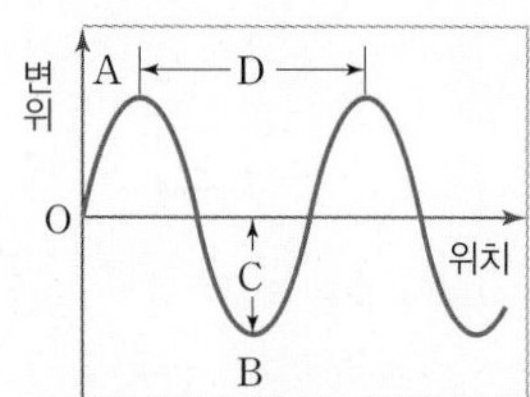

(2) 그림은 파동의 변위－시간 그래프이다. A와 $\frac{1}{A}$이 의미하는 것이 무엇인지 쓰시오.

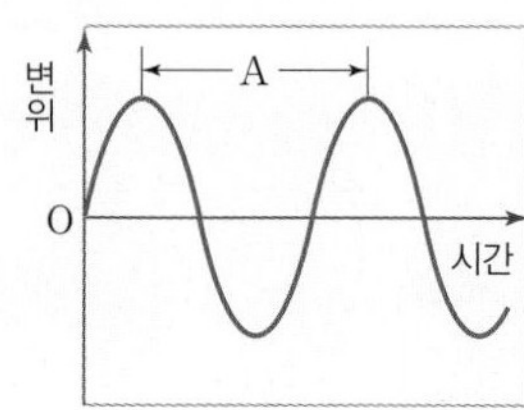

2-2

그림은 용수철을 진동시켜 파장이 4 m인 파동을 발생시킬 때, 용수철에 고정된 한 점의 시간에 따른 변위를 나타낸 것이다.

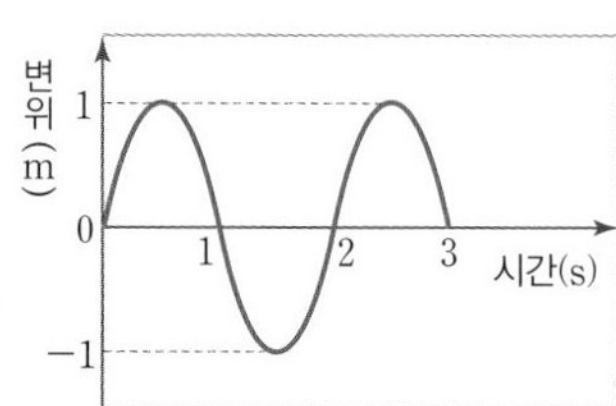

(1) 이 파동의 주기를 쓰시오.

(2) 이 파동의 진동수를 구하시오.

Hint 진동수는 주기의 역수이다.

(3) 이 파동의 속력은 몇 m/s인지 구하시오.

5일 파동의 성질

3 파동의 굴절

- **파동의 굴절**: 파동이 한 매질에서 다른 매질로 진행할 때 속력이 변하여 파동의 진행 방향이 꺾이는 현상
- **굴절률(n)**: 진공에서의 빛의 속력(c)에 대한 매질에서의 속력(v)의 비 ➡ $n=\dfrac{c}{v}$
- **굴절 법칙**: 굴절률이 n_1인 매질 1에서 굴절률이 n_2인 매질 2로 진행할 때 입사각(i)과 굴절각(r)의 사인값의 비는 ❶ [   ]하다. ➡ $\dfrac{\sin i}{\sin r}=\dfrac{v_1}{v_2}=\dfrac{\lambda_1}{\lambda_2}=\dfrac{n_2}{n_1}=$일정
- **생활 속의 굴절 현상**: 빛이 휘어진 경로로 진행하더라도 우리는 빛이 ❷ [   ]하여 눈에 도달한다고 판단하기 때문에 실제 위치가 아닌 곳에 물체가 있는 것처럼 보인다.
  ⓔ 수심이 얕아 보인다, 신기루 현상 등

핵심 개념

구분	속력이 빠른 매질 → 느린 매질	속력이 느린 매질 → 빠른 매질
파동의 진행 모습	법선, 입사파, v_1, 입사각, λ_1, 매질 1(n_1), 매질 2(n_2), 굴절각, v_2, λ_2, 굴절파, 입사각 > 굴절각	입사파, 법선, v_1, 입사각, λ_1, 매질 1(n_1), 매질 2(n_2), 굴절각, v_2, λ_2, 굴절파, 입사각 < 굴절각
속력	$v_1>v_2$	$v_1<v_2$
진동수	변하지 않는다.	변하지 않는다.
파장	$\lambda_1>\lambda_2$.	$\lambda_1<\lambda_2$
굴절률	$n_1<n_2$	$n_1>n_2$

답 ❶ 일정 ❷ 직진

개념 확인

정답과 해설 28쪽

3-1

그림은 매질 1에서 매질 2로 파동이 진행하는 모습을 나타낸 것이다.

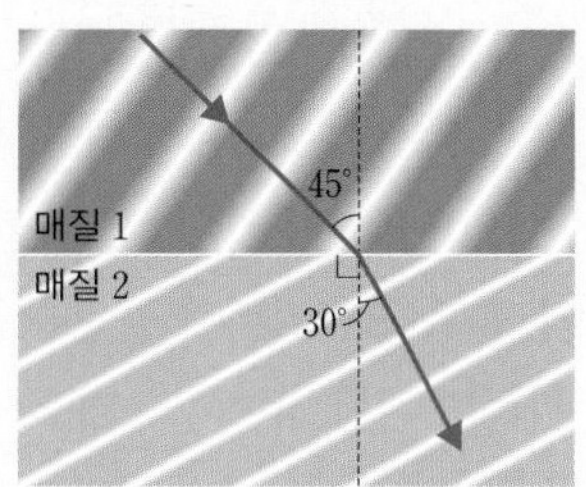

(1) 입사각은 몇 °인지 쓰시오.

(2) 굴절각은 몇 °인지 쓰시오.

(3) 매질 1에서와 매질 2에서의 파동의 속력을 등호나 부등호를 이용해 비교하시오.

3-2

그림은 물결파가 매질 1에서 매질 2로 진행할 때 각 매질에서의 파장 λ_1, λ_2를 나타낸 것이다. 단, $\lambda_1 > \lambda_2$이다.

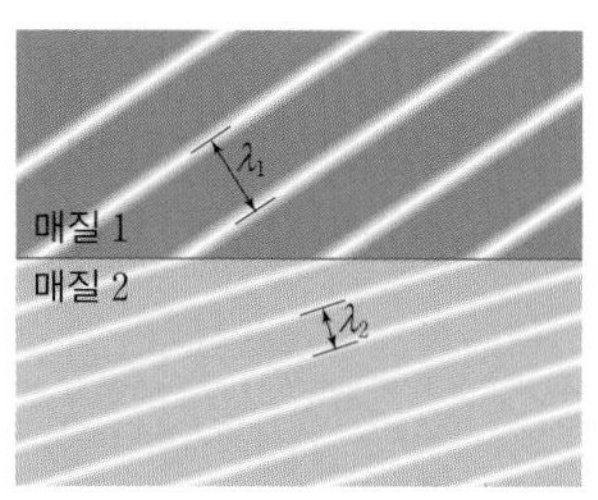

다음을 옳게 연결하시오.

(1) 물결파의 진동수 • • ㉠ 매질 1＝매질 2
(2) 물결파의 속력 • • ㉡ 매질 1＞매질 2
(3) 물의 깊이 • • ㉢ 매질 1＜매질 2

Hint 물결파의 속력의 물의 깊이가 깊을수록 크다.

3주 5일

4-1

그림은 낮에 소리의 진행 방향이 위로 휘어지는 현상을 나타낸 것이다.

이에 대한 설명으로 옳은 것은 ○, 옳지 않은 것은 ×표 하시오.

(1) 지면 근처의 기온이 상층부의 기온보다 높다. ( )

(2) 기온이 높을수록 소리의 속력이 작아진다. ( )

(3) 지면 근처 공기와 상층부의 기온 차이가 클수록 소리가 크게 휘어진다. ( )

4-2

그림 (가)와 (나)는 공기 중에 놓인 동일한 유리로 만든 두 가지 모양의 렌즈에서 평행한 광선이 진행하는 경로를 나타낸 것이다.

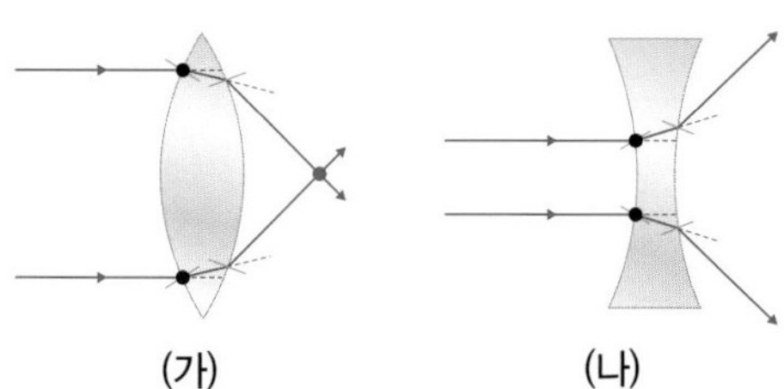

이에 대한 설명으로 옳은 것은 ○, 옳지 않은 것은 ×표 하시오.

(1) (가)는 볼록 렌즈이고, (나)는 오목 렌즈이다. ( )

(2) 빛이 공기에서 렌즈로 들어갈 때 속력이 변하지 않는다. ( )

(3) 빛이 렌즈 내부를 진행할 때의 파장은 공기 중에서와 같다. ( )

기초 유형 연습 | 파동의 성질

대표 기출 유형

그림 (가)는 줄에서 x축과 나란하게 진행하는 파동의 어느 순간의 모습을 나타낸 것이다. 점 P는 줄에 고정된 한 점이다. 그림 (나)는 (가)의 순간부터 y축과 나란하게 진동하는 P의 변위를 시간에 따라 나타낸 것이다.

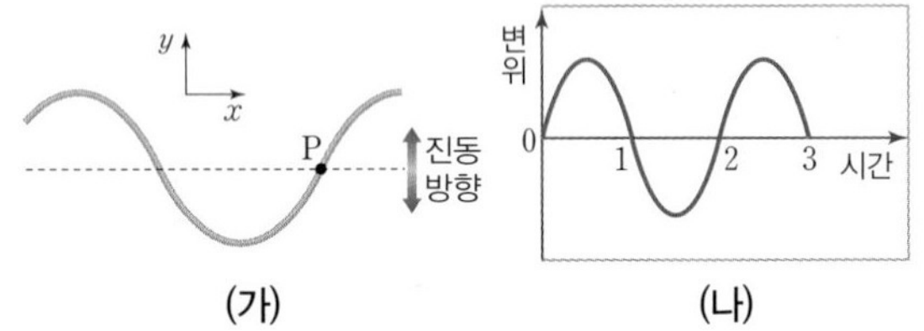

(가) (나)

이 파동에 대한 설명으로 옳은 것만을 <보기>에서 있는 대로 고른 것은?

보기

ㄱ. 횡파이다.
ㄴ. 진동수는 2 Hz이다.
ㄷ. 파동의 진행 방향은 $-x$ 방향이다.

① ㄱ ② ㄴ ③ ㄷ
④ ㄱ, ㄷ ⑤ ㄱ, ㄴ, ㄷ

개념 point

진동수: 매질의 한 점이 1초 동안 진동하는 횟수로, 주기와 서로 역수 관계이다.
변위－시간 그래프: 파동의 주기, 진동수, 진폭을 알 수 있다.

|보기| 풀이

ㄱ 파동의 진행 방향과 줄의 진동 방향이 수직이므로 횡파이다.
ㄴ (나)에서 파동의 주기는 2초임을 알 수 있다. 따라서 주기의 역수인 진동수는 $\frac{1}{2}$ Hz이다.
ㄷ P점은 0초 이후 (+) 방향의 변위를 가진다. 따라서 P점은 다음 순간 위쪽으로 진동해야 한다. P점이 위쪽으로 진동하려면 파동이 $-x$ 방향으로 진행해야 한다.

함정 탈출

그림 (나)는 P점의 변위를 나타낸 것이다. 0초일 때 P는 변위가 0이고, 이때 파동의 모습이 (가)와 같다.

답 ④

1 다음은 파동의 발생과 전파에 관한 실험 과정이다.

[실험 과정]
(1) 수평인 실험대 위에 파동 실험용 용수철을 올려놓고, 용수철의 한 점에 종이 조각을 붙인다.
(2) 그림 (가), (나)와 같이 용수철의 한쪽 끝을 잡고 각각 좌우와 앞뒤로 흔들면서 파동을 발생시켜, 파동의 진행 방향과 종이 조각의 진동 방향을 관찰한다.

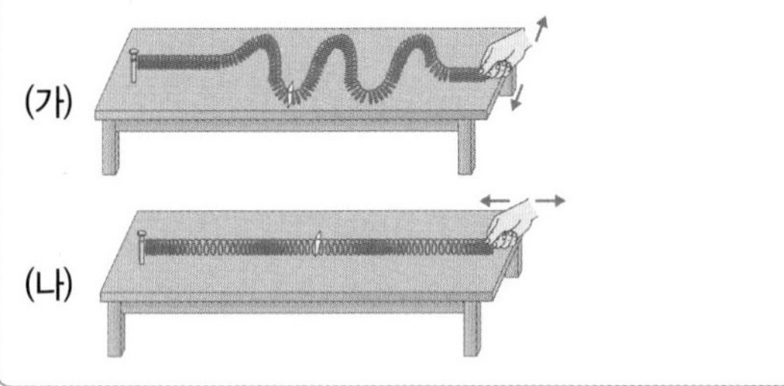

(1) (가), (나) 중 횡파를 골라 쓰시오.

(2) (가), (나) 중 빛이 진행하는 것과 같이 파동이 진행하는 것을 골라 쓰시오.

(3) (가), (나) 중 종이 조각의 진동 방향과 파동의 진행 방향이 나란한 것을 골라 쓰시오.

2 그림은 어떤 파동의 변위를 시간에 따라 나타낸 것이다. 이 파동의 속력은 0.5 m/s이다.

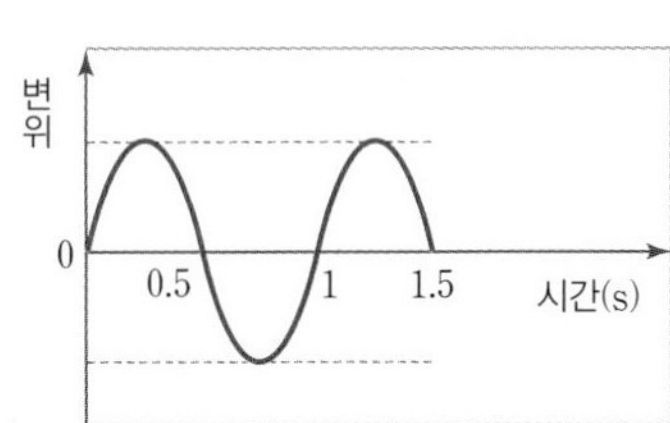

이 파동의 진동수와 파장을 풀이 과정과 함께 구하시오.

정답과 해설 28쪽

2020학년도 6월 모평 2번 변형

3 그림은 같은 속력으로 진행하는 두 파동 P, Q의 어떤 지점에서의 변위를 시간에 따라 각각 나타낸 것이다.

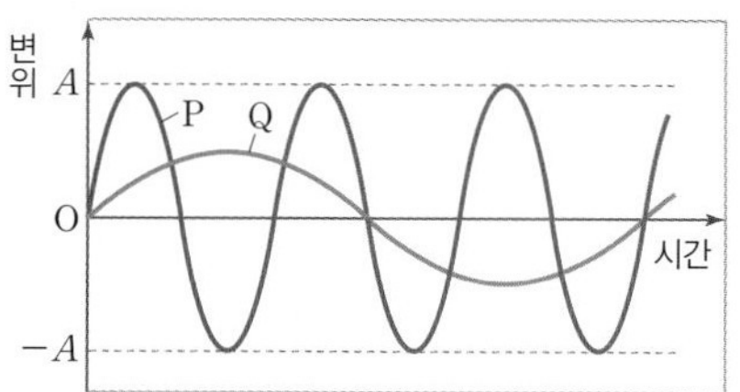

이에 대한 설명으로 옳은 것만을 ⟨보기⟩에서 있는 대로 고른 것은?

보기
ㄱ. P의 진폭은 $2A$이다.
ㄴ. 진동수는 P가 Q의 3배이다.
ㄷ. 파장은 P가 Q의 3배이다.

① ㄱ ② ㄴ ③ ㄱ, ㄴ
④ ㄴ, ㄷ ⑤ ㄱ, ㄴ, ㄷ

4 그림은 물결파가 매질 1, 2의 경계면에서 굴절하면서 진행하는 것을 모식적으로 나타낸 것이다. 매질 1, 2에서 물결파의 파장은 각각 λ_1, λ_2이다.

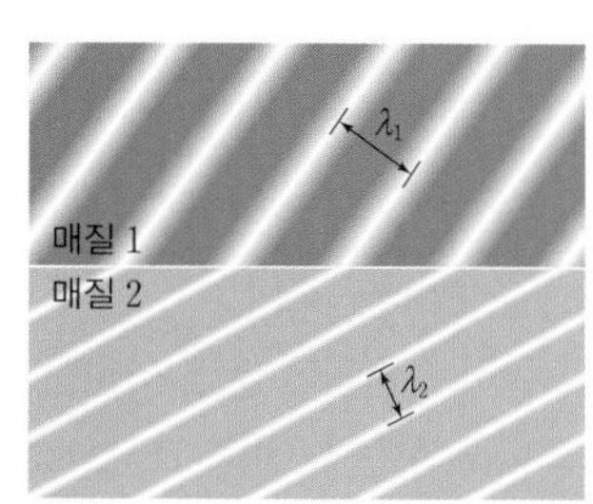

이 물결파에 대한 설명으로 옳은 것만을 ⟨보기⟩에서 있는 대로 고른 것은?

보기
ㄱ. 속력은 매질 1에서가 매질 2에서보다 크다.
ㄴ. 진동수는 매질 1에서가 매질 2에서보다 크다.
ㄷ. 매질 1에 대한 매질 2의 굴절률은 $\frac{\lambda_1}{\lambda_2}$이다.

① ㄱ ② ㄷ ③ ㄱ, ㄴ
④ ㄱ, ㄷ ⑤ ㄴ, ㄷ

5 그림과 같이 물결파 발생 장치 속에 유리판을 넣고 물결파를 발생시켰다.

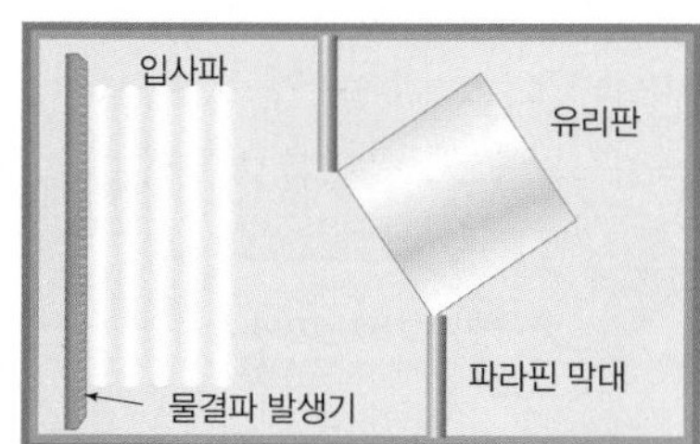

물결파가 유리판에 도달하였을 때 나타나는 현상으로 옳은 것은?

① 파장이 길어진다.
② 속력이 빨라진다.
③ 주기가 감소한다.
④ 진동수가 증가한다.
⑤ 파면 사이의 간격이 촘촘해진다.

2021학년도 수능 7번 변형

6 그림 (가)는 공기에서 유리로 진행하는 빛의 진행 방향을, (나)는 낮에 발생한 소리의 진행 방향을, (다)는 신기루가 보일 때 빛의 진행 방향을 나타낸 것이다.

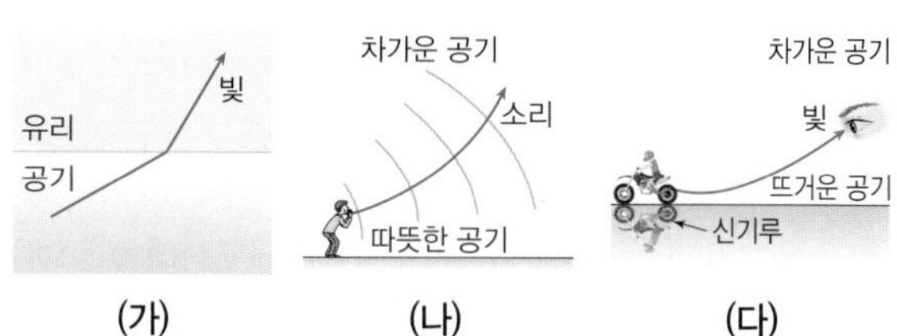

이에 대한 설명으로 옳은 것만을 ⟨보기⟩에서 있는 대로 고른 것은?

보기
ㄱ. (가)에서 굴절률은 유리가 공기보다 크다.
ㄴ. (나)에서 소리의 속력은 차가운 공기에서가 따뜻한 공기에서보다 크다.
ㄷ. (다)에서 빛의 속력은 뜨거운 공기에서가 차가운 공기에서보다 크다.

① ㄱ ② ㄷ ③ ㄱ, ㄴ
④ ㄱ, ㄷ ⑤ ㄱ, ㄴ, ㄷ

3주 5일

1 그림은 기체 원자와 고체 원자의 에너지 준위에 대해 세 사람이 대화하는 모습을 나타낸 것이다.

옳게 말한 사람만을 있는 대로 고른 것은?

① 영희 ② 민수 ③ 철수, 영희
④ 철수, 민수 ⑤ 영희, 민수

2 그림은 절대 온도 $0\ K$일 때와 상온일 때 반도체의 에너지띠 구조를 나타낸 것이다.

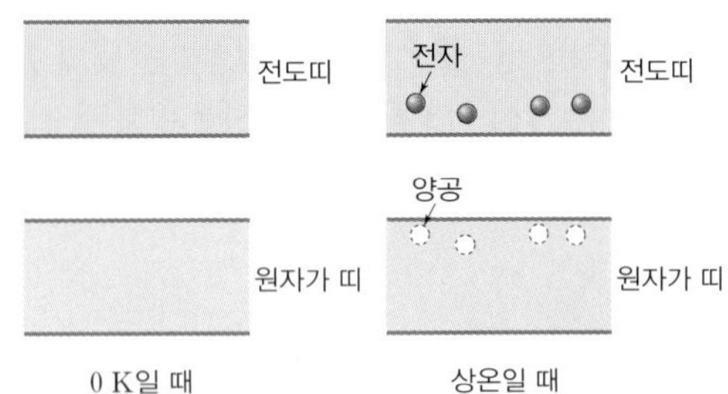

온도가 상승할 때 반도체의 전기 전도성이 어떻게 변할지 서술하시오.

3 다음은 어떤 반도체에 대한 설명인지 쓰시오.

> 규소(Si)와 저마늄(Ge) 같은 4족 원소에 인(P), 비소(As), 안티모니(Sb) 등과 같은 5족 원소를 도핑한 반도체로, 자유 전자가 주요 전하 운반자 역할을 한다.

2020학년도 4월 학평 10번 변형

4 그림 (가)와 같이 전원 장치, 저항, p－n 접합 발광 다이오드(LED)를 연결했더니 LED에서 빛이 방출되었다. X, Y는 각각 p형 반도체, n형 반도체 중 하나이다. 그림 (나)는 (가)의 X를 구성하는 원소와 원자가 전자의 배열을 나타낸 것이다.

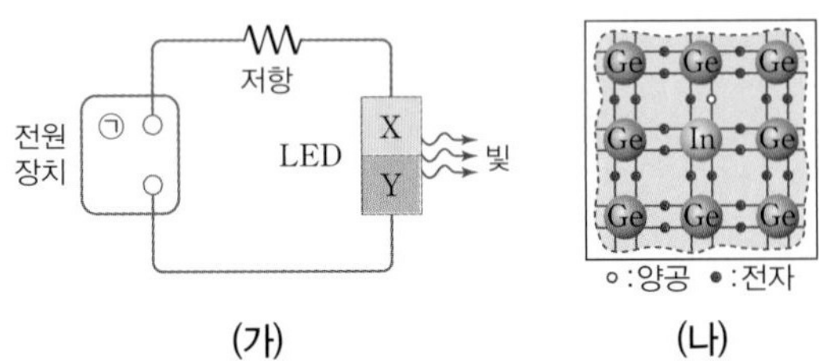

(가) (나)

이에 대한 설명으로 옳은 것만을 〈보기〉에서 있는 대로 고른 것은?

> 보기
> ㄱ. X는 p형 반도체이다.
> ㄴ. 전원 장치의 단자 ㉠은 (＋)극이다.
> ㄷ. (가)의 LED에서 n형 반도체에 있는 전자는 p－n 접합면 쪽으로 이동한다.

① ㄱ ② ㄴ ③ ㄱ, ㄴ
④ ㄴ, ㄷ ⑤ ㄱ, ㄴ, ㄷ

2020학년도 3월 학평 10번 변형

5 그림 (가)와 같이 수평면에 놓인 나침반의 연직 위에 자침과 나란하도록 직선 도선을 고정시켰다. 그림 (나)는 직선 도선에 흐르는 전류를 시간에 따라 나타낸 것이다. t_1일 때 자침의 N극은 북서쪽을 가리킨다.

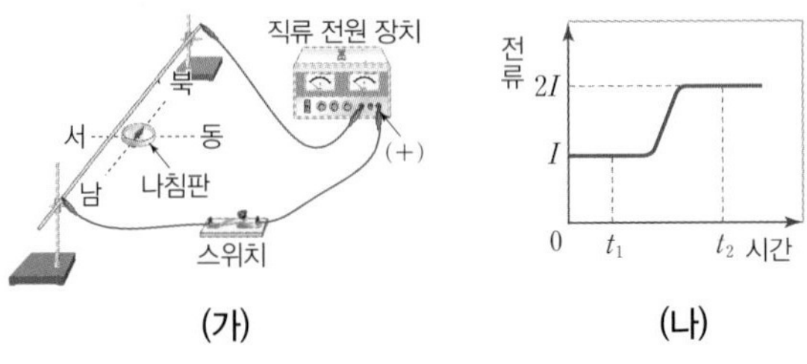

(가) (나)

t_1일 때와 t_2일 때 자침의 N극이 북쪽과 이루는 각을 비교하여 서술하시오.

정답과 해설 29쪽

6 원형 도선에 흐르는 전류가 형성하는 자기장에 대한 설명으로 옳지 않은 것은?

① 원형 전류 주위의 자기장의 세기와 방향은 일정하지 않다.
② 원형 도선에 흐르는 전류의 방향이 반대가 되면 자기장의 방향이 반대가 된다.
③ 전류의 세기가 감소하면 원형 도선 중심에 형성되는 자기장의 세기가 감소한다.
④ 원형 도선 중심에서 자기장의 방향은 원형 도선이 만드는 평면에 수직인 방향이다.
⑤ 원형 도선 중심에 형성되는 자기장의 세기는 원형 도선의 반지름에 비례한다.

2020학년도 4월 학평 12번 변형

7 다음은 물체의 자성을 알아보기 위한 실험이다.

[실험 과정]
(가) 자기화되어 있지 않은 물체 A, B, C에 각각 막대자석을 가까이 하여 물체의 움직임을 관찰한다. A, B, C는 강자성체, 상자성체, 반자성체를 순서없이 나타낸 것이다.
(나) 막대자석을 제거하고 A, B, C를 각각 원형 도선에 통과시켜 유도 전류의 발생 유무를 관찰한다.

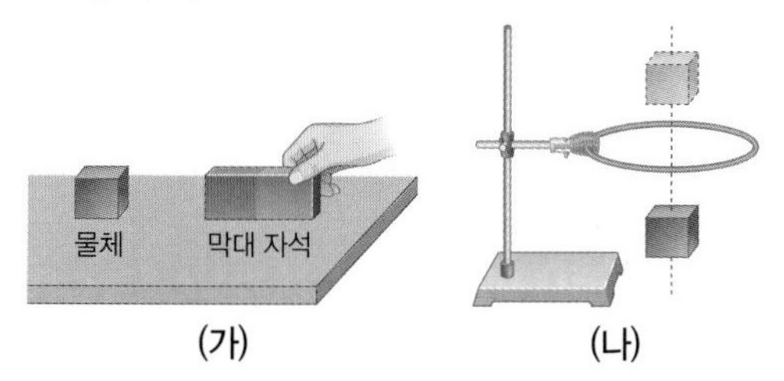

(가) (나)

[실험 결과]

물질	(가)의 결과	(나)의 결과
A	자석에 밀린다.	㉠
B	자석에 끌린다.	흐른다.
C	자석에 끌린다.	흐르지 않는다.

㉠에 들어갈 알맞은 말을 쓰시오.

2020학년도 3월 학평 8번

8 그림은 휴대 전화를 무선 충전기 위에 놓고 충전하는 모습을 나타낸 것이다. 코일 A, B는 각각 무선 충전기와 휴대 전화 내부에 있고, A에 흐르는 전류의 세기 I는 주기적으로 변한다. 이에 대한 설명으로 옳은 것만을 <보기>에서 있는 대로 고른 것은?

코일 A
코일 B
무선 충전기

보기
ㄱ. I가 증가할 때 B에 유도 전류가 흐른다.
ㄴ. I가 감소할 때 B에 유도 전류가 흐르지 않는다.
ㄷ. 무선 충전은 전자기 유도 현상을 이용한다.

① ㄱ ② ㄴ ③ ㄱ, ㄷ
④ ㄴ, ㄷ ⑤ ㄱ, ㄴ, ㄷ

9 그림 (가)는 오른쪽으로 진행하는 파동의 어느 한 순간의 변위를 위치에 따라 나타낸 것이고, 그림 (나)는 파동의 한 점 P의 변위를 시간에 따라 나타낸 것이다.

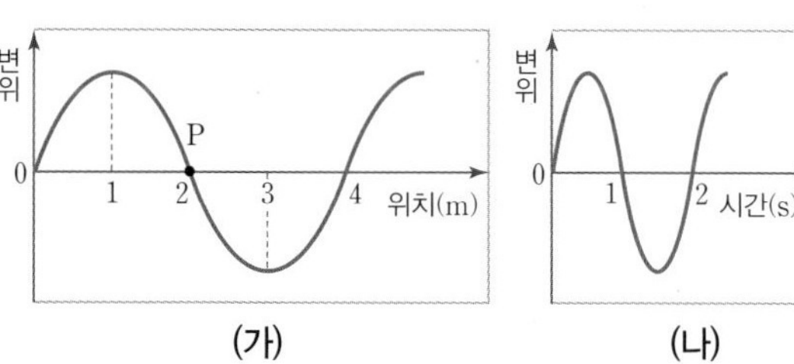

(가) (나)

이 파동의 전파 속력은 몇 m/s인지 구하시오.

10 그림은 해안가로 접근하는 파도의 진행 방향이 변하는 것을 나타낸 것이다. 이와 같은 현상으로 설명할 수 있는 것은?

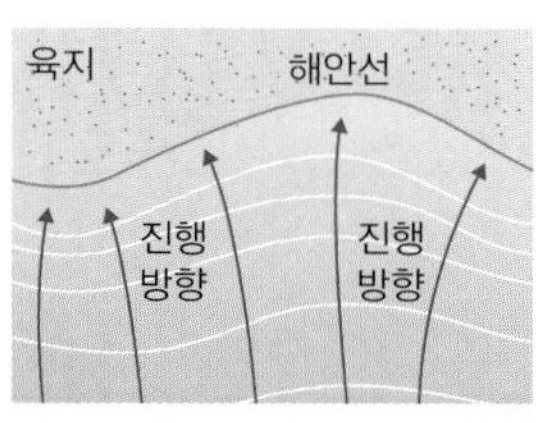

① 거울에 비친 내 모습을 본다.
② 산에서 소리를 지르면 메아리가 들린다.
③ 볼록 렌즈에 입사한 빛은 한 점에 모인다.
④ 어군 탐지기를 이용하여 물고기 떼를 찾는다.
⑤ 박쥐는 초음파를 이용하여 먹이의 위치를 찾는다.

다음은 생활 속 전자기 유도의 이용에 대해 나타낸 것이다.

정답과 해설 30쪽

| 2020학년도 4월 모평 13번 |

다음은 자가발전 손전등에 대한 설명이다.

- 자가발전 손전등은 자석의 운동에 의해 코일에 유도 전류가 발생하여 전구에 불이 켜지는 장치이다.
- 그림에서 자석이 코일에 가까워지면 자석에 의해 코일을 통과하는 자기 선속이 증가하고 코일에는 (가) 방향으로 유도 전류가 흐른다.

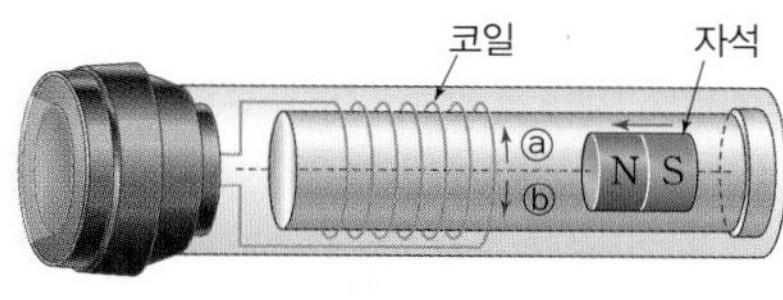

〈자가발전 손전등〉

이에 대한 설명으로 옳은 것만을 <보기>에서 있는 대로 고른 것은?

보기

ㄱ. 자가발전 손전등은 전자기 유도 현상을 이용한다.
ㄴ. (가)는 ⓐ이다.
ㄷ. 자석이 코일에 가까워지면 자석과 코일 사이에는 서로 당기는 자기력이 작용한다.

① ㄱ ② ㄴ ③ ㄱ, ㄷ ④ ㄴ, ㄷ ⑤ ㄱ, ㄴ, ㄷ

3주 특강

특강 전자기 유도

- **전자기 유도:** 자석과 코일의 상대적인 운동에 의해 코일을 통과하는 자기 선속이 변할 때 코일에 유도 전류가 흐르는 현상

- **코일에 흐르는 유도 전류의 방향 찾기**

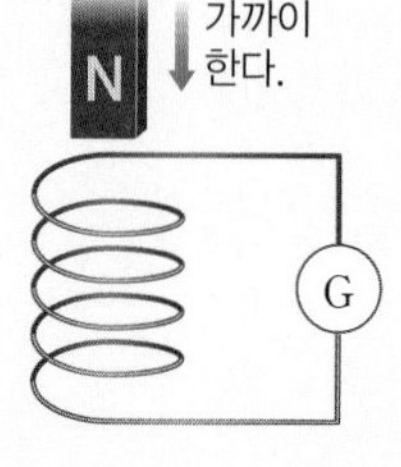

❶ 자석의 극이 코일에 대해 어떻게 움직이는지 확인한다. ➡ N극이 다가온다.

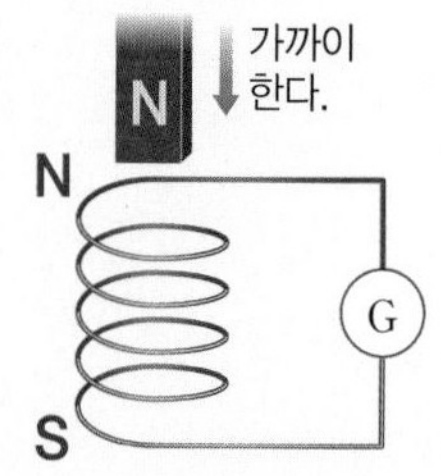

❷ 코일에 생기는 자극을 찾는다. ➡ N극의 접근을 방해하는 방향이므로 코일의 위쪽에 N극이 형성된다.

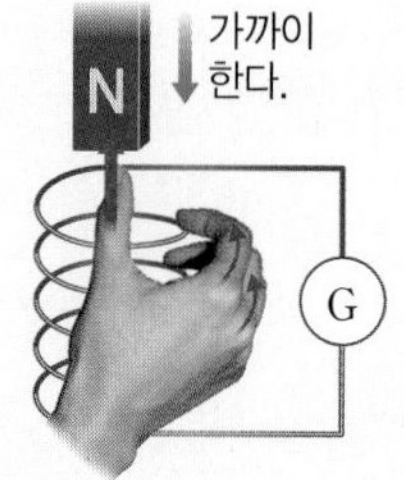

❸ 솔레노이드가 만드는 자기장 방향으로 오른손 엄지손가락을 향하고 코일을 감아쥔다.

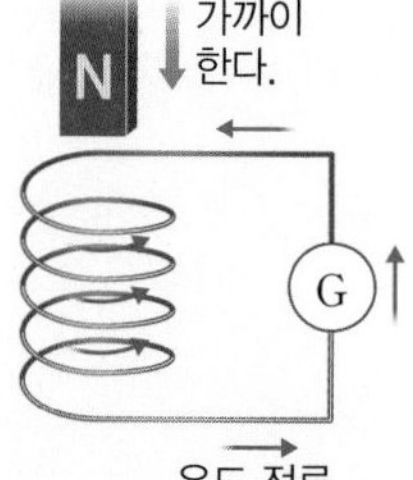

❹ 코일을 감아쥔 방향으로 유도 전류가 흐른다.

➡ 코일에는 자석의 움직임을 방해하는 방향으로 유도 전류가 흐른다.

1 2020학년도 3월 학평 14번

반도체 소자

그림 (가)는 불순물 a를 도핑한❶ 반도체 A를 구성하는 원소와 원자가 전자의 배열을, (나)는 A를 포함한 p－n 접합 다이오드가 연결된 회로에서 전구에 불이 켜진 모습을 나타낸 것이다. X, Y는 각각 p형, n형 반도체 중 하나이다.

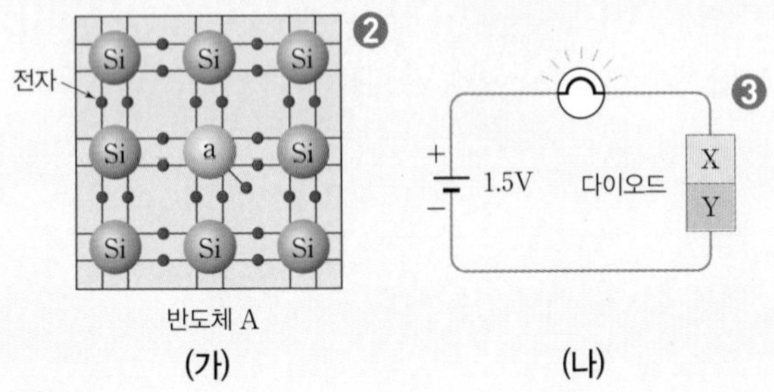

반도체 A

(가) (나)

이에 대한 설명으로 옳지 <u>않은</u> 것은?

① a의 원자가 전자는 5개이다.
② A는 n형 반도체이다.
③ 다이오드에는 순방향 전압(바이어스)이 걸린다.
④ X가 A이다.
⑤ Y에서는 주로 전자가 전류를 흐르게 한다.

❶ 도핑

순수 반도체에 불순물을 첨가하는 과정으로, 불순물을 첨가하면 남는 전자나 양공이 생겨 전기 전도성이 좋아진다.

❷ 불순물 반도체의 구조

구분	n형 반도체	p형 반도체
구조	Si Si Si / Si As Si / Si Si Si (←전자)	Si Si Si / Si B Si / Si Si Si (양공, ←전자)
특징	전자 1개가 공유 결합에 참여하지 못하고 남는다.	전자 1개가 부족하여 전자가 들어갈 수 있는 빈 자리(양공)가 생긴다.

❸ p－n 접합 다이오드

p형 반도체와 n형 반도체를 접합한 것 ➡ 다이오드에 순방향 바이어스(p형 반도체 쪽에 (＋)극을, n형 반도체 쪽에 (－)극을 연결)가 걸릴 때에만 전류가 흐른다.

2 2020학년도 4월 학평 2번 고체의 에너지띠

그림은 도체와 반도체의 에너지띠 구조에 대해 학생 A, B, C가 대화하는 모습을 나타낸 것이다.

제시한 내용이 옳은 학생만을 있는 대로 고른 것은?

① A ② B ③ A, C ④ B, C ⑤ A, B, C

>> **자료 분석 Tip**
도체와 반도체의 에너지띠 구조를 구분해서 이해하고, 띠 간격과 전기 전도성의 관계를 이해하고 있어야 한다.

>> **문제 해결 Tip**
도체는 여러 개의 에너지 준위가 미세한 차이를 두고 나눠지면서 띠의 형태를 이루고 있다. 이때 하나의 양자 상태에 하나의 전자만 배치될 수 있다.

3 2020학년도 3월 학평 9번 전기 전도성

다음은 고체의 전기 전도성에 대한 실험이다.

[실험 과정]

(가) 도체 또는 절연체인 고체 A, B를 준비한다.

(나) 그림과 같이 A를 이용하여 실험 장치를 구성한다.

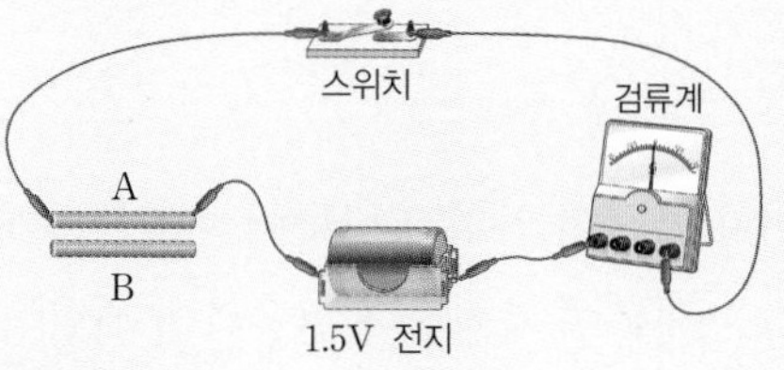

(다) 스위치를 닫아 검류계에 흐르는 전류를 측정한다.

(라) A를 B로 바꾸어 과정 (다)를 반복한다.

[실험 결과]

(다)에서는 전류가 흐르고, (라)에서는 전류가 흐르지 않는다.

이에 대한 설명으로 옳은 것만을 〈보기〉에서 있는 대로 고른 것은?

보기

ㄱ. A는 도체이다.

ㄴ. 전기 전도성은 A가 B보다 좋다.

ㄷ. B는 반도체에 비해 원자가 띠와 전도띠 사이의 띠 간격이 크다.

① ㄱ ② ㄷ ③ ㄱ, ㄴ ④ ㄴ, ㄷ ⑤ ㄱ, ㄴ, ㄷ

>> **자료 분석 Tip**
고체의 전기 전도성을 이해하고 있어야 한다.

>> **문제 해결 Tip**
실험 결과 전류가 흘렀다면 전기 전도성이 좋은 물체이고, 전류가 흐르지 않았다면 전기 전도성이 좋지 않은 물체이다.

4 2020학년도 3월 학평 5번

자성체

다음은 자성체에 대한 실험이다.

[실험 과정]
(가) 스탠드에 유리 막대를 수평으로 매달고, 자석을 유리 막대의 A 부분에 가까이 가져간다.
(나) 스탠드에 지폐를 수평으로 매달고, 자석을 지폐의 숫자가 있는 B 부분에 가까이 가져간다.

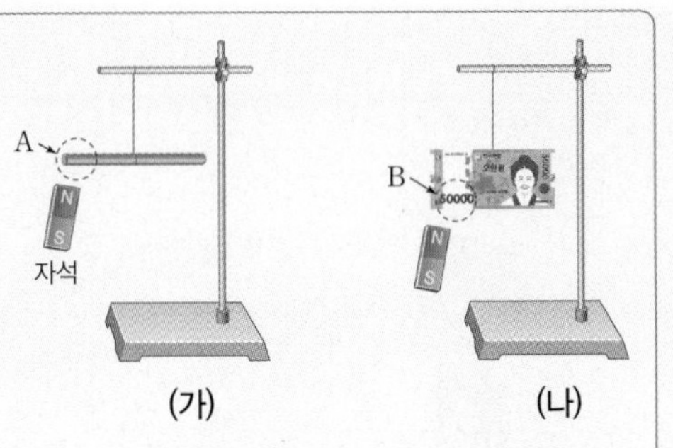

[실험 결과]

실험	N극을 가까이 할 때	S극을 가까이 할 때
(가)	A가 밀려난다.	㉠
(나)		B가 끌려온다.

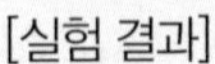
❶

이에 대한 설명으로 옳은 것만을 〈보기〉에서 있는 대로 고른 것은?

보기
ㄱ. ㉠은 'A가 끌려온다.'이다.
ㄴ. 유리 막대는 강자성체이다. ❷
ㄷ. B에는 외부 자기장과 같은 방향으로 자기화되는 물질이 있다.

① ㄱ ② ㄷ ③ ㄱ, ㄴ ④ ㄱ, ㄷ ⑤ ㄴ, ㄷ

❶ 물질의 자성

대부분의 물체는 평소에는 원자 자석의 자기장 방향이 무질서하게 섞여 있어서 자성을 띠지 않지만, 외부에서 자기장을 가하면 원자 자석들이 자기장에 반응하여 배열이 달라지면서 자성을 갖게 된다.

❷ 자성체의 종류와 성질

강자성체	• 자석에 강하게 달라붙은 성질을 가진 물체 • 외부 자기장을 가할 때 외부 자기장의 방향으로 강하게 자기화된다. • 외부 자기장을 제거해도 자성을 오래 유지한다. 예 철, 니켈, 코발트 등
상자성체	• 강한 자석에 약하게 끌려오는 성질을 가진 물체 • 외부 자기장을 가할 때 외부 자기장의 방향으로 약하게 자기화된다. • 외부 자기장을 제거하면 자성의 효과가 바로 사라진다. 예 종이, 알루미늄, 나트륨, 산소 등
반자성체	• 자석을 가까이 했을 때 약하게 밀려나는 성질을 가진 물체 • 외부 자기장을 가하면 외부 자기장의 반대 방향으로 약하게 자기화된다. • 외부 자기장을 제거하면 자성의 효과가 바로 사라진다. 예 구리, 유리, 금, 은, 물, 탄소 등

정답과 해설 30쪽

5 2021학년도 6월 모평 5번 유사 전자기 유도

다음은 전자기 유도에 대한 실험이다.

[실험 과정]

(가) 그림과 같이 코일에 검류계를 연결한다.

(나) 자석의 N극을 아래로 하고, 코일의 중심축을 따라 자석을 일정한 속력으로 코일에 가까이 가져간다.

(다) 자석이 p점을 지나는 순간 검류계의 눈금을 관찰한다.

(라) 자석의 S극을 아래로 하고, 코일의 중심축을 따라 자석을 (나)에서보다 빠른 속력으로 코일에 가까이 가져가면서 (다)를 반복한다.

[실험 결과]

(다)의 결과	(라)의 결과
	㉠

㉠으로 가장 적절한 것은?

① 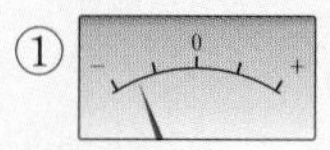 ② 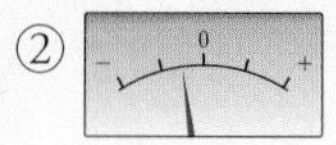 ③ 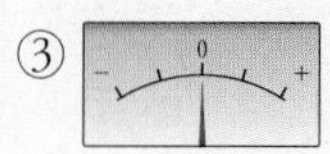 ④ 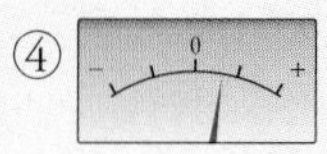 ⑤ 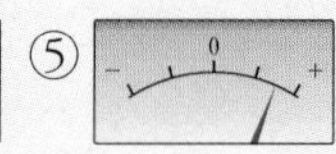

>> 자료 분석 Tip

코일에 N극을 가까이할 때와 S극을 가까이할 때 유도 전류의 방향이 어떻게 되는지 이해하고 있어야 한다.

>> 문제 해결 Tip

유도 전류의 방향이 반대가 되면 검류계 눈금의 회전 방향도 반대가 되고, 유도 전류의 세기가 세지면 검류계 바늘이 더 많이 움직인다.

6 생활 속의 굴절 현상

그림은 사막에서 선인장의 상이 지표면에 보이는 신기루를 나타낸 것이다. 이에 대한 설명으로 옳은 것만을 〈보기〉에서 있는 대로 고른 것은?

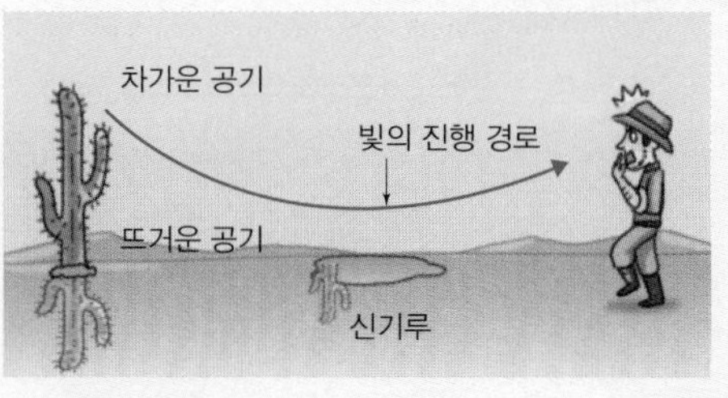

보기

ㄱ. 신기루는 빛의 간섭 때문에 발생하는 현상이다.

ㄴ. 빛의 속력은 지표면 근처에서가 상공에서보다 크다.

ㄷ. 사람은 빛이 직진하는 것으로 인식하기 때문에 선인장의 실제 위치가 아닌 곳에서 선인장의 상을 보게 된다.

① ㄱ ② ㄷ ③ ㄱ, ㄴ ④ ㄱ, ㄷ ⑤ ㄴ, ㄷ

>> 자료 분석 Tip

공기의 온도가 달라지면 진행하는 빛이 굴절한다는 것을 이해하고 있어야 한다.

>> 문제 해결 Tip

공기층의 온도가 달라서 빛의 진행 방향이 달라지지만 사람은 빛이 직진하여 눈에 도달하였다고 판단한다.

이번 주에는
무엇을 공부할까? ①

III. 파동과 정보 통신

배울 내용

Week 4

이번 주에는 무엇을 공부할까? ②

중학 기초 개념

1 빛의 직진

그림자는 빛이 직진하기 때문에 나타나는 현상으로, 빛이 직진하다 물체를 통과하지 못할 때 생긴다.

Quiz 광원에서 나온 빛이 휘어지지 않고 곧게 나아가는 현상을 빛의 ❶ [   ]이라고 한다. 직진하는 빛이 사물에 가려지면 뒤쪽에 그림자가 생긴다.

2 물체를 보는 과정

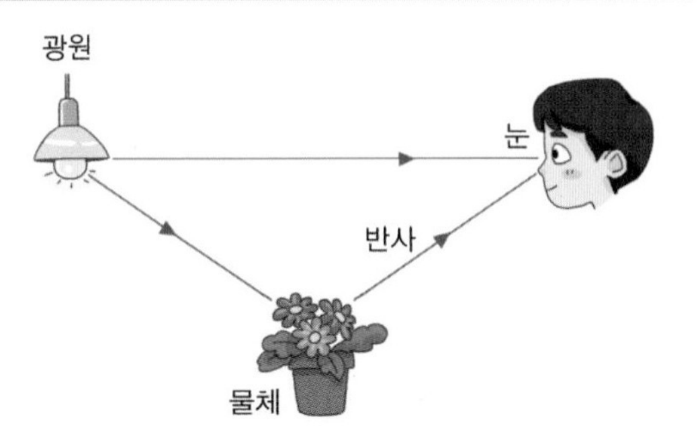

물체를 보려면 빛이 있어야 하고, 그 빛이 우리 눈에 들어와야 한다.

Quiz 광원인 물체는 광원에서 나온 ❷ [   ]이 눈으로 들어오기 때문에 보이고, 광원이 아닌 물체는 광원에서 나온 빛이 물체에서 ❸ [   ]되어 눈으로 들어오기 때문에 보인다.

3 스마트폰에서 색의 표현

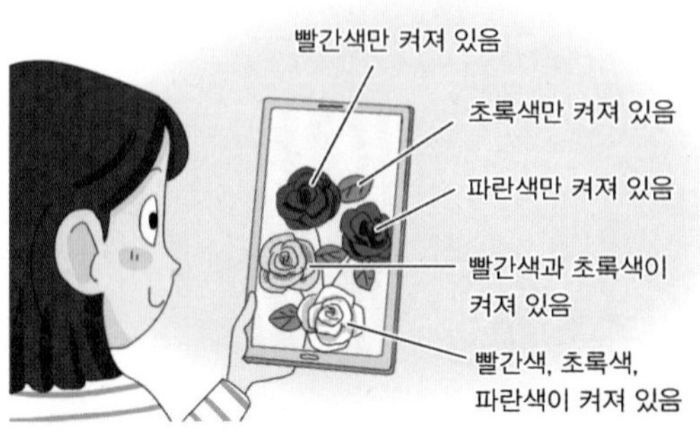

스마트폰의 화면은 빨간색, 초록색, 파란색 빛을 내는 수많은 화소로 이루어져 있다.

Quiz 화소 안의 빨간색, 파란색, 초록색이 켜지거나 꺼지면서 다양한 색상이 화면에 나타난다. 어떤 부분에 빨간색과 파란색 화소만 켜져 있다면 그 부분은 ❹ [   ]으로 나타난다.

4 빛의 반사

잔잔한 호수 표면에 주변의 경치가 비치거나, 거울에 물체의 상이 생기는 것은 빛의 반사에 의한 현상이다.

Quiz 직진하던 빛이 물체에 부딪쳐 진행 방향이 바뀌어 되돌아 나오는 현상을 빛의 ❺ [   ]라고 한다.

답 ❶ 직진 ❷ 빛 ❸ 반사 ❹ 자홍색 ❺ 반사

5 반사 법칙

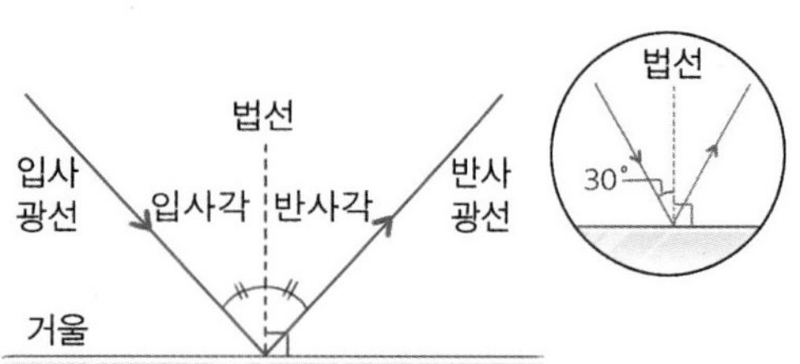

반사 법칙에 의해 입사각과 반사각의 크기는 항상 같으므로 입사각이 커지면 반사각도 커진다.

Quiz 거울에 비스듬하게 입사한 빛이 법선과 이루는 각이 30°일 때 입사각은 30°이고 반사각은 ❶ ______ 이다.

6 빛의 굴절

빛이 진행하다가 성질이 다른 두 물질의 경계면에서 진행 방향이 꺾이는 현상을 빛의 굴절이라고 한다.

Quiz 컵에 물을 부었더니 보이지 않던 동전이 보였다. 이는 동전에서 나온 빛이 물과 공기의 경계면에서 ❷ ______ 하여 원래보다 떠 있는 위치에 상이 만들어지기 때문이다.

7 소리의 전달

소리는 물체가 진동하면서 발생하고, 주로 공기를 매질로 전달된다.

Quiz 소리는 매질이 기체, 액체, 고체 상태일 때 모두 전달되며, 진공에서는 소리를 전달해 주는 ❸ ______ 이 없기 때문에 우주 공간에서는 소리를 들을 수 없는 것이다.

8 소리의 세기

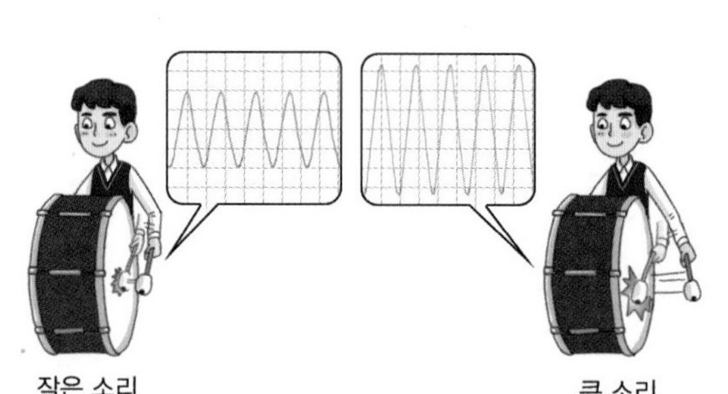

소리의 세기는 진폭에 따라 달라지며, 소리의 높낮이는 진동수에 따라 달라진다.

Quiz 북을 세게 치면 큰 소리가 나고 약하게 치면 작은 소리가 난다. 이때 소리의 세기는 진폭에 따라 다르며, 큰 소리는 작은 소리보다 진폭이 ❹ ______ .

답 ❶ 30° ❷ 굴절 ❸ 매질 ❹ 크다

4주

1일

전반사와 광통신

핵심 개념

1 전반사

- **전반사**: 빛이 굴절률이 큰 매질(빛의 속력이 느린 매질, 밀한 매질)에서 굴절률이 작은 매질(빛의 속력이 빠른 매질, 소한 매질)로 입사할 때, 입사각이 임계각보다 큰 경우, 매질의 경계에서 굴절하는 빛 없이 모두 반사하는 현상
- **임계각(i_c)**: 굴절각이 ❶ [ ] 일 때의 입사각 ➡ 굴절률이 n_1인 매질에서 n_2인 매질($n_1 > n_2$)로 빛이 임계각으로 입사할 때 $\sin i_c = \frac{n_2}{n_1}$이다.

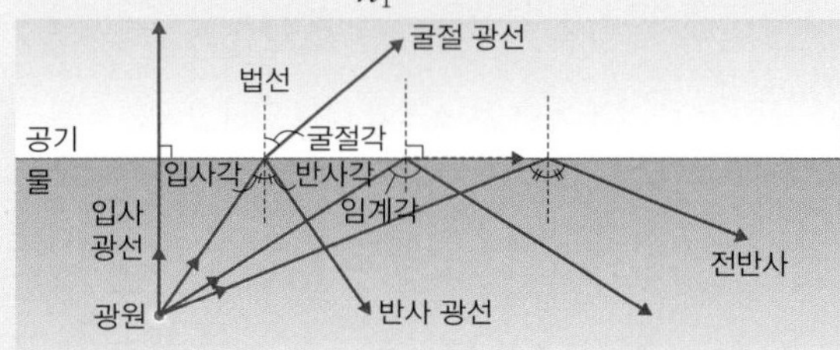

2 전반사의 이용

- **직각 프리즘**: 직각 프리즘에 수직으로 입사한 빛은 경계면에서 전반사한다(전반사를 이용해 빛의 진행 방향을 바꾼다.). 쌍안경, 잠망경 등에 이용된다.
- **다이아몬드**: 외부에서 들어온 빛이 ❷ [ ] 를 통해 대부분 되돌아 나오므로 다른 보석보다 더 밝게 빛나 보인다.
- **광섬유**: 유리를 가늘게 뽑아 만든 소재로, 빛이 내부에서 전반사하며 광섬유를 따라 전달된다. 광통신, 내시경, 광케이블형 자연 채광 시스템 등에 사용된다.

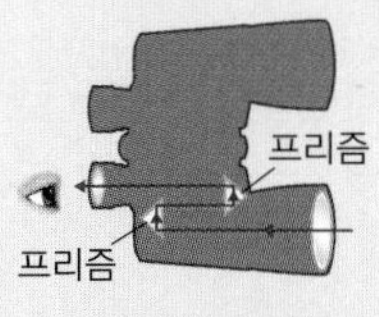

▲ 쌍안경 속 프리즘

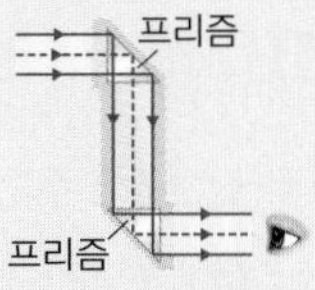

프리즘
프리즘
▲ 잠망경 속 프리즘

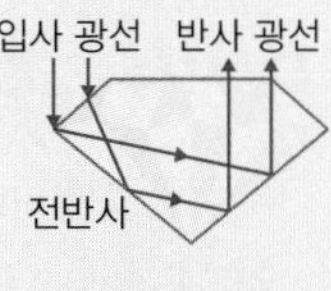

▲ 다이아몬드

답 ❶ 90° ❷ 전반사

개념 확인

정답과 해설 32쪽

1-1

전반사에 대한 설명으로 옳은 것은 ○, 옳지 않은 것은 ×표 하시오.

(1) 전반사는 입사각이 임계각보다 클 때 일어날 수 있다. (   )

(2) 빛이 전반사할 때 빛의 속력이 변한다. (   )

(3) 빛이 밀한 매질에서 소한 매질로 진행할 때 항상 전반사 현상이 일어난다. (   )

(4) 빛이 전반사한 후 빛이 진행하는 매질은 주변의 매질보다 굴절률이 크다. (   )

1-2

그림은 매질 1에서 매질 2로 빛이 입사할 때 빛이 전반사하는 모습을 나타낸 것이다.

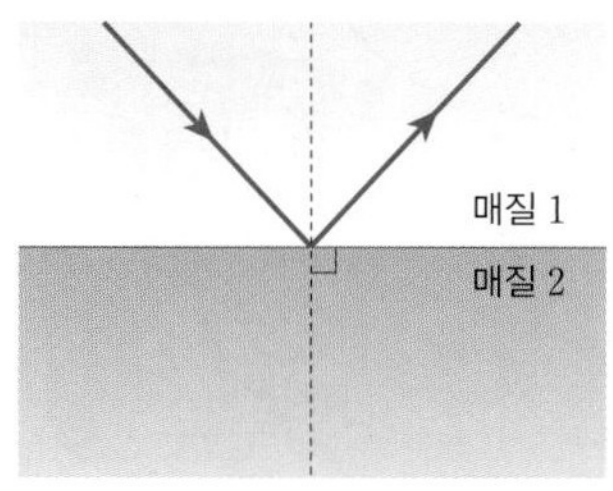

매질 1의 굴절률 n_1과 매질 2의 굴절률 n_2의 크기를 부등호로 비교하시오.

Hint 전반사는 빛이 굴절률이 큰 매질에서 굴절률이 작은 매질로 진행하는 경우에만 일어난다.

2-1

일상생활 속에서 빛의 전반사와 관련된 현상의 예로 옳은 것은 ○, 옳지 않은 것은 ×표 하시오.

(1) 지폐에는 위조를 방지하는 특수한 무늬가 있다. (   )

(2) 다이아몬드는 다른 보석보다 밝게 빛나 보인다. (   )

(3) 내시경을 이용하여 인체 내부의 모습을 관찰한다. (   )

(4) 광케이블형 자연 채광 시스템으로 실내를 밝게 한다. (   )

(5) 직각 프리즘 잠망경으로 물속에서 수면 위의 모습을 볼 수 있다. (   )

2-2

그림은 직각 프리즘을 이용하여 빛의 진행 방향을 90° 만큼 바꾸는 모습을 나타낸 것이다. 이 프리즘을 사용하여 빛의 진행 방향을 다음과 같이 바꿨을 때 프리즘이 놓인 모습을 그리시오.

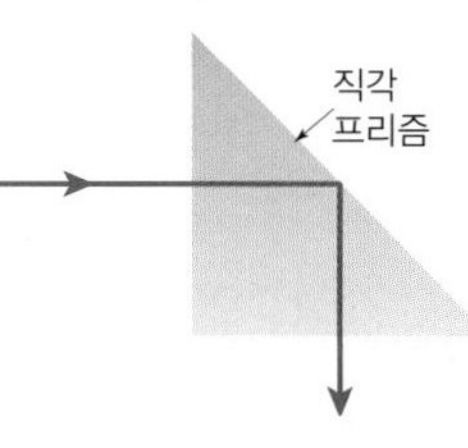

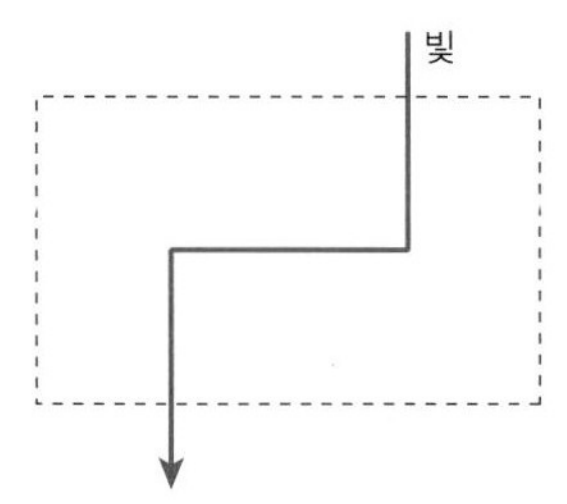

Hint 그림과 같이 방향을 바꾸기 위해서는 직각 프리즘 2개가 필요하다.

4주 1일

1일 전반사와 광통신

핵심 개념

3 광섬유와 광통신

- **광통신**: 음성, 영상 등과 같은 정보 신호를 빛 신호로 전환하여 광섬유가 들어 있는 광케이블로 전송하는 통신 방식
- **광섬유**: 전반사 현상을 이용하여 빛을 멀리까지 전송시킬 수 있는 유리로 이루어진 섬유 모양의 관
- **광섬유의 구조**: 굴절률이 ❶ ______ 코어를 굴절률이 ❷ ______ 클래딩이 감싸고 있는 이중 원기둥 모양 ➡ 코어로 입사한 빛은 코어 속에서 전반사하며 진행한다.

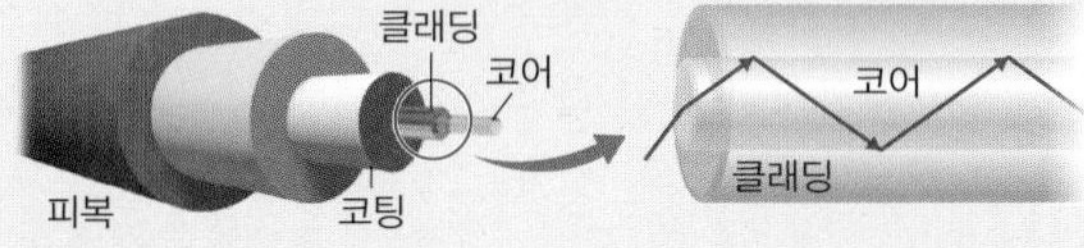

4 광통신 과정

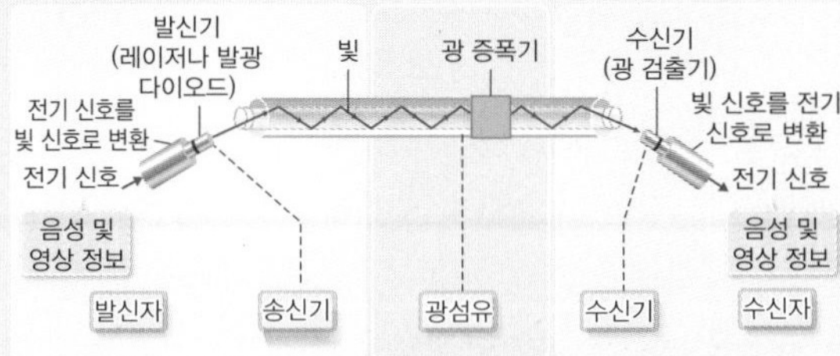

- **장점**: 전송 거리가 매우 길고, 하나의 선을 통해 많은 정보를 보낼 수 있다. 도청이 어렵다.
- **단점**: 화재나 충격에 약하고 한번 끊어지면 연결하기 어렵다. 연결 부위에 작은 먼지가 끼거나 틈이 생기면 광통신이 불가능해질 수 있다.

답 ❶ 큰 ❷ 작은

개념 확인

정답과 해설 32쪽

3-1

그림은 광섬유 내부에서 빛이 진행하는 모습을 나타낸 것이다.

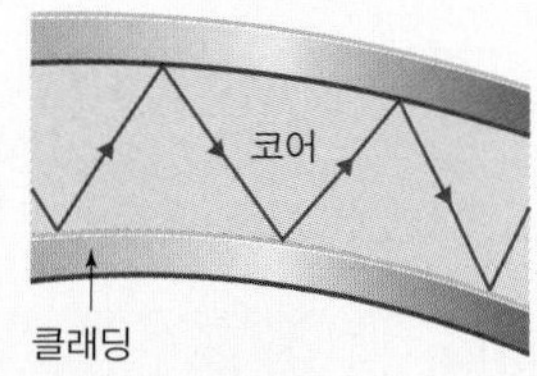

이에 대한 설명으로 옳은 것은 ○, 옳지 않은 것은 ×표 하시오.

(1) 빛은 코어와 클래딩의 경계면에서 굴절한다. ( )

(2) 클래딩의 굴절률은 코어의 굴절률보다 크다. ( )

(3) 광통신은 여러 가닥의 광섬유로 만든 광케이블을 이용한다. ( )

3-2

그림 (가)는 매질 A와 B의 경계면에 입사한 빛이 전반사하는 모습을, (나)는 A와 B로 만든 광섬유의 구조를 나타낸 것이다.

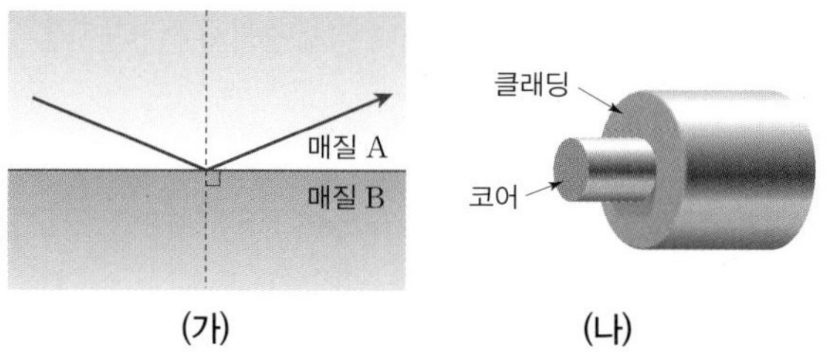

(1) A와 B의 굴절률을 부등호를 이용해 비교하시오.

Hint 매질 A와 B의 경계면에서 전반사가 일어났다.

(2) (나)에서 코어를 만들 때 사용한 물질은 무엇인지 쓰시오.

Hint 광섬유에서 코어는 클래딩보다 굴절률이 크다.

4-1

광통신의 장점으로 옳은 것은 ○, 옳지 않은 것은 ×표 하시오.

(1) 수리하기가 쉽다. ( )

(2) 도청이 어려워 통신의 비밀이 보장된다. ( )

(3) 연결 부위에 작은 먼지가 끼거나 틈이 생겨도 통신에 크게 지장이 없다. ( )

(4) 구리선을 이용한 통신에 비해 많은 양의 정보를 멀리까지 보낼 수 있다. ( )

4-2

그림은 광통신 과정을 간략하게 나타낸 것이다.

(1) 전기 신호를 빛 신호로 변환하는 과정이 이루어지는 곳을 쓰시오.

(2) 전반사 현상을 이용하여 신호를 전달하는 곳을 쓰시오.

(3) 빛 신호를 전기 신호로 변환하는 과정이 이루어지는 곳을 쓰시오.

4주 1일

1일 기초 유형 연습 | 전반사와 광통신

대표 기출 유형

그림 (가)와 같이 단색광을 입사각 θ_1로 매질 A에서 매질 B로 입사시켰더니 경계면에서 일부는 반사하고 일부는 굴절하였다. 그림 (나)와 같이 이 단색광을 입사각 θ_2로 A에서 B로 입사시켰더니 경계면에서 전반사하였다.

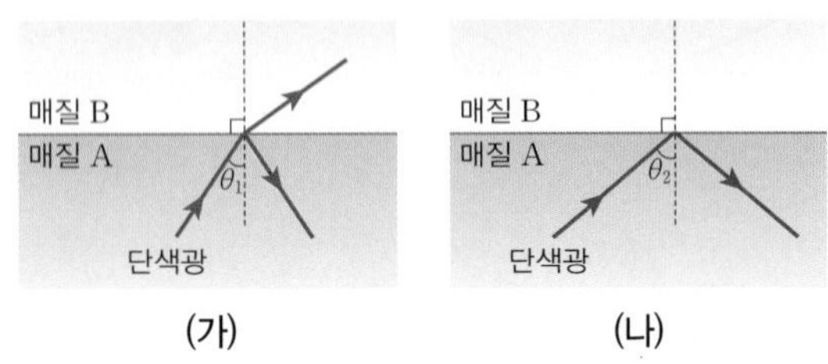

(가) (나)

이에 대한 설명으로 옳은 것만을 〈보기〉에서 있는 대로 고른 것은?

보기

ㄱ. 굴절률은 A가 B보다 크다.
ㄴ. A와 B의 경계면에서 임계각은 θ_1보다 작다.
ㄷ. 이 단색광을 입사각 θ_2로 B에서 A로 입사시키면 경계면에서 전반사한다.

① ㄱ ② ㄴ ③ ㄱ, ㄷ
④ ㄴ, ㄷ ⑤ ㄱ, ㄴ, ㄷ

개념 point

전반사가 일어날 조건: 빛이 굴절률이 큰 매질에서 굴절률이 작은 매질로 진행할 때, 입사각이 임계각보다 큰 경우에만 일어난다.
임계각: 굴절각이 90°일 때의 입사각

|보기| 풀이

ㄱ 전반사는 빛이 굴절률이 큰 매질에서 굴절률이 작은 매질로 입사할 때만 일어난다. (나)에서 단색광이 A에서 B로 입사할 때 전반사가 일어났으므로 A의 굴절률이 B의 굴절률보다 크다.
ㄴ 입사각이 θ_1일 때는 전반사가 일어나지 않았고, 입사각이 θ_2일 때는 전반사가 일어났다. 따라서 임계각은 θ_1보다는 크고 θ_2보다는 작다.
ㄷ 단색광을 B에서 A로 입사시키면 굴절률이 작은 매질에서 큰 매질로 입사하게 되므로 입사각에 관계없이 전반사가 일어나지 않는다.

답 ①

1 그림과 같이 단색광을 매질 A, B의 경계면에 입사각 45°로 입사시켰더니, 단색광이 B로 굴절하여 B와 매질 C의 경계면에서 전반사하였다.

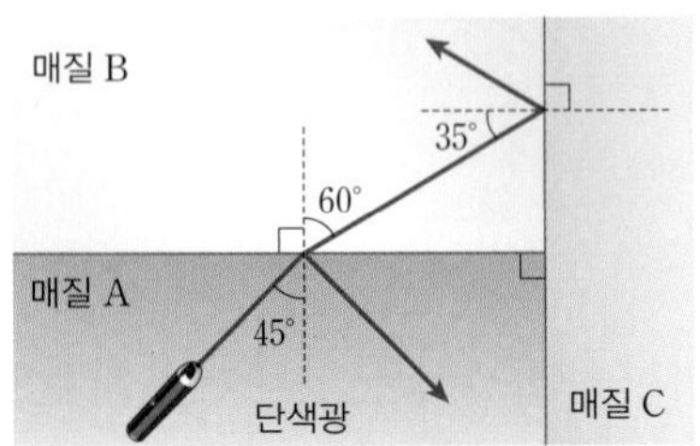

A, B, C 중에서 굴절률이 가장 큰 매질을 쓰시오.

2016학년 9월 모의평가 13번 변형

2 그림 (가)는 두 물질 A, B 사이에서 일어나는 단색광의 굴절 현상과 입사각(θ_1)에 따른 굴절각(θ_2)을 나타낸 것이고, (나)는 (가)에서 사용된 단색광이 A, B로 만든 광섬유에서 전반사하여 진행하는 모습을 나타낸 것이다.

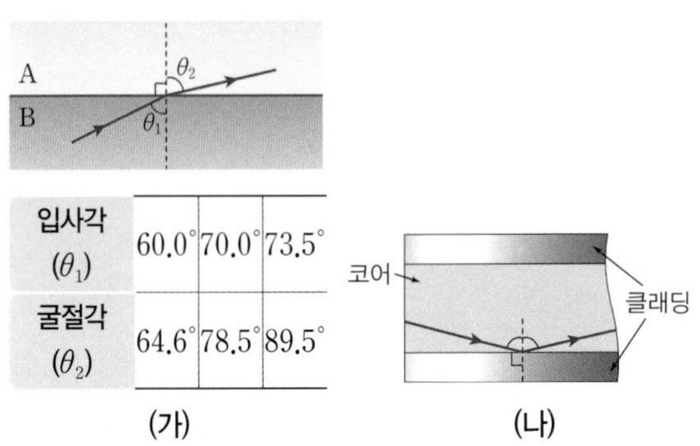

입사각 (θ_1)	60.0°	70.0°	73.5°
굴절각 (θ_2)	64.6°	78.5°	89.5°

(가) (나)

이에 대한 설명으로 옳은 것만을 〈보기〉에서 있는 대로 고른 것은?

보기

ㄱ. 굴절률은 A가 B보다 크다.
ㄴ. (나)에서 클래딩은 A, 코어는 B이다.
ㄷ. B에서 A로 진행할 때 임계각은 73.5°이다.

① ㄱ ② ㄴ ③ ㄷ
④ ㄱ, ㄷ ⑤ ㄴ, ㄷ

정답과 해설 32쪽

3 그림 (가)는 광섬유의 구조를 나타낸 것이고, (나)는 빈 우유팩에 물을 넣은 후 레이저 광선을 쏘았을 때 레이저 광선이 물줄기를 따라 이동하는 것을 나타낸 것이다.

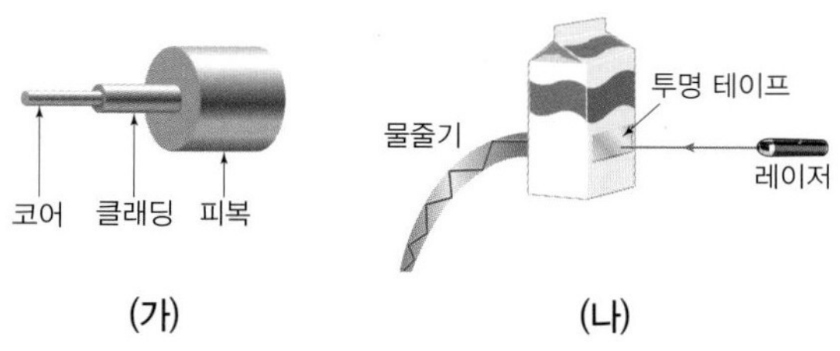

이에 대한 설명으로 옳은 것만을 <보기>에서 있는 대로 고른 것은?

보기
ㄱ. (가)에서 코어는 (나)의 물줄기에 해당한다.
ㄴ. (나)에서 레이저 광선은 물줄기 속에서 전반사한다.
ㄷ. 내시경은 (나)의 원리를 이용한다.

① ㄱ ② ㄷ ③ ㄱ, ㄴ
④ ㄱ, ㄷ ⑤ ㄱ, ㄴ, ㄷ

4 그림은 단색광이 매질 A, B의 경계면에서 입사각 i로 입사하여 전반사하는 모습을 나타낸 것이다.

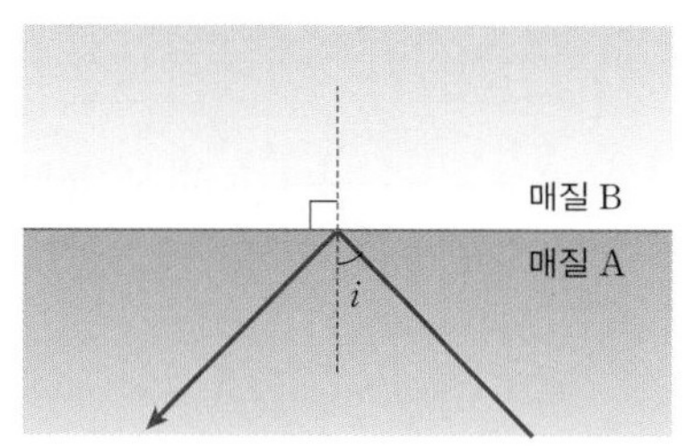

이에 대한 설명으로 옳은 것만을 <보기>에서 있는 대로 고른 것은?

보기
ㄱ. i는 임계각보다 크다.
ㄴ. 굴절률은 B가 A보다 크다.
ㄷ. 동일한 단색광을 B에서 A로 입사시키면 단색광의 속력이 느려진다.

① ㄱ ② ㄴ ③ ㄱ, ㄷ
④ ㄴ, ㄷ ⑤ ㄱ, ㄴ, ㄷ

5 그림 (가)는 광통신에 이용하는 광케이블의 구조를, (나)는 구리선을 이용한 동축 케이블의 구조를 나타낸 것이다.

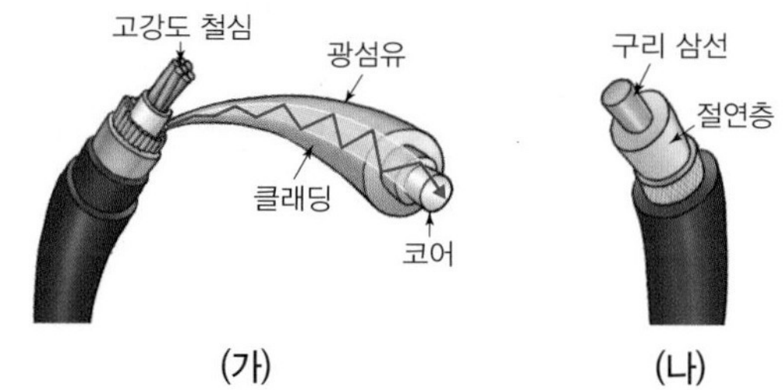

(1) 케이블이 끊어졌을 때 비교적 수리하기 쉬운 것을 고르시오.

(2) (가)가 (나)보다 멀리까지 신호를 전달할 수 있는 까닭을 서술하시오.

2014학년도 3월 학평 5번

6 그림은 유리 A, B로 만든 광섬유를 따라 단색광이 진행하는 모습을 나타낸 것이다. 단색광은 A와 B의 경계면에서 전반사하며 A 속을 진행하다가 급격히 휘어진 부분의 점 P에서 일부는 반사하여 A로 진행하고, 일부는 굴절하여 B로 진행한다.

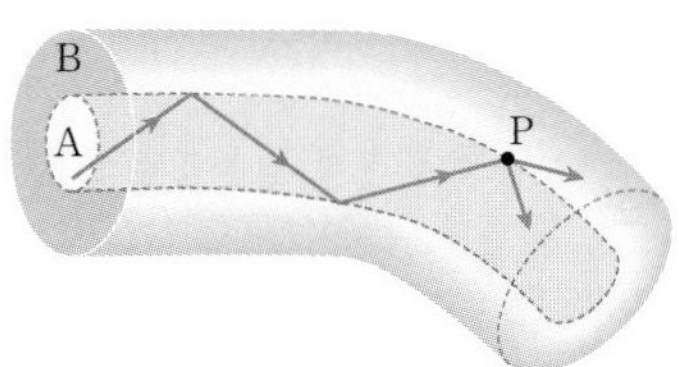

이에 대한 설명으로 옳은 것만을 <보기>에서 있는 대로 고른 것은?

보기
ㄱ. 굴절률은 A가 B보다 크다.
ㄴ. P에서 단색광의 입사각은 임계각보다 크다.
ㄷ. P에 입사한 빛과 P에서 반사된 빛의 세기는 같다.

① ㄱ ② ㄷ ③ ㄱ, ㄴ
④ ㄴ, ㄷ ⑤ ㄱ, ㄴ, ㄷ

2일 전자기파의 종류와 이용

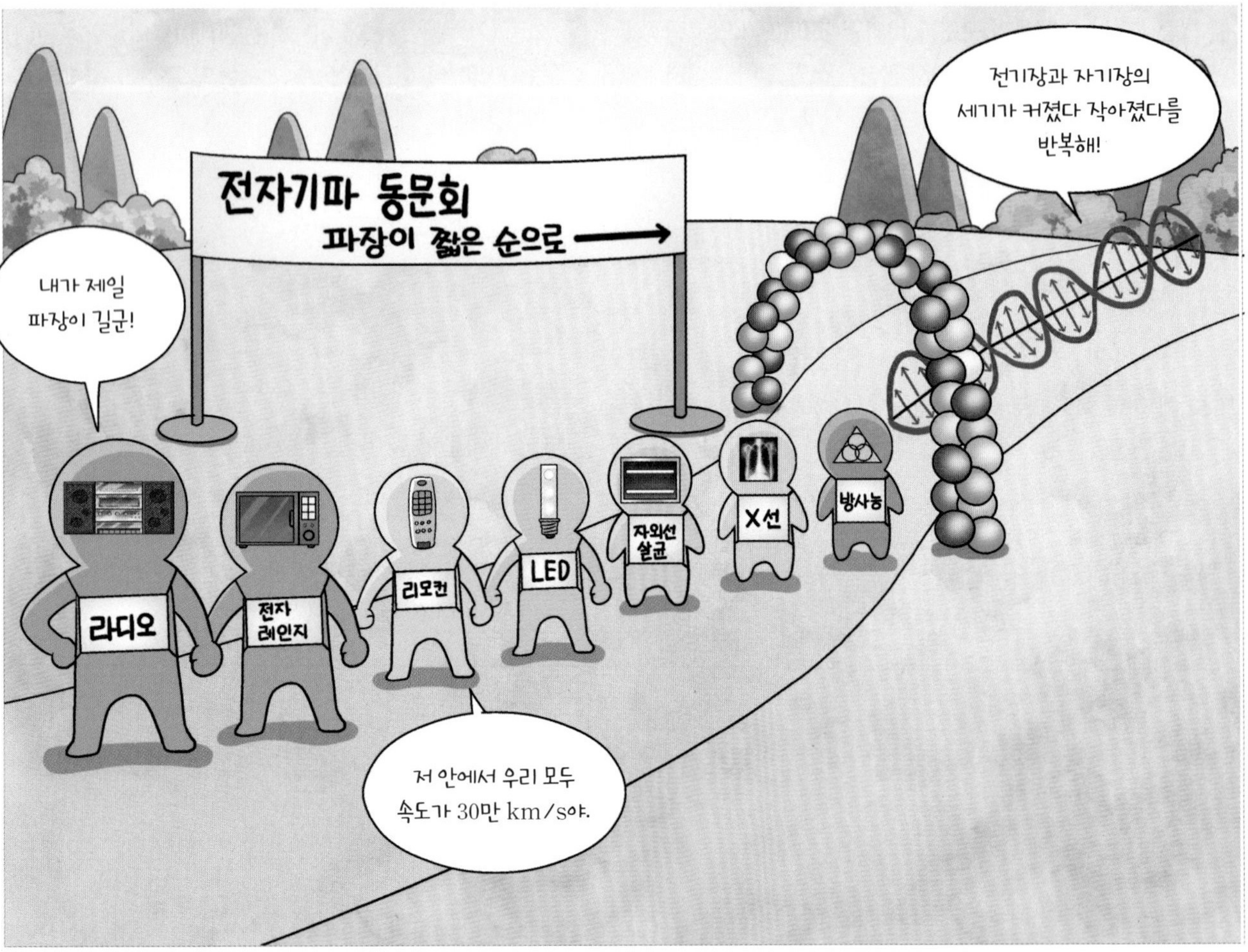

핵심 개념

1 전자기파

- **전자기파**: 전기장과 자기장의 세기가 커졌다 작아졌다를 반복하면서 공간으로 퍼져 나가는 파동
- **전자기파의 진행**: 전자기파는 전기장과 자기장의 진동 방향에 각각 ❶ [ ] 한 방향으로 진행하는 횡파이다.

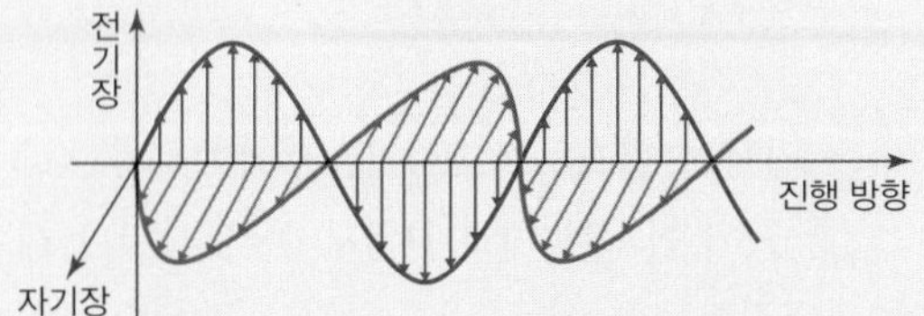

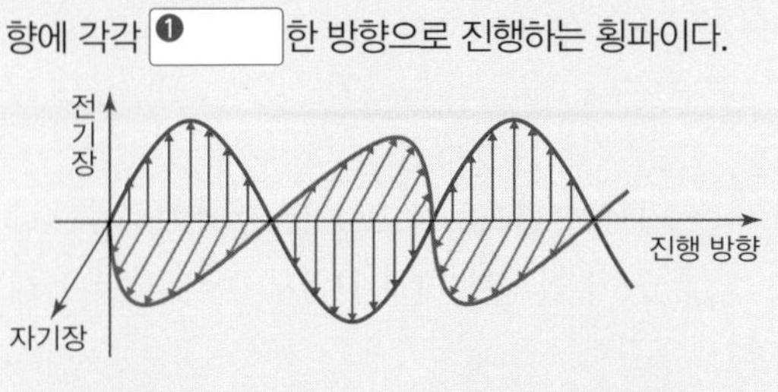

- **전자기파의 전달**: 매질이 없는 진공에서도 전달된다.
- **전자기파의 속력**: 진공에서는 파장(또는 진동수)에 관계없이 3×10^8 m/s로 일정하다. ─ 전자기파의 진동수(f)와 파장(λ)의 곱은 빛의 속력(c)과 같다. $c=f\lambda$

2 전자기파의 분류

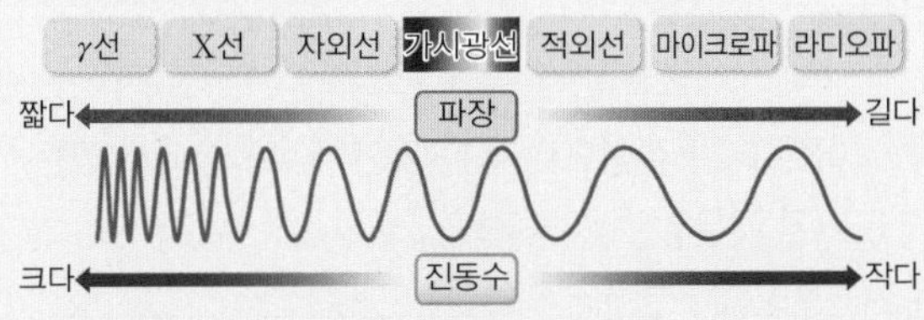

- **전자기파의 분류**: 전자기파는 진공에서의 파장(또는 진동수)에 따라 성질이 다르다. 따라서 비슷한 성질을 가진 파장의 구간을 정하여 구분한다.
- 파장이 ❷ [ ] 영역(진동수가 작은 영역)부터 전파(라디오파, 마이크로파), 적외선, 가시광선, 자외선, X선, γ선으로 구분할 수 있다.
- **전자기파의 에너지**: 진동수가 ❸ [ ] 에너지가 크다.

답 ❶ 수직 ❷ 긴 ❸ 클수록

개념 확인

정답과 해설 33쪽

1-1

전자기파에 대한 설명으로 옳은 것은 ○, 옳지 않은 것은 ×표 하시오.

(1) 전자기파는 매질이 없는 공간에서는 진행하지 못한다. (　　　)

(2) 전자기파는 진동 방향과 진행 방향이 나란한 종파이다. (　　　)

(3) 전자기파의 진동수가 클수록 전자기파가 전달하는 에너지가 크다. (　　　)

(4) 전자기파는 진공에서의 파장과 진동수에 따라 다른 성질을 갖는다. (　　　)

(5) 전기장과 자기장의 세기가 커졌다 작아졌다를 반복하면서 공간으로 퍼져 나가는 파동을 전자기파라고 한다. (　　　)

1-2

그림은 전자기파가 진행하는 어느 순간의 모습을 나타낸 것이다. a는 전기장이 가장 센 이웃한 두 점 사이의 거리이다.

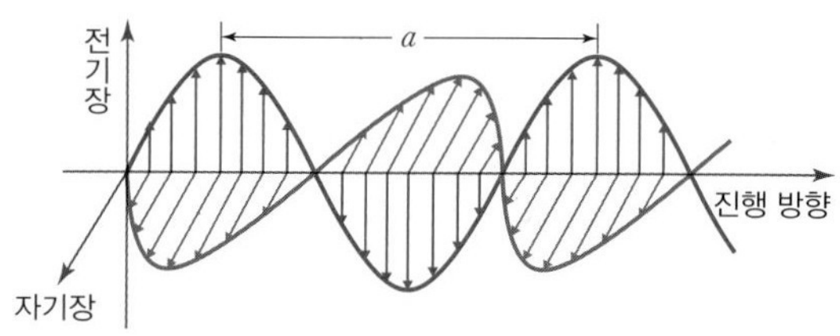

(1) 전자기파는 횡파인지 종파인지 쓰시오.

Hint 전자기파는 진동 방향과 진행 방향이 수직이다.

(2) 이 전자기파의 파장을 쓰시오.

Hint 파장은 마루에서 다음 마루 또는 골에서 다음 골까지의 거리이다.

2-1

전자기파의 파장이 짧은 것부터 긴 순으로 옳게 나열한 것은?

① γ선 → X선 → 적외선 → 가시광선 → 자외선 → 마이크로파 → 라디오파

② γ선 → X선 → 자외선 → 가시광선 → 적외선 → 라디오파 → 마이크로파

③ γ선 → X선 → 자외선 → 가시광선 → 적외선 → 마이크로파 → 라디오파

④ 라디오파 → 마이크로파 → 적외선 → 가시광선 → 적외선 → X선 → γ선

⑤ 라디오파 → 마이크로파 → 적외선 → 가시광선 → 적외선 → γ선 → X선

2-2

그림은 진동수에 따라 전자기파를 분류한 것이다.

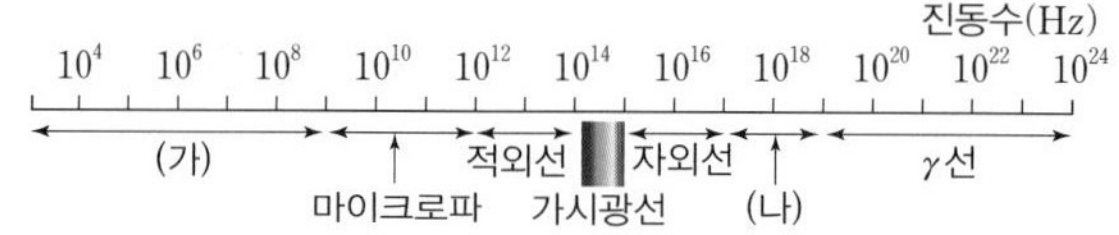

(1) (가)는 무엇인지 쓰시오.

(2) (나)는 무엇인지 쓰시오.

(3) (가), (나) 중 전달하는 에너지가 더 큰 것을 쓰시오.

2일 전자기파의 종류와 이용

핵심 개념

3 전자기파의 종류와 이용

- **전파(라디오파, 마이크로파)**: 파장이 0.1 mm 이상이며, 모든 전자기파 중에서 파장이 가장 ❶ [   ]고, 진동수가 가장 작다. 전자레인지, 무선 통신 등에 이용된다. (라디오파의 파장이 마이크로파보다 길다.)
- **적외선**: 파장이 750 nm보다 길고 마이크로파보다 짧으며, 강한 열작용을 하여 열선이라고도 부른다. 적외선 온도계, 적외선 카메라, 광센서 등에 이용된다.
- **가시광선**: 파장이 380 nm~750 nm 정도이며, 전자기파 중에서 사람의 눈이 감지할 수 있는 영역이다. 380 nm 정도의 파장은 보라색, 750 nm 정도의 파장은 빨간색으로 보인다. 영상 장치, 광통신 등에 이용된다.
- **자외선**: 파장이 380 nm보다 짧으며 강한 살균 기능이 있다. 물질 속에 포함된 형광 물질에 흡수되면 가시광선을 방출하는 ❷ [   ] 작용을 하며, 자외선에 오래 노출되면 피부가 검게 타고, 노화가 촉진된다. 식기 소독기, 위조지폐 감별 등에 이용된다.
- **X선**: 파장이 대략 0.01 nm~10 nm이며, 투과력이 강해서 X선 사진이나 공항의 수화물 검사 등에 이용된다.
- **γ선**: 모든 전자기파 중에서 파장이 가장 짧고 진동수와 에너지가 가장 ❸ [   ]며, 원자핵이 방사성 붕괴를 하는 과정에서 발생한다. 암치료, γ선 우주 관찰용 망원경, 비파괴 검사 등에 이용된다.

답 ❶ 길 ❷ 형광 ❸ 크

개념 확인

정답과 해설 33쪽

3-1

(1) 다음 중 자외선보다 진동수가 큰 전자기파를 모두 골라 쓰시오.

적외선, X선, 마이크로파, 가시광선, γ선, 라디오파

(2) 다음에서 설명하는 전자기파는 무엇인지 쓰시오.

파장이 대략 380 nm~750 nm 정도인 전자기파로, 사람의 눈에는 파장에 따라 다른 색으로 감지된다. 380 nm 정도의 파장은 보라색, 750 nm 정도의 파장은 빨간색으로 보인다. 조명 기기, TV나 모니터와 같은 영상 장치에 이용되며 망원경이나 현미경과 같은 광학 장치에도 이용된다.

(3) 다음에서 설명하는 전자기파는 무엇인지 쓰시오.

- 파장이 약 1 mm~1 m이다.
- 직진성이 강해 위성 통신에 이용된다.
- 휴대 전화, 전자레인지 등에 이용된다.

3-2

(1) 그림은 전자기파 A에 대해 설명하는 모습을 나타낸 것이다.

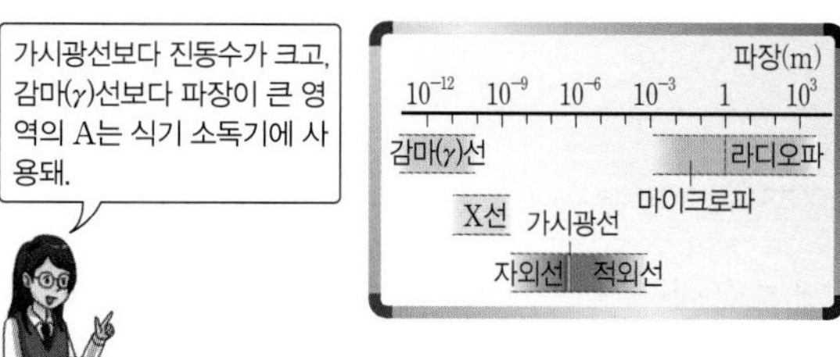

위의 설명에서 A는 무엇인지 쓰시오.

Hint 전자기파의 진동수는 파장에 반비례한다.

(2) 그림은 γ선, 라디오파, 자외선을 특성에 따라 분류하는 과정을 나타낸 것이다. A, B, C는 각각 γ선, 라디오파, 자외선 중 하나이다.

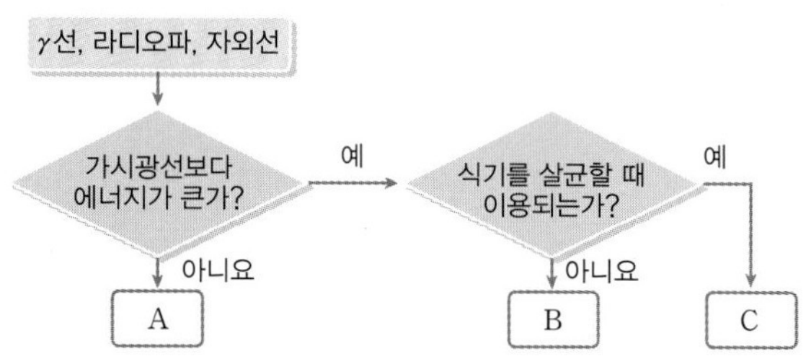

A, B, C는 각각 무엇인지 쓰시오.

(3) 전자기파의 명칭과 이용 분야를 옳게 짝 지은 것은?

	명칭	이용 분야
①	적외선	리모컨
②	라디오파	공항 검색대
③	X선	기상 레이더
④	자외선	휴대 전화 통신
⑤	마이크로파	위조지폐 감별

4주 2일

기초 유형 연습 | 전자기파의 종류와 이용

대표 기출 유형

그림은 전자기파를 파장에 따라 분류한 것이다.

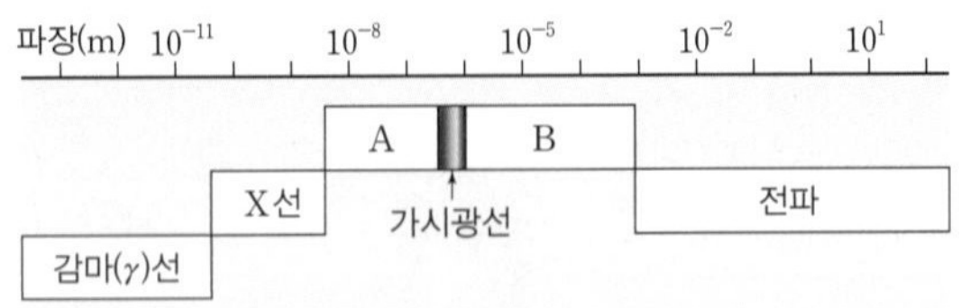

이에 대한 설명으로 옳은 것만을 〈보기〉에서 있는 대로 고른 것은?

보기

ㄱ. A는 가시광선보다 파장이 짧으며 살균이나 소독에 이용된다.

ㄴ. 전자레인지에 이용되는 마이크로파는 A에 속한다.

ㄷ. 감마(γ)선은 B보다 진동수가 크다.

① ㄱ ② ㄴ ③ ㄷ ④ ㄱ, ㄴ ⑤ ㄱ, ㄷ

개념 point

전자기파의 구분: 전자기파는 파장에 따라 구분하며, 파장의 긴 순서대로 나열하면 전파 > 적외선 > 가시광선 > 자외선 > X선 > 감마(γ)선 순이다.

|보기| 풀이

ㄱ A 영역은 자외선, B 영역은 적외선에 속한다. 자외선은 가시광선보다 파장이 짧으며, 살균 작용, 형광 작용 등에 이용된다.

ㄴ 전파는 마이크로파와 라디오파 영역을 합친 전자기파이다. 따라서 마이크로파는 전파 영역에 속한다.

ㄷ 전자기파의 파장은 진동수에 반비례한다. 파장이 가장 짧은 영역의 감마(γ)선은 파장이 긴 B보다 진동수가 크다.

함정 탈출

전자기파는 진공에서의 파장에 따라 성질이 다르지만 전자기파의 속력은 진공에서의 파장에 관계없이 모두 빛의 속력과 같다. '속력 = 진동수 × 파장'이므로 전자기파의 파장과 진동수는 반비례한다는 것을 주의한다.

답 ⑤

1 그림은 진공에서 전기장과 자기장이 진동하며 $+z$ 방향으로 진행하는 전자기파를 나타낸 것이다.

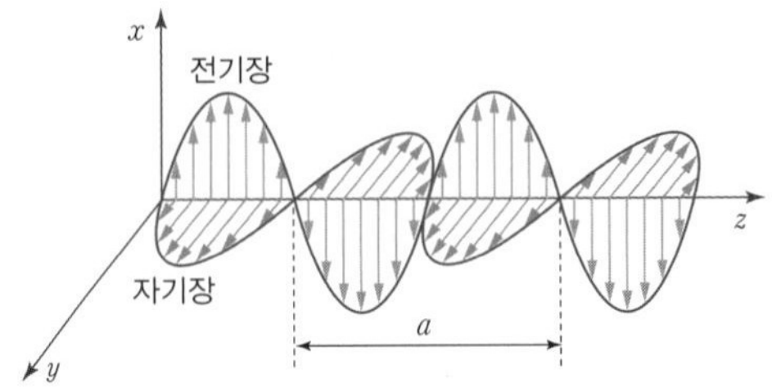

이에 대한 설명으로 옳은 것은?

① a는 전자기파의 진폭을 의미한다.

② a는 적외선이 자외선보다 크다.

③ 진공에서 전자기파의 속력은 a가 클수록 크다.

④ 전자기파의 진행 방향은 전기장의 진동 방향과 나란하다.

⑤ 전자기파는 매질이 없는 진공에서는 전달되지 않는다.

2 그림은 진행하는 전자기파의 모식적인 그림을 보고 학생 A, B, C가 대화하는 모습을 나타낸 것이다.

(1) 옳게 말한 사람을 모두 골라 쓰시오.

(2) 옳지 않게 말한 사람을 고르고, 옳지 않게 말한 부분을 옳게 고치시오.

정답과 해설 33쪽

3 다음은 전자기파 A, B의 발생 원리와 이용을 설명한 것이다.

> • A: 방사성 원소가 붕괴할 때 불안정한 원자핵이 안정해지는 과정에서 발생하며, 암 치료에 이용된다.
> • B: 고속의 전자가 금속에 충돌할 때 전자가 급격히 감속하기 때문에 발생하며, 인체 내부를 살펴보는 데 이용된다.

A, B는 무엇인지 각각 쓰시오.

2020학년도 수능 1번

4 그림 (가)는 전자기파를 파장에 따라 분류한 것을, (나)는 (가)의 C 영역에 속하는 전자기파를 송수신하는 장치를 나타낸 것이다.

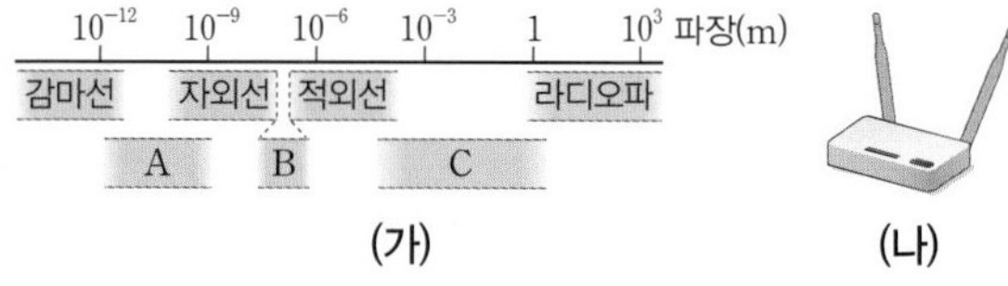

이에 대한 설명으로 옳은 것만을 〈보기〉에서 있는 대로 고른 것은?

> 보기
> ㄱ. 진동수는 A가 C보다 크다.
> ㄴ. B는 가시광선이다.
> ㄷ. (나)의 장치에서 송수신하는 전자기파는 X선이다.

① ㄱ ② ㄷ ③ ㄱ, ㄴ
④ ㄴ, ㄷ ⑤ ㄱ, ㄴ, ㄷ

5 그림은 여러 가지 전자기파가 일상생활에서 이용되는 예를 나타낸 것이다.

A. 식기 소독

B. 공항 수하물 검색

C. TV 화면

A, B, C에서 이용되는 전자기파의 진동수를 각각 f_A, f_B, f_C라고 할 때, 진동수를 옳게 비교한 것은?

① $f_A > f_B > f_C$ ② $f_A > f_C > f_B$
③ $f_B > f_A > f_C$ ④ $f_B > f_C > f_A$
⑤ $f_C > f_B > f_A$

2021학년도 6월 모평 4번

6 그림 (가)는 파장에 따른 전자기파의 분류를 나타낸 것이고, (나)는 (가)의 전자기파 A, B, C를 이용한 예를 순서 없이 나타낸 것이다.

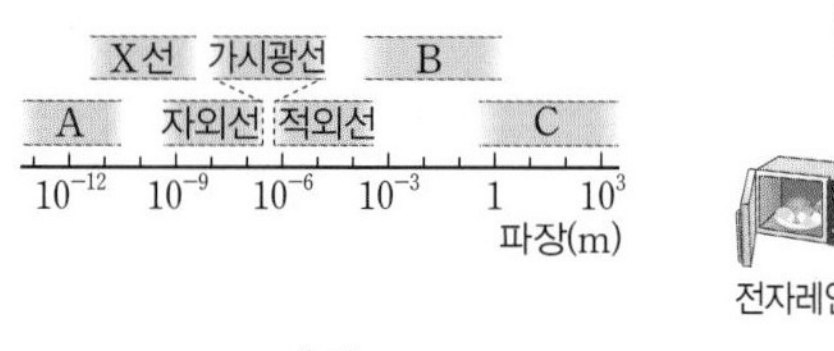

(가) (나)

A, B, C를 이용한 예로 옳은 것은?

	A	B	C
①	라디오	암 치료기	전자레인지
②	라디오	전자레인지	암 치료기
③	암 치료기	라디오	전자레인지
④	암 치료기	전자레인지	라디오
⑤	전자레인지	암 치료기	라디오

3일 파동의 간섭

핵심 개념

1 파동의 간섭

- **파동의 중첩과 독립성**: 두 개 이상의 파동이 만나 겹쳐질 때 파동의 변위는 각 파동의 변위의 합과 같고, 중첩 후 각 파동은 원래의 특성을 그대로 유지하면서 독립적으로 진행한다.

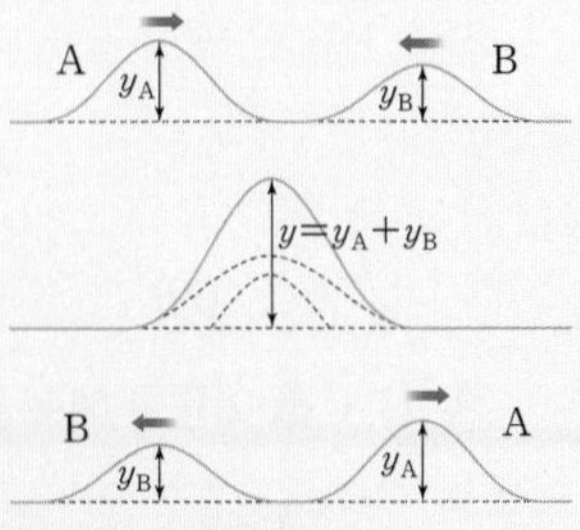

- **파동의 간섭**: 두 개 이상의 파동이 서로 중첩되어 진폭이 커지거나 작아지는 현상이다. 두 파동의 변위가 같은 방향이면 보강 간섭을 하여 진폭이 ❶ ______ 하고, 변위가 반대 방향이면 상쇄 간섭을 하여 진폭이 ❷ ______ 한다.

2 물결파의 간섭

- **물결파의 간섭**: 두 파원(S_1, S_2)에서 파장과 진폭이 같은 물결파를 같은 위상으로 발생시키면 간섭무늬가 나타난다.

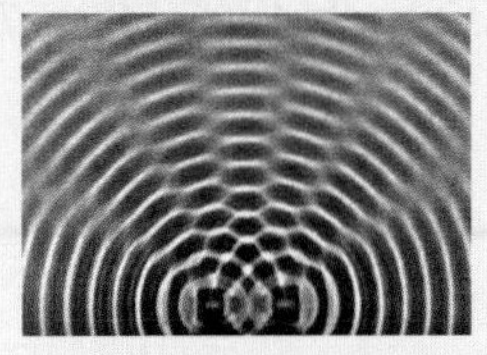

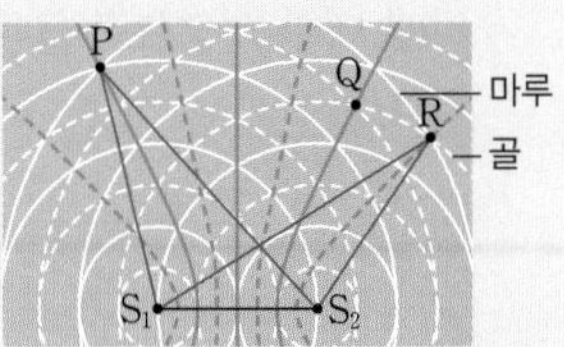

① **보강 간섭이 일어나는 지점**(P, Q 지점): 두 파원으로부터의 경로차가 반파장의 ❸ ______ 이며, 무늬의 밝기가 계속 변한다(수면의 높이가 계속 변하므로).

② **상쇄 간섭이 일어나는 지점**(R 지점): 두 파원으로부터의 경로차가 반파장의 ❹ ______ 이며, 무늬의 밝기가 변하지 않는다(수면의 높이가 일정하므로).

답 ❶ 증가 ❷ 감소 ❸ 짝수배 ❹ 홀수배

개념 확인

정답과 해설 34쪽

1-1

중첩과 간섭에 대한 설명으로 옳은 것은 ○, 옳지 않은 것은 ×표 하시오.

(1) 서로 다른 파동이 만나 겹쳐지는 현상을 파동의 중첩이라고 한다. (　　　)

(2) 중첩된 파동의 변위는 각 파동의 변위의 합보다 항상 크다. (　　　)

(3) 진폭과 파장이 같은 두 파동이 상쇄 간섭을 하면 합성파의 진폭은 0이다. (　　　)

(4) 진폭과 진동수가 동일한 두 파동이 중첩된 후 두 파동의 모습은 중첩되기 전과 달라진다. (　　　)

1-2

그림은 파동이 간섭하는 두 가지 경우를 나타낸 것이다.

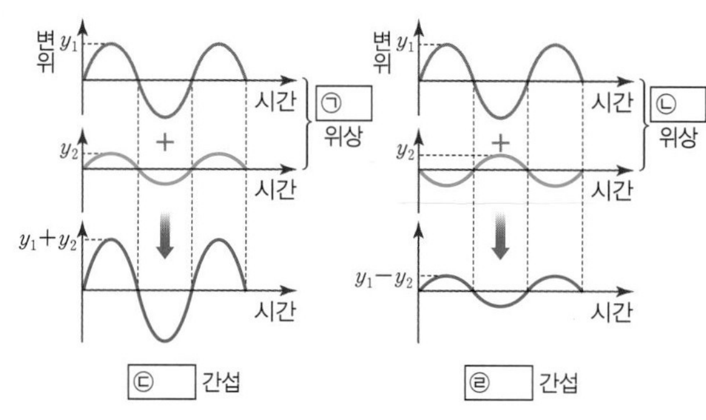

㉠~㉣에 들어갈 알맞은 말을 쓰시오.

Hint 파동의 간섭에는 보강 간섭과 상쇄 간섭이 있다.

2-1

그림은 두 물결파가 중첩하는 모습을 스크린에 나타낸 것이다.

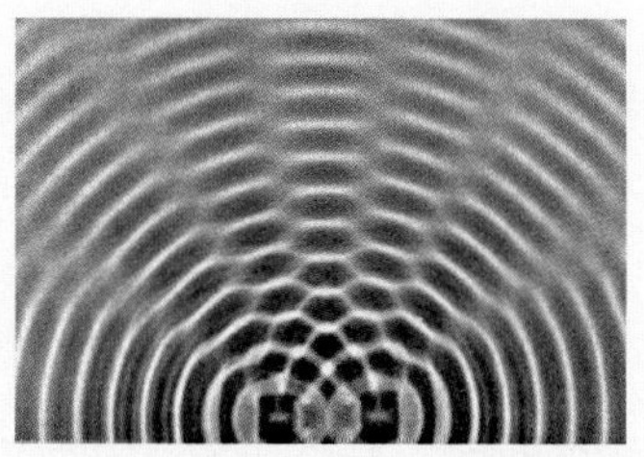

(1) 마루와 마루, 골과 골, 마루와 골이 각각 중첩되는 경우 간섭무늬의 밝기가 가장 밝은 경우를 쓰시오.

(2) 마루와 마루, 골과 골, 마루와 골이 각각 중첩되는 경우 간섭무늬의 밝기가 가장 어두운 경우를 쓰시오.

2-2

그림은 두 점파원 S_1, S_2에서 진폭과 파장, 위상이 동일한 두 파동을 발생시킨 후 어느 순간의 모습을 나타낸 것이다. 실선은 마루를, 점선은 골을 나타낸다.

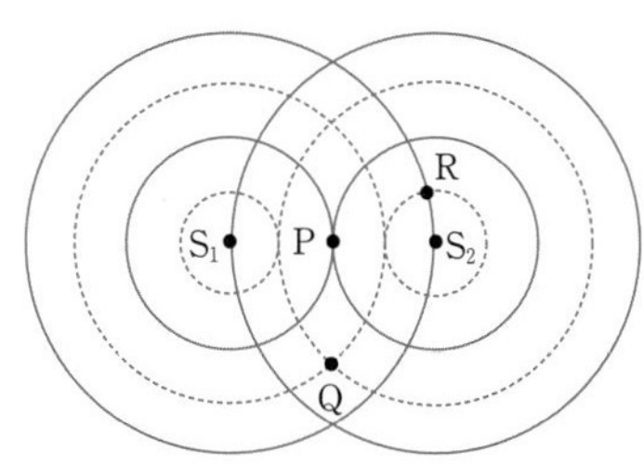

(1) P, Q, R 중에서 보강 간섭이 일어나는 점을 모두 쓰시오.

Hint 두 파동이 같은 위상으로 만나면 보강 간섭을 한다.

(2) P, Q, R 중에서 상쇄 간섭이 일어나는 점을 모두 쓰시오.

Hint 두 파동이 반대 위상으로 만나면 상쇄 간섭을 한다.

4주
3일

3일 파동의 간섭

소음이다!

반대 파동 발사!

두 빛 상쇄!

무반사 코팅

렌즈

이어폰만 있으면 소음이 전혀 들리지 않아

반사가 줄어드니 선명하게 보이는군!

핵심 개념

3 소리의 간섭 활용

- **소음 제거 헤드폰**: 소음 제거 회로에서 마이크로 감지한 소음과 진동수는 같고 위상이 ❶ 소리를 발생시킨다. ➡ 두 소리가 서로 상쇄 간섭 되어 소음의 크기가 매우 작아지기 때문에 음악 소리만 들린다.
- **여객기 내부의 소음 제거 장치**: 여객기 밖의 엔진에서 발생하는 소음과 진동수는 같지만 위상이 반대인 소리를 발생시킨다. ➡ ❷ 간섭이 일어나 소음이 제거된다.
- **자동차 엔진의 소음 제거 장치**: 엔진에서 발생하는 배기음의 통로를 두 개로 나누어 두 통로를 통과한 배기음이 합쳐질 때 상쇄 간섭이 일어난다.

4 빛의 간섭 활용

- **얇은 막에서의 간섭**: 막의 두께와 보는 각도에 따라 빛이 보강 간섭 하는 색깔이 달라져 무지갯빛으로 보인다.
  — 빛이 상쇄 간섭 하는 곳은 검은색으로 보인다.

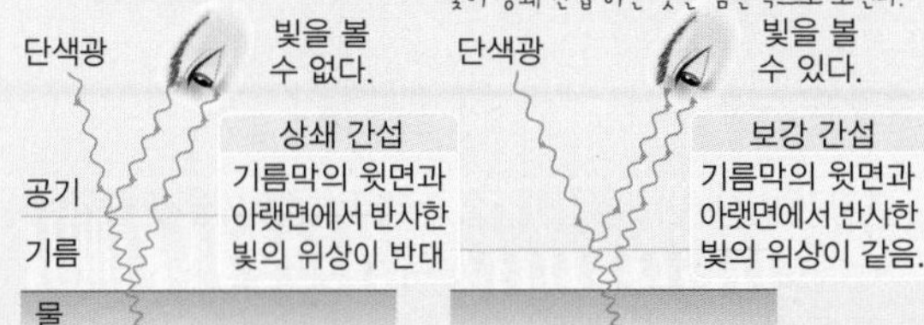

- **무반사 코팅 렌즈**: 코팅막의 윗면과 아랫면에서 반사된 빛이 상쇄 간섭 하게 한다. — 코팅하지 않은 렌즈에 비해 반사되는 빛이 매우 줄어들어 선명한 시야를 얻을 수 있다.
- **홀로그램 이미지**: 빛을 비추는 각도에 따라 색과 문양이 달라져서 입체적인 상을 만든다.
  — 복사나 위조를 방지하기 위해 사용하는 신용카드나 지폐, 인증서 등에 이용

답 ❶ 반대인 ❷ 상쇄

개념 확인

정답과 해설 34쪽

3-1

소리의 간섭을 활용한 예에 대한 설명으로 옳은 것은 ○, 옳지 않은 것은 ×표 하시오.

(1) 소음 제거 기술은 소리의 보강 간섭을 이용한다. ( )

(2) 소음 제거 헤드폰은 외부 소음과 진동수는 같고 위상이 반대인 소리를 발생시킨다. ( )

(3) 여객기 내부에서는 소음 제거를 위해 여객기 밖의 엔진에서 발생하는 소음과 진동수와 위상이 같은 소리를 발생시킨다. ( )

(4) 자동차의 엔진에서 발생하는 소음을 제거하는 장치는 배기음이 길이가 같은 두 개의 통로로 나뉘어 지나가도록 한다. ( )

3-2

소음 제거 헤드폰을 사용하면 주변의 소음이 잘 들리지 않는 까닭은?

① 헤드폰이 매우 단단하여 소음이 투과하지 않기 때문이다.

② 헤드폰에서 재생되는 음악이 소음과 보강 간섭을 하기 때문이다.

③ 헤드폰에서 소음보다 매우 큰 소리로 음악을 재생하기 때문이다.

④ 주변 소음의 진동수는 사람이 들을 수 있는 가청 주파수 범위가 아니기 때문이다.

⑤ 헤드폰에서 소음과 상쇄 간섭을 일으키는 음파를 발생시키기 때문이다.

Hint 소음 제거 헤드폰은 간섭을 이용하여 소음을 제거한다.

4-1

그림 (가)는 만원짜리 지폐에서 '10000' 글자가 노란색으로 보이는 모습을, (나)는 (가)와 같은 지폐를 기울였을 때 글자가 초록색으로 보이는 모습을 나타낸 것이다. 지폐에는 위조를 방지하기 위해 색 변환 잉크가 사용된다.

(가)

(나)

( ) 안에 공통적으로 들어갈 알맞은 말을 쓰시오.

잉크의 표면에서 반사하는 빛과 잉크와 종이의 경계에서 반사하는 빛이 간섭 하여 나타나는 현상이다. (가)에서는 노란색 빛이 ( ) 간섭 하여 노란색으로 보이는 것이고, (나)에서는 초록색 빛이 ( ) 간섭 하여 초록색으로 보이는 것이다.

4-2

그림은 얇은 비누 막에 빛을 비췄을 때 여러 색의 간섭무늬가 나타난 모습으로, A 지점은 검은색, B 지점은 빨간색으로 보였다. 이에 대한 설명으로 옳은 것은 ○, 옳지 않은 것은 ×표 하시오.

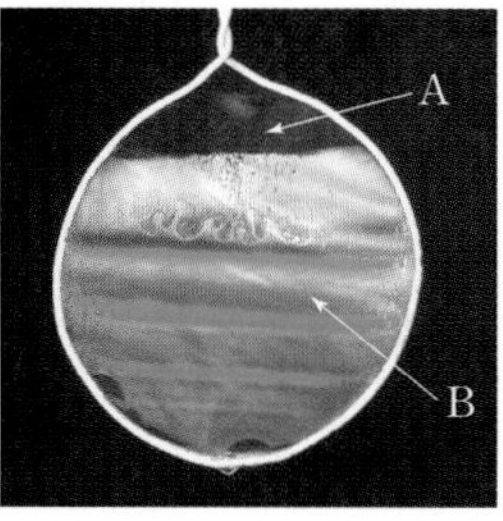

(1) A 지점에서는 모든 색의 빛이 상쇄 간섭 되어 검은색으로 보인다. ( )

(2) B 지점에서는 빨간색 빛이 상쇄 간섭 되어 빨간색으로 보인다. ( )

(3) 비누 막의 앞면과 뒷면에서 반사된 빛이 간섭 하여 만들어진 무늬이다. ( )

Hint 막의 앞면과 뒷면에서 반사된 빛이 상쇄 간섭 하면 빛을 볼 수 없다.

4주 3일

기초 유형 연습 | 파동의 간섭

대표 기출 유형

그림 (가)는 두 파원 S_1, S_2에서 같은 진폭과 위상으로 발생시킨 두 수면파의 어느 순간의 모습이고, (나)는 (가)의 모습을 평면상에 모식적으로 나타낸 것이다. 두 수면파의 파장은 λ로 같고 속력은 일정하다. 실선과 점선은 각각 수면파의 마루와 골의 위치를, 점 p, q, r는 평면 상에 고정된 지점을 나타낸 것이다.

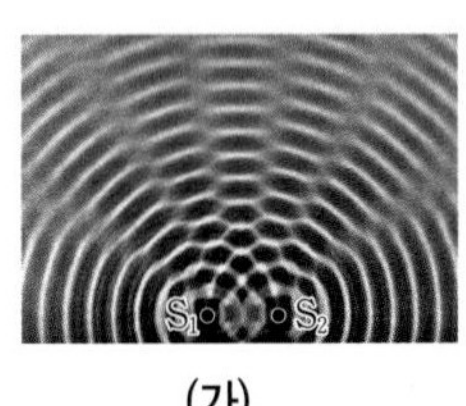

(가)

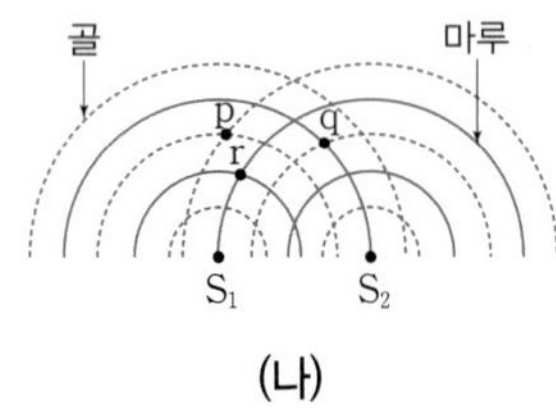

(나)

이에 대한 설명으로 옳은 것만을 <보기>에서 있는 대로 고른 것은?

보기
ㄱ. p에서 보강 간섭이 일어난다.
ㄴ. p, q, r 중 수면의 높이가 가장 낮은 곳은 q이다.
ㄷ. S_1, S_2에서 r까지의 경로차는 λ이다.

① ㄱ ② ㄴ ③ ㄱ, ㄴ
④ ㄱ, ㄷ ⑤ ㄴ, ㄷ

개념 point

보강 간섭: 두 파동이 같은 위상(마루와 마루 또는 골과 골)으로 만나 합성파의 진폭이 커지는 간섭

상쇄 간섭: 두 파동이 반대 위상(마루와 골)으로 만나 합성파의 진폭이 작아지는 간섭

|보기| 풀이

ㄱ p에서는 수면파의 골과 골이 중첩되므로 보강 간섭이 일어난다.

ㄴ q에서는 마루와 골이 중첩되지만, p에서는 골과 골이 중첩되므로 수면의 높이가 가장 낮은 곳은 p이다.

ㄷ 경로차는 두 파원에서 한 점까지의 거리 차이이다. S_1에서 r까지의 거리는 λ이고, S_2에서 r까지의 거리는 2λ이므로 경로차는 $2\lambda-\lambda=\lambda$이다.

답 ④

[1~2] 그림과 같이 진폭이 각각 30 cm, 20 cm인 파동이 서로 반대 방향으로 진행하고 있다. 물음에 답하시오(단, 마찰은 무시한다.).

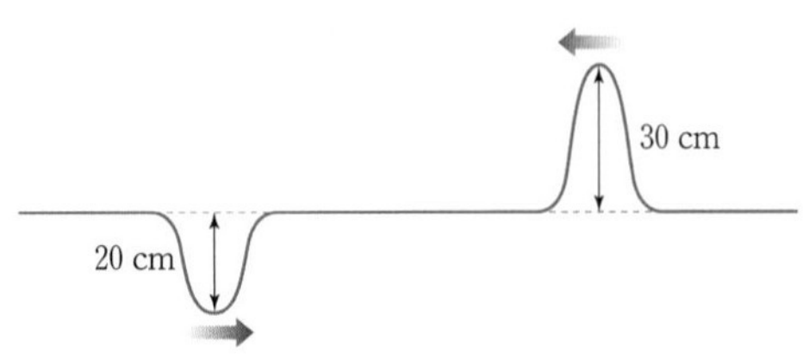

1 두 파동이 완전히 중첩되었을 때의 모습으로 옳은 것은?

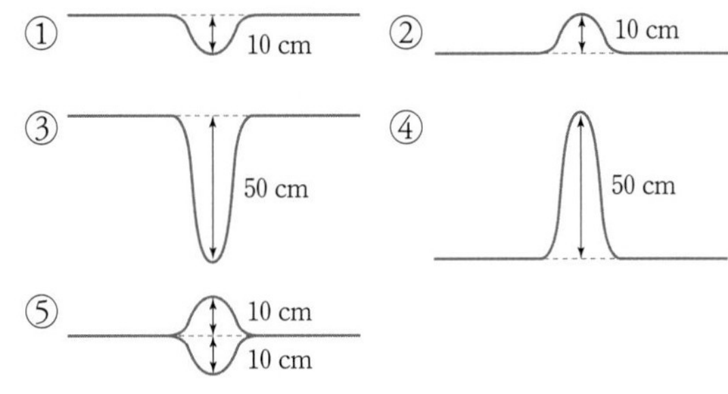

2 두 파동이 중첩되었다가 분리된 후의 모습으로 옳은 것은?

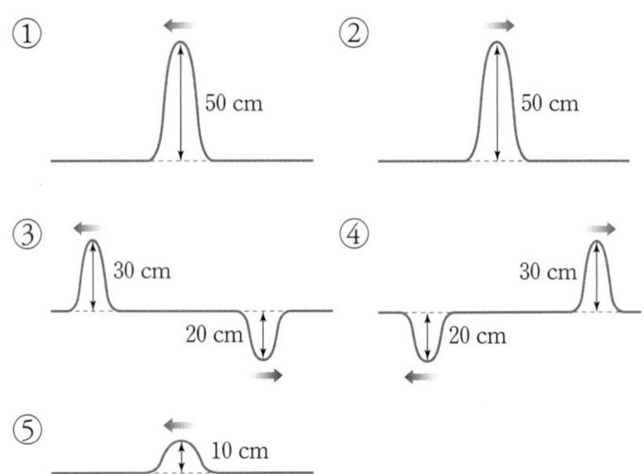

정답과 해설 34쪽

2020학년도 4월 학평 14번 변형

3 그림은 주기와 파장이 같고, 속력이 일정한 두 수면파가 진행하는 어느 순간의 모습을 평면상에 모식적으로 나타낸 것이다. 두 수면파의 진폭은 A로 같다. 실선과 점선은 각각 수면파의 마루와 골의 위치를, 점 P, Q는 평면상의 고정된 지점을 나타낸 것이다.

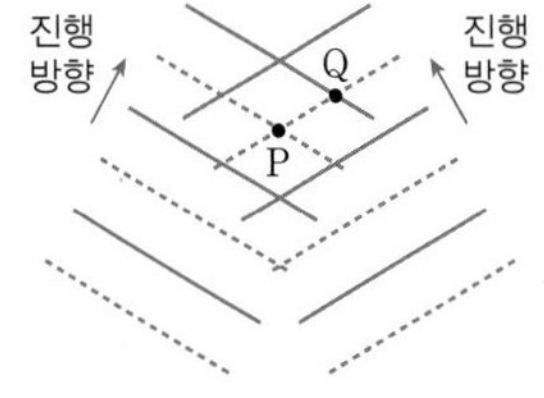

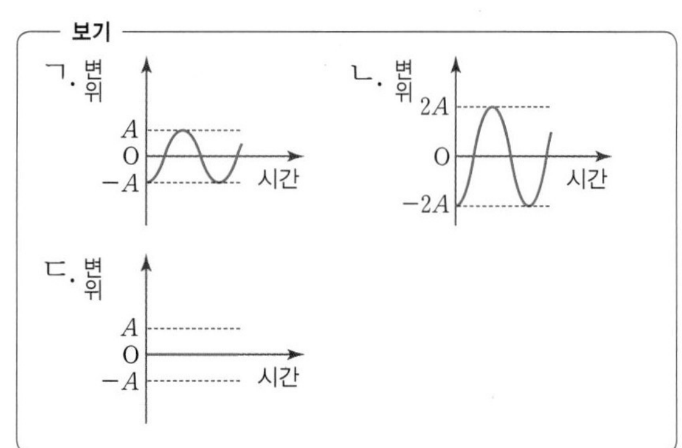

(1) P에서 중첩되는 수면파의 변위를 시간에 따라 나타낸 것으로 옳은 것을 〈보기〉에서 고르시오.

(2) Q에서 중첩되는 수면파의 변위를 시간에 따라 나타낸 것으로 옳은 것을 〈보기〉에서 고르시오.

4 연수는 소리의 반사가 일어나지 않는 실험실에서 그림과 같이 동일한 두 스피커 S_1, S_2에서 2 m 떨어진 곳에 선을 긋고 같은 파장의 소리가 나오게 한 후 선 위를 걸어 다니며 들리는 소리의 크기를 측정하였다.

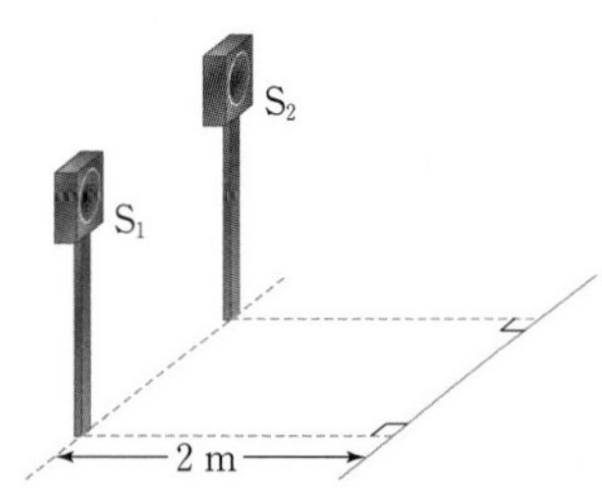

이 실험은 소리의 어떠한 현상을 알아보기 위한 것인지 쓰시오.

5 그림은 소음 제거 헤드폰에서 주변의 소음을 줄여 깨끗한 음질로 음악이 들리게 하는 방법을 나타낸 것이다.

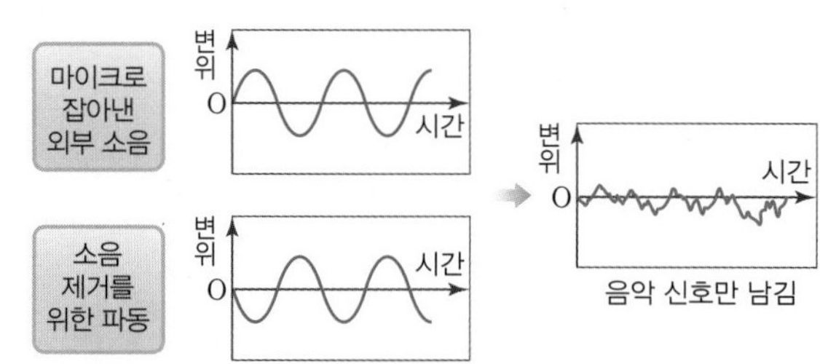

(1) 소음 제거 헤드폰에서 주변의 소음을 제거하는 원리를 서술하시오.

(2) 소음 제거 헤드폰에서 이용하는 것과 같은 원리를 이용하는 일상생활 속의 예를 서술하시오.

2021학년도 6월 모평 3번

6 그림 A, B, C는 파동의 성질을 활용한 예를 나타낸 것이다.

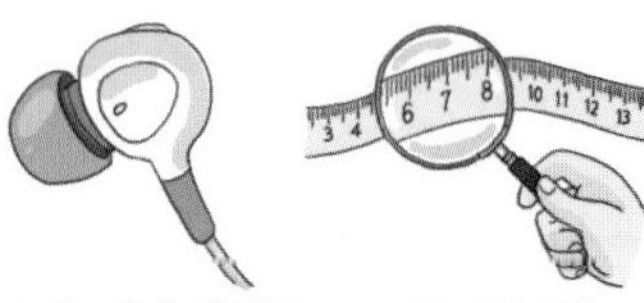

A. 소음 제거 이어폰　B. 돋보기　C. 악기의 울림통

A, B, C 중 파동이 간섭하여 파동의 세기가 감소하는 현상을 활용한 예만을 있는 대로 고른 것은?

① A　② C　③ A, B
④ B, C　⑤ A, B, C

4일 빛의 이중성

핵심 개념

1 광전 효과

- **광전 효과**: 금속 표면에 문턱 진동수보다 큰 진동수의 빛을 비추었을 때 금속 표면에서 전자가 튀어 나오는 현상
- **문턱 진동수**: 어떤 금속에서 광전자를 방출시킬 수 있는 빛의 ❶ ______ 진동수
- **광전자**: 광전 효과에 의해 금속 표면에서 튀어 나온 전자
- **광전 효과 실험**: 음(−)전하로 대전된 검전기 위의 아연판에 자외선을 비추면 금속박이 오므라든다. ➡ 아연판에서 광전자가 방출되었기 때문이다. ─ 아연판의 문턱 진동수보다 자외선의 진동수가 더 크므로

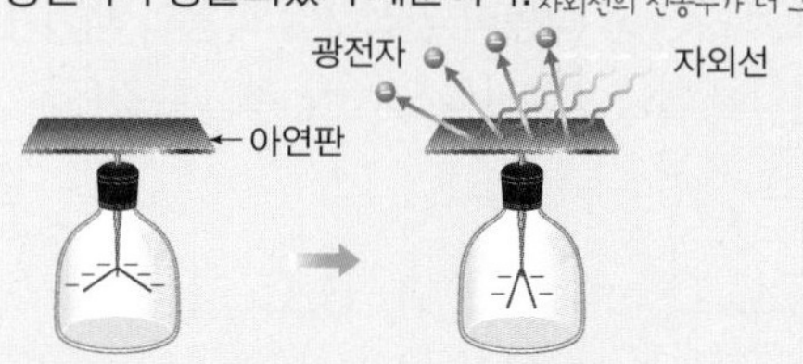

2 광전 효과 실험 결과

- 광전자의 방출 여부는 금속판에 비춘 빛의 세기에는 관계없고 빛의 ❷ ______ 에만 관계된다.
- 금속판에 비추는 빛의 진동수가 문턱 진동수보다 크면 빛의 세기와 상관없이 광전자가 즉시 방출된다.
- 금속판에 비추는 빛의 진동수가 문턱 진동수보다 클 때 방출되는 광전자의 수는 빛의 세기에 비례한다.
- 금속판에 비추는 빛의 진동수가 문턱 진동수보다 작으면 아무리 센 빛을 비추어도 광전자가 방출되지 않는다.

➡ 빛이 ❸ ______ 의 성질만 가지고 있다면 빛의 진동수가 문턱 진동수보다 작더라도 빛의 세기를 증가시키면 광전 효과가 일어나야 한다. 따라서 광전 효과 실험 결과는 빛이 입자의 성질을 갖는다는 것을 증명한다.

답 ❶ 최소 ❷ 진동수 ❸ 파동

개념 확인

■ 정답과 해설 35쪽

1-1

그림과 같이 음(−)전하로 대전된 검전기 위에 아연판을 놓고 아연판에 자외선을 비추면 벌어져 있던 검전기의 금속박이 오므라든다.

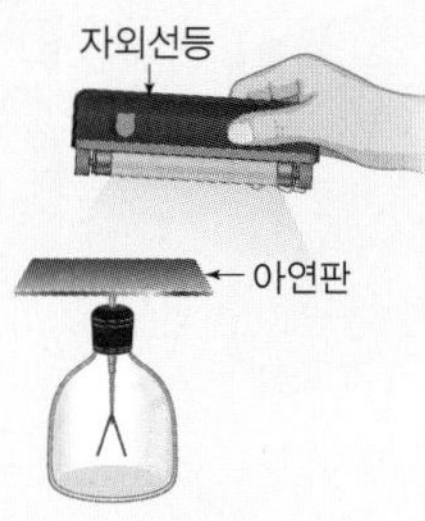

금속박이 오므라들 때 아연판에서 공기 중으로 방출되는 입자의 종류를 쓰시오.

1-2

그림은 음(−)전하로 대전된 검전기 위에 놓인 아연판에 자외선을 비추었더니 광전자가 방출되면서 금속박이 오므라든 것을 나타낸 것이다.

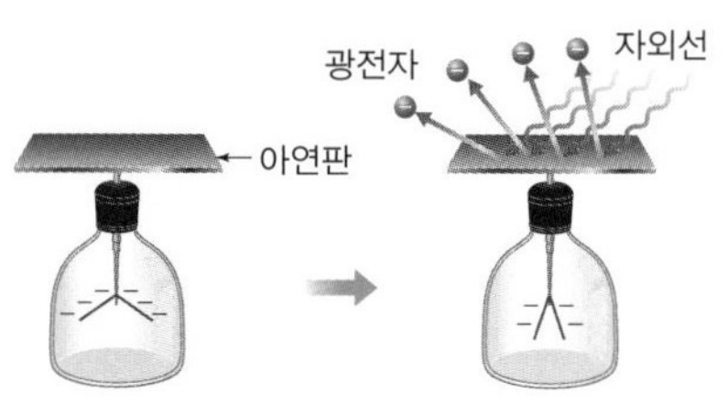

이에 대한 설명으로 옳은 것은 ○, 옳지 않은 것은 ×표 하시오.

(1) 자외선의 진동수는 아연판의 문턱 진동수보다 작다. (　　)

(2) 광전자가 방출되어 금속박의 전자가 줄어들기 때문에 금속박이 오므라드는 것이다. (　　)

2-1

다음은 세 학생 A, B, C가 광전 효과에 대해 대화하는 내용이다.

제시된 내용이 옳은 학생만을 있는 대로 고른 것은?

① A　② B　③ A, C　④ B, C　⑤ A, B, C

2-2

그림과 같이 음(−)전하로 대전된 검전기의 금속박이 벌어져 있는 상태에서 검전기 위에 놓인 아연판에 형광등을 비추었더니 검전기의 금속박에 아무런 변화가 없었다. 이에 대한 설명으로 옳은 것은 ○, 옳지 않은 것은 ×표 하시오.

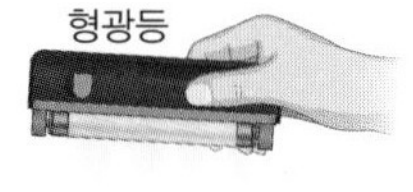

(1) 형광등을 비추는 시간을 길게 하면 금속박이 오므라든다. (　　)

(2) 아연판에 형광등을 좀 더 가까이 가져가면 금속박이 오므라든다. (　　)

(3) 형광등을 적외선등으로 바꾸어 비추어도 금속박에는 아무런 변화가 없다. (　　)

Hint 아연판에서 전자가 방출되면 금속박이 오므라든다.

4주 4일

4일 빛의 이중성

핵심 개념

3 광양자설과 빛의 이중성

- **광양자설**: 아이슈타인은 '빛은 광양자라는 ❶ [　　] 인 에너지 입자의 흐름이다.' 라는 광양자설을 제안하였다. (광양자: 광자라고도 한다.)
  ➡ 광자의 에너지 $E=hf$(h: 플랑크 상수, f: 빛의 진동수)
- **일함수(W)**: 금속 표면에 있는 전자 1개를 방출시키는 데 필요한 최소한의 에너지로, 금속의 종류에 따라 다르다.
  ➡ $W=hf_0$(h: 플랑크 상수 f_0: 문턱 진동수)
- **광전자의 최대 운동 에너지(E_k)**: 광자 한 개의 에너지에서 ❷ [　　] 를 뺀 값과 같다. — 광자의 에너지의 일부는 금속 표면에서 전자를 방출시키는 데 필요한 에너지로 사용되고, 남은 에너지는 광전자의 운동 에너지로 전환된다.
  ➡ $E_k=\frac{1}{2}mv^2=hf-W=hf-hf_0$
- **빛의** ❸ [　　]: 빛은 파동성과 입자성을 함께 가지고 있다.
  — 간섭 현상은 파동성, 광전 효과는 입자성의 증거

4 광전 효과의 이용(영상 정보의 기록)

- **광 다이오드**: p－n 접합 다이오드에서 발생하는 광전 효과에 의해 전자와 양공의 쌍이 형성되어 전류가 흐르는 다이오드
- **CCD (전하 결합 소자)**: 빛의 입자성을 이용하여 영상을 기록하는 장치로, 빛에너지가 전기 에너지로 전환된다.

① 구조: 수백만 개의 광 다이오드가 규칙적으로 배열된 반도체 소자로, 광 다이오드는 화소에 해당한다.

② 원리: 빛이 CCD에 닿으면 광전 효과 때문에 각 화소에서 전자가 발생한다. 각 화소에서 발생하는 전하의 양을 차례대로 전기 신호로 변환시켜서 각 위치에 비춰진 빛의 세기에 대한 영상 정보를 기록한다.

답 ❶ 불연속적 ❷ 일함수 ❸ 이중성

개념 확인

정답과 해설 35쪽

3-1

그림은 빛을 광자로 설명하는 광양자설에 따른 빛의 개념도이다.

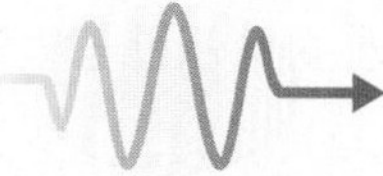

광양자설에 대한 설명으로 옳은 것은 ○, 옳지 않은 것은 ×표 하시오.

(1) 광전 효과는 광자와 전자 사이의 충돌로 설명할 수 있다. (　　)

(2) 빛은 진동수에 반비례하는 에너지를 갖는 입자인 광자들의 흐름이다. (　　)

(3) 진동수가 문턱 진동수보다 큰 광자는 전자와의 충돌에 의해 광전자를 즉시 방출시킬 수 있다. (　　)

3-2

다음은 광전 효과에 대한 설명이다.

- 광전 효과는 금속에 진동수가 큰 빛을 쪼여줄 때 금속 표면에서 전자가 방출되는 현상으로, 빛의 (가) 의 증거가 된다.
- 아인슈타인은 '빛은 (나) 에 비례하는 에너지를 갖는 입자인 광자들의 흐름이다.'라는 (다) 을 도입하여 광전 효과를 설명하였다.

(가)~(다)에 들어갈 말을 옳게 짝 지은 것은?

	(가)	(나)	(다)
①	파동성	진동수	파동설
②	파동성	진폭	광양자설
③	입자성	진폭	광양자설
④	입자성	진동수	파동설
⑤	입자성	진동수	광양자설

4-1

그림은 CCD의 구조를 모식적으로 나타낸 것이다.

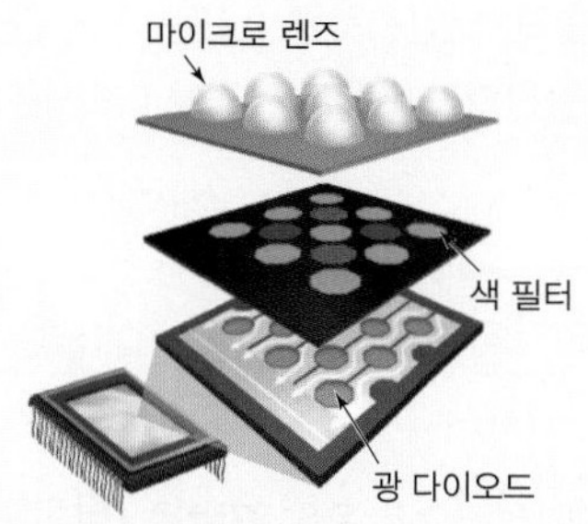

이에 대한 설명으로 옳은 것은 ○, 옳지 않은 것은 ×표 하시오.

(1) CCD는 광 다이오드를 이용하여 전기 에너지를 빛 에너지로 바꾸어 저장한다. (　　)

(2) 디지털카메라에서 빛 신호를 전기 신호로 바꾸는 반도체 소자는 CCD이다. (　　)

(3) CCD는 광자의 수에 비례하여 광전자를 방출하는 방식으로 빛을 전기 신호로 변환한다. (　　)

4-2

그림은 디지털 카메라 등에 사용되는 CCD를 이용해 신호 변환 장치로 신호를 보내는 과정을 나타낸 것이다.

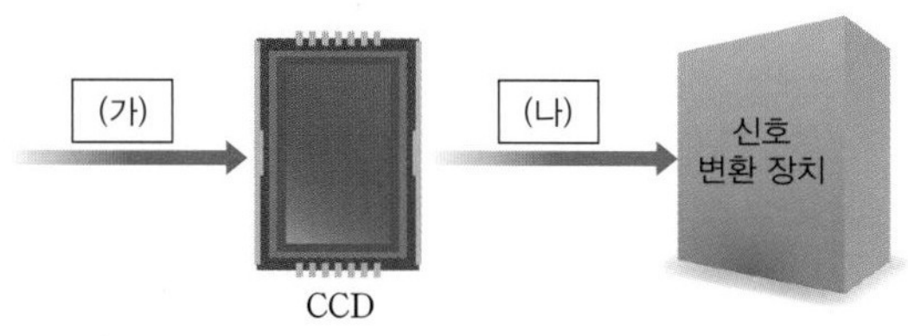

(가), (나)에 들어갈 신호의 종류를 옳게 짝 지은 것은?

	(가)	(나)
①	빛	소리
②	빛	전기
③	빛	역학적
④	전기	빛
⑤	전기	소리

4 주 4일

기초 유형 연습 | 빛의 이중성

대표 기출 유형

그림은 광전 효과를 이용하여 빛을 검출하는 광전관을 나타낸 것이다. 금속판에 단색광 A를 비추었을 때 광전자가 방출되었고, 단색광 B를 비추었을 때 광전자가 방출되지 않았다. 이에 대한 설명으로 옳은 것만을 〈보기〉에서 있는 대로 고른 것은?

보기

ㄱ. 진동수는 A가 B보다 크다.
ㄴ. A의 세기가 클수록 방출되는 광전자의 개수가 많다.
ㄷ. A의 진동수가 클수록 방출되는 광전자의 운동 에너지(최대 운동 에너지)가 크다.

① ㄱ ② ㄷ ③ ㄱ, ㄴ
④ ㄱ, ㄷ ⑤ ㄱ, ㄴ, ㄷ

개념 point

문턱 진동수: 어떤 금속에서 광전자를 방출시킬 수 있는 빛의 최소 진동수
광전자: 광전 효과에 의해 금속 표면에서 튀어 나온 전자
광전자의 최대 운동 에너지: $E_{\mathrm{k}}=hf-W-hf-hf_0$

|보기| 풀이

ㄱ 광전자가 방출되기 위해서는 빛의 진동수가 금속판의 문턱 진동수보다 커야 한다. 따라서 A의 진동수는 금속판의 문턱 진동수보다 크고, B의 진동수는 금속판의 문턱 진동수보다 작다.
ㄴ 빛의 진동수가 문턱 진동수보다 클 때, 빛의 세기가 클수록 방출되는 광전자의 개수가 많아진다.
ㄷ 빛의 진동수가 클수록 광자의 에너지가 크므로 방출되는 광전자의 운동 에너지도 크다. 따라서 A의 진동수가 클수록 방출되는 광전자의 운동 에너지(최대 운동 에너지)가 크다.

답 ⑤

1 그림과 같이 금속박이 닫힌 검전기의 금속판에 어떤 단색광을 비추었더니 금속박에 아무 변화가 없었다. 금속박이 벌어지게 하기 위한 방법으로 옳은 것은?

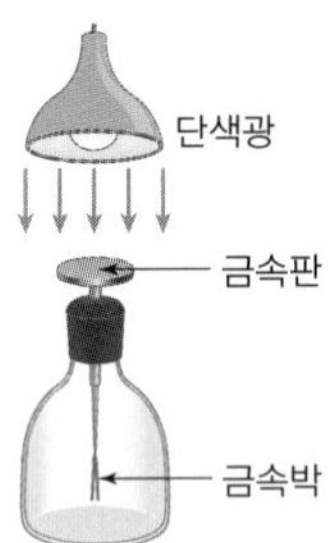

① 단색광의 세기를 증가시킨다.
② 파장이 긴 단색광으로 바꾼다.
③ 진동수가 큰 단색광으로 바꾼다.
④ 단색광을 비추는 시간을 길게 한다.
⑤ 단색광을 금속판에 더 가까이 하여 비춘다.

2020학년도 4월 학평 15번

2 그림 (가)는 금속판 A에 단색광 P를 비추었을 때 광전자가 방출되지 않는 것을, (나)는 A에 단색광 Q를 비추었을 때 광전자가 방출되는 것을 나타낸 것이다.

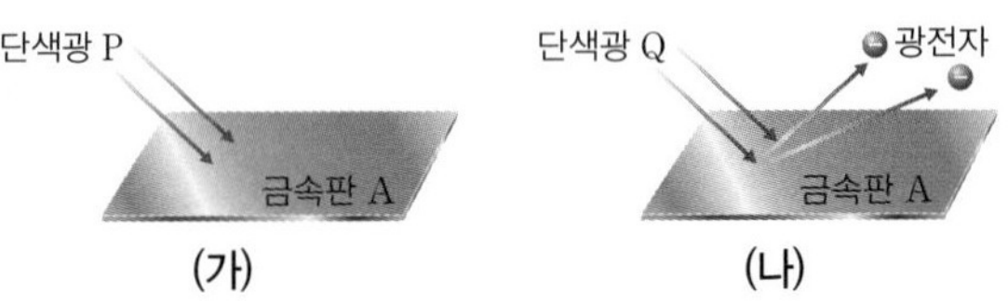

이에 대한 설명으로 옳은 것만을 〈보기〉에서 있는 대로 고른 것은?

보기

ㄱ. 진동수는 P가 Q보다 작다.
ㄴ. (가)에서 P의 세기를 증가시켜 A에 비추면 광전자가 방출된다.
ㄷ. (나)에서 광전자가 방출되는 것은 빛의 입자성을 보여주는 현상이다.

① ㄱ ② ㄷ ③ ㄱ, ㄷ
④ ㄴ, ㄷ ⑤ ㄱ, ㄴ, ㄷ

정답과 해설 35쪽

3 표는 서로 다른 금속판 A, B에 진동수가 각각 f_X, f_Y인 단색광 X, Y 중 하나를 비추었을 때 방출되는 광전자의 최대 운동 에너지를 나타낸 것이다.

금속판	광전자의 최대 운동 에너지	
	X를 비춘 경우	Y를 비춘 경우
A	E_0	광전자가 방출되지 않음
B	$3E_0$	E_0

(1) f_X, f_Y의 크기를 부등호를 이용해 비교하시오.

(2) 금속판 A, B 중 일함수가 큰 금속판을 고르고, 그 까닭을 서술하시오.

2013학년도 10월 학평 13번 변형

4 다음은 광전 효과에 대한 아인슈타인의 해석이다.

- 빛은 광자라고 불리는 불연속적인 에너지 입자의 흐름이며, 광자의 에너지는 빛의 진동수에 비례한다.
- 금속 표면에 특정 진동수 이상의 빛을 비추면, 광자가 금속의 전자와 충돌하여 전자가 즉시 방출된다.

이에 대한 설명으로 옳은 것만을 〈보기〉에서 있는 대로 고른 것은?

보기
ㄱ. 광전 효과는 빛의 파동성으로 설명된다.
ㄴ. 빛의 파장이 짧을수록 광자의 에너지는 크다.
ㄷ. 방출된 전자의 운동 에너지(최대 운동 에너지)는 충돌한 광자의 에너지와 같다.

① ㄱ ② ㄴ ③ ㄱ, ㄴ
④ ㄴ, ㄷ ⑤ ㄱ, ㄴ, ㄷ

5 다음은 '빛이 파동의 성질만을 갖는다.'라고 가정할 때 광전 효과 실험 결과를 예상한 것이다.

(가) 세기가 큰 빛, 즉 밝은 빛은 진동수가 작더라도 에너지가 커야 한다.
(나) 금속에 비추는 빛의 진동수가 문턱 진동수보다 작아도 빛을 오랫동안 비추면 파동 에너지가 쌓여서 광전자가 방출되어야 한다.
(다) 금속에 빛을 비추면 금속 내부의 전자가 흔들리면서 에너지를 얻는 과정이 필요하므로, 전자가 방출되는 데 시간이 걸려야 한다.

(가)~(다)의 예상과 대조되는 실제 실험 결과를 〈보기〉에서 골라 옳게 짝 지은 것은?

보기
ㄱ. 금속의 문턱 진동수보다 큰 빛을 비추는 즉시 광전자가 방출된다.
ㄴ. 금속의 문턱 진동수보다 작은 빛을 아무리 오래 비추어도 광전자가 방출되지 않는다.
ㄷ. 금속에서 방출되는 광전자의 운동 에너지는 빛의 세기와는 관계 없고 빛의 진동수가 클수록 크다.

	(가)	(나)	(다)		(가)	(나)	(다)
①	ㄱ	ㄴ	ㄷ	②	ㄱ	ㄷ	ㄴ
②	ㄴ	ㄱ	ㄷ	④	ㄴ	ㄷ	ㄱ
⑤	ㄷ	ㄴ	ㄱ				

6 다음은 전하 결합 소자(CCD)에 대한 설명이다.

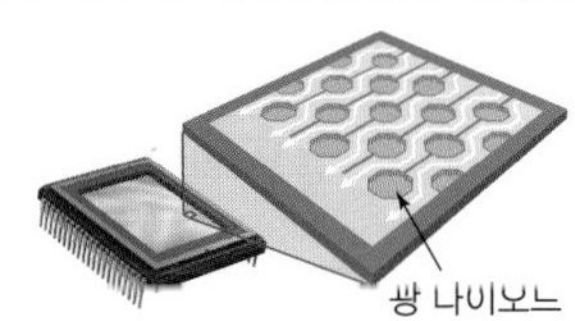

디지털카메라의 전하 결합 소자(CCD)는 영상 정보를 기록하는 소자로, 광 다이오드로 구성된 전하 결합 소자에 빛을 비추면 전자가 발생하는 (㉠)에 의해 전류가 흐르므로 빛의 (㉡)을/를 이용하는 장치이다.

㉠, ㉡에 들어갈 알맞은 말을 쓰시오.

4주 4일

5일 물질의 이중성

핵심 개념

1 물질파

- **드브로이의 물질파 이론**: 빛이 입자의 성질을 갖는 것처럼, 입자도 ❶ ___ 의 성질을 갖는다고 주장하였다.
- **물질파(또는 드브로이파)**: 물질 입자가 갖는 파동
- **드브로이 파장**: 물질파의 파장(λ)은 물질의 질량(m)과 속도(v)를 곱한 운동량(p)에 ❷ ___ 한다.

➡ $\lambda=\frac{h}{p}=\frac{h}{mv}$ (h: 플랑크 상수)

- 일상생활에서는 물질의 질량이 커서 파장이 매우 짧기 때문에 물질파를 관찰하기 어렵다.
- 원자나 전자는 질량이 매우 작기 때문에 물질파의 파장이 입자의 크기에 비해 상대적으로 ❸ ___ 파동성을 관찰할 수 있다.

2 물질파 확인 실험 — 물질파가 만드는 회절과 간섭 현상을 통해 확인되었다.

- **전자를 이용한 이중 슬릿 실험**: 이중 슬릿을 통과하는 전자의 수를 증가시키면 스크린에 도달하는 전자의 수가 많아질수록 파동의 간섭무늬가 잘 나타난다. ➡ 전자가 물질파의 형태로 이중 슬릿을 통과했다는 증거로 파동성을 증명
- **톰슨의 전자 회절 실험**: 톰슨은 X선과 전자의 드브로이 파장이 같도록 하여 얇은 알루미늄 박막에 쪼일 때 같은 모양의 ❹ ___ 무늬가 나타나는 것을 확인하였다.

  ➡ 전자가 X선과 마찬가지로 파동의 성질을 띤다는 것을 증명
- **데이비슨과 거머의 전자 회절 실험**: 특정 각도에서 전자의 물질파가 보강 간섭을 일으킨다.

답 ❶ 파동 ❷ 반비례 ❸ 커서 ❹ 회절

개념 확인

정답과 해설 36쪽

1-1

물질 입자의 성질에 대한 설명으로 옳은 것은 ○, 옳지 않은 것은 ×표 하시오.

(1) 물질파의 파장은 물질의 운동량에 비례한다. (　　)

(2) 질량을 갖는 물질이 가진 파동을 드브로이파라고 한다. (　　)

(3) 입자도 빛과 마찬가지로 파동성과 입자성을 모두 가지고 있다. (　　)

(4) 파동은 입자의 성질을 가지지만 입자는 파동의 성질을 가지지 않는다. (　　)

(5) 전자를 이용한 이중 슬릿 실험을 통해 전자가 파동의 성질을 갖는다는 것을 알 수 있다. (　　)

1-2

질량이 m인 입자가 속력 v로 움직일 때, 물질파의 파장 λ와 속력 v의 관계를 나타낸 그래프로 가장 적절한 것은?

①
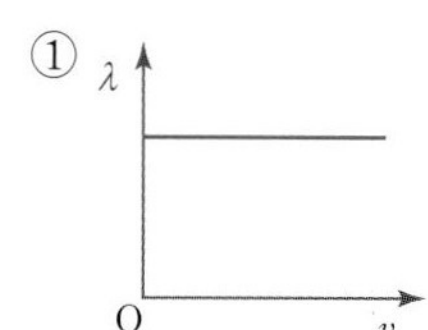

②
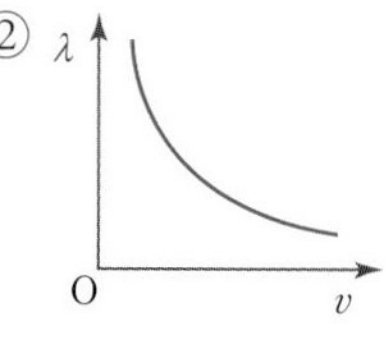

③
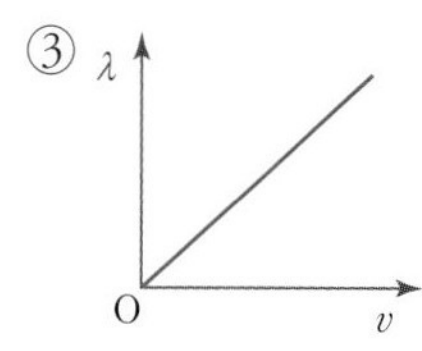

④
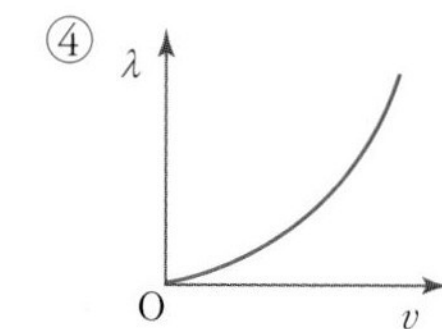

⑤
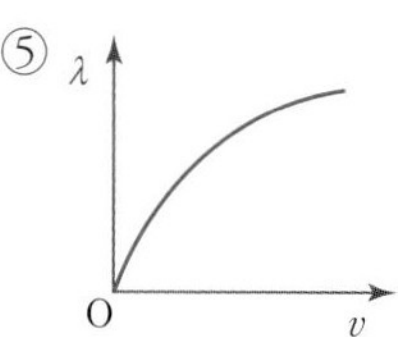

2-1

그림은 전자빔을 금속박에 입사시켰을 때의 회절 무늬와 X선의 회절 무늬를 비교한 것이다.

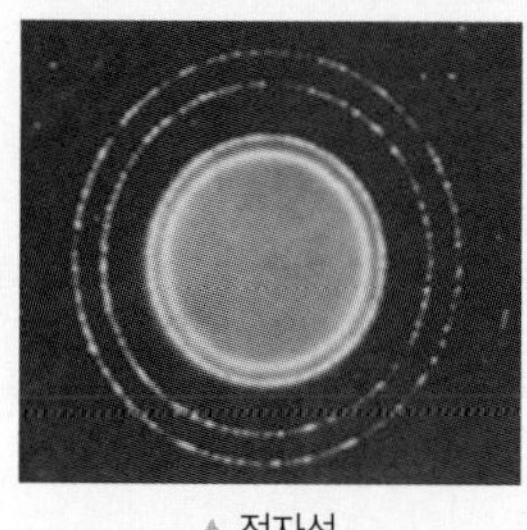
▲ 전자선

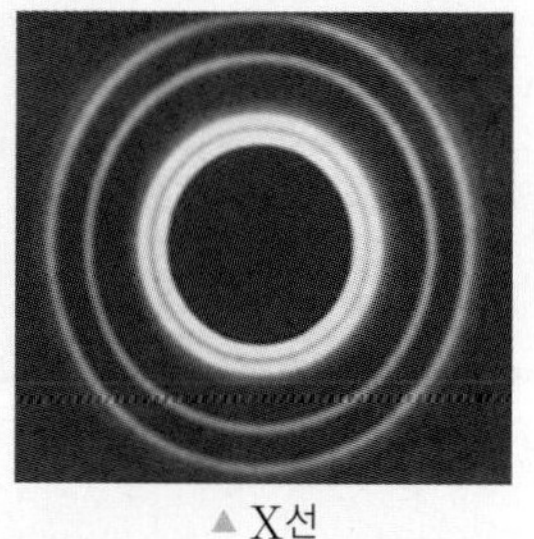
▲ X선

전자빔의 회절 무늬가 X선의 회절 무늬와 비슷한 것은 전자의 어떤 성질 때문인지 쓰시오.

2-2

그림 (가)와 (나)는 전자가 파동 또는 입자로 행동할 때 스크린에 나타난 무늬를 나타낸 것이다.

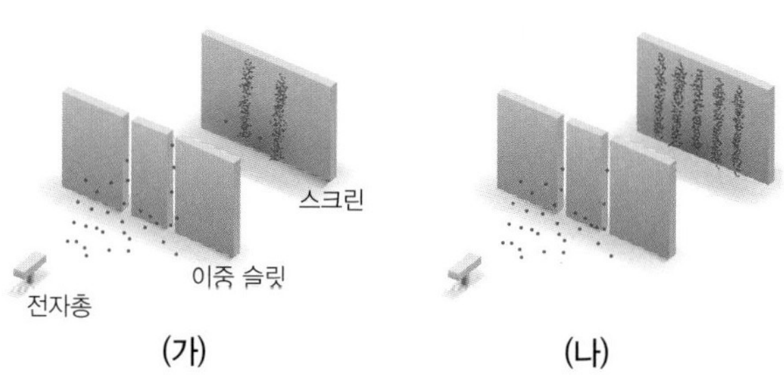

(가)와 (나) 중 어느 쪽이 전자가 파동의 성질을 나타낸 것인지 쓰시오.

4주 5일

5일 물질의 이중성

핵심 개념

3 물질파의 이용-전자 현미경

- 물체의 구조를 자세히 보기 위한 조건

① 사용하는 파동의 파장이 관찰하고자 하는 물체의 크기보다 작아야 한다.

② 사용하는 빛의 파장이 ❶ [ ] 물체를 구별하는 능력(분해능)이 좋다.
 분해능: 광학 기구에서 가까이 있는 두 점이나 선을 분별하는 능력

- **전자 현미경**: 전자의 속력을 빠르게 가속시키면 가시광선보다 매우 짧은 파장(<0.1 nm)을 만들 수 있다. 파장이 매우 짧은 물질파는 회절이 잘 일어나지 않으므로 가시광선을 사용하는 광학 현미경보다 ❷ [ ]이 훨씬 좋아진다.

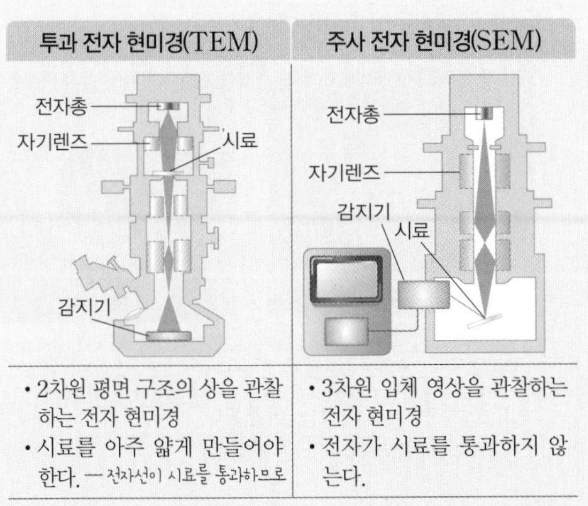

투과 전자 현미경(TEM)	주사 전자 현미경(SEM)
• 2차원 평면 구조의 상을 관찰하는 전자 현미경 • 시료를 아주 얇게 만들어야 한다. ─ 전자선이 시료를 통과하므로	• 3차원 입체 영상을 관찰하는 전자 현미경 • 전자가 시료를 통과하지 않는다.

답 ❶ 짧을수록 ❷ 분해능

개념 확인

정답과 해설 36쪽

3-1

(1) 현미경에 대한 설명으로 옳은 것은 ○, 옳지 않은 것은 ×표 하시오.

① 광학 현미경은 전자의 물질파 성질을 이용하여 만든 현미경이다. (　　　)

② 전자 현미경은 광학 현미경보다 분해능이 훨씬 좋다. (　　　)

③ 전자 현미경에서 전자를 가속시키는 전압이 클수록 드브로이 파장이 길다. (　　　)

(2) 다음은 광학 현미경과 전자 현미경에 대한 설명이다.

> • 광학 현미경은 광원으로 가시광선을 이용하며 유리 렌즈를 사용하여 크기가 10^{-7} m 정도인 물체까지 볼 수 있고, 배율은 약 1000배~1500배이다.
> • 전자 현미경은 광원으로 전자선을 이용하며 자기 렌즈를 사용하여 크기가 약 10^{-19} m 정도인 물체까지 볼 수 있고, 배율은 약 100000배 이상이다.

(　　) 안에 공통으로 들어갈 알맞은 말을 쓰시오.

> 전자 현미경이 광학 현미경보다 더 작은 물체까지 볼 수 있는 까닭은 전자선의 (　　　)이/가 가시광선의 (　　　)보다 짧기 때문이다.

(3) 전자선을 얇은 시료에 투과시킨 후, 형광면에 형성된 시료의 2차원적 단면 구조의 상을 관찰하는 현미경은 무엇인지 쓰시오.

3-2

(1) 그림 (가)와 (나)는 광학 현미경과 전자 현미경의 구조를 나타낸 것이다.

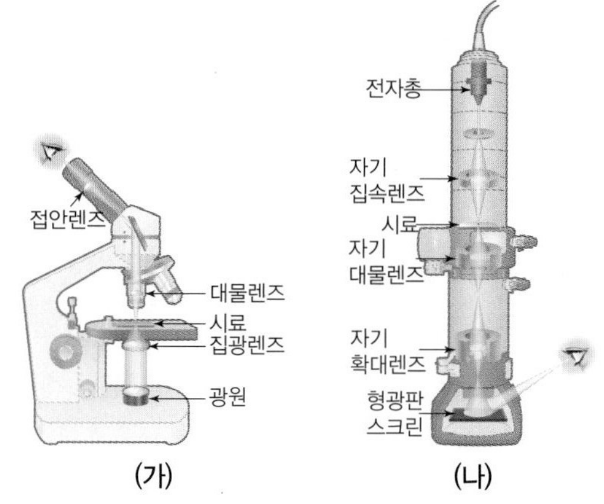

이에 대한 설명으로 옳은 것은 ○, 옳지 않은 것은 ×표 하시오.

① (가)는 빛을 이용하여 시료를 관찰한다. (　　　)

② (나)는 전자의 입자성을 이용하여 시료를 관찰한다. (　　　)

③ (가)보다 (나)에서 높은 배율을 얻을 수 있다. (　　　)

Hint 전자 현미경은 전자의 물질파 성질을 이용한다.

(2) 다음은 전자 현미경에서 사용하는 전자를 가속시킬 때에 대한 설명이다. (　　) 안에 들어갈 알맞은 말을 고르시오.

> 전자를 가속시킬 때 가속 전압을 높이면 전자의 속력이 커져서 전자의 운동량의 크기가 ㉠(작아지고, 커지고) 전자의 물질파 파장은 ㉡(짧아진다, 길어진다).

4주 5일

기초 유형 연습 | 물질의 이중성

대표 기출 유형

그림은 철수, 민수, 영희가 물질파에 대해 대화하는 것을 나타낸 것이다.

옳게 말한 사람만을 있는 대로 고른 것은?

① 철수　② 민수　③ 철수, 영희
④ 민수, 영희　⑤ 철수, 민수, 영희

개념 point

야구공과 전자의 물질파 비교: 야구공은 전자에 비해 질량이 매우 커서 드브로이 파장이 매우 짧다. 따라서 일상생활에서 야구공의 물질파를 관찰하기 어렵다.
드브로이 파장: 질량이 m인 입자가 v의 속력으로 운동할 때 입자의 드브로이 파장은 $\lambda=\dfrac{h}{mv}$이다. 즉, 속력이 같으면 드브로이 파장은 질량에 반비례한다.

|보기| 풀이

- **철수**: 전자의 질량이 야구공보다 작으므로 속력이 같을 때 전자의 드브로이 파장이 야구공의 드브로이 파장보다 길다.
- **민수**: 드브로이 파장과 운동량은 서로 반비례하므로 운동량이 증가할수록 드브로이 파장은 감소한다.
- **영희**: 전자 현미경은 전자의 파동적 성질을 이용한 것이다. 전자의 드브로이 파장이 가시광선보다 짧은 것을 이용하여 분해능을 높인다.

함정 탈출

전자의 파동성을 이용하여 분해능이 높은 전자 현미경을 만들 수 있다. 현미경의 분해능은 시료를 관찰할 때 사용하는 파동의 파장이 짧을수록 높다.

답 ⑤

1 질량이 m이고 속력이 v인 입자의 물질파 파장은 λ_0이다. 이 입자의 속력이 증가하여 운동 에너지가 4배가 되었을 때 물질파 파장은?

① $\dfrac{1}{2}\lambda_0$　② $\dfrac{1}{3}\lambda_0$　③ $\dfrac{1}{4}\lambda_0$
④ $2\lambda_0$　⑤ $4\lambda_0$

2 표는 두 입자 A, B의 질량과 속력을 나타낸 것이다.

입자	질량	속력
A	m	v
B	$2m$	$3v$

A, B의 물질파 파장의 비 $\lambda_A : \lambda_B$는 얼마인지 쓰시오.

3 그림은 입자 가속 장치에서 방출된 입자가 이중 슬릿을 통과하여 형광판에 간섭무늬를 형성한 것을 나타낸 것이다.

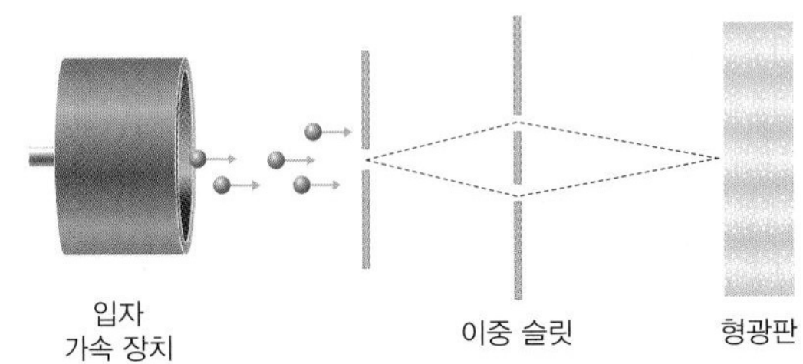

형광판에 간섭무늬가 생기는 까닭을 입자의 성질을 이용해서 서술하시오.

정답과 해설 37쪽

4 그림 (가)는 X선을 금속박에 입사시켰을 때 얻은 회절 무늬를, (나)는 전자선을 금속박에 입사시켰을 때 얻은 무늬를 나타낸 것이다.

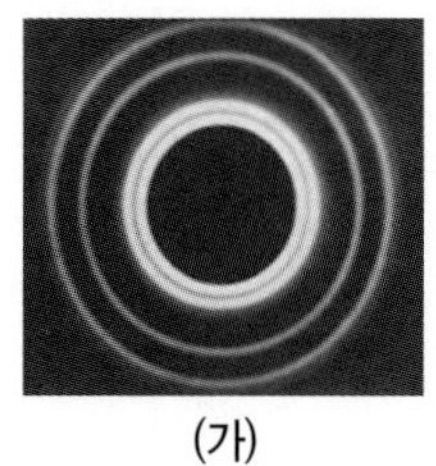
(가)

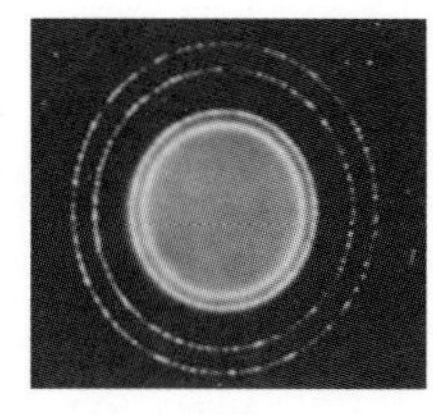
(나)

이에 대한 설명으로 옳은 것만을 〈보기〉에서 있는 대로 고른 것은?

보기
ㄱ. (가)의 무늬는 X선이 파동이기 때문에 나타나는 현상이다.
ㄴ. (나)의 무늬는 전자선의 회절 무늬이다.
ㄷ. (나)의 무늬는 전자가 입자성을 갖기 때문에 나타난다.

① ㄱ ② ㄴ ③ ㄱ, ㄴ
④ ㄴ, ㄷ ⑤ ㄱ, ㄴ, ㄷ

5 A, B는 두 가지의 광학 기기에 대한 설명이다.

A	B
가속된 전자선을 시료의 표면에 차례대로 주사하여 시료 표면에서 발생하는 2차 전자를 검출하여 물체 표면의 입체 영상을 관찰할 수 있다.	시료를 투과한 전자선에 의한 물체의 상을 대물렌즈와 투사 렌즈로 확대하여 필름이나 형광면에 투사시켜 평면 영상을 관찰할 수 있다.

A와 B를 옳게 짝 지은 것은?

	A	B
①	광학 현미경	망원경
②	광학 현미경	주사 전자 현미경
③	주사 전자 현미경	투과 전자 현미경
④	투과 전자 현미경	주사 전자 현미경
⑤	망원경	투과 전자 현미경

2020학년도 7월 학평 17번 변형

6 그림은 전자 현미경의 구조를 나타낸 것이다.

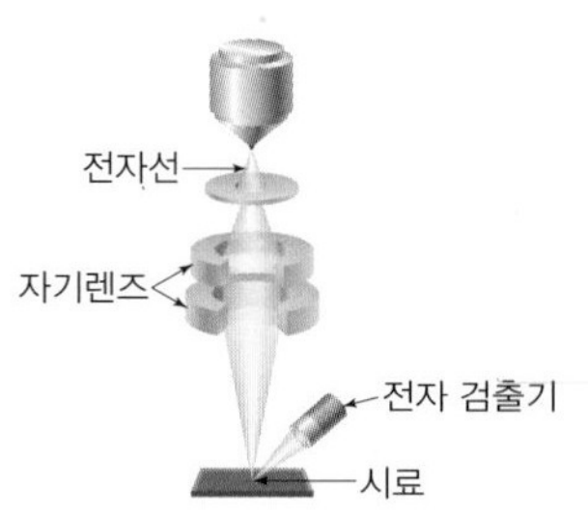

전자 현미경에 대한 설명으로 옳은 것만을 〈보기〉에서 있는 대로 고른 것은?

보기
ㄱ. 전자의 파동성을 이용하여 시료를 관찰한다.
ㄴ. 분해능은 전자 현미경이 광학 현미경보다 뛰어나다.
ㄷ. 자기렌즈는 전자의 진행 경로를 휘게 하여 전자들을 모으는 역할을 한다.

① ㄱ ② ㄴ ③ ㄱ, ㄷ
④ ㄴ, ㄷ ⑤ ㄱ, ㄴ, ㄷ

2021학년도 9월 모평 12번 변형

7 그림은 주사 전자 현미경의 구조를 간단히 나타낸 것이다. 이에 대한 설명으로 옳은 것만을 〈보기〉에서 있는 대로 고른 것은?

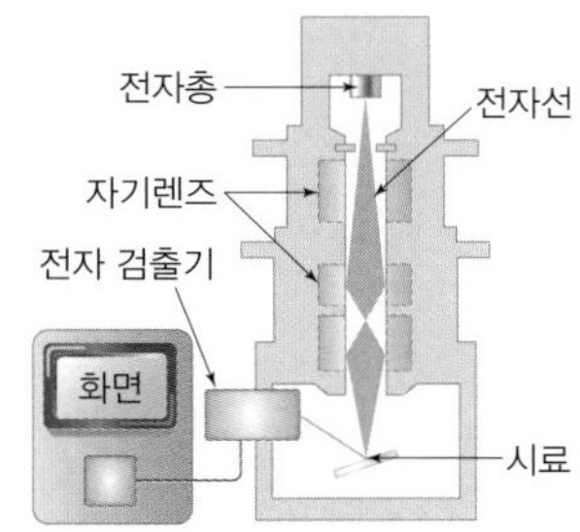

보기
ㄱ. 3차원 입체 영상을 관찰할 수 있다.
ㄴ. 전자의 속력이 클수록 전자의 물질파 파장은 길어진다.
ㄷ. 전자의 속력이 클수록 분해능이 좋아진다.

① ㄴ ② ㄷ ③ ㄱ, ㄴ
④ ㄱ, ㄷ ⑤ ㄱ, ㄴ, ㄷ

1 그림 (가)는 클래딩이 코어를 감싸고 있는 광섬유의 구조를 나타낸 것이고, (나)는 광섬유에서 빛이 전반사하며 코어를 따라 진행하는 모습을 나타낸 것이다.

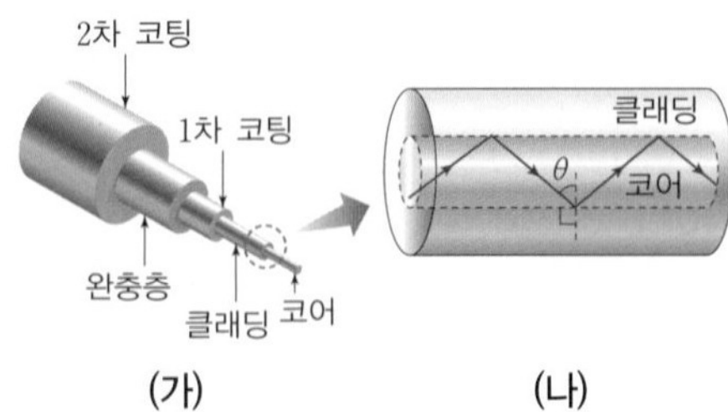

이에 대한 설명으로 옳은 것만을 〈보기〉에서 있는 대로 고른 것은?

보기
ㄱ. θ는 클래딩과 코어 사이의 임계각보다 크다.
ㄴ. 코어의 굴절률은 클래딩의 굴절률보다 작다.
ㄷ. 클래딩에서 코어로 입사각 θ로 단색광을 입사시키면 전반사가 일어난다.

① ㄱ ② ㄷ ③ ㄱ, ㄴ
④ ㄴ, ㄷ ⑤ ㄱ, ㄴ, ㄷ

2 광섬유를 이용한 광통신이 구리 도선을 이용한 통신에 비해 가지는 장점으로 옳은 것을 모두 고르면? (정답 2개)

① 구리 도선에 의한 통신보다 잡음이 적다.
② 증폭기 없이 전송시킬 수 있는 거리가 더 길다.
③ 광통신은 구리 도선을 이용한 통신보다 도청이 쉽다.
④ 선의 연결 부위에 작은 틈이 발생해도 통신에 지장이 없다.
⑤ 광섬유가 끊어질 경우 구리 도선이 끊어졌을 때보다 쉽게 연결할 수 있다.

3 다음 전자기파 중 파장이 가장 짧은 것은?

① X선 ② 적외선 ③ 자외선
④ 라디오파 ⑤ 가시광선

2018학년도 9월 모평 1번

4 그림은 전자기파 스펙트럼에 대하여 학생 A, B, C가 대화하는 모습을 나타낸 것이다.

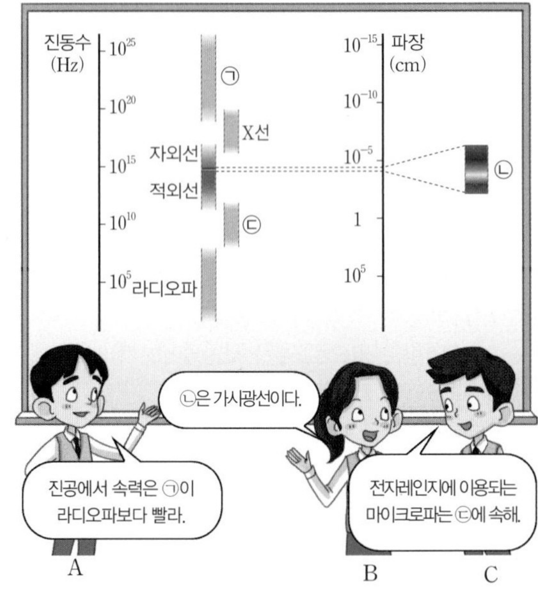

제시한 내용이 옳은 학생만을 있는 대로 고른 것은?

① A ② B ③ A, C
④ B, C ⑤ A, B, C

5 그림과 같이 두 스피커 A와 B에서 진동수와 세기가 일정한 소리를 동일하게 발생시키고, 직선 PT를 따라 이동하면서 소리를 측정하였더니 점 P, R, T에서 소리의 크기가 최대였고, 점 Q, S에서 소리의 크기가 최소였다.

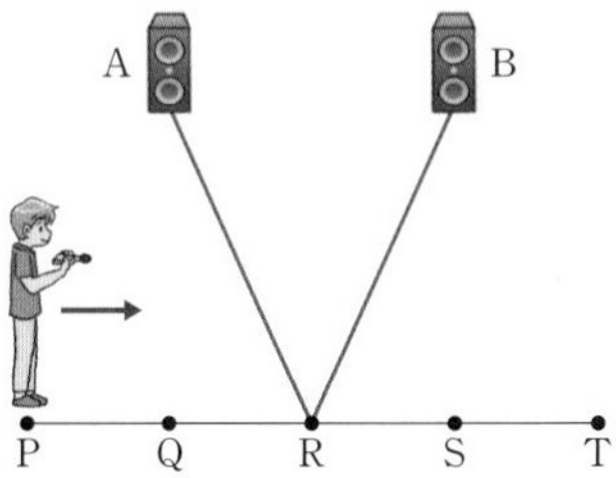

이에 대한 설명으로 옳은 것만을 〈보기〉에서 있는 대로 고른 것은?

보기
ㄱ. Q, S에서는 소리의 상쇄 간섭이 일어났다.
ㄴ. R에서는 소리의 보강 간섭이 일어났다.
ㄷ. 이런 현상을 이용하면 소음을 제거할 수 있다.

① ㄱ ② ㄷ ③ ㄱ, ㄴ
④ ㄴ, ㄷ ⑤ ㄱ, ㄴ, ㄷ

정답과 해설 37쪽

6 (가)~(마)는 빛과 관련된 여러 가지 현상들이다.

> (가) 물이 담긴 컵 속에 넣은 젓가락이 꺾여 보인다.
> (나) 비눗방울에 무지갯빛 무늬가 나타난다.
> (다) 더운 여름날 고속도로에서 신기루가 생긴다.
> (라) 연못이나 수영장 바닥이 실제보다 얕아 보인다.
> (마) 신용카드의 홀로그램은 보는 각도에 따라 다른 무늬가 보인다.

(가)~(마)를 현상이 일어나는 원리가 같은 것끼리 묶어 다음과 같이 두 그룹으로 분리하였다.

> 그룹 1: (가), (다), (라)
> 그룹 2: (나), (마)

그룹 1, 2로 분리한 원리가 무엇인지 서술하시오.

2019학년도 수능 9번 변형

7 그림 (가)는 단색광 A, B를 광전관의 금속판에 비추는 모습을 나타낸 것이고, (나)는 A, B의 세기를 시간에 따라 나타낸 것이다. t_1일 때 광전자가 방출되지 않고, t_2일 때 광전자가 방출된다.

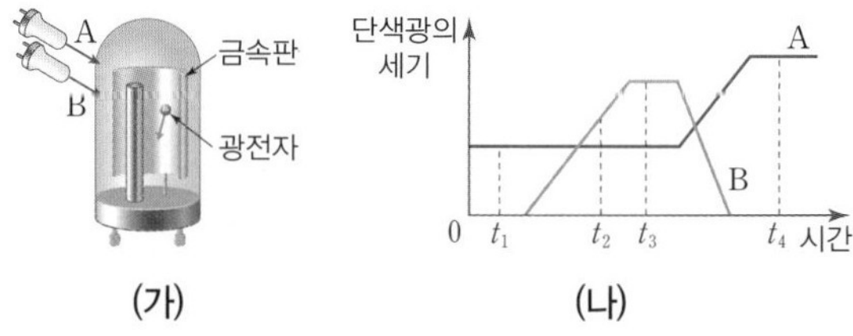

(가) (나)

t_2일 때, A의 진동수, B의 진동수, 금속판의 문턱 진동수를 부등호로 비교하시오.

8 광전 효과 실험에서 금속 표면에 어떤 파장의 빛을 비추었더니 전자가 방출되지 않았다. 이에 대한 설명으로 옳은 것만을 〈보기〉에서 있는 대로 고르시오.

> 보기
> ㄱ. 빛의 세기가 약했다.
> ㄴ. 빛의 파장이 너무 짧았다.
> ㄷ. 빛의 진동수가 어떤 특정값보다 작았다.

9 드브로이 파장이 λ이고, 질량이 m인 물체가 운동을 하고 있다. 이 물체의 운동 에너지를 옳게 나타낸 것은? (단, h는 플랑크 상수이다.)

① $\dfrac{h^2}{2m\lambda^2}$ ② $\dfrac{h^2}{2m\lambda}$ ③ $\dfrac{h^2}{m\lambda^2}$
④ $\dfrac{h}{2m\lambda^2}$ ⑤ $\dfrac{h}{m\lambda}$

10 그림 (가), (나)는 두 종류의 현미경으로 모기를 관찰한 모습을 나타낸 것이다.

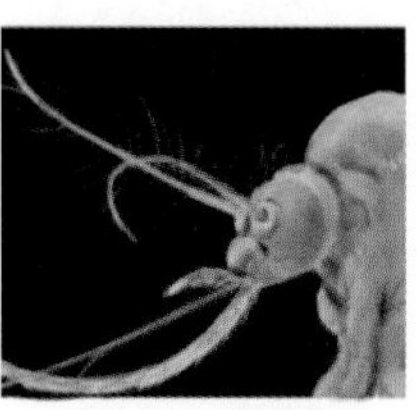

(가) 광학 현미경으로 본 모기

(나) 전자 현미경으로 본 모기의 눈

이에 대한 설명으로 옳은 것만을 〈보기〉에서 있는 대로 고른 것은?

> 보기
> ㄱ. (나)의 분해능이 (가)의 분해능보다 좋다.
> ㄴ. (나)는 전자의 파동성을 이용한 현미경이다.
> ㄷ. 전자 현미경은 광학 현미경보다 더 높은 배율로 볼 수 있다.

① ㄱ ② ㄷ ③ ㄱ, ㄴ
④ ㄴ, ㄷ ⑤ ㄱ, ㄴ, ㄷ

해변가에서 피부가 타는 까닭은 무엇일까요?

정답과 해설 38쪽

| 2020학년도 6월 모평 1번 |

다음은 어떤 화장품과 관련된 내용이다. A, B, C는 가시광선, 자외선, 적외선을 순서 없이 나타낸 것이다.

햇빛에는 우리 눈에 보이는 [A] 외에도 파장이 더 짧은 자외선과 더 긴 [B]도 포함되어 있다. 햇빛이 강한 여름에 야외 활동을 할 때에는 피부를 보호하기 위해 [C]을 차단할 수 있는 화장품을 사용하는 것이 좋다.

이에 대한 설명으로 옳은 것만을 <보기>에서 있는 대로 고른 것은?

보기

ㄱ. A는 가시광선이다.
ㄴ. 진동수는 B가 C보다 크다.
ㄷ. 열을 내는 물체에서는 B가 방출된다.

① ㄱ　② ㄴ　③ ㄱ, ㄷ　④ ㄴ, ㄷ　⑤ ㄱ, ㄴ, ㄷ

특강 전자기파의 종류와 이용

전자기파 스펙트럼

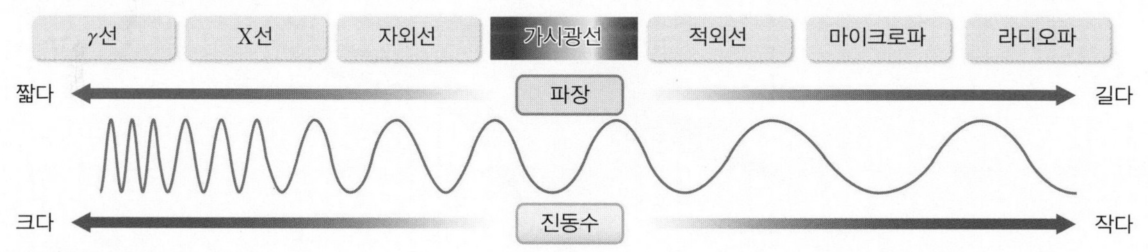

전자기파의 이용

명칭	이용 분야
라디오파	휴대 전화, 라디오, 텔레비전
마이크로파	전자레인지, 기상 레이더, 위성 통신
적외선	온도계, 리모컨, 자동문, 열화상 카메라
가시광선	조명, 영상 장치(TV, 모니터), 레이저 포인터, 광학 장치(망원경, 광학 현미경)
자외선	자외선 소독기, 위조지폐 감별, 형광등
X선	공항 검색대, X선 촬영
γ선	방사선 치료

1

2020년 9학년도 모평 3번

광통신과 전자기파

다음은 광통신에 쓰이는 전자기파 A와 광섬유에 대한 설명이다. ❶

- A의 파장은 가시광선보다 길고, 마이크로파보다 짧다. ❷
- A는 광섬유의 코어로 입사하여 코어와 클래딩의 경계면에서 전반사한다. ❸

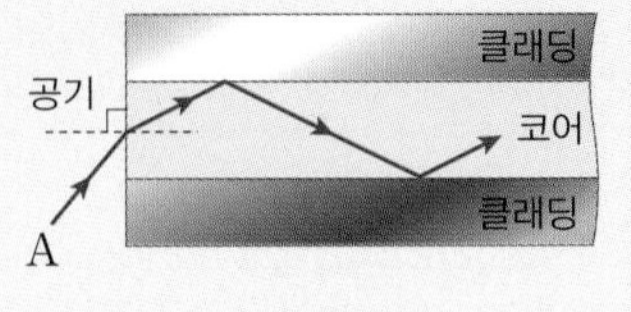

이에 대한 설명으로 옳은 것만을 <보기>에서 있는 대로 고른 것은?

보기

ㄱ. A는 자외선이다.
ㄴ. 굴절률은 클래딩이 코어보다 크다.
ㄷ. A의 속력은 코어에서가 공기에서보다 느리다.

① ㄱ ② ㄷ ③ ㄱ, ㄴ ④ ㄴ, ㄷ ⑤ ㄱ, ㄴ, ㄷ

❶ 광섬유의 구조

빛을 전송시킬 수 있는 투명한 유리 섬유로 된 관으로, 중앙의 코어를 클래딩이 감싸고 있는 이중 원기둥 모양이다. 빛은 코어 내에서 전반사하면서 진행한다.

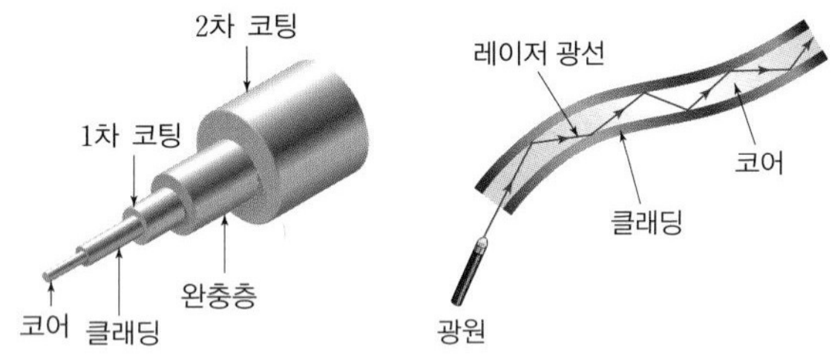

❷ 전자기파의 종류와 이용

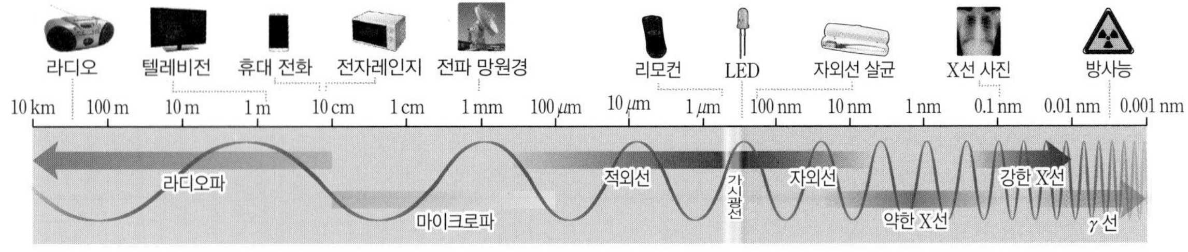

❸ 전반사

- 전반사: 빛이 한 매질에서 다른 매질로 진행할 때, 매질의 경계면에서 굴절 없이 전부 반사되는 현상
- 전반사 조건: 빛이 굴절률이 큰 매질(빛의 속력이 느린 매질, 밀한 매질)에서 굴절률이 작은 매질(빛의 속력이 빠른 매질, 소한 매질)로 진행할 때 입사각이 임계각보다 큰 경우에 발생한다.

정답과 해설 38쪽

2 2020학년도 3월 학평 17번 전자기파의 이용

다음은 학생이 전자기파 ㉠, ㉡에 대해 조사한 내용이다

- 형광등 내부의 수은에서 방출된 (㉠)이 형광등 내부에 발라놓은 형광 물질에 흡수되면 형광 물질에서 (㉡)이 방출된다.

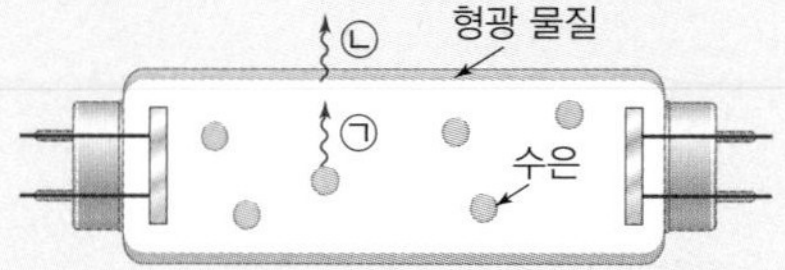

- (㉠)은 살균 기능이 있어 식기 소독기에 이용된다.
- (㉡)은 광학 현미경에 이용된다.

㉠, ㉡에 들어갈 전자기파는?

	㉠	㉡
①	자외선	가시광선
②	자외선	감마(γ)선
③	자외선	X선
④	적외선	가시광선
⑤	적외선	감마(γ)선

» 자료 분석 Tip
전자기파의 종류에 따른 이용 예를 알고 있어야 한다.

» 문제 해결 Tip
형광등의 작동 원리를 몰라도 기본적인 전자기파의 이용 예를 알고 있다면 해결할 수 있는 문제이다. 광학 현미경에 이용되려면 우리 눈에 보이는 전자기파여야 한다.

3 2016학년도 9월 학평 12번 소리의 간섭

그림 (가)는 특정한 진동수의 초음파를 이용하여 해저 지형을 조사하는 모습을, (나)는 소음을 제거하는 헤드폰의 원리를 간단히 나타낸 것이다.

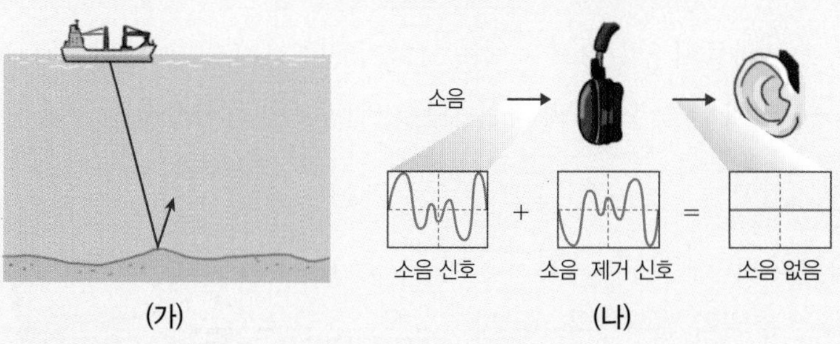

(가) (나)

이에 대한 설명으로 옳은 것만을 〈보기〉에서 있는 대로 고른 것은?

보기

ㄱ. (가)의 초음파 진동수는 사람이 들을 수 있는 소리의 진동수보다 작다.
ㄴ. (나)는 파동의 간섭 현상을 이용한다.
ㄷ. (가)의 초음파 속력은 공기 중에서가 바닷물 속에서보다 크다.

① ㄱ ② ㄴ ③ ㄱ, ㄷ ④ ㄴ, ㄷ ⑤ ㄱ, ㄴ, ㄷ

» 자료 분석 Tip
그림 (나)를 보고 파동이 상쇄 간섭하는지 보강 간섭하는지 파악할 수 있어야 한다.

» 문제 해결 Tip
두 파동이 같은 위상으로 중첩하여 합성파의 진폭이 커지는 것은 보강 간섭, 두 파동이 반대 위상으로 중첩하여 합성파의 진폭이 작아지는 것은 상쇄 간섭이다.

4주 특강

4 2012학년도 수능 17번

광전 효과

다음은 빛의 진동수와 세기에 따른 광전 효과를 확인하는 실험 과정과 결과이다.

[실험 과정]

(가) 검전기 위에 아연판을 놓고 (−)전하로 대전시켜 금속박이 벌어지도록 한다.
(나) 아연판에 네온등을 비춘다.
(다) 아연판에 네온등 대신 자외선등을 비춘다.
(라) 자외선등을 아연판에 더 가까이 비춘다.

네온등 또는 자외선등
아연판
금속박

[실험 결과]

- (나)에서는 금속박이 오므라들지 않는다.
- (다)에서는 금속박이 서서히 오므라든다. ❶❷
- (라)에서는 (다)에서보다 금속박이 더 빨리 오므라든다. ❸

이에 대한 설명으로 옳은 것만을 〈보기〉에서 있는 대로 고른 것은?

보기

철수: (다) 과정은 아연판에 비추는 빛의 진동수를 바꾸기 위해서야.
영희: 금속박이 오므라드는 것은 아연판에서 광전자가 방출되기 때문이야.
민수: 자외선등을 가까이 비추어 빛의 세기를 크게 하였더니 단위 시간당 방출되는 광전자의 수가 증가했어.

① 철수 ② 민수 ③ 철수, 영희 ④ 영희, 민수 ⑤ 철수, 영희, 민수

❶ 광전 효과의 발생

(나)에서 네온등에 의해 금속박이 오므라들지 않았으므로 광전 효과가 일어나지 않았다. 반면 (다)에서 네온등보다 진동수가 큰 자외선등에 의해 금속박이 오므라든 것은 아연판에서 광전자가 방출된 것이므로 광전 효과가 일어났다.

❷ 광전 효과가 일어날 때 검전기 금속박의 변화

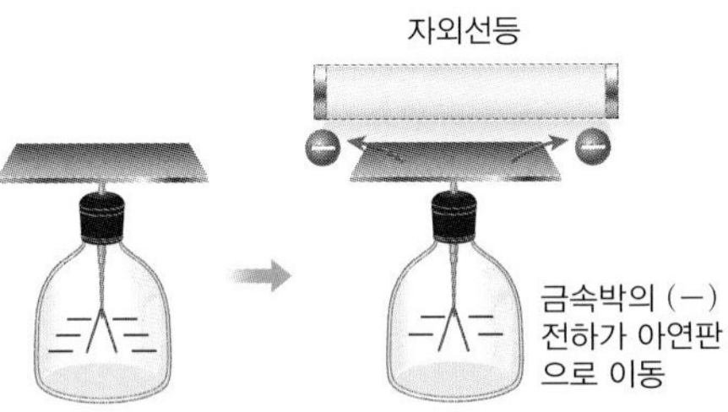

자외선등을 비추면 아연판에서 광전 효과가 일어난다. 즉, 아연판의 광전자가 외부로 방출되고, 금속박에 있던 (−)전하가 아연판으로 이동하여 금속박의 (−)전하량이 줄어든다. 따라서 금속박이 오므라든다.

❸ 광전 효과의 활발한 정도

(라)에서 자외선등을 아연판에 더 가까이 비추었을 때 (다)보다 금속박이 더 빨리 오므라든 것은 빛의 세기가 커져 광전 효과가 더 활발히 일어나기 때문이다.

정답과 해설 38쪽

5 2021학년도 수능 5번

빛의 이중성

다음은 빛의 이중성에 대한 내용이다.

오랫동안 과학자들 사이에 빛이 파동인지 입자인지에 관한 논쟁이 있어 왔다. 19세기에 빛의 간섭 실험과 매질 내에서 빛의 속력 측정 실험 등으로 빛의 파동성이 인정받게 되었다. 그러나 빛의 파동성으로 설명할 수 없는 (㉠)을/를 아인슈타인이 광자(광양자)의 개념을 도입하여 설명한 이후, 여러 과학자들의 연구를 통해 빛의 입자성도 인정받게 되었다.

이에 대한 설명으로 옳은 것만을 <보기>에서 있는 대로 고른 것은?

보기

ㄱ. 광전 효과는 ㉠에 해당된다.

ㄴ. 전하 결합 소자(CCD)는 빛의 입자성을 이용한다.

ㄷ. 비눗방울에서 다양한 색의 무늬가 보이는 현상은 빛의 파동성으로 설명할 수 있다.

① ㄱ ② ㄷ ③ ㄱ, ㄴ ④ ㄴ, ㄷ ⑤ ㄱ, ㄴ, ㄷ

>> 자료 분석 Tip

빛의 파동성을 나타내는 현상과 빛의 입자성을 나타내는 현상에는 어떤 것들이 있는지 알고 있어야 한다.

>> 문제 해결 Tip

전하 결합 소자(CCD)는 광다이오드를 이용한 것으로 광다이오드에 빛을 쪼이면 광전 효과가 일어난다. 광전 효과는 빛의 입자성을 나타내는 현상이다.

물질파 파장

그림은 입자가 연직 아래로 운동하는 것을 나타낸 것이다. 기준선 A, B를 지날 때 입자의 물질파 파장은 각각 $2\lambda_0$, λ_0이다.

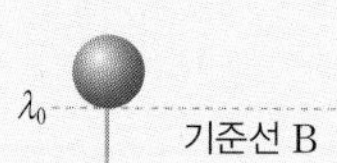

입자가 A와 B를 지나는 순간 입자의 운동량의 크기를 각각 p_A, p_B라고 할 때, $p_A : p_B$는?

① 1 : 1 ② 1 : 2 ③ 1 : 4 ④ 2 : 1 ⑤ 4 : 1

>> 자료 분석 Tip

물질파 파장이 주어졌을 때 입자의 운동량을 비교하는 문제이다. 따라서 물질파 파장과 운동량의 관계를 알고 있어야 한다.

>> 문제 해결 Tip

물질파 파장은 $\lambda = \frac{h}{p}$(h: 플랑크 상수)로 구할 수 있다. 플랑크 상수는 변하지 않으므로 이 식을 통해 파장이 주어졌을 때 운동량을 비교할 수 있다.

시작은

하루 수능

정답과 해설

천재교육

정답과 해설 포인트 3가지

- ▶ 혼자서도 이해할 수 있는 친절한 문제 풀이
- ▶ 정답과 오답에 대한 상세한 설명 제시
- ▶ 자료에 대한 분석 방법을 알고 싶을 때는 자료 해설!

정답과 해설

1주 **I. 역학과 에너지**

1일 개념 확인 11쪽

1-1 (1) 6, 5, 2 (2) 6, 2, 2 (3) 6, 3, 2
1-2 (1) ○ (2) ○ (3) × (4) ×
2-1 (1) 클 (2) 변위
2-2 (1) 4 m/s (2) 64 m

1-1 A, B, C 모두 변위의 크기는 6 m로 같다.
(1) A: 이동 거리가 15 m이므로 속력$=\frac{\text{이동 거리}}{\text{걸린 시간}}=\frac{15\text{ m}}{3\text{ s}}$ $=5$ m/s이다. 변위의 크기가 6 m이므로 속도$=\frac{\text{변위}}{\text{걸린 시간}}$ $=\frac{6\text{ m}}{3\text{ s}}=2$ m/s이다.
(2) B: 이동 거리가 6 m이므로 속력$=\frac{6\text{ m}}{3\text{ s}}=2$ m/s이고, 속도$=\frac{6\text{ m}}{3\text{ s}}=2$ m/s이다.
(3) C: 이동 거리가 9 m이므로 속력$=\frac{9\text{ m}}{3\text{ s}}=3$ m/s이고, 속도$=\frac{6\text{ m}}{3\text{ s}}=2$ m/s이다.

1-2 (1) 이동 거리는 A>C>B 순으로 크다.
(2) 변위의 크기는 처음 위치와 나중 위치 사이의 직선 거리이므로 A, B, C 모두 같다.
(3) 속도는 변위가 같으므로 모두 같다.
(4) 속력은 이동 거리가 클수록 크므로 A>C>B 순이다.

2-1 (1) 위치－시간 그래프에서 기울기는 속도를 나타낸다. 따라서 기울기가 클수록 속도의 크기가 크다.
(2) 속도－시간 그래프에서 그래프 아래의 넓이는 속도와 시간의 곱인 변위를 의미한다.

2-2 (1) 이동 거리－시간 그래프에서 직선의 기울기는 속력을 나타내므로 속력$=\frac{\text{이동 거리}}{\text{시간}}=\frac{16\text{ m}}{4\text{ s}}=4$ m/s이다.
(2) 속력－시간 그래프에서 그래프 아래의 넓이는 이동 거리를 나타내므로 이동 거리$=16\text{ m/s}\times4\text{ s}=64$ m이다.

1일 개념 확인 13쪽

3-1 (1) 1 (2) －1 (3) 0 (4) 작다
3-2 (1) ○ (2) × (3) ×
4-1 (1) 9 m/s (2) 13.5 m (3) 1 m/s^2
4-2 (1) 4 m/s^2 (2) 4 m/s (3) 48 m

3-1 (1) A는 그래프가 시간축에 나란하므로 1 m/s의 속도로 등속 직선 운동을 한다.
(2) 속도－시간 그래프의 기울기는 가속도를 나타내므로 B의 가속도는 -1 m/s^{2}으로 일정하다.
(3) 속도－시간 그래프에서 변위의 크기는 그래프와 시간축 사이의 넓이로 구할 수 있다. 따라서 B는 0~3초 동안 처음 운동 방향으로 4.5 m 이동하고 3~6초 동안 다시 반대 방향으로 4.5 m 이동하였으므로 전체 변위는 0이다.
(4) 0~6초 동안 A가 이동한 거리는 6 m이고, B가 이동한 거리는 9 m이다. 평균 속력은 일정한 시간 동안 이동한 거리를 걸린 시간으로 나눈 값이다. 0~6초 동안 이동한 거리는 A가 B보다 작으므로 평균 속력도 A가 B보다 작다.

3-2 (1) 속도－시간 그래프에서 기울기는 가속도를 나타낸다. 따라서 0~2초까지는 -1 m/s^{2}이고, 2~4초 동안은 0이며, 4~6초까지는 -1 m/s^{2}이다.
(2) 5초일 때 가속도는 -1 m/s^{2}이므로 물체의 운동 방향과 가속도의 방향은 반대이다.
(3) 속도－시간 그래프에서 그래프 아래의 넓이는 이동 거리를 나타내므로 0~2초 동안 이동 거리는 6 m이고, 4~6초 동안 이동 거리는 2 m이다.

4-1 (1) 가속도－시간 그래프에서 그래프 아래의 넓이는 속도의 변화량이므로 3초일 때 속도는 $3\text{ m/s}^2\times3\text{ s}=9$ m/s이다.
(2) 속도－시간 그래프에서 그래프 아래의 넓이는 이동 거리를 나타내므로 0~3초 동안 이동 거리는
$\frac{1}{2}\times(6+3)\times3=13.5$(m)이다.
(3) 속도－시간 그래프에서 그래프의 기울기는 가속도를 나타내므로 물체의 가속도는 $\frac{6\text{ m/s}-3\text{ m/s}}{3\text{ s}}=1$ m/s^{2}이다.

4-2 (1) 정지해 있던 자동차가 등가속도 직선 운동을 하여 5초 후 속력이 20 m/s가 되므로 가속도는 $a=\frac{20-0}{5}=4$(m/s^2)이다.
(2) 1초 후 자동차의 속력은 $v=v_0+at=0+4\times1$ $=4$(m/s)이다.
(3) 자동차가 1초부터 5초까지 이동한 거리 L은 등가속도 직선 운동 방정식 $2as=v^2-{v_0}^2$ → $s=\frac{v^2-{v_0}^2}{2a}$을 이용하여 구하면 $L=\frac{20^2-4^2}{2\times4}=48$(m)이다.

1일 기초 유형 연습 14~15쪽

1 ④ **2** (1) 8 m (2) 0 (3) 2 m/s **3** ②
4 (1) 2 m/s (2) 0.5 m/s^2 (3) A: 8 m, B: 6 m **5** ⑤
6 (1) 2 m/s^2, 4 m (2) 0 (3) 해설 참조

1 ① 0~10초 동안 운동 방향이 변하지 않았으므로 이동 거리와 변위의 크기는 같다.

② 15초일 때 강아지는 동쪽으로 40 m인 곳에 위치하므로 0~15초 동안 변위는 동쪽으로 40 m이다.

③ 0~10초 동안 일정한 빠르기로 이동했으므로 5초일 때 속도는 평균 속도와 같다. 0~10초 동안 변위의 크기는 60 m이므로 평균 속도의 크기는 $\frac{\text{변위}}{\text{걸린 시간}}=\frac{60\text{ m}}{10\text{ s}}=$ 6 m/s이고, 방향은 동쪽이다.

⑤ 전체 이동 거리는 60 m+20 m=80 m이다.

오답 풀이

④ 0~15초 동안 변위의 크기가 40 m이므로 평균 속도의 크기는 $\frac{40\text{ m}}{15\text{ s}}=\frac{8}{3}$ m/s이고, 방향은 동쪽이다.

2 (1) 위치－시간 그래프에서 2초일 때 물체의 위치는 8 m이다. 물체의 운동 방향이 변하지 않았으므로 0~2초 동안 이동 거리는 8 m이다.

(2) 2~4초 동안 물체의 위치가 변하지 않았으므로 물체의 속력은 0이다.

(3) 0~4초 동안 물체의 위치 변화는 8 m이므로 평균 속력은 $\frac{\text{이동 거리}}{\text{걸린 시간}}=\frac{8\text{ m}}{4\text{ s}}=2$ m/s이다.

3 속도－시간 그래프에서 기울기는 가속도를 나타내고, 그래프 아래의 넓이는 이동 거리를 나타낸다.

ㄱ. 0~2초 동안은 속도가 일정하게 증가하는 등가속도 직선 운동을 하고, 2~3초 동안은 속도가 일정하게 감소하는 등가속도 직선 운동을 한다.

ㄴ. 등가속도 직선 운동을 할 때 평균 속도는 $\frac{\text{처음 속도}+\text{나중 속도}}{2}=\frac{4\text{ m/s}+0}{2}=2$ m/s이다.

오답 풀이

ㄷ. 속도－시간 그래프에서 그래프 아래의 넓이는 변위를 나타낸다. 따라서 0~3초 동안 물체의 변위는 처음 운동 방향으로 $\frac{1}{2}\times 4\text{ m/s}\times 3\text{ s}=6$ m이다.

4 속도－시간 그래프에서 기울기는 가속도를 나타내며, 그래프 아래의 넓이는 이동 거리를 나타낸다. A, B 모두 기울기가 일정하므로 등가속도 운동을 하고, 기울기가 큰 B의 가속도가 A보다 크다.

(1) 등가속도 직선 운동을 하는 경우 평균 속도는 처음 속도와 나중 속도의 중간값이므로 0~4초 동안 A의 평균 속도는 다음과 같다.

$$v_{\text{평균}}=\frac{\text{처음 속도}+\text{나중 속도}}{2}=\frac{1\text{ m/s}+3\text{ m/s}}{2}$$
$$=2\text{ m/s}$$

(2) 속도－시간 그래프에서 기울기는 가속도를 나타내므로 2초일 때 A의 가속도는 $\frac{2\text{ m/s}-1\text{ m/s}}{2\text{ s}}=0.5\text{ m/s}^2$ 이다.

(3) 속도－시간 그래프 아래 넓이는 이동 거리를 나타내므로 A의 이동 거리는 $\frac{1}{2}\times(1\text{ m/s}+3\text{ m/s})\times 4\text{ s}=8$ m, B의 이동 거리는 $\frac{1}{2}\times 3\text{ m/s}\times 4\text{ s}=6$ m이다.

5 ㄱ. 속도－시간 그래프에서 기울기는 가속도를 나타내므로 0~2초 동안 가속도는 $\frac{\text{속도 변화량}}{\text{걸린 시간}}=\frac{20\text{ m/s}}{2\text{ s}}=10\text{ m/s}^2$ 이다.

ㄴ. 0~2초 동안과 5~6초 동안 자동차는 등가속도 직선 운동을 한다. 따라서 0~2초 동안의 평균 속력은 $\frac{0+20\text{ m/s}}{2}$ $=10$ m/s, 5~6초 동안의 평균 속력은 $\frac{20\text{ m/s}+0}{2}$ $=10$ m/s로 서로 같다.

ㄷ. 5~6초 동안 자동차의 이동 거리는 그래프 아래의 넓이와 같으므로 $\frac{1}{2}\times 20\text{ m/s}\times 1\text{ s}=10$ m이다.

6 (1) 0~2초 동안 가속도의 크기는 그래프의 기울기와 같은 2 m/s^{2}이고, 이동 거리는 그래프 아래의 넓이와 같으므로 $\frac{1}{2}\times 4\text{ m/s}\times 2\text{ s}=4$ m이다.

(2) 3~5초 동안은 속도가 감소하는 가속도 운동, 즉 처음 운동 방향과 반대 방향으로 가속도가 작용하는 운동을 한다. 3~5초 동안 변위는 0이므로 평균 속도 역시 0이다.

(3) 모범 답안 **속도-시간 그래프에서 그래프와 시간축이 이루는 넓이는 이동 거리를 의미하므로 5～9초 동안 이동 거리는 $\frac{1}{2}\times 4\text{ m/s}\times 4\text{ s}=8$ m이다.**

자료 해설 **속도－시간 그래프의 해석**

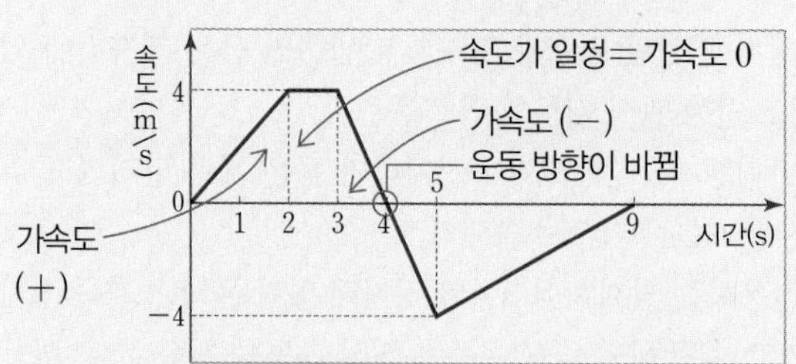

속도－시간 그래프에서 그래프 아래의 넓이는 이동 거리(변위)를 의미한다.

2일 개념 확인 17쪽

1-1 (1) F_1+F_2 (2) F_1-F_2 (3) 0, 평형
1-2 (1) 30 N, 오른쪽 (2) 10 N, 오른쪽 (3) 0
2-1 뉴턴 운동 제1법칙(관성 법칙)
2-2 (1) ○ (2) × (3) ×

1-1 (1) 같은 방향으로 작용하는 두 힘의 합력은 두 힘의 합(F_1+F_2)과 같다.
(2) 반대 방향으로 작용하는 두 힘의 합력은 큰 힘에서 작은 힘을 뺀 값(F_1-F_2)과 같으며, 알짜힘의 방향은 큰 힘의 방향이다.
(3) 크기가 같은 두 힘이 한 물체에 서로 반대 방향으로 작용하면 합력이 0이 된다. 즉 물체에 작용하는 알짜힘이 0이 되고 힘의 평형을 이룬다.

1-2 (1) 10 N의 힘과 20 N의 힘이 모두 오른쪽으로 작용하므로 알짜힘의 크기는 두 힘의 합인 30 N이고 힘의 방향은 오른쪽이다.
(2) 10 N의 힘은 왼쪽으로, 20 N의 힘은 오른쪽으로 작용하므로 알짜힘의 크기는 큰 힘에서 작은 힘을 뺀 10 N이고 힘의 방향은 큰 힘의 방향인 오른쪽이다.
(3) 크기가 10 N으로 같은 두 힘이 서로 반대 방향으로 작용하므로 합력은 0이다.

2-1 제시된 현상들은 모두 관성에 의한 현상으로 뉴턴 운동 제1법칙(관성 법칙)으로 설명할 수 있다.
• 휴지를 재빠르게 잡아당기면 휴지 뭉치에는 정지해 있으려는 관성이 작용하므로 휴지가 풀리지 않고 끊어진다.
• 컵 위에 동전이 올려진 종이를 빠르게 치면 종이는 갑자기 움직이지만 동전에는 정지한 상태를 유지하려는 정지 관성이 작용한다. 따라서 동전은 그대로 있다가 받치고 있던 종이가 없어지므로 컵 안으로 떨어진다.
• 망치의 자루를 바닥에 내리치면 자루는 바닥에 부딪혀 멈추지만 망치 머리는 계속 운동하는 상태를 유지하려고 한다. 따라서 망치 머리는 아래로 운동하게 되면서 자루에 단단히 박힌다.

2-2 (1) 정지해 있던 버스가 갑자기 출발하면 몸은 제자리에 있으려고 하는 관성 때문에 뒤로 쏠린다.
(2) 달리던 버스가 갑자기 정지하면 몸은 계속 달리려고 하는 관성 때문에 앞으로 쏠린다.
(3) 작용하는 알짜힘이 0이면 정지해 있던 물체는 계속 정지해 있고, 운동하던 물체는 등속 직선 운동을 계속 한다. 이를 뉴턴 운동 제1법칙(관성 법칙)이라고 한다.

2일 개념 확인 19쪽

3-1 (1) 비례 (2) 반비례
3-2 비례
4-1 (1) 3 m/s^2 (2) 2 kg (3) 24 m
4-2 ⑤

3-1 (1) 그래프 (가)를 보면 질량이 일정할 때 작용하는 힘이 2배, 3배가 되면 가속도도 2배, 3배가 되는 것을 알 수 있다. 즉, 물체의 질량이 일정할 때 물체의 가속도의 크기는 물체에 작용하는 알짜힘의 크기에 비례한다.
(2) 그래프 (나)를 보면 물체에 작용하는 알짜힘이 일정할 때 물체의 질량이 2배, 3배가 되면 물체의 가속도는 $\frac{1}{2}$배, $\frac{1}{3}$배가 되는 것을 알 수 있다. 즉, 알짜힘의 크기가 일정할 때 물체의 가속도의 크기는 물체의 질량에 반비례한다.

3-2 힘과 가속도의 관계를 알아보는 실험에서는 물체의 질량을 일정하게 하고 힘의 크기를 변화시키면서 가속도를 측정한다. 실험 결과는 가속도는 작용한 힘의 크기에 비례한다.

4-1 (1) 물체에 일정한 힘을 가하면 물체는 등가속도 운동을 하며, 가속도의 크기는 속도-시간 그래프의 기울기와 같다.
따라서 물체의 가속도의 크기$=\frac{12\text{ m/s}}{4\text{ s}}=3\text{ m/s}^2$이다.
(2) 물체에 6 N의 힘을 작용했을 때 3 m/s^{2}의 가속도를 가지므로 물체의 질량은 $F=ma$에서 $m=\frac{F}{a}=\frac{6\text{ N}}{3\text{ m/s}^2}$ $=2$ kg이다.
(3) 물체가 이동한 거리는 속도-시간 그래프 아래의 넓이와 같으므로 24 m이다.

다른 풀이
등가속도 직선 운동 방정식을 이용하는 경우 처음 속도가 0인 등가속도 직선 운동이므로
$s=\frac{1}{2}at^2=\frac{1}{2}\times 3\text{ m/s}^2\times(4\text{ s})^2=24$ m이다.

4-2 A의 가속도의 크기는 $\frac{F}{m}$, B의 가속도의 크기는 $\frac{3}{2}\frac{F}{m}$, C의 가속도의 크기는 $\frac{1}{3}\frac{F}{m}$이다. 가속도의 방향은 힘의 방향과 같으므로 A, B, C 모두 오른쪽이다.
① 가속도의 크기는 B가 $\frac{3}{2}\frac{F}{m}$으로 가장 크다.
② 힘의 방향이 모두 오른쪽이므로 물체의 가속도 방향도 모두 오른쪽이다.
③ C의 가속도의 크기는 $\frac{1}{3}\frac{F}{m}$으로 가장 작다.
④ 작용하는 알짜힘은 B가 $3F$로 가장 크다.

오답 풀이
⑤ 가속도는 물체의 질량에 반비례하고, 작용한 알짜힘에 비례한다.

2일 기초 유형 연습 20~21쪽

1 ⑤ **2** (1) 등가속도 직선 운동 (2) 0 (3) 관성 **3** (1) 해설 참조 (2) 해설 참조 **4** ④ **5** (1) 2 m/s^2 (2) 3 N (3) 6 m **6** (1) 2 m/s^2 (2) 6 N (3) 0 **7** ③

1 철수: 휴지를 갑자기 잡아당기면 휴지 뭉치는 그대로 있으려는 관성이 있어서 휴지가 끊어진다.

민수: 질량이 클수록 관성이 커서 물체의 운동 상태를 변화시키기 힘들다.

오답 풀이

영희: 물체에 작용하는 알짜힘이 0이 아닐 때 물체는 운동 상태가 변한다. 반면 알짜힘이 0일 때 물체는 운동 상태를 그대로 유지하려고 한다.

2 (1) 빗면에서 내려오는 물체가 일정한 힘(중력)을 받아 가속도가 일정한 등가속도 직선 운동을 한다.

(2) ㉡은 속도가 변하지 않는 등속 직선 운동으로, 등속 직선 운동 하는 물체에 작용하는 알짜힘은 0이다.

(3) ㉢은 관성으로, 관성에 의해 운동하는 물체는 계속 운동하려고 하고, 정지해 있는 물체는 계속 정지해 있으려고 한다.

3 (1) 그림은 정지 관성에 의한 현상을 확인하는 실험으로 동전이 올려진 종이를 빠르게 쳐 내면 동전은 관성에 의해 컵 안으로 떨어진다.

모범 답안 **동전이 컵 안으로 떨어진다.**

(2) 모범 답안 **동전에는 계속 정지해 있으려는 관성이 작용하는데, 동전을 받치고 있던 종이가 갑자기 빠져 나가므로 컵 안으로 떨어진다.**

4 그래프를 통해 수레에 일정한 힘이 작용할 때 속도가 일정하게 증가하므로 수레는 등가속도 운동을 하는 것을 알 수 있다. $2F$의 힘이 작용할 때는 F의 힘이 작용할 때보다 같은 시간 동안 속도 변화량이 2배이므로 가속도가 2배임을 알 수 있다.

ㄴ. 그래프에서 힘이 일정하게 작용하면 속도가 일정하게 증가하는 것을 알 수 있으며, 이는 가속도가 일정하다는 것을 의미한다.

ㄷ. $2F$의 힘이 작용할 때는 F의 힘이 작용할 때보다 속도 증가량이 2배이므로 가속도가 2배이다. 즉, 가속도는 작용한 힘에 비례한다는 것을 알 수 있다.

오답 풀이

ㄱ. 속도가 일정하게 증가하는 등가속도 운동에서 이동 거리는 시간의 제곱에 비례하여 증가한다. 시간에 비례하여 증가하는 것은 속도이다.

5 (1) 그래프에서 2 N의 힘이 작용했을 때 0~2초 동안 속도가 4 m/s가 증가하였으므로 가속도는 $\frac{4\text{ m/s}}{2\text{ s}}=2\text{ m/s}^2$이다.

(2) 힘 F를 작용하였을 때 0~2초 동안 속도가 6 m/s 증가하였으므로 가속도는 $\frac{6\text{ m/s}}{2\text{ s}}=3\text{ m/s}^2$이고, $F=ma$에 의해 작용하는 힘은 $F=ma=1\text{ kg}\times3\text{ m/s}^2=3\text{ N}$이다.

(3) 힘 F를 작용하였을 때 이동 거리는 속도－시간 그래프 아래의 넓이와 같으므로 $\frac{1}{2}\times6\text{ m/s}\times2\text{ s}=6\text{ m}$이다.

6 (1) 0~2초 동안 물체의 속도가 4 m/s 변했으므로 가속도는 $\frac{4\text{ m/s}}{2\text{ s}}=2\text{ m/s}^2$이다.

(2) 질량이 3 kg이고 0~2초 동안 물체의 가속도는 2 m/s^{2}이므로 물체에 작용한 힘은 $F=ma=3\text{ kg}\times2\text{ m/s}^2=6\text{ N}$이다.

(3) 2~4초 동안 물체의 속도가 변하지 않았으므로 가속도는 0이고, 작용한 알짜힘도 0이다.

7 ㄱ. A는 0~4초 동안 속도가 8 m/s 변했으므로 가속도는 $\frac{8\text{ m/s}}{4\text{ s}}=2\text{ m/s}^2$이고, B는 0~4초 동안 속도가 4 m/s 변했으므로 가속도는 $\frac{4\text{ m/s}}{4\text{ s}}=1\text{ m/s}^2$이다.

ㄷ. 0~4초 동안 B의 이동 거리는 속도－시간 그래프 아래의 넓이와 같으므로 $\frac{1}{2}\times4\text{ m/s}\times4\text{ s}=8\text{ m}$이다.

오답 풀이

ㄴ. A의 가속도가 2 m/s^{2}이므로 $F_A=ma=2\text{ kg}\times2\text{ m/s}^2=4\text{ N}$이다.

3일 개념 확인 23쪽

1-1 (1) 반작용 (2) 같고, 반대

1-2 ③

2-1 (1) F_1과 F_2, F_3과 F_4 (2) F_1과 F_4

2-2 (1) ○ (2) × (3) ○

1-1 (1) A가 B를 당기는 힘을 작용이라고 하면, B가 A를 당기는 힘을 반작용이라고 한다. 이를 뉴턴 운동 제3법칙(작용·반작용 법칙)이라고 한다.

(2) 작용과 반작용의 크기는 같고, 방향은 서로 반대이다.

1-2 연수가 책을 미는 힘을 작용이라 하면 책이 연수를 미는 힘이 반작용이다.

2-1 (1) 두 물체 사이에서 힘이 작용할 때 한 힘을 작용이라 하면 다른 한 힘을 반작용이라고 한다. 지구가 책을 당기는 힘(F_1)에 대한 반작용은 책이 지구를 당기는 힘(F_2)이고, 책이 책상을 누르는 힘(F_3)에 대한 반작용은 책상이 책을 떠받치는 힘(F_4)이다.

(2) 두 힘이 한 물체에 작용해서 합력이 0일 때 힘의 평형을 이룬다고 한다. 책에 작용하는 힘은 지구가 책을 당기는 힘(F_1)과 책상이 책을 떠받치는 힘(F_4)이다. 이 두 힘이 평형을 이루고 있으므로 책이 움직이지 않고 정지 상태를 유지하고 있다.

2-2 (1) (가)에서 벽을 발로 미는 힘이 작용이라면 벽이 철수를 미는 힘은 반작용이다.

(2) (나)에서 지구가 책상 위의 책을 당기는 힘과 책상이 책을 떠받치는 힘은 모두 책에 작용하고 합력이 0이므로 평형을 이루는 두 힘이다. 지구가 책을 당기는 힘에 대한 반작용은 책이 지구를 당기는 힘이다.

(3) (다)에서 영희가 휘두른 방망이가 공을 미는 힘과 공이 방망이를 미는 힘은 작용·반작용 관계이다.

3일 개념 확인 25쪽

3-1 (1) 3 (2) 9 (3) 3, 6 (4) 3
3-2 (1) × (2) ○ (3) ○
4-1 (1) ○ (2) ○ (3) ×
4-2 (1) $\frac{20}{3}$ m/s² (2) $\frac{10}{3}$ m/s² (3) (가) $\frac{20}{3}$ N, (나) $\frac{20}{3}$ N

3-1 (1) B의 가속도는 속도－시간 그래프의 기울기와 같은 $\frac{9\text{ m/s}}{3\text{ s}}=3\text{ m/s}^2$ 이다.

(2) 두 물체가 실로 연결되어 있으므로 전체 질량은 3 kg이고, 가속도가 3 m/s² 이므로 작용한 힘 F의 크기는 $3\text{ kg}\times3\text{ m/s}^2=9\text{ N}$이다.

(3) A에 작용하는 알짜힘은 $F_A=m_Aa=1\text{ kg}\times3\text{ m/s}^2=3\text{ N}$이고, B에 작용하는 알짜힘은 $F_B=m_Ba=2\text{ kg}\times3\text{ m/s}^2=6\text{ N}$이다.

(4) 실에 걸린 장력은 B가 A를 당기는 힘, 즉 A에 작용하는 알짜힘과 같으므로 $F_{BA}=m_Aa=1\text{ kg}\times3\text{ m/s}^2=3\text{ N}$이다.

3-2 (1) A, B를 붙여 놓고 밀었으므로 두 물체가 함께 운동하게 된다. 따라서 A의 가속도는 $a=\frac{F}{m}=\frac{6\text{ N}}{(1\text{ kg}+2\text{ kg})}=2\text{ m/s}^2$이다.

(2) A, B는 모두 2 m/s²의 가속도로 운동하므로 B에 작용하는 알짜힘의 크기는 $F_B=m_Ba=2\text{ kg}\times2\text{ m/s}^2=4\text{ N}$이다.

(3) B가 A에 작용하는 힘의 크기는 A가 B에 작용하는 힘의 크기와 같으므로 B에 작용하는 알짜힘의 크기와 같다. 따라서 B가 A에 작용하는 힘의 크기는 4 N이다.

4-1 (1) A, B가 도르래로 연결되어 있으므로 한 물체처럼 같이 운동을 한다. 전체 질량은 3 kg+2 kg=5 kg이고, B에 작용하는 중력이 알짜힘으로 작용하므로 A, B의 가속도의 크기는 $\frac{20\text{ N}}{5\text{ kg}}=4\text{ m/s}^2$이다.

(2) B의 질량이 2 kg이고, 가속도가 4 m/s²이므로 B가 받은 알짜힘의 크기는 $F_B=m_Ba=2\text{ kg}\times4\text{ m/s}^2=8\text{ N}$이다.

(3) 실이 B를 잡아당기는 힘은 A에 작용하는 알짜힘의 크기와 같으므로 $F_A=m_Aa=3\text{ kg}\times4\text{ m/s}^2=12\text{ N}$이다.

4-2 (가), (나) 모두 수레와 추가 연결되어 함께 운동하므로 전체 질량은 3 kg으로 같고, 작용하는 알짜힘은 매달린 추에 작용하는 중력이다.

(1) (가)에서 수레와 추에 작용하는 알짜힘이 20 N이므로 가속도의 크기는 $\frac{20\text{ N}}{3\text{ kg}}=\frac{20}{3}\text{ m/s}^2$이다.

(2) (나)에서 수레와 추에 작용하는 알짜힘이 10 N이므로 가속도의 크기는 $\frac{10\text{ N}}{3\text{ kg}}=\frac{10}{3}\text{ m/s}^2$이다.

(3) 실에 걸리는 장력은 수레에 작용하는 알짜힘과 같으므로 (가)에서 수레에 작용하는 알짜힘은
$1\text{ kg}\times\frac{20}{3}\text{ m/s}^2=\frac{20}{3}\text{ N}$이고,
(나)에서 수레에 작용하는 알짜힘은
$2\text{ kg}\times\frac{10}{3}\text{ m/s}^2=\frac{20}{3}\text{ N}$이다.

3일 기초 유형 연습 26~27쪽

1 ⑤ **2** ④ **3** (1) 같다. (2) 해설 참조
4 (1) $\frac{F}{m_A+m_B}$ (2) A: $\frac{m_AF}{m_A+m_B}$, B: $\frac{m_BF}{m_A+m_B}$
5 (1) $\frac{F}{m_A+m_B}$ (2) $\frac{m_BF}{m_A+m_B}$ (3) $\frac{m_AF}{m_A+m_B}$
6 (1) $\frac{2}{3}g$ (2) $\frac{2}{3}mg$ **7** ①

1 작용·반작용 관계에 있는 두 힘은 서로 다른 두 물체 사이에서 상호 작용 하는 힘이다. 작용·반작용은 크기가 같고 방향이 서로 반대이며 동일 작용선상에서 작용한다.

오답 풀이
작용·반작용 관계에 있는 두 힘은 작용점이 서로 다른 물체에 있으므로 합성할 수 없다.

2 배를 타고 갈 때 노를 뒤로 저으면 그 반작용으로 배가 앞으로 나아간다.

오답 풀이
①, ②, ③은 관성에 대한 예이고, ⑤는 충격력과 시간의 관계에 대한 예이다.

3 (1) F_{AB}와 F_{BA}는 작용·반작용 관계에 있는 두 힘이므로 크기는 같고, 방향은 반대이다.

(2) 모범 답안 **A가 B를 세게 당기면 반작용으로 B도 A를 세게 당긴다. 즉 F_{AB}가 증가하면 F_{BA}도 증가한다.**

4 두 물체를 붙여 놓거나 연결해 놓으면 두 물체는 한 물체처럼 함께 운동한다.

(1) A를 밀면 두 물체 A, B가 함께 운동하므로 두 물체를 한 덩어리로 볼 수 있다. 따라서 물체의 전체 질량은 m_A+m_B이므로 가속도는 $a=\frac{F}{m}=\frac{F}{m_A+m_B}$이다.

(2) 운동 방정식 $F=ma$에 A, B의 질량과 가속도를 적용하면 $F_A=m_Aa=\frac{m_AF}{m_A+m_B}$, $F_B=m_Ba=\frac{m_BF}{m_A+m_B}$이다.

5 A, B가 실로 연결되어 있으므로 한 물체처럼 함께 운동한다.

(1) 전체 질량은 두 물체의 질량의 합으로 m_A+m_B이고 작용한 힘은 F이므로 A와 B의 가속도의 크기는 모두 $a=\frac{F}{m_A+m_B}$이다.

(2) B에 작용하는 알짜힘은 $F_B=m_Ba=m_B\times\frac{F}{m_A+m_B}=\frac{m_BF}{m_A+m_B}$이다.

(3) A가 B에 작용하는 힘은 B가 A에 작용하는 힘의 반작용으로, 크기는 같고 방향은 반대이다. B가 A에 작용하는 힘은 A에 작용하는 알짜힘과 같으므로 $F_A=m_Aa=m_A\times\frac{F}{m_A+m_B}=\frac{m_AF}{m_A+m_B}$이다.

6 (1) 두 물체 A, B가 실로 연결되어 있으므로 한 물체처럼 함께 운동한다. 따라서 전체 질량은 $3m$이고 작용한 힘은 B에 작용한 중력인 $2mg$이므로 가속도의 크기는 $\frac{2mg}{3m}=\frac{2}{3}g$이다.

(2) A에 작용하는 알짜힘은 $F_A=m_Aa=m\times\frac{2}{3}g=\frac{2}{3}mg$이다.

7 수레와 추는 실로 연결되어 있으므로 한 물체처럼 함께 운동한다.

ㄱ. (나)에서는 추가 2개이므로 (나)에서 추에 작용하는 중력은 (가)에서 추에 작용하는 중력의 2배이다.

오답 풀이

ㄴ. 추 1개에 작용하는 중력을 $m_{추}g$라고 하면 (가)와 (나)에서 수레의 가속도는 다음과 같다.

$a_{(가)}=\frac{m_{추}g}{m_{수레}+m_{추}}$

$a_{(나)}=\frac{2m_{추}g}{m_{수레}+2m_{추}}$

따라서 (나)에서 수레의 가속도는 (가)에서 수레의 가속도의 2배가 아니다.

ㄷ. (가)에서 수레의 가속도가 $a_{(가)}=\frac{m_{추}g}{m_{수레}+m_{추}}$이므로 (가)에서 수레에 작용하는 알짜힘은

$F_{(가)}=m_{수레}a_{(가)}=m_{수레}\times\frac{m_{추}g}{m_{수레}+m_{추}}$이다.

(나)에서 수레의 가속도가 $a_{(나)}=\frac{2m_{추}g}{m_{수레}+2m_{추}}$이므로 (나)에서 수레에 작용하는 알짜힘은

$F_{(나)}=m_{수레}a_{(나)}=m_{수레}\times\frac{2m_{추}g}{m_{수레}+2m_{추}}$이다.

따라서 (나)에서 수레에 작용하는 알짜힘은 (가)에서 수레에 작용하는 알짜힘의 2배가 아니다.

개념 확인 29쪽

1-1 (1) 10 N·s (2) 10 kg·m/s (3) 5 m/s
1-2 (1) $3mv$ (2) $3mv$ (3) $4mv$
2-1 (1) 15 kg·m/s (2) 15 N·s (3) 1500 N
2-2 (1) ○ (2) × (3) ○

1-1 (1) 충격량은 힘과 힘이 작용하는 시간의 곱이므로 충격량의 크기$=2\text{ N}\times5\text{ s}=10\text{ N}\cdot\text{s}$이다.

(2) 충격량과 물체의 운동량의 변화량은 같고, 정지 상태의 운동량은 0이므로 5초일 때 물체의 운동량은 10 kg·m/s이다.

(3) 물체의 운동량은 질량과 속도의 곱이므로 $2\text{ kg}\times v=10\text{ kg}\cdot\text{m/s}$에서 $v=5\text{ m/s}$이다.

1-2 (1) 운동량의 변화량은 나중 운동량에서 처음 운동량을 뺀 값이다. 오른쪽을 (+)로 했을 때 A의 운동량의 변화량은 $\Delta p=-mv-2mv=-3mv$이다.

(2) A가 벽으로부터 받은 충격량은 A의 운동량의 변화량과 같으므로 $-3mv$이다. 따라서 A가 벽으로부터 받은 충격량의 크기는 $3mv$이다.

(3) B가 벽으로부터 받은 충격량은 B의 운동량의 변화량과 같으므로 $\Delta p=-2mv-2mv=-4mv$이다. 따라서 B가 벽으로부터 받은 충격량의 크기는 $4mv$이다.

2-1 (1) 운동량은 질량과 속도의 곱이므로 $p=mv=5\text{ kg}\times3\text{ m/s}=15\text{ kg}\cdot\text{m/s}$이다.

(2) 볼링공이 벽으로부터 받은 충격량은 운동량의 변화량과 같다. 볼링공이 충돌 후 멈췄으므로 충돌 후 운동량은 0이다. 따라서 볼링공이 벽으로부터 받은 충격량의 크기는 충돌 전 볼링공이 가진 운동량의 크기와 같은 15 N·s이다.

(3) 충격량은 충격력과 충돌 시간의 곱이므로 볼링공이 벽으로부터 받은 충격력$=\frac{\text{충격량}}{\text{충돌 시간}}=\frac{15\text{ N}\cdot\text{s}}{0.01\text{ s}}=1500\text{ N}$이다.

2-2 (1) 힘-시간 그래프를 보면 A의 충격력이 B보다 더 큰 것을 알 수 있다.

(2) 동일한 컵을 같은 높이에서 떨어뜨렸으므로 충돌 직전 운동량은 두 컵이 같고, 충돌 후 둘 다 정지하므로 운동량의 변화량도 같다.

(3) 무릎 보호대는 충돌 시간을 길게 하여 충격력을 줄여서 무릎을 보호하므로 B와 같은 성질을 가진 소재를 이용한다.

4일 개념 확인 31쪽

3-1 (1) ○ (2) × (3) ○
3-2 (1) ○ (2) × (3) ○
4-1 (1) ○ (2) × (3) ○
4-2 (1) 0 (2) $-4p_0$ (3) $4p_0$

3-1 (1) 충돌 전 B는 정지 상태이므로 A, B의 운동량의 합은 A의 운동량과 같다. 따라서 운동량 보존 법칙에 의해 충돌 전 A의 운동량은 충돌 후 A, B의 운동량의 합과 같다.
(2) 충돌 과정에서 A와 B가 받은 충격력의 크기와 힘이 작용하는 시간이 같으므로 두 물체가 받은 충격량의 크기도 같다.
(3) 충돌 과정에서 A와 B가 받은 충격력은 작용·반작용 관계로 크기가 서로 같다.

3-2 (1) 충돌 전 B의 운동량은 $m \times 2v = 2mv$이고, C의 운동량은 $2m \times v = 2mv$이므로 충돌 전 B와 C의 운동량은 같다.
(2) 모든 충돌에서 운동량은 보존되므로 충돌 후 A의 속도는 $mv = 2mv'$에서 $v' = \frac{1}{2}v$이고, 충돌 후 B의 속도는 $2mv = 2mv''$에서 $v'' = v$이다. 따라서 충돌 후 A의 속력은 충돌 후 B의 속력보다 작다.
(3) 운동량 보존 법칙에 의해 두 물체의 운동량의 총합은 충돌 전후 같다.

4-1 (1) 운동량 보존 법칙에 의해 충돌 전후 운동량의 총합은 같다.
(2) A의 질량을 M이라고 하면 충돌 전 운동량의 합은 $3Mv - mv$이고, 충돌 후 운동량의 합은 $(M+2m)v$이다. 따라서 운동량 보존 법칙에 의해
$3Mv - mv = (M+2m)v$에서 $M = \frac{3}{2}m$이다.
(3) 충돌 후 세 물체가 모두 한 덩어리가 되어 운동하므로 이 충돌은 완전 비탄성 충돌이다.

4-2 (1) 충돌 전 운동량의 총합은 $p_0 + (-4p_0) = -3p_0$이고, 충돌 후 운동량의 총합은 $-3p_0$+B의 운동량이다. 충돌 전후 운동량의 총합은 보존되므로 B의 운동량은 0이다.
(2) 충돌하는 동안 A가 B로부터 받은 충격량은 A의 운동량의 변화량과 같다. 따라서 충돌하는 동안 A가 B로부터 받은 충격량은 $-3p_0 - p_0 = -4p_0$이다.
(3) 충돌하는 동안 B가 A로부터 받은 충격량은 B의 운동량의 변화량과 같다. 따라서 충돌하는 동안 B가 A로부터 받은 충격량은 $0-(-4p_0) = 4p_0$이다.

4일 기초 유형 연습 32~33쪽

1 ② **2** ㄴ, ㄷ **3** ④ **4** (1) $\frac{1}{3}v$ (2) $2mv$
5 ③ **6** (1) 해설 참조 (2) 해설 참조

1 ㄴ. 충격력$=\frac{\text{충격량}}{\text{충돌 시간}}$이다. A와 B가 받는 충격량이 같고, 충돌 시간은 A가 더 짧으므로 공이 받는 충격력은 A에서가 B에서보다 크다.

오답 풀이
ㄱ. 힘-시간 그래프에서 그래프 아래의 넓이는 충격량을 나타내는데, 그 넓이는 서로 같으므로 공이 받는 충격량의 크기는 A와 B가 같다.
ㄷ. 충돌 전 운동량은 A가 크고 A와 B의 충돌 전후 운동량의 변화량은 같다. 따라서 충돌 후 B에서의 운동량이 더 크므로 B에서의 공의 속력이 더 크다.

2 ㄴ, ㄷ. 총알이 물체에 힘을 작용하면 물체도 총알에 같은 크기의 힘을 작용하기 때문에 총알이 받은 충격량의 크기와 물체가 받은 충격량의 크기는 같다.

오답 풀이
ㄱ. 충돌 후 총알은 정지하므로 운동량이 0으로 변한다.

3 ㄱ. A는 질량이 m이고 속도가 $2v$에서 $-v$로 되었으므로 운동량의 변화량의 크기는 $3mv$이다.
ㄴ. B의 운동량의 변화량은 $-2mv - 2mv = -4mv$이므로 B가 벽으로부터 받은 충격량 크기는 $4mv$이다.

오답 풀이
ㄷ. A, B의 충돌 시간이 같다고 할 때 충격력은 충격량의 크기에 비례한다. 따라서 운동량의 변화량이 큰 B에서가 A에서보다 충격력이 크다.

4 (1) 충돌 전후 운동량은 보존되고, 충돌 후 질량은 $3m$이므로 $mv = 3mv'$에서 충돌 후 두 물체의 속력은 $v' = \frac{1}{3}v$이다.
(2) 충돌 전후 운동량은 보존되므로 (나)에서 충돌 후 두 물체의 운동량의 합은 충돌 전 운동량과 같은 $2mv$이다.

5 ㄱ. A, B의 질량이 같으므로 운동량은 공의 속도에 비례한다. 따라서 충돌 전 운동량이 큰 A가 B보다 공의 속력이 크다.
ㄴ. 충돌할 때 공이 받은 충격량은 공의 운동량의 변화량과 같다. 충돌 후 A, B 모두 정지해 운동량이 0이 되므로 충돌 전 운동량이 큰 A가 B보다 운동량의 변화량, 즉 충격량이 크다.

오답 풀이
ㄷ. 충돌 전후 운동량의 변화량이 A가 더 크고, 충돌 시간은 A가 더 작으므로 충돌할 때 받은 충격력은 A가 더 크다.

6 (1) 모범 답안 **A가 망치와 충돌하는 동안 받은 충격량은 운동량의 변화량과 같으므로 $3mv_0$이고, 충돌 시간은 t_0이다. 따라서 망치와 충돌하는 동안 받은 충격력은 $F_{망} = \frac{3mv_0}{t_0}$이다.**

(2) 모범 답안 **A가 벽과 충돌하는 동안 받은 충격량은 운동량의 변화량과 같으므로 $5mv_0$이고, 충돌 시간은 $3t_0$이다. 따라서 벽과 충돌하는 동안 받은 충격력은 $F_{벽}=\frac{5mv_0}{3t_0}$이다.**

5일 개념 확인 35쪽

1-1 (1) 8 J (2) 5 J (3) 13 J
1-2 (1) ○ (2) × (3) ○
2-1 (1) 30 J (2) 30 J (3) 20 J
2-2 (1) ○ (2) ○

1-1 힘－이동 거리 그래프에서 그래프 아래의 넓이는 힘이 한 일을 나타낸다.
(1) 0~2 m 구간에서 힘이 한 일은 $W=Fs=4\text{ N}\times2\text{ m}=8\text{ J}$이다.
(2) 2~3 m 구간에서 힘이 한 일은 $W=Fs=5\text{ N}\times1\text{ m}=5\text{ J}$이다.
(3) 0~3 m 구간에서 힘이 한 일은 0~2 m 구간에서 한 일과 2~3 m 구간에서 한 일의 합과 같다. 따라서 $8\text{ J}+5\text{ J}=13\text{ J}$이다.

1-2 힘－이동 거리(높이) 그래프에서 그래프 아래의 넓이는 힘이 한 일을 나타낸다.
(1) 0~2 m 구간에서 힘이 한 일은 $W=Fs=30\text{ N}\times2\text{ m}=60\text{ J}$이다.
(2) 2~4 m 구간에서 힘이 한 일은 $W=Fs=15\text{ N}\times2\text{ m}=30\text{ J}$이다.
(3) 0~4 m 구간에서 힘이 한 일은 0~2 m 구간에서 한 일과 2~4 m 구간에서 한 일의 합이므로 $60\text{ J}+30\text{ J}=90\text{ J}$이다.

2-1 (1) 힘이 한 일은 힘과 이동 거리의 곱이므로 물체에 한 일은 다음과 같다.
$W=Fs=30\text{ N}\times1\text{ m}=30\text{ J}$
(2) 물체에 한 일 만큼 물체의 역학적 에너지가 증가하므로 물체의 역학적 에너지는 30 J이다.
(3) 물체의 중력 퍼텐셜 에너지는 다음과 같다.
$E_p=mgh=2\text{ kg}\times10\text{ m/s}^2\times1\text{ m}=20\text{ J}$

2-2 (1) 역학적 에너지는 서로 전환될 수 있으며, 수레가 빗면을 따라 내려올 때는 중력 퍼텐셜 에너지가 운동 에너지로 전환된다.
(2) 나무 도막과 부딪히는 수레는 나무 도막을 밀고 가는 일을 하고 정지한다.

5일 개념 확인 37쪽

3-1 (1) 감소 (2) 감소 (3) 작다 (4) 같다
3-2 (1) ○ (2) × (3) ○ (4) ×
4-1 (1) × (2) ○ (3) ○
4-2 (1) 16 J (2) 0.2 m

3-1 (1) a에서 b로 가는 동안 높이가 낮아지므로 중력 퍼텐셜 에너지는 감소한다.
(2) b에서 c로 가는 동안 영희의 속도가 감소하므로 운동 에너지는 감소한다.
(3) b점에서 높이가 가장 낮으므로 중력 퍼텐셜 에너지가 가장 작다.
(4) 역학적 에너지 보존 법칙에 의해 a, b, c에서 영희의 역학적 에너지는 모두 같다.

3-2 (1) A에서 B로 이동하는 동안 높이가 감소하므로 중력 퍼텐셜 에너지는 감소한다. 중력 퍼텐셜 에너지가 감소한 만큼 운동 에너지가 증가하므로 수레의 운동 에너지는 증가한다.
(2) B에서 C로 이동하는 동안 높이가 증가하므로 중력 퍼텐셜 에너지는 증가한다.
(3) A점에서 높이가 가장 높으므로 중력 퍼텐셜 에너지가 가장 크고, B점에서 속도가 가장 크므로 운동 에너지가 가장 크다.
(4) 역학적 에너지 보존 법칙에 의해 A, B, C에서의 역학적 에너지는 모두 같다.

4-1 용수철에 물체를 매달아 당겼다가 놓으면 A, O, B 사이를 계속 왕복하는데 이때 역학적 에너지가 전환된다.
(1) 탄성 퍼텐셜 에너지는 $\frac{1}{2}kx^2$으로 용수철이 변형된 길이가 클수록 크다. 따라서 A, O, B 중 탄성 퍼텐셜 에너지가 가장 큰 지점은 용수철이 평형 상태에서 가장 멀리 떨어진 A, B 지점이다.
(2) A, O, B 중 운동 에너지가 가장 큰 지점은 속도가 가장 큰 O이다.
(3) 마찰을 무시하므로 역학적 에너지 보존 법칙에 따라 A, O, B에서 역학적 에너지는 모두 같다.

4-2 (1) 높이가 0.8 m인 곳에서 물체의 중력 퍼텐셜 에너지는 $E_p=mgh=2\text{ kg}\times10\text{ m/s}^2\times0.8\text{ m}=16\text{ J}$이다. 역학적 에너지는 보존 법칙에 의해 높이 0.8 m인 곳에서 중력 퍼텐셜 에너지가 A에서 물체의 운동 에너지로 모두 전환된다. 따라서 A에서 물체의 운동 에너지는 16 J이다.
(2) A에서 운동 에너지는 C에서 탄성 퍼텐셜 에너지로 모두 전환된다. B와 C 사이의 거리를 x라고 하면 탄성 퍼텐셜 에너지는 $E=\frac{1}{2}kx^2=16\text{ J}$이다. 따라서
$x=\sqrt{\frac{2E}{k}}=\sqrt{\frac{2\times16\text{ J}}{800\text{ N/m}}}=0.2\text{ m}$이다.

5일 기초 유형 연습 38~39쪽

1 ⑤ **2** (1) 30 N (2) 60 J **3** ④ **4** (1) 6 N (2) 24 J (3) 24 J **5** (1) $\frac{1}{2}kA^2$ (2) $\frac{1}{2}kA^2$ (3) 해설 참조 **6** ⑤

1 영희: 일은 가한 힘과 힘의 방향으로 이동한 거리의 곱으로 구한다.
민수: 마찰이 없는 평면에서 물체를 등속으로 밀 때 물체에 작용한 힘은 0이므로 한 일은 0이다.

오답 풀이
철수: 상자를 넘어지지 않도록 받치고만 있으면 이동 거리가 0이므로 한 일은 0이다.

2 (1) 등속으로 들어 올리려면 물체에 작용하는 중력과 같은 크기의 힘을 작용해야 한다. 따라서 $F=mg=3\ \text{kg}\times 10\ \text{m/s}^2=30\ \text{N}$이다.
(2) 물체에 한 일은 힘과 힘의 방향으로 이동한 거리의 곱으로 구할 수 있다.
물체를 들어 올리는 동안 한 일=중력의 크기×들어 올린 높이=$30\ \text{N}\times 2\ \text{m}=60\ \text{J}$이다.

3 ㄴ. 처음 쇠구슬을 놓았던 지점의 중력 퍼텐셜 에너지가 C점에서 모두 운동 에너지로 전환되어 나무 도막을 미는 일을 한다. 구슬을 B에 놓으면 높이가 낮아지므로 처음의 중력 퍼텐셜 에너지도 감소한다. 따라서 한 일도 감소해 이동 거리가 줄어든다.
ㄷ. A에서 중력 퍼텐셜 에너지는 C까지 내려오는 동안 운동 에너지로 전환되고 운동 에너지는 모두 나무 도막에 일을 하는 데 쓰인다.

오답 풀이
ㄱ. 역학적 에너지 보존 법칙에 의해 A에서 중력 퍼텐셜 에너지는 B에서 운동 에너지와 중력 퍼텐셜 에너지의 합과 같다.

4 (1) 속도－시간 그래프에서 기울기는 가속도를 나타내므로 0~2초 동안 가속도는 $2\ \text{m/s}^2$이다. 따라서 이때 작용한 힘은 $F=ma=3\ \text{kg}\times 2\ \text{m/s}^2=6\ \text{N}$이다.
(2) 0~2초 동안 물체의 이동 거리는 속도－시간 그래프 아래의 넓이이므로 4 m이고, 이때 작용한 힘이 6 N이다. 따라서 0~2초 동안 물체에 한 일은 $W=Fs=6\ \text{N}\times 4\ \text{m}=24\ \text{J}$이다.
(3) 2~4초 동안 물체는 속도가 일정한 등속 운동을 하였으므로 물체에 한 일은 없다. 따라서 0~4초 동안 물체에 한 일은 0~2초 동안 물체에 한 일과 같은 24 J이다.

5 (1) 용수철 상수가 k인 용수철을 A만큼 압축시켰을 때 탄성 퍼텐셜 에너지는 $E=\frac{1}{2}kA^2$이다.
(2) 역학적 에너지는 보존되므로 O에서 운동 에너지는 A에서 탄성 퍼텐셜 에너지와 같은 $\frac{1}{2}kA^2$이다.
(3) 모범 답안 역학적 에너지는 보존되므로 P에서 탄성 퍼텐셜 에너지와 운동 에너지의 합은 $\frac{1}{2}kA^2$이고, 탄성 퍼텐셜 에너지는 $\frac{1}{2}\times k\times\left(\frac{A}{2}\right)^2=\frac{1}{8}kA^2$이다. 따라서 운동 에너지는 $\frac{1}{2}kA^2-\frac{1}{8}kA^2=\frac{3}{8}kA^2$이다.

자료 해설 탄성에 의한 역학적 에너지 보존

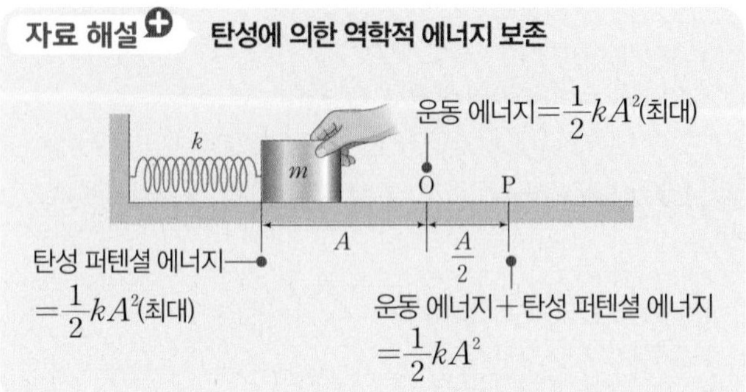

6 ㄱ. 물체가 내려가면서 중력 퍼텐셜 에너지는 감소하고 용수철이 늘어나 탄성 퍼텐셜 에너지는 증가한다.
ㄷ. 역학적 에너지가 보존되므로 물체의 중력 퍼텐셜 에너지와 탄성 퍼텐셜 에너지 및 운동 에너지의 합은 일정하다.

오답 풀이
ㄴ. 용수철이 평형 상태에서 늘어나므로 용수철의 탄성 퍼텐셜 에너지는 증가한다.

1주 누구나 100점 테스트 40~41쪽

1 ① **2** ① **3** $3\ \text{m/s}^2$ **4** ② **5** ⑤ **6** ④ **7** ② **8** 3 m/s **9** 해설 참조 **10** (가)

1 A: 자유 낙하 하는 경우 연직 아래 방향으로 직선 운동을 한다.

오답 풀이
B, C: 회전 운동이나 왕복 운동은 운동 방향이 계속 변하는 운동이다.

2 ㄱ. 지구본은 정지해 있으므로 작용하는 알짜힘이 0인 힘의 평형을 이루고 있다.

오답 풀이
ㄴ. 받침대에 작용하는 중력과 받침대가 지구를 당기는 힘이 작용·반작용 관계이고, 지면이 받침대를 떠받치는 힘과 받침대가 지면을 누르는 힘이 작용·반작용 관계이다.
ㄷ. 받침대가 지면을 누르는 힘의 크기는 $2w$이다.

3 가속도는 단위 시간당 속도 변화량이므로 다음과 같다.
$$\text{가속도}=\frac{\text{속도 변화량}}{\text{걸린 시간}}=\frac{(4-1)\ \text{m/s}}{1\ \text{s}}=3\ \text{m/s}^2$$

4 뉴턴 운동 제2법칙에 따르면 물체의 가속도는 작용한 알짜힘에 비례하고 질량에 반비례한다.

5 ㄱ. 물체를 일정한 속력으로 들어 올리고 있으므로 물체에 작용하는 알짜힘은 0이다.

ㄴ. 물체에 작용하는 알짜힘이 0이므로 줄을 당기는 힘은 중력과 평형을 이루고 있다. 따라서 줄을 당기는 힘은 일정하다.

ㄷ. 물체가 줄에 작용하는 힘은 줄이 물체를 당기는 힘과 작용·반작용 관계이므로 물체의 중력과 같은 mg이다.

6 ㄴ. 속도-시간 그래프에서 이동 거리는 그래프 아래의 넓이므로 2~4초 동안 이동한 거리는 4 m이다.

ㄷ. 4~6초 동안 기울기가 일정하므로 등가속도 직선 운동을 하고, 이때의 가속도는 $\frac{0-2\text{ m/s}}{2\text{ s}}=-1\text{ m/s}^2$이다.

물체의 질량이 2 kg이므로 작용한 힘은 $F=ma=2\text{ kg}\times-1\text{ m/s}^2=-2\text{ N}$이다. 즉, 평균 힘은 운동 방향과 반대 방향으로 2 N 작용한다.

오답 풀이

ㄱ. 0~2초 동안 속도가 일정하게 감소하는 등가속도 직선 운동을 한다.

자료 해설 속도-시간 그래프의 분석

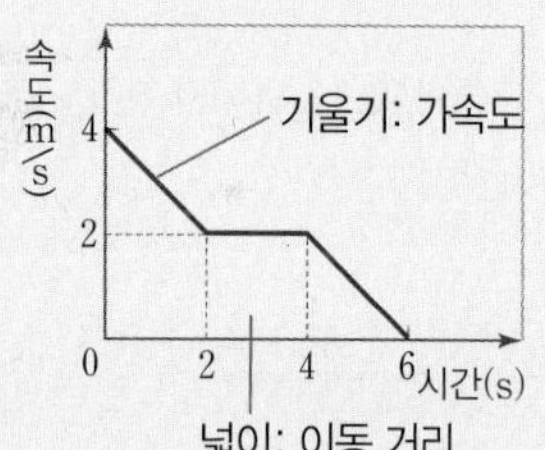

속도-시간 그래프에서는 시간에 따른 속도와 속도 변화를 알 수 있고, 그래프의 기울기에서 가속도를 알 수 있으며, 그래프 아래의 넓이에서 이동 거리를 알 수 있다. 또한 물체의 질량을 알면 시간에 따라 작용하는 힘과 한 일도 계산할 수 있다.

7 ⓐ는 뉴턴 운동 제1법칙인 관성과 관련된 예이고, ⓑ는 충돌 시간을 길게 하여 충격력을 줄이는 것을 응용한 사례이다.

ㄱ. 후추통을 흔들어 후추를 뿌리는 것은 뉴턴 운동 제1법칙인 관성을 이용하는 예로 ⓐ와 관련 있는 현상이다.

ㄴ. 포신이 긴 대포는 충돌 시간을 길게 하여 충격량이 크게 작용하도록 하는 예이다.

ㄷ. 높은 곳에서 뛰어 내릴 때 무릎을 굽히면 착지 시간이 길어져 충격력이 줄어들므로 ⓑ와 관련 있는 현상이다.

8 충돌 후 A가 0.2 m까지 올라갔으므로 A의 중력 퍼텐셜 에너지는 $E_p=mgh=1\text{ kg}\times10\text{ m/s}^2\times0.2\text{ m}=2\text{ J}$이다. 따라서 충돌 후 A의 운동 에너지는 2 J이고

$E_k=\frac{1}{2}\times1\text{ kg}\times v'^2=2\text{ J}$에서 충돌 후 A의 속력

$v'=2\text{ m/s}$이다. 충돌하는 동안 A의 운동량의 변화량은

$\Delta p=-2\text{ kg·m/s}-7\text{ kg·m/s}=-9\text{ kg·m/s}$이고, 이는 B로부터 받은 충격량과 같다. 따라서 B도 A로부터 같은 양의 충격을 받으므로 B의 운동량의 변화량은 9 kg·m/s이고, 충돌 후 속력은 3 m/s이다.

9 모범 답안 **p와 q의 높이 차가 h이므로 중력 퍼텐셜 에너지 증가량은 mgh이고, 운동 에너지 감소량은 $3mgh$이다. 따라서 역학적 에너지 감소량은 $3mgh-mgh=2mgh$이다.**

10 멈출 때까지 시간이 유리판에서 더 많이 걸렸으므로 이동 거리도 유리판에서가 더 길다.

창의·융합·코딩 43~47쪽

정답 ⑤

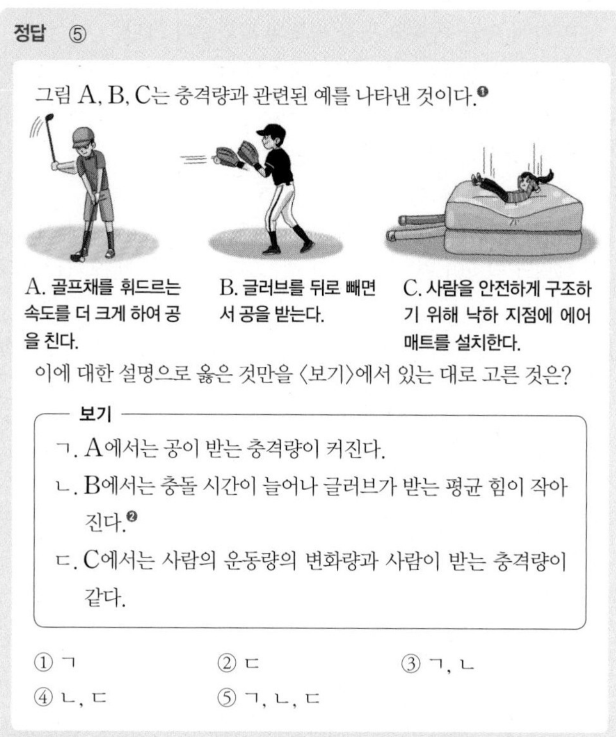

그림 A, B, C는 충격량과 관련된 예를 나타낸 것이다.❶

A. 골프채를 휘드르는 속도를 더 크게 하여 공을 친다.

B. 글러브를 뒤로 빼면서 공을 받는다.

C. 사람을 안전하게 구조하기 위해 낙하 지점에 에어 매트를 설치한다.

이에 대한 설명으로 옳은 것만을 〈보기〉에서 있는 대로 고른 것은?

보기

ㄱ. A에서는 공이 받는 충격량이 커진다.

ㄴ. B에서는 충돌 시간이 늘어나 글러브가 받는 평균 힘이 작아진다.❷

ㄷ. C에서는 사람의 운동량의 변화량과 사람이 받는 충격량이 같다.

① ㄱ ② ㄷ ③ ㄱ, ㄴ
④ ㄴ, ㄷ ⑤ ㄱ, ㄴ, ㄷ

❶ 충격량과 충격력, 충돌 시간의 관계를 정확히 이해하고 있어야 한다.
❷ 충격량이 같을 때 충돌 시간을 변화시켜서 충격력을 크게 하거나 작게 하기도 한다.

❶ A는 골프채와 골프공의 운동량의 변화량을 크게 하여 충격량을 크게 하는 예이다.

❷ B, C는 충돌 시간을 길게 하여 충격력이 작게 작용하도록 하는 예이다.

ㄱ. 운동량은 속도와 질량의 곱이고 운동량의 변화량은 충격량과 같다. A에서는 속도가 증가해 공의 운동량의 변화량이 커지므로 공이 받는 충격량도 커진다.

ㄴ. B에서는 충돌 시간이 길어지므로 글러브가 받는 평균 힘이 작아진다.

ㄷ. 운동량의 변화량은 충격량과 같다.

1 ① **2** ④ **3** ⑤ **4** ⑤ **5** ② **6** ④

1 등가속도 직선 운동의 식 $2as=v^2-v_0{}^2$을 이용하여 속력과 위치의 관계를 알아보면 거리 s만큼 이동했을 때 자동차의 속력은 $v=\sqrt{v_0{}^2+2as}$이다. 따라서 위치에 따라 속력을 그래프로 나타내면 거리의 제곱근에 비례하여 증가하는 그래프가 된다.

오답 풀이

등가속도 직선 운동이라고 하면 속력만 보고 ④의 그래프라고 생각하기 쉽다. 그러나 ④와 같은 모양의 그래프는 가로축이 시간일 경우의 그래프이다.

2 ㄴ. 곡선 운동을 하므로 이동 거리가 변위의 크기보다 크다. 따라서 평균 속력도 평균 속도의 크기보다 크다.

ㄷ. 수영 선수는 비스듬히 던져진 물체의 운동을 한다. 즉, 중력만 작용하며 운동 방향과 힘의 방향이 같지 않으므로 속력과 방향이 계속 변하는 운동을 한다.

오답 풀이

ㄱ. 등속 직선 운동에서는 변위의 크기와 이동 거리가 같다. 그러나 속도와 방향이 변하는 운동에서는 이동 거리가 변위의 크기보다 크다.

3 ㄱ. 0~2초 동안 가속도는 $-1\ \mathrm{m/s^2}$이므로 1초일 때 가속도의 크기는 $1\ \mathrm{m/s^2}$이다.

ㄴ. 2~4초 동안 가속도가 0이므로 물체는 등속 직선 운동을 하며, 이때의 속도는 2초일 때의 속도와 같다. 가속도－시간 그래프에서 그래프와 시간축이 이루는 넓이는 물체의 속도 변화량과 같으므로 2초일 때의 속도는 $4\ \mathrm{m/s}-2\ \mathrm{m/s}=2\ \mathrm{m/s}$이다. 따라서 3초일 때의 속력은 $2\ \mathrm{m/s}$이다.

ㄷ. 4~6초까지 물체는 가속도가 $2\ \mathrm{m/s^2}$인 등가속도 직선 운동을 하므로 평균 속력은

$$\frac{\text{처음 속력}+\text{나중 속력}}{2}=\frac{2\ \mathrm{m/s}+6\ \mathrm{m/s}}{2}=4\ \mathrm{m/s}\text{이다.}$$

자료 해설 가속도－시간 그래프의 분석

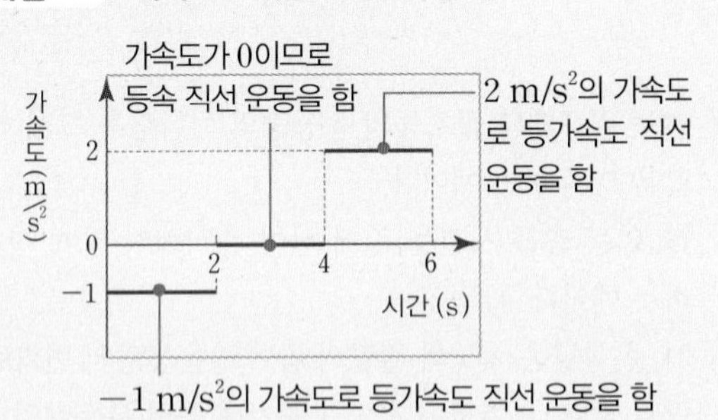

4 ㄱ. A는 속력이 일정하지 않고, 물체에 작용하는 알짜힘의 방향이 일정하며, 힘의 방향이 물체의 운동 방향과 같으므로 등가속도 직선 운동이다.

ㄴ. B는 물체의 속력만 일정하고 알짜힘의 방향이 변하므로 등속 원운동이다.

ㄷ. C는 물체의 속력이 변하고 힘의 방향과 운동 방향이 일치하지 않지만 작용하는 알짜힘이 일정하므로 비스듬히 던진 물체의 운동이다. 이 물체에 작용하는 알짜힘은 중력이다.

5 A, B 모두 충돌 전후 0.2초 동안 이동한 거리가 15 cm로 같으므로 속력이 같다. 운동량은 질량에 비례하고 운동량의 변화량과 같은 충격량도 질량에 비례하므로 $I_A : I_B=1:4$이다. 충격력은 $\frac{\text{충격량}}{\text{충돌 시간}}$이므로 $F_A : F_B=\frac{1}{0.1}:\frac{4}{0.2}=1:2$이다.

6 ㄴ. 역학적 에너지 보존 법칙에 의해 A에서의 중력 퍼텐셜 에너지가 B에서 모두 운동 에너지로 전환된다. 따라서 A에서 B까지 운동하는 동안 물체의 운동 에너지 증가량은 중력 퍼텐셜 에너지 감소량과 같은 $4mgh$이다.

ㄷ. B에서 물체의 운동 에너지는 $4mgh$이고 C에서 운동 에너지는 $4mgh-3mgh=mgh$이다. B에서 운동 에너지가 C에서 운동 에너지의 4배이므로 속력은 2배이다.

오답 풀이

ㄱ. 모든 마찰을 무시하면 역학적 에너지는 보존되므로 역학적 에너지는 모든 지점에서 같다.

자료 해설 역학적 에너지 보존

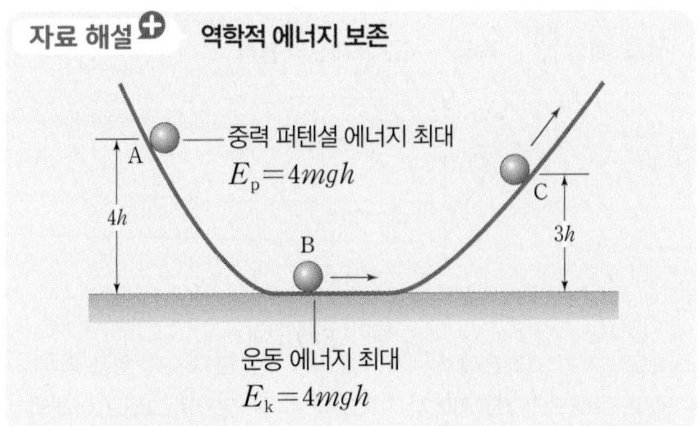

2주 I. 역학과 에너지~II. 물질과 전자기장

1일 개념 확인 53쪽

1-1 (1) × (2) × (3) ○
1-2 (1) 증가 (2) 감소 (3) 30 ℃
2-1 ⑤
2-2 (1) ○ (2) × (3) ×

1-1 (1) 열은 온도가 높은 곳에서 낮은 곳으로 이동하므로 B에서 A로 이동한다.
(2) A의 온도가 증가하므로 평균 분자 운동 에너지는 증가한다.
(3) 시간이 지나면 A, B의 온도가 같아져서 일정하게 유지되는 것으로 보아 열평형 상태에 이르렀다는 것을 알 수 있다.

1-2 (1) A의 온도가 증가하므로 내부 에너지는 증가한다.
(2) B의 온도가 감소하므로 평균 분자 운동 에너지는 감소한다.
(3) 열평형 온도는 A, B의 온도가 같아져서 일정하게 유지되는 온도이므로 30 ℃이다.

2-1 영희, 민수: 열이 물에서 페트병 안으로 이동하면서 페트병 안 공기의 온도가 올라가고, 내부 에너지도 증가하며, 압력과 부피도 증가한다. 기체의 부피가 증가하면 외부에 일을 한 것이다.

오답 풀이
철수: 페트병 안의 온도가 올라가면 분자 운동이 활발해져서 공기의 압력이 증가한다.

2-2 (1) 압력이 일정하고 B의 부피가 A의 부피보다 크므로 기체의 온도도 B에서가 A에서보다 높다.
(2) 기체가 한 일은 $W = P\Delta V$이므로 A → B 과정에서 한 일은 PV이고, B → C 과정에서 한 일은 $2PV$이다. 따라서 A → B 과정에서 한 일은 B → C 과정의 $\frac{1}{2}$배이다.
(3) A → B 과정에서 기체의 온도가 올라가므로 내부 에너지도 증가한다.

1일 개념 확인 55쪽

3-1 (1) 내부 에너지 변화량 (2) 열에너지 (3) 600 (4) 낮아진다
3-2 (1) ○ (2) × (3) ○
4-1 (1) 등압 과정 (2) 내부 에너지 증가량 (3) 등온 과정 (4) 감소량
4-2 (1) × (2) ○ (3) ○

3-1 (1) 열역학 제1법칙에 따라 기체에 가해 준 열에너지는 내부 에너지의 변화량과 외부에 한 일의 합과 같다.
(2) 열역학 제1법칙은 열에너지와 역학적 에너지를 포함한 에너지 보존 법칙이다.
(3) 열역학 제1법칙에 따라 이상 기체에 1000 J의 열을 가했을 때 내부 에너지가 400 J 증가하였다면 이 기체가 외부에 한 일은 1000 J − 400 J = 600 J이다.
(4) 기체의 내부 에너지 변화량이 음(−)의 값을 가지면 기체의 온도는 낮아진다.

3-2 A → B 과정은 부피가 일정한 상태에서 압력이 증가하는 등적 과정이다.
(1) 열역학 제1법칙에 따라 열에너지를 포함한 총 에너지는 보존된다.
(2) 기체의 부피 변화가 없으므로 기체는 외부에 일을 하거나 외부에서 일을 받지 않는다.
(3) 기체가 외부에 한 일이 없으므로 가해 준 열에너지는 모두 내부 에너지 증가에 쓰인다.

4-1 (1) 기체의 압력의 일정하고 기체의 부피와 절대 온도가 비례하는 과정은 등압 과정이다.
(2) 등적 과정에서 기체가 흡수한 열량은 기체의 내부 에너지 증가량과 같다.
(3) 등온 과정에서는 기체의 온도가 일정해 내부 에너지 변화가 없으므로 기체가 흡수한 열량은 기체가 한 일과 같다.
(4) 단열 과정은 외부와 열 출입이 없는 상태에서 기체의 부피 변화에 따라 기체의 온도가 변하는 과정이다.

4-2 (1) 피스톤이 고정되어 부피의 변화가 없으므로 기체는 외부에 일을 하지 않는다.
(2) 기체에 열을 가해 주는데 외부에 일을 하지 않으므로 가해 준 열은 모두 내부 에너지 증가에 쓰인다. 따라서 기체의 온도는 올라가고 압력이 증가한다.
(3) 기체에 열을 가해 주는데 외부에 일을 하지 않으므로 가해 준 열은 모두 내부 에너지 증가에 쓰인다.

1일 기초 유형 연습 56~57쪽

1 ④ **2** ③ **3** (1) 증가한다. (2) B → C 과정 (3) 45 J
4 ② **5** (1) 해설 참조 (2) 해설 참조 **6** ②

1 ① 기체의 압력이 일정하고 부피가 증가하므로 기체의 온도는 올라간다.
② 기체의 내부 에너지 증가와 외부에 일을 한 만큼 외부에서 열을 흡수한다.
③ 기체 내부의 온도가 올라가므로 내부 에너지는 증가한다.
⑤ 압력이 P이고 부피 변화가 ΔV일 때 기체가 외부에 한 일은 $P\Delta V$이다.

오답 풀이

④ 이 과정은 등압 과정으로 기체의 온도가 올라가므로 평균 운동 에너지도 증가한다.

2 ㄱ, ㄴ. 기체에 열을 가하면 내부 에너지가 증가하므로 기체의 압력은 증가한다.

오답 풀이

ㄷ. 기체가 들어 있는 용기는 변형되지 않는다. 따라서 부피 변화가 없으므로 기체는 외부에 일을 하지 않는다.

3 (1) 기체의 온도는 압력×부피에 비례한다. A → B 과정에서 기체의 온도가 높아지므로 내부 에너지는 증가한다.

(2) B → C 과정에서 기체의 부피는 변화 없이 압력만 감소했으므로 외부에 일을 하지 않는다.

(3) 압력－부피 그래프에서 기체가 한 일은 그래프로 둘러싸인 넓이와 같으므로 $\frac{1}{2}\times 30\times 3=45(\mathrm{J})$이다.

자료 해설 압력－부피 그래프 분석

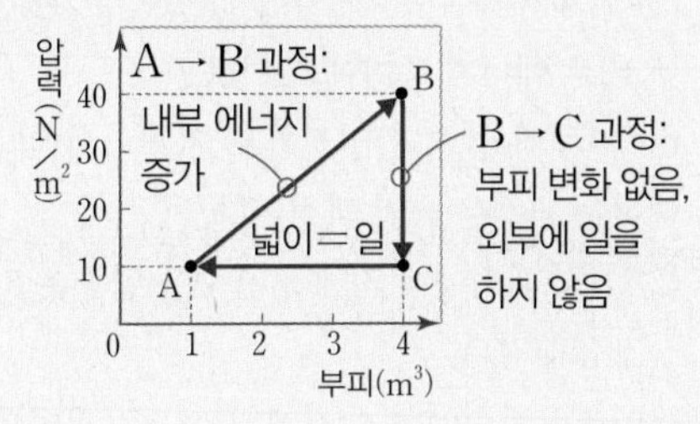

4 ㄱ. A → B 과정에서 '압력×부피'가 증가하여 기체의 온도가 높아지므로 기체의 내부 에너지는 증가한다.

ㄴ. B → C 과정에서 기체의 부피가 증가하므로 기체는 외부에 일을 하고 내부 에너지를 사용한다. 따라서 이 과정은 외부에 일을 한 만큼 내부 에너지가 감소하는 단열 과정이다.

오답 풀이

ㄷ. B → C 과정에서 기체의 온도가 낮아지므로 기체의 내부 에너지는 감소한다.

5 (1) 기체가 외부에 한 일은 압력과 부피 변화의 곱으로 구하며, 부피는 피스톤의 단면적과 이동 거리의 곱으로 구할 수 있다.

모범 답안 $W=P\Delta V=10^5\ \mathrm{N/m^2}\times 0.1\ \mathrm{m^2}\times 0.2\ \mathrm{m}=2000\ \mathrm{J}$

(2) 열역학 제1법칙에 따라 외부에서 가해 준 열은 내부 에너지 증가량과 외부에 한 일의 합과 같다. 따라서 내부 에너지 증가량은 외부에서 가해 준 열에서 외부에 한 일을 뺀 값이다.

모범 답안 $\Delta U=Q-W=6000\ \mathrm{J}-2000\ \mathrm{J}=4000\ \mathrm{J}$

6 ㄱ. 공기는 지표면에서 높은 곳으로 올라가면서 팽창하므로 외부에 일을 한다.

ㄴ. 공기가 지표면에서 높은 곳으로 올라가면서 온도가 낮아지므로 내부 에너지는 감소한다.

오답 풀이

ㄷ. 높이 올라갈수록 공기에 작용하는 압력은 점점 감소하여 기체가 팽창한다.

2일 개념 확인 59쪽

1-1 ⑤

1-2 (1) ○ (2) ○ (3) ×

2-1 (1) 비가역 (2) 높은, 낮은 (3) 없다 (4) 비가역, 증가 (5) 있고, 없다

2-2 (1) ○ (2) × (3) ○

1-1 민수, 영희: 열은 온도가 높은 물체에서 온도가 낮은 물체로 이동하는데, 이때 물체의 무질서도는 증가한다. 이와 같이 한쪽 방향으로만 일어나고 저절로 반대 방향으로는 일어나지 않는 것을 비가역 과정이라고 한다.

오답 풀이

철수: 이 과정은 반대로는 일어나지 않는 비가역 과정이다.

1-2 (1) 진공 상태에서 충돌 진자를 당겼다가 놓으면 계속 진동하게 되므로 가역 과정이다.

(2) 진자의 운동 에너지는 계속 보존된다.

(3) 이 과정은 가역 과정으로 시간을 거꾸로 돌려도 같은 운동을 계속 한다.

2-1 열역학 제2법칙을 설명하는 현상은 여러 가지가 있다.

(1) 열역학 제2법칙은 자발적인 비가역 과정에 방향성이 있다는 것을 나타내는 법칙이다.

(2) 열은 스스로 온도가 높은 물체에서 온도가 낮은 물체로 흐른다.

(3) 열효율이 100 %인 열기관은 존재할 수 없다.

(4) 자연 현상은 대부분 비가역 과정이며 무질서도가 증가하는 방향으로 일어난다.

(5) 역학적 일은 전부 열로 바꿀 수 있지만, 열은 전부 일로 바꿀 수 없다.

2-2 그림은 기체 분자의 확산에 대한 실험으로, 이를 이용해 열역학 제2법칙을 설명할 수 있다.

(1) 단열되어 있으므로 기체의 온도는 (가)에서와 (나)에서가 같다.

(2) 자발적으로 (가) 상태에서 (나) 상태로 진행할 수 있지만, (나) 상태에서 (가) 상태로는 진행하지 못한다.

(3) 이상 기체는 엔트로피(무질서도)가 증가하는 방향으로 이동했다.

2일 개념 확인 61쪽

3-1 ③

3-2 (1) 변하지 않는다 (2) Q_1+Q_2 (3) $\frac{Q_3+Q_4}{Q_1+Q_2}$

4-1 (1) × (2) ○ (3) ○ (4) ×

4-2 (1) 600 J (2) 25 % (3) 1800 J

3-1 고열원에서 Q_1의 열을 받아 W의 일을 하고 Q_2의 열을 저열원으로 내보내는 열기관에서 열효율은 흡수한 열 대비 한 일의 비$\left(\frac{W}{Q_1}\right)$가 클수록 크다.

① 열역학 제1법칙에 따라 열기관이 외부에 한 일은 흡수한 열에서 방출한 열을 뺀 값이다. 따라서 $W=Q_1-Q_2$이다.

② $\frac{W}{Q_1}$가 작을수록, 즉 가한 열 대비 한 일이 작을수록 열효율은 낮다.

④ 열기관의 열효율은 가한 열 대비 한 일이므로 $e=\frac{W}{Q_1}=\frac{Q_1-Q_2}{Q_1}$로 계산할 수 있다.

⑤ 열역학 제2법칙에 의해 열효율이 100 %인 열기관은 존재하지 않는다.

오답 풀이

③ $e=\frac{Q_1-Q_2}{Q_1}=1-\frac{Q_2}{Q_1}$이므로 $\frac{Q_2}{Q_1}$가 작을수록 열효율은 높다. 즉 가한 열 대비 내보내는 열이 적을수록 열효율이 높다.

3-2 (1) 열기관은 순환 과정 후 원래 상태로 돌아오므로 내부 에너지는 변하지 않는다.

(2) 열기관으로 공급된 열량은 Q_1+Q_2이다.

(3) $e=\frac{W}{Q_1+Q_2}=\frac{Q_1+Q_2-(Q_3+Q_4)}{Q_1+Q_2}=1-\left(\frac{Q_3+Q_4}{Q_1+Q_2}\right)$

4-1 (1) A → B 과정은 온도가 높아지는 과정이므로 열을 흡수한다. 열을 방출하는 과정은 온도가 낮아지는 C → D 과정이다.

(2) B → C 과정은 온도가 일정한 상태에서 기체가 열을 받아 팽창하면서 외부에 일을 한다.

(3) 그래프 내부의 넓이는 카르노 기관이 한 일과 같다.

(4) 1회 순환하는 동안 내부 에너지는 변화가 없다.

4-2 그림의 카르노 기관은 두 개의 등압 과정과 두 개의 등적 과정으로 이루어져 있다.

(1) 카르노 기관이 한 일은 순환 과정으로 둘러 쌓인 부분의 넓이와 같으므로 600 J이다. 또한 $W=P\varDelta V=2\times10^5\times3\times10^{-3}=600(\mathrm{J})$로도 구할 수 있다.

(2) 이 카르노 열기관의 열효율은 $e_{카}=\frac{W}{Q_1}=\frac{600\ \mathrm{J}}{2400\ \mathrm{J}}=0.25(25\ \%)$이다.

(3) 열기관에 공급된 열량은 2400 J이고, 한 일은 600 J이므로 방출된 열량은 2400 J − 600 J = 1800 J이다.

2일 기초 유형 연습 62~63쪽

1 ① **2** ⑤ **3** (1) 500 J (2) 25 % (3) 1400 J **4** ③
5 ③ **6** ③

1 ㄱ. 더운물과 찬물을 섞으면 미지근한 물이 되지만 미지근한 물이 더운물과 찬물로 저절로 분리되지는 않는다. 따라서 이 과정은 비가역 과정이다.

오답 풀이

ㄴ. 비가역 과정이므로 시간이 지나면 다시 더운물과 찬물로 분리되지는 않는다.

ㄷ. 더운물과 찬물이 섞여서 물이 미지근해지면 무질서도는 증가한다.

2 열역학 제2법칙은 자연에서 일어나는 현상의 방향성을 설명하는 법칙이다.

ㄴ. 일은 전부 열로 전환시킬 수는 있지만 열을 전부 일로 전환시킬 수는 없다.

ㄷ. 물에 퍼진 잉크는 다시 나눠지지 않는다. 즉 비가역 과정이다.

ㄹ. 잔에 담긴 커피에서 나온 향기가 방안 전체로 퍼진다. 하지만 방안에 퍼진 향기가 커피 잔으로 모이지는 않는다.

오답 풀이

ㄱ. 열은 항상 고온에서 저온으로 이동한다.

3 (1) 고열원에서 2000 J의 열을 흡수하고 저열원으로 1500 J의 열을 방출하므로 이 열기관이 한 일은 $W=Q_1-Q_2=2000\ \mathrm{J}-1500\ \mathrm{J}=500\ \mathrm{J}$이다.

(2) 이 열기관은 2000 J의 열을 받아 500 J의 일을 했으므로 열효율은 $e=\frac{W_1}{Q_1}=\frac{500\ \mathrm{J}}{2000\ \mathrm{J}}=0.25(25\ \%)$이다.

(3) 이 열기관의 열효율을 30 %로 개선하면 한 일은 $e=\frac{W}{Q_1}$에서 $W=Q_1\times e=2000\ \mathrm{J}\times0.3=600\ \mathrm{J}$이다. 따라서 저열원으로 내보내는 열은 $Q_2=Q_1-W=2000\ \mathrm{J}-600\ \mathrm{J}=1400\ \mathrm{J}$이다.

4 ㄱ. A → B 과정에서 기체의 압력은 일정하고 부피가 증가하므로 기체는 외부에 일을 한다.

ㄷ. C → D 과정에서 기체의 압력은 일정하고 부피가 감소하므로 온도가 낮아지고 기체의 내부 에너지는 감소한다.

오답 풀이

ㄴ. B → C 과정에서 열의 출입이 없고 부피가 증가하여 외부에 일을 하므로 기체의 내부 에너지가 감소하고 온도는 낮아진다.

자료 해설 열역학 과정

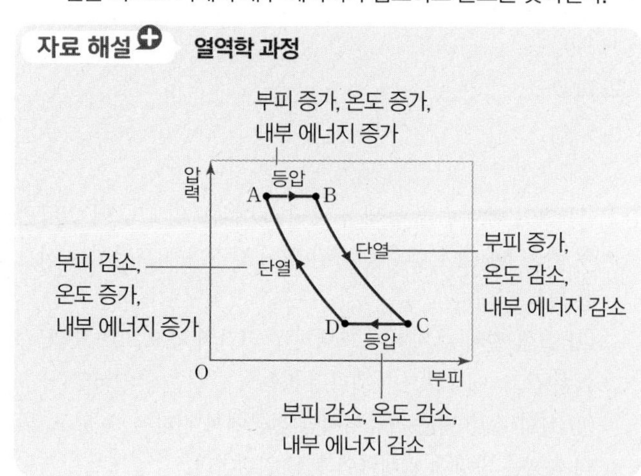

5 ㄱ. 실현 가능한 열기관은 열역학 제1법칙과 열역학 제2법칙을 만족해야 하므로 (가), (라)이다.

ㄷ. (다)의 열기관은 공급된 열이 모두 일로 바뀌었으므로 열효율은 100 %이지만 이러한 열기관은 열역학 제2법칙에 위배되므로 실현 불가능하다.

오답 풀이

ㄴ. (나)의 열기관은 고열원으로부터 Q의 열을 받아서 Q의 일을 하고 Q의 열을 저열원으로 방출한다. 이것은 에너지 보존 법칙, 즉 열역학 제1법칙에 위배되므로 실현 불가능하다.

자료 해설 열기관

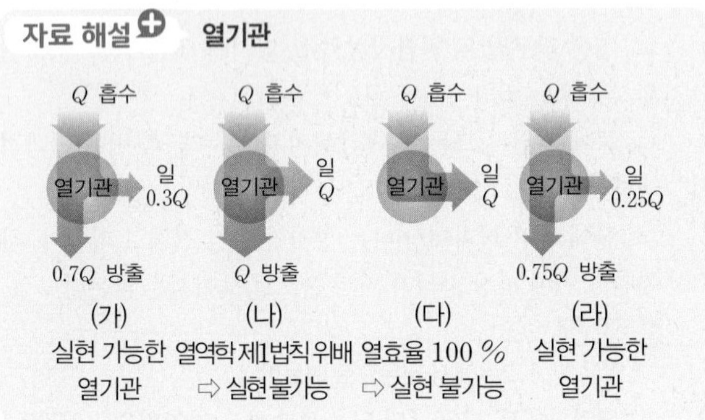

6 ③ 가솔린 기관을 카르노 기관으로 가정했을 때 열효율은 약 58 %이다. 하지만 마찰이나 기타 열손실에 의해 실제 열효율은 20~30 % 정도이다.

오답 풀이

① 열기관의 효율이 100 %가 되려면 저열원으로 나가는 열이 없어야 하는데 이는 불가능하다. 카르노 기관은 고열원에서 열을 받아 일을 하고 저열원으로 열을 내보낸다.

② 증기 기관의 열효율은 8 % 정도로 매우 낮다.

④ 가솔린 기관의 실제 열효율은 20~30 % 정도이다.

⑤ 디젤 기관은 가솔린 기관보다 열효율이 높지만 대기 환경오염 문제가 크다.

3일 개념 확인 65쪽

1-1 (1) × (2) ○ (3) ×
1-2 ⑤
2-1 ②
2-2 (1) c (2) c

1-1 (1) 빛이 에테르를 통해 전파되고 에테르의 흐름이 있다면 두 거울 M_1, M_2에서 반사된 빛이 탐지기에 도달하는 시간은 다를 것이다.

(2) 실험 결과 탐지기에 도달하는 시간이 같으므로 빛의 속력은 같고, 에테르는 존재하지 않는다는 것을 확인하였다.

(3) 실험 결과 빛은 파동이지만 진공에서 전파될 수 있고, 빛의 속력은 방향에 관계없이 항상 일정하다.

1-2 아이슈타인은 마이컬슨·몰리 실험 결과를 '빛은 매질 없이 전파될 수 있고, 빛의 속력은 모든 관찰자에게 동일하다'라고 해석하였다.

2-1 특수 상대성 이론의 두 가지 가설은 상대성 원리와 광속 불변의 원리이다.

ㄱ. 모든 관성 좌표계에서 물리 법칙은 동일하게 성립한다. ➡ 상대성 원리

ㄴ. 모든 관성 좌표계에서 진공에서 진행하는 빛의 속력은 동일하다. ➡ 광속 불변의 원리

오답 풀이

ㄷ. 관성 좌표계에서 상대적으로 빠르게 운동하는 다른 관성 좌표계를 관찰하면 상대방의 시간이 느리게 가는 것으로 관찰된다.

2-2 광속 불변의 원리에 의해 빛의 속력은 모든 관성계에서 같다. 따라서 우주선과 기지국에서 관찰한 레이저 빛의 속력은 모두 c이다.

3일 개념 확인 67쪽

3-1 (1) × (2) ○ (3) ×
3-2 (1) 같다 (2) 짧다 (3) 같다
4-1 (1) ○ (2) ○ (3) ×
4-2 ①

3-1 (1) 우주선이 은수에 대해 운동하고 있으므로 민호와 은수는 서로 다른 관성 좌표계에 있다.

(2) 고유 시간은 어떤 사건이 발생한 시간을 측정할 때 그 사건과 같은 관성 좌표계의 관찰자가 측정한 시간이다. 따라서 민호가 측정한 시간이 고유 시간이다.

(3) 우주선의 속력이 더 빨라지면 시간 지연이 더 크게 일어나므로 은수와 민호가 측정한 시간의 차이는 커진다.

3-2 (1) 광속 불변의 원리에 대해 철수와 민수가 본 빛의 속력은 같다.

(2) 빠르게 운동하는 물체를 관찰하면 시간이 느리게 간다. 따라서 철수가 측정한 빛의 왕복 시간은 민수가 측정한 왕복 시간보다 짧다.

(3) 길이 수축은 운동 방향으로 일어나고 운동 방향과 수직 방향으로는 일어나지 않으므로 철수가 측정한 광원과 거울 사이 거리는 민수가 측정한 거리와 같다.

4-1 (1) 정지한 관찰자가 측정한 길이가 고유 길이이므로 영희가 관측한 A와 B 사이의 거리는 고유 거리이다.

(2) 길이 수축이 일어나므로 철수가 측정한 A와 B 사이의 거리는 우주선의 속력이 빠를수록 짧아진다.

(3) 길이 수축에 의해 철수가 측정한 거리는 영희가 측정한 고유 길이보다 짧다.

4-2 ㄱ. 우주선이 빠르게 운동할 때 운동 방향인 $+x$ 방향으로 길이 수축이 일어난다.

오답 풀이

ㄴ, ㄷ. 운동 방향에 수직인 y, z 방향으로는 길이 수축이 일어나지 않는다.

3일 기초 유형 연습 68~69쪽

1 ③ **2** (1) 270 km/h (2) 해설 참조 **3** ①, ② **4** ①
5 ⑤ **6** ⑤

1 마이컬슨·몰리 실험 장치는 빛의 매질이라고 생각되던 에테르의 존재를 확인하기 위한 실험이다.

오답 풀이

③ 모든 방향에서 빛의 속력이 같으므로 에테르는 존재하지 않는다는 것을 확인했다.

2 (1) 화살의 속력은 빛의 속력에 비해 매우 작으므로 지상에서 관찰할 때 화살의 속력은 기차의 속력과 화살의 속력이 더해진 270 km/h이다.

(2) 모범 답안 **광속 불변의 원리에 의해 빛의 속력은 모든 관성계에서 동일하므로 c이다.**

3 특수 상대성 이론의 가정은 상대성 원리와 광속 불변의 원리이다. 상대성 원리는 모든 관성 좌표계에서 물리 법칙은 동일하게 성립한다는 것이고, 광속 불변의 원리는 모든 관성 좌표계에서 관찰자나 광원의 속력에 관계없이 진공에서 진행하는 빛의 속력은 일정하다는 것이다.

4 ㄱ. 영희와 광원, A, B는 같은 관성계에 있으므로 광원에서 발생한 빛은 A, B에 동시에 도달한다.

오답 풀이

ㄴ. 철수가 측정할 때 광원에서 A까지의 거리는 길이 수축이 일어나 L보다 작고, 광원에서 B까지의 거리는 L이다.

ㄷ. 철수가 측정할 때 광원에서 A, B까지의 거리가 다르므로 발생한 빛은 A, B에 동시에 도달하지 않는다.

5 ㄱ. 철수가 관찰하면 영희가 우주선의 운동 방향과 반대 방향으로 운동하는 것으로 보인다. 따라서 영희의 시간이 철수의 시간보다 느리게 가는 것으로 측정된다.

ㄴ. 영희가 관찰하면 우주선이 빠르게 운동하므로 철수의 시간이 영희의 시간보다 느리게 가는 것으로 측정된다.

ㄷ. 행성은 영희에 대해 정지해 있으므로 영희가 측정한 것은 고유 길이이고, 운동하는 철수가 측정하면 길이 수축에 의해 고유 길이보다 짧게 측정된다.

6 ㄱ. 뮤온은 빛의 속력에 가까운 속력으로 빠르게 운동하므로 철수가 뮤온을 관찰하면 시간 지연에 의해 시간이 느리게 간다. 따라서 뮤온의 수명이 고유 수명(t)보다 길게 측정된다.

ㄷ. 뮤온의 발생과 운동한 거리를 측정하여 특수 상대성 이론의 예측을 확인할 수 있다.

오답 풀이

ㄴ. 뮤온 좌표계에서 지표면까지의 거리를 측정하면 길이 수축이 일어나 고유 길이(H)보다 짧게 측정된다.

4일 개념 확인 71쪽

1-1 (1) × (2) × (3) ○ (4) ○ (5) ×
1-2 (1) ○ (2) × (3) ○
2-1 (1) 0.1 g (2) 9×10^{12} J
2-2 (1) ○ (2) ○ (3) ×

1-1 (1) 질량은 변하지 않는 고유의 양이 아니라 속력에 따라 변하는 상대적인 물리량이다.

(2) 물체에 일을 해 주어 물체의 운동 에너지가 증가하면 물체의 질량도 증가한다.

(3) 질량과 에너지는 서로 전환된다.

(4) 물체의 속력이 증가하면 물체의 질량과 에너지도 증가한다.

(5) 정지한 물체가 가지고 있는 정지 에너지는 $E_0=m_0c^2$(c: 빛의 속력, m_0: 정지 질량)이다.

1-2 (1) 그래프를 보면 물체의 속력이 증가함에 따라 질량이 증가함을 알 수 있다.

(2) 그래프에서 물체의 질량은 속력에 따라 연속적으로 증가한다는 것을 알 수 있다.

(3) 그래프를 보면 빛의 속력에 가까울수록 기울기가 커지는 것을 볼 수 있다. 즉, 물체의 속력이 빛의 속력에 가까울수록 질량의 증가율이 크다.

2-1 (1) 핵반응에서 질량 결손은 반응물의 총 질량에서 생성물의 총 질량을 뺀 값이다. 반응물의 질량이 300 g, 생성물의 질량 299.9 g이므로 질량 결손은
$\Delta m=300\text{ g}-299.9\text{ g}=0.1\text{ g}$이다.

(2) 질량 결손이 0.1 g(0.1×10^{-3} kg)이므로 발생한 에너지는 $E=\Delta mc^2=1\times10^{-4}\times(3\times10^8)^2=9\times10^{12}$(J)이다.

2-2 (1) 핵반응 전후 질량수는 보존되므로 반응 전 질량수의 합은 5이고 반응 후 질량수는 1+㉠ 원자핵의 질량수이다. 따라서 ㉠ 원자핵의 질량수는 4이다.

(2) 핵반응식을 보면 에너지가 발생하므로 이에 해당하는 질량 결손이 일어난다.

(3) 핵반응 전후 양성자와 중성자의 수는 보존된다.

개념 확인 73쪽

3-1 (1) 핵분열 (2) 해설 참조
3-2 ③
4-1 (1) ○ (2) × (3) ○
4-2 (1) 헬륨 (2) 같다 (3) 크다

3-1 (1) 무거운 원자핵이 가벼운 둘 이상의 원자핵으로 분열하는 반응을 핵분열이라고 한다.

(2) 모범 답안 **핵분열을 하면 질량이 감소한다. 이때 감소한 질량에 해당하는 에너지를 외부로 방출한다.**

3-2 핵반응 전후 양성자수, 질량수, 중성자 수는 보존되며 질량 결손 만큼의 많은 에너지가 발생한다.

오답 풀이

③ 핵반응에서 질량 결손에 의해 많은 에너지가 발생한다. 따라서 총 질량의 합은 보존되지 않는다.

4-1 (1) 그림은 태양 중심부에서 일어나는 핵융합 반응으로 수소 원자핵 4개가 결합하여 헬륨 원자핵 1개를 생성하면서 많은 에너지가 발생한다.

(2) 핵반응에서 질량 결손에 의해 많은 에너지가 발생한다.

(3) 이 핵반응은 가벼운 원자핵들이 융합하여 더 무거운 원자핵으로 변하는 반응이다.

$$4{}^{1}_{1}\mathrm{H} \longrightarrow {}^{4}_{2}\mathrm{He}+2\mathrm{e}^{+}+26\ \mathrm{MeV}$$

4-2 (1) 이 핵융합 반응의 핵반응식은 다음과 같다.

$$2{}^{3}_{2}\mathrm{He} \longrightarrow 2{}^{1}_{1}\mathrm{H}+(\text{가})$$

따라서 (가)는 헬륨 원자핵(${}^{4}_{2}\mathrm{He}$)이다.

(2) 핵반응 전후 질량수는 보존된다.

(3) 핵반응에서 질량 결손이 일어나고 이에 해당하는 에너지가 방출된다. 따라서 핵반응 전 질량이 핵반응 후 질량보다 크다.

기초 유형 연습 74~75쪽

1 ⑤ **2** ③ **3** ⑤ **4** ④ **5** ④
6 (1) ${}^{3}_{1}\mathrm{H}$ (2) 해설 참조 (3) 감소한다.

1 ㄱ, ㄷ. 질량과 에너지는 상호 전환될 수 있으므로 질량은 에너지의 또 다른 형태라고 할 수 있다.

오답 풀이

ㄴ. 물체의 속력이 증가하면 에너지가 증가하므로 질량도 증가한다. 특수 상대성 이론에 따르면 질량은 속력에 따라 변하는 상대적인 물리량이다.

2 ㄱ. (가)는 가벼운 원자핵이 무거운 원자핵으로 융합하는 핵융합 반응이고, (나)는 무거운 원자핵이 가벼운 둘 이상의 원자핵으로 분열하는 핵분열 반응이다.

ㄴ. (가)의 핵반응은 작은 원자핵이 큰 원자핵으로 융합하는 반응이다. 이때 질량 결손에 의해 에너지가 발생한다.

오답 풀이

ㄷ. 핵반응 전후 질량수는 보존되지만 질량은 감소한다.

3 ㄱ. 핵반응 전후 질량수는 보존되므로 ㉠에 들어갈 수는 $235+1=141+㉠+3$에서 $㉠=92$이다.

ㄷ. $200\ \mathrm{MeV}$의 에너지는 질량 결손에 의한 발생한 것이다.

오답 풀이

ㄴ. 핵분열 반응에서 질량 결손에 의해 많은 에너지가 발생한다. 따라서 반응 전 질량의 합이 반응 후 질량의 합보다 더 크다.

4 ㄱ. 핵반응에서 반응 전후 질량수는 동일하다.

ㄴ. 반응 전 양성자 2개, 중성자 2개의 질량의 합보다 반응 후 헬륨 원자핵 1개의 질량이 작으므로 핵반응 과정에서 질량 결손이 생겼다.

오답 풀이

ㄷ. 이 반응에서는 질량 결손이 생기고 이에 해당하는 많은 에너지가 방출된다. 즉 발열 반응이 일어난다.

5 핵반응 전후 양성자수, 질량수, 중성자수는 보존되며 질량 결손에 의해 많은 에너지가 발생한다.

오답 풀이

④ 핵반응에서 질량 결손이 발생하므로 질량의 합은 감소한다.

6 (1) 핵반응 전후 질량수와 양성자 수가 보존되므로 (가)의 질량수는 3, 양성자 수는 1이다. 따라서 (가)에 들어갈 원소는 삼중수소 ${}^{3}_{1}\mathrm{H}$이다.

(2) 모범 답안 **핵융합 과정에서 질량 결손에 의해 $17.6\ \mathrm{MeV}$의 에너지가 발생한다.**

(3) 반응 과정에서 질량 결손 만큼 에너지가 발생한다. 따라서 질량은 감소한다.

5일 개념 확인 77쪽

1-1 (1) ○ (2) × (3) ×
1-2 (1) × (2) ○ (3) ×
2-1 (1) A (2) B (3) C
2-2 (1) ○ (2) ○ (3) ○

1-1 (1) A의 전하량의 크기는 $2Q$, B의 전하량의 크기는 Q이다.

(2) 전하의 종류가 서로 다르면 인력이 작용하므로 B와 C 사이에는 인력이 작용한다.

(3) 쿨롱 법칙에 의하여 전기력은 두 물체의 전하량 곱에 비례하고 두 물체 사이의 거리에 반비례한다. 따라서 B가 A에 작용하는 전기력의 크기가 C가 A에 작용하는 전기력의 크기보다 크다.

1-2 (1) 러더퍼드의 알파 입자 산란 실험은 원자핵을 발견한 실험이다. 톰슨의 음극선 실험으로는 전자를 발견하였다.
(2) 알파 입자가 대부분 휘어지지 않고 통과하는 것으로 보아 원자의 내부 공간은 대부분 비어 있고 원자의 중심에는 (+)전하를 띤 입자가 있다는 것을 알 수 있다.
(3) 원자 내부가 꽉 찬 구라면 대부분의 알파 입자가 튀어 나오거나 휘어져야 하는데 실험 결과는 그렇지 않다. 이는 원자의 내부가 대부분 빈 공간이기 때문이다.

2-1 (1) 백열등에서 나온 빛은 백색광으로 연속 스펙트럼을 나타내는 A이다.
(2) 흡수 스펙트럼에서는 특정 파장의 선들이 검게 나타난다. 저온 기체관을 통과한 빛에서 흡수 스펙트럼을 관찰할 수 있으므로 B이다.
(3) 방출 스펙트럼에서는 밝은 선들이 띄엄띄엄 나타난다. 수소 기체 방전관에서 나온 빛은 방출 스펙트럼을 관찰할 수 있으므로 C이다.

2-2 (1) 수소와 헬륨의 선 스펙트럼은 방출 스펙트럼이다.
(2) 파장과 진동수는 반비례하므로 진동수는 a가 b보다 크다.
(3) 빛의 에너지는 진동수에 비례하고 파장에 반비례한다. a는 b보다 진동수가 크고 파장이 짧으므로 에너지가 더 크다.

5일 개념 확인 79쪽

3-1 ④
3-2 (1) ○ (2) × (3) ○ (4) ×
4-1 (1) a (2) 방출 (3) q (4) q
4-2 (1) ○ (2) ○ (4) ×

3-1 ① 돌턴에 의하면 물질은 원자라는 더 이상 쪼개지지 않는 입자로 구성되어 있다.
② 톰슨은 전자를 발견하고 (+)전하를 띤 구에 전자가 있는 모형을 제안했다.
③ 러더퍼드는 원자핵을 발견하고, 전자가 원자핵 주위를 도는 모형을 제안했다.
⑤ 양자수가 커질수록 에너지 준위는 커진다.

오답 풀이
④ 보어는 원자핵 주위에 양자화된 궤도, 즉 불연속적인 궤도에만 전자가 존재한다고 주장했다.

3-2 (1) 보어 원자 모형에서 전자는 원자핵 주위의 특정한 에너지를 갖는 궤도에만 존재할 수 있다.
(2) 원자 내에서 전자가 갖는 에너지는 불연속적으로 분포한다.
(3) 양자수가 $n=1$일 때 전자는 가장 낮은 에너지를 갖는 바닥상태에 있다.
(4) 전자는 높은 에너지 준위에서 낮은 에너지 준위로 전이할 때 에너지를 방출한다.

4-1 (1) 전자의 에너지 준위가 높은 궤도일수록 원자핵에서 멀리 떨어져 있다. 따라서 에너지 준위가 가장 높은 준위는 a이다.
(2) p는 에너지가 높은 궤도에서 낮은 궤도로 전이하는 것으로, 이때 에너지 준위 차이에 해당하는 에너지를 가진 빛을 방출한다.
(3) q는 바닥상태의 전자가 에너지를 흡수하여 들뜬 상태로 전이하는 과정이다.
(4) p와 q 중 에너지 차이가 더 큰 것은 q이며, 에너지는 파장과 반비례하므로 방출되거나 흡수되는 빛의 파장은 q가 더 짧다.

4-2 (1) A, B에서는 에너지가 낮은 궤도에서 높은 궤도로 전이하므로 빛을 흡수한다.
(2) 빛의 에너지는 파장에 반비례한다. A의 에너지 차이가 B의 에너지 차이보다 작으므로 a의 파장이 b의 파장보다 크다.
(3) 파셴 계열은 $n=3$인 상태로 전이하며 방출하는 빛으로 적외선 영역이다.

5일 기초 유형 연습 80~81쪽

1 ④ **2** ⑤ **3** ④ **4** (1) 1.9 eV (2) 10.2 eV (3) 가시광선 **5** (1) 10.2 (2) C (3) A **6** ⑤

1 철수, 영희: 보어의 수소 원자 모형에서 원자 내의 전자는 원자핵 주위를 원운동하며, 불연속적으로 분포하는 궤도에만 존재한다.

오답 풀이
민수: 전자가 안정된 궤도에 있을 때는 전자기파를 방출하지 않고, 궤도 사이를 전이할 때만 빛을 흡수하거나 방출한다.

2 ㄱ. 보어 원자 모형에서 원자핵과 전자 사이에는 전기력(인력)이 작용하여 전자가 원자핵에 구속되어 있다.
ㄴ. 원자핵에서 멀리 떨어진 궤도에 있을수록 에너지 준위가 높다. 따라서 전자가 A에 있을 때보다 B에 있을 때 에너지 준위가 높다.
ㄷ. 전자는 A에 있을 때 에너지가 가장 작고 안정되어 있는데, 이를 바닥상태라고 한다.

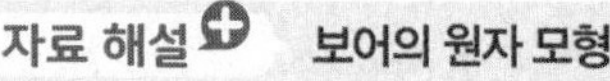

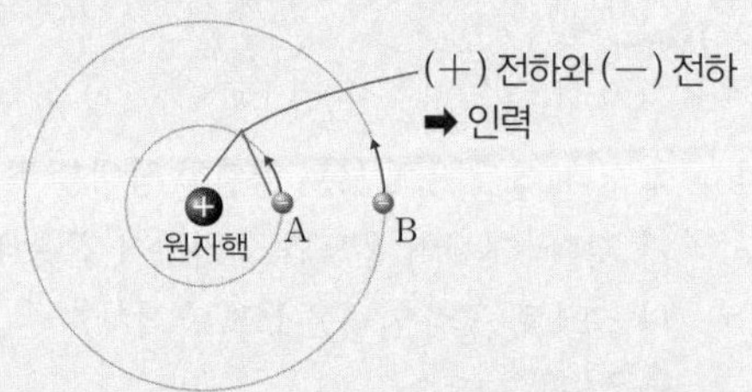

전자는 원자핵을 중심으로 특정 궤도에서만 원운동을 하고, 원자핵으로부터 멀어질수록 전자의 에너지 준위는 높아진다.

3 ㄴ. 흡수 스펙트럼의 검은 선이 불연속적인 것으로 보아 수소 원자의 에너지 준위는 양자화되어 있다고 할 수 있다.
ㄷ. a의 파장이 b의 파장보다 짧으므로 a에서 나타나는 빛의 에너지는 b의 에너지보다 크다.

오답 풀이

ㄱ. (나)는 저온의 수소 기체를 통과하면서 백색광의 일부를 흡수하여 검은 선이 나타나는 흡수 스펙트럼이다.

4 (1) a는 전자가 $n=2$인 궤도에서 $n=3$인 궤도로 전이하는 과정으로, 이때 두 궤도의 에너지 차이에 해당하는 에너지를 가진 빛을 흡수한다. 따라서 전이할 때 흡수하는 에너지는 $E=-1.5\ \mathrm{eV}-(-3.4\ \mathrm{eV})=1.9\ \mathrm{eV}$이다.
(2) c는 전자가 $n=2$인 궤도에서 $n=1$인 궤도로 전이하는 과정으로, 이때 두 궤도의 에너지 차이에 해당하는 에너지를 가진 빛을 방출한다. 따라서 전이할 때 방출하는 에너지는 $E=-3.4\ \mathrm{eV}-(-13.6\ \mathrm{eV})=10.2\ \mathrm{eV}$이다.
(3) b는 $n=2$인 궤도로 전이하므로 발머 계열이다. 따라서 가시광선 영역의 빛을 방출한다.

5 (1) C에서 방출하는 에너지는 A와 B에서 방출하는 에너지의 합과 같으므로 B에서 방출하는 에너지는
$12.1\ \mathrm{eV}-1.9\ \mathrm{eV}=10.2\ \mathrm{eV}$이다.
(2) 에너지와 진동수는 비례하므로 에너지가 가장 큰 C 과정에서 방출되는 빛의 진동수가 가장 크다.
(3) 에너지는 파장에 반비례하므로 에너지가 가장 작은 빛이 파장이 가장 크다. 따라서 파장이 가장 긴 빛이 방출되는 전이 과정은 A이다.

6 ㄱ. f_2가 b의 진동수이고, f_1은 f_2보다 진동수가 크므로 b보다 에너지가 커야 한다. 따라서 f_1은 c의 진동수이다.
ㄴ. a는 b보다 에너지 차이가 작으므로 a의 진동수는 b의 진동수보다 작다.
ㄷ. a는 c보다 에너지 차이가 작으므로 a 광자의 에너지는 c 광자의 에너지보다 작다.

2주 누구나 100점 테스트 82~83쪽

1 ② **2** (1) 감소한다. (2) 감소한다. **3** ㉠ 50 kJ, ㉡ 120 kJ
4 ③ **5** ㄱ, ㄷ **6** ③ **7** ③ **8** ⑤ **9** $f_0=f_1+f_2$
10 ㄴ, ㄷ

1 ㄴ. (나)에서 A와 B는 열평형 상태를 이루고 있으므로 온도가 같다. 기체의 온도와 입자수가 같은데 A의 부피가 B보다 크므로 A의 압력은 B보다 작다.

오답 풀이

ㄱ. (나)에서는 외부에서 일을 해 준 만큼 B의 내부 에너지가 증가하고 A는 B와 열평형을 이룬다. 따라서 (나)에서의 온도가 더 높다.
ㄷ. A, B를 분리하고 있는 금속판이 열전달이 잘되므로 (가) → (나) 과정에서 B가 받은 일은 B의 내부 에너지뿐만 아니라 A의 내부 에너지 증가에도 쓰인다.

2 (1) 풍선이 위로 올라갈 때 풍선 속 기체의 온도가 낮아지므로 기체의 내부 에너지는 감소하고 기체 분자 1개의 평균 운동 에너지도 감소한다.
(2) 풍선이 위로 올라갈 때 풍선 속 기체는 온도가 낮아지고 부피는 증가하므로 기체의 압력은 감소한다.

3 ㉠ 열역학 제1법칙에 따르면 받은 열량은 한 일과 방출한 열량의 합과 같다. 즉 $Q_1=W+Q_2$이므로
$W=Q_1-Q_2=200\ \mathrm{kJ}-150\ \mathrm{kJ}=50\ \mathrm{kJ}$이다.
㉡ 열기관의 열효율은 $e=\dfrac{W}{Q_1}=\dfrac{50\ \mathrm{kJ}}{200\ \mathrm{kJ}}=0.25$이다.
따라서 B에서 받은 열량은 $Q_1=\dfrac{W}{e}=\dfrac{30\ \mathrm{kJ}}{0.25}=120\ \mathrm{kJ}$이다.

4 고열원에서 흡수한 열은 한 일과 방출한 열의 합과 같다. 열기관의 열효율은 고열원에서 흡수한 열이 일로 전환되는 비율이므로 $e=\dfrac{\text{한 일}}{\text{흡수한 열}}=\dfrac{W}{Q+W}$이다.

5 ㄱ. 광속 불변의 원리에 의해 모든 관성계에서 빛의 속력은 같다.
ㄷ. P, Q에서 동시에 발생한 빛이 R에 동시에 도달하였으므로 같은 관성계에 있는 영희가 측정한 $\overline{\mathrm{PR}}$과 $\overline{\mathrm{RQ}}$의 거리는 같다.

오답 풀이

ㄴ. 광원, 검출기와 다른 관성계에 있는 철수가 측정할 때 Q와 R 사이의 거리는 길이 수축이 일어나므로 $\overline{\mathrm{PR}}$과 $\overline{\mathrm{RQ}}$의 거리는 다르다.

6 ㄱ. A가 관찰할 때 광원과 검출기 사이는 운동 방향과 수직이므로 길이 수축이 일어나지 않는다. 따라서 광원과 검출기 사이 거리는 L이다.
ㄴ. 광속 불변의 원리에 의해 A가 측정한 광원에서 나온 빛의 속력은 c이다.

오답 풀이

ㄷ. 시간 지연에 의해 빠르게 운동하는 물체의 시간은 느리게 가는 것으로 관찰된다. 따라서 A가 측정한 시간이 B가 측정한 시간보다 크다.

7 ㄱ. 핵반응 전후에 질량수는 보존되므로 $235+1=141+$㉠$+3$에서 ㉠의 질량수는 92이다.
ㄷ. 핵반응 전후 질량수는 보존되므로 질량수의 합은 같다.

오답 풀이

ㄴ. 핵반응 전후 전하량은 보존되므로 $92+$ⓐ$=56+36+3$ⓐ에서 ⓐ의 전하량은 0이다. 따라서 ⓐ는 중성자($^1_0\mathrm{n}$)이다.

8 ① X는 헬륨 원자핵($^4_2\mathrm{He}$)으로 질량수는 4, 원자 번호는 2이며, 중성자수가 2이다.
② (가)는 핵융합 과정을 나타낸다.
③ 핵반응 과정에서 질량 결손에 의해 에너지가 발생한다.

(가)에서 더 많은 에너지가 발생하였으므로 (가)에서 질량 결손이 더 많이 일어난 것이다.

④ 핵반응 전후 질량수는 보존되므로 핵반응 전후 질량수의 총합도 같다.

오답 풀이

⑤ (가)는 수소 핵융합으로 태양에서 일어나고, (나)는 라돈의 핵분열 반응이다.

9 흡수한 빛의 에너지는 방출한 두 빛의 에너지의 합과 같으므로 흡수한 빛의 진동수도 방출한 두 빛의 진동수의 합과 같다.

10 ㄴ. ㉠은 ㉡보다 파장이 짧으므로 ㉠의 에너지는 ㉡의 에너지보다 크다.

ㄷ. 원자핵에 가까울수록 에너지 준위가 낮다. 따라서 $n=2$의 전자는 $n=4$의 전자보다 에너지 준위가 낮다.

오답 풀이

ㄱ. ㉠은 ㉡보다 파장이 짧으므로 에너지는 더 크다. 따라서 ㉠은 a보다 에너지 차이가 작은 b에 의해 나타난 것이 아니다.

창의 · 융합 · 코딩

85~89쪽

정답 ④

그림과 같이 지구에 있는 영희에 대해 철수가 탄 우주선이 $0.9c$의 속력으로 지구에서 거리 L만큼 떨어진 행성을 향해 등속 직선 운동하고 있다. 철수가 영희를 스쳐 지나가는 순간 철수로부터 같은 거리만큼 떨어져 있는 광원 A, B에서 빛이 동시에 발생한다.

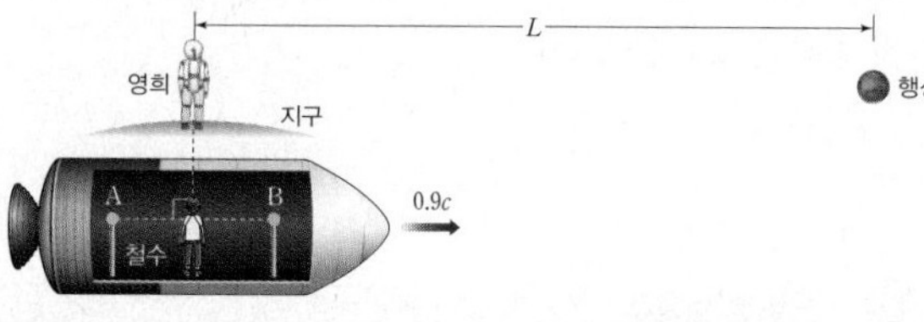

이에 대한 설명으로 옳은 것만을 〈보기〉에서 있는 대로 고른 것은? (단, c는 빛의 속력이다.)

보기

ㄱ. 철수는 A, B에서 발생한 빛이 자신에게 동시에 도달한 것으로 관찰한다.

ㄴ. 영희는 A, B에서 발생한 빛이 철수에게 동시에 도달한 것으로 관찰한다.❶

ㄷ. 철수가 관측한 지구에서 행성까지 거리는 L보다 작다.❷

① ㄴ ② ㄷ ③ ㄱ, ㄴ

④ ㄱ, ㄷ ⑤ ㄱ, ㄴ, ㄷ

❶ 관찰자가 어느 관성계에 있는지에 따라 동일한 사건을 다르게 관측할 수도 있음을 알고 있어야 한다.

❷ 관찰자와 물체의 상대적인 운동에 따라 물체의 운동이 다르게 관측될 수 있음을 알고 있어야 한다.

❶ 동시성의 상대성: 한 관찰자에게 동시에 일어난 사건이 다른 관찰자에게는 동시에 일어나지 않을 수 있다.

❷ 시간 지연과 길이 수축

- 시간 지연: 정지한 관찰자가 광속에 가까운 속도로 운동하는 물체의 시간을 보면 느리게 가는 것으로 관측된다.
- 길이 수축: 정지한 관찰자가 광속에 가까운 속도로 운동하는 물체의 길이를 관찰하면 길이가 줄어든 것으로 관측된다.

ㄱ. 사건과 관찰자가 같은 관성계에 있으므로 철수의 관성계에서는 A, B에서 발생한 빛이 동시에 도달한 것으로 관찰된다.

ㄷ. 길이 수축에 의해 지구에서 행성까지의 거리는 고유 길이 L보다 짧게 관찰된다.

오답 풀이

ㄴ. 영희의 관성계를 기준으로 하면 사건과 관찰자가 다른 관성계에 있으므로 A, B에서 발생한 빛이 동시에 도달한 것으로 관찰되지 않는다.

1 ④ **2** ⑤ **3** ③ **4** ① **5** ③ **6** ④

1 ㄱ. A → B 과정에서 기체의 온도가 높아지므로 내부 에너지는 증가한다.

ㄷ. A → B 과정에서 ㉠의 열을 흡수하고, C → D 과정에서 140 J의 열을 방출한다.

열기관의 열효율$=\dfrac{\text{흡수한 열량}-\text{방출한 열량}}{\text{흡수한 열량}}$이므로

$0.3=\dfrac{㉠-140\text{ J}}{㉠}$에서 ㉠은 200이다.

오답 풀이

ㄴ. C → D 과정에서 기체의 압력은 일정하고 부피는 감소하므로 기체의 온도는 낮아지고 내부 에너지도 감소한다. 따라서 외부로 열을 방출한다.

2 ㄱ. 흡수한 열은 한 일과 방출한 열의 합이므로 A에서 흡수한 열은 20 kJ이다. 따라서 A의 열효율은

$e=\dfrac{8\text{ kJ}}{20\text{ kJ}}=\dfrac{2}{5}$이다.

ㄴ. 열효율이 A가 B의 2배이므로 B의 열효율은 $\dfrac{1}{5}$이다.

이때 B가 흡수한 열은 $W_1+8\text{ kJ}$이고, 열효율은

$e=\dfrac{W_1}{W_1+8\text{ kJ}}=\dfrac{1}{5}$이므로 $W_1=2\text{ kJ}$이다.

ㄷ. 1회의 순환 과정에서 흡수한 열은 A가 20 kJ, B가 10 kJ이므로 A가 B의 2배이다.

3 철수가 측정한 빛의 이동 거리는 $L_{\text{철수}}=ct_{\text{철수}}$이고, 영희가 측정한 빛의 이동 거리는 $L_{\text{영희}}=ct_{\text{영희}}$이다. 광속 불변의 원리에 의해 $\dfrac{L_{\text{철수}}}{t_{\text{철수}}}=\dfrac{L_{\text{영희}}}{t_{\text{영희}}}=c$이다. 또한 $L_{\text{영희}}>L_{\text{철수}}$이므로 $t_{\text{영희}}>t_{\text{철수}}$이다.

4 ㄴ. 방출되는 빛의 진동수는 에너지가 클수록 크므로 c에서가 b에서보다 크다.

오답 풀이

ㄱ. 전자가 에너지 준위가 낮은 궤도에서 높은 궤도로 전이할 때 흡수하는 광자의 에너지는 에너지 준위 차이와 같으므로 $E=-0.54\text{ eV}-(-1.51\text{ eV})=0.97\text{ eV}$이다.

ㄷ. ㉠은 c에 의해 나타난 스펙트럼이고, ㉡은 ㉠보다 파장이 길어서 광자의 에너지가 작으므로 c보다 에너지가 큰 d는 아니다.

5 ㄱ. 반응 전후 질량수와 양성자 수가 같아야 하므로 a는 양성자수 0, 질량수 1인 중성자($^1_0$n)이다.

ㄴ. 중수소 원자핵과 삼중수소 원자핵이 융합하여 헬륨 원자핵과 중성자가 생성되는 핵융합 반응이다.

오답 풀이

ㄷ. 이 반응에서는 질량 결손에 해당하는 만큼의 에너지가 발생한다. 따라서 질량 결손이 있으므로 $^4_2$He의 질량은 $m_1+m_2-m_3$보다 작다.

6 ㄱ. R이 에너지 준위 차이가 가장 크므로 광자의 에너지도 가장 크다.

ㄷ. 전기력의 크기는 거리의 제곱에 반비례하므로 ㉠이 ㉡보다 크다.

오답 풀이

ㄴ. 전자가 $n=2$인 상태로 전이할 때 방출하는 빛은 발머 계열의 가시광선 영역이다.

3주 II. 물질과 전자기장 ~ III. 파동과 정보 통신

1일 개념 확인 95쪽

1-1 ㉠ 불연속적, ㉡ 연속적, ㉢ 기체
1-2 (가) 1개, (나) 3개, (다) 2개
2-1 (1) (가) 전도띠, (나) 띠 간격, (다) 원자가 띠 (2) (다)
2-2 (1) A: 전자, B: 양공 (2) B

1-1 기체 원자의 에너지 준위는 원자들이 서로 멀리 떨어져 있어 불연속적이고, 고체 원자의 에너지 준위는 인접한 원자들의 영향을 받아 연속적인 에너지띠를 이루게 된다. 따라서 그림은 기체 원자의 에너지띠 구조를 나타낸 것이다.

1-2 하나의 양자 상태에 두 개의 전자가 있을 수 없으므로 전자의 에너지 준위는 미세한 차이를 두면서 존재한다. 따라서 (가)는 원자가 1개일 때의 에너지 준위이고, (나)는 에너지 준위가 미세하게 3개로 나뉘어 있으므로 원자가 3개일 때의 에너지 준위, (다)는 원자가 2개일 때의 에너지 준위이다.

2-1 (1) 원자가 띠와 전도띠 사이에 전자가 존재할 수 없는 영역인 띠 간격이 있다.
(2) 원자의 전자가 채워진 가장 바깥에 있는 에너지띠는 (다) 원자가 띠이다.

2-2 (1) 원자가 띠에 있는 전자가 띠 간격보다 큰 에너지를 얻으면 전도띠로 전이하고, 원자가 띠에는 전자가 이동한 빈 자리인 양공이 생긴다.
(2) 전자가 이동하여 생긴 빈 자리인 양공은 (+)전하를 띠는 것과 같은 효과를 갖는다.

1일 개념 확인 97쪽

3-1 ㉠ 역수, ㉡ 작을수록, ㉢ 커서
3-2 (1) 구리 > 철 > 연필심 > 플라스틱 (2) 플라스틱 (3) 철, 구리
4-1 (1) × (2) ○ (3) ×
4-2 (1) 띠 간격 (2) (가) 도체, (나) 절연체, (다) 반도체 (3) (나)

3-1 전기 전도도와 비저항은 서로 역수 관계이므로 물질의 비저항이 작을수록 전기 전도도가 크다. 절연체는 비저항이 커서 전기 전도도가 낮으므로 전류가 잘 흐르지 않는다.

3-2 (1) 전기 전도도가 클수록 전기 전도성이 크다.
(2) 반도체는 도체보다 전기 전도성이 낮고, 절연체보다 전기 전도성이 좋다. 따라서 연필심보다 전기 전도성이 낮은 플라스틱이 절연체에 해당한다.

(3) 연필심보다 전기 전도성이 좋은 철, 구리가 도체에 해당한다.

4-1 (1) 띠 간격 이상의 에너지를 흡수하는 경우에만 원자가 띠의 전자가 전도띠로 이동할 수 있다.

(3) 규소(Si), 저마늄(Ge)은 반도체로 절연체보다 띠 간격이 좁다.

4-2 (1) 원자가 띠와 전도띠 사이에 전자가 존재하지 않는 구간을 띠 간격이라고 한다.

(2) (가)는 원자가 띠와 전도띠가 일부 겹쳐 있으므로 도체, (나)는 원자가 띠와 전도띠 사이의 간격이 매우 넓으므로 절연체, (다)는 원자가 띠와 전도띠 사이의 간격이 좁으므로 반도체이다.

(3) 나무, 고무, 유리 등은 절연체에 해당한다.

1일 기초 유형 연습 98~99쪽

1 ③ **2** (1) A: 전자, B: 양공 (2) 해설 참조 **3** ③ **4** ④
5 (1) A: 전도띠, B: 원자가 띠 (2) (다) **6** ③

1 ㄱ. A는 기체 원자의 에너지 준위로 불연속적인 선으로 나타난다.

ㄷ. 수많은 원자들이 인접해 있는 경우 에너지 준위가 미세한 차이를 두고 나누어지면서 에너지띠의 형태를 이루게 된다. 따라서 B와 같은 에너지 준위를 갖게 된다.

오답 풀이

ㄴ. B는 수많은 원자들이 인접해 있는 고체의 에너지 준위를 나타낸 것이다.

2 (1) 원자가 띠의 전자가 전도띠로 이동한 빈 자리에 양공이 생긴다.

(2) 모범 답안 **띠 간격, 도체는 띠 간격이 없고 절연체는 띠 간격이 매우 넓다.**

3 양공은 (+)전하를 띤 것과 같은 효과를 가지므로 전류가 흐를 때 전자는 (+)극 쪽으로, 양공은 (−)극 쪽으로 이동한다. 따라서 전류가 흐를 때 전도띠의 전자와 원자가 띠의 양공의 이동 방향은 반대이다.

오답 풀이

③ 원자가 띠의 전자가 띠 간격 이상의 에너지를 얻으면 전도띠로 전이하고, 원자가 띠의 빈 자리에 양공이 생긴다.

4 ㄴ. 원자가 띠의 전자가 띠 간격 이상의 에너지를 얻으면 전도띠로 전이할 수 있다.

ㄷ. B는 도체의 에너지띠 구조이다. 도체는 상온에서 원자 사이를 자유롭게 이동할 수 있는 자유 전자들이 많아 전기 전도성이 좋다.

오답 풀이

ㄱ. 구리, 알루미늄과 같은 금속은 도체이다. 도체의 에너지띠 구조는 B와 같다.

자료 해설 고체의 에너지 띠 구조

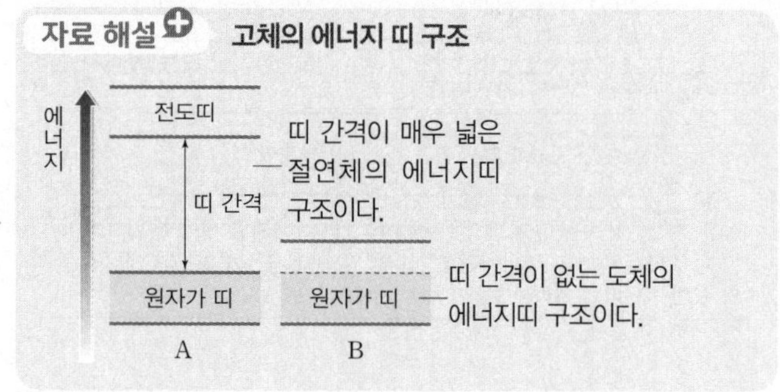

5 (1) 전자가 비어 있는 A는 전도띠, 전자가 채워져 있는 가장 바깥쪽인 B는 원자가 띠이다.

(2) 절연체는 원자가 띠와 전도띠 사이의 띠 간격이 매우 넓은 (다)이다. (가)는 원자가 띠와 전도띠가 겹쳐있는 도체, (나)는 반도체이다.

6 ㄱ. A는 B보다 띠 간격이 좁다. 따라서 A는 반도체, B는 절연체이다.

ㄴ. 전기 전도성은 띠 간격이 좁은 A가 B보다 좋다.

오답 풀이

ㄷ. A, B 모두 띠 간격에는 전자가 존재할 수 없다.

2일 개념 확인 101쪽

1-1 (1) (나) (2) ① − ㉠, ② − ㉡
1-2 (1) 3개 (2) 양공
2-1 (1) ㉠ (+), ㉡ (−) (2) b
2-2 (1) X (2) 순방향 바이어스

1-1 (1) 순수 반도체에 불순물을 첨가하는 것을 도핑이라고 한다. 도핑 후 전자가 남으면 n형 반도체, 양공이 생성되면 p형 반도체이다. 따라서 (가)는 p형 반도체, (나)는 n형 반도체이다.

(2) ① n형 반도체는 공유 결합에 참여하지 못하고 남는 전자가 있으므로 전자 수가 양공 수보다 많다.

② p형 반도체는 공유 결합 후 양공이 생기므로 전자 수가 양공 수보다 적다.

1-2 (1) 공유 결합 후 빈 자리인 양공이 생기고, 불순물이 만드는 에너지 준위는 원자가 띠 바로 위에 위치하고 있으므로 A의 원자가 전자는 3개이다.

(2) 이 반도체는 p형 반도체이므로 양공이 주요 전하 운반체이다.

자료 해설 ⊕ 불순물 반도체의 에너지 준위

n형 반도체	p형 반도체
전도띠 / 불순물이 만드는 에너지 준위 / 원자가 띠	전도띠 / 불순물이 만드는 에너지 준위 / 원자가 띠
공유 결합하지 못한 전자가 갖는 에너지 준위는 약간의 에너지만 받아도 쉽게 전도띠로 올라갈 수 있다.	약간의 에너지만 받아도 원자가 띠에 있던 전자들이 양공의 에너지 준위로 올라갈 수 있다.

2-1 (1) p−n 접합 다이오드는 p형 반도체 쪽에 (+)극을, n형 반도체 쪽에 (−)극을 연결한 경우에만 순방향 바이어스가 걸려 전류가 흐른다.
(2) 전구에 불이 켜지려면 다이오드에 순방향 바이어스가 걸려야 한다. 따라서 스위치를 b 쪽에 연결해야 한다.

2-2 (1) X는 원자가 전자가 3개인 불순물을 첨가했으므로 p형 반도체이고, Y는 원자가 전자가 5개인 불순물을 첨가했으므로 n형 반도체이다.
(2) p형 반도체는 (+)극 쪽에, n형 반도체는 (−)극 쪽에 연결되므로 다이오드 A에는 순방향 바이어스가 걸린다.

2일 개념 확인 103쪽

3-1 ㄱ
3-2 ㄷ
4-1 (1) × (2) × (3) ○
4-2 (가) 발광 다이오드, (나) 반도체 레이저 다이오드

3-1 주어진 회로는 반파 정류 회로로 다이오드 1개를 사용하여 입력 신호의 절반만 통과시키는 회로이다.

3-2 주어진 회로는 전파 정류 회로로 다이오드 4개를 사용하여 입력 신호 전체를 통과시키는 회로이다. 어느 경우든 저항에는 같은 방향으로 전류가 흐른다.

자료 해설 ⊕ 전파 정류 회로

A, B, D_1, D_2, D_3, D_4, R

- 전류가 A 방향으로 흐를 때: D_2, D_4에 순방향 바이어스가 걸림
- 전류가 B 방향으로 흐를 때: D_1, D_3에 순방향 바이어스가 걸림

4-1 (1) 발광 다이오드는 전류가 흐를 때 빛을 방출한다.
(2) 발광 다이오드는 p형 반도체와 n형 반도체를 접합하여 만든다. 따라서 순수 반도체가 아닌 불순물 반도체를 사용하여 만드는 것이다.
(3) 띠 간격의 크기에 따라 방출되는 빛의 에너지가 다르므로 방출되는 빛의 파장도 다르다. 따라서 다양한 색의 빛을 방출할 수 있다.

4-2 (가)는 발광 다이오드, (나)는 반도체 레이저 다이오드에 대한 설명이다.

2일 기초 유형 연습 104~105쪽

1 ③ **2** ② **3** (1) 5개 (2) Y **4** ④ **5** 해설 참조
6 ③

1 ③ 공유 결합 후 전자가 1개 남는 것을 통해 인(P)의 원자가 전자가 5개임을 알 수 있다.

오답 풀이
① 전자가 남으므로 n형 반도체이다.
② 전자가 양공보다 많다.
④ n형 반도체이므로 전자가 주요 전하 운반체 역할을 한다.
⑤ n형 반도체이므로 이 반도체 쪽에 (−)극을 연결해야 순방향 바이어스가 걸린다.

2 A: 도핑을 하지 않은 반도체는 순수 반도체이다.
B: n형 반도체는 전자가 전하를 운반하는 역할을 한다.
C: p형 반도체는 양공이 전하를 운반하는 역할을 한다.

3 (1) (나)에서 전도띠 바로 아래에 위치한 에너지 준위는 공유 결합 후 남은 전자가 갖는 에너지 준위이다. 따라서 Y는 n형 반도체이고 a는 원자가 전자가 5개인 원소이다.
(2) (나)와 같은 에너지띠 구조에서는 원자가 띠의 전자가 약간의 에너지만 받아도 쉽게 전도띠로 올라갈 수 있다. 따라서 순수 반도체인 X보다 불순물 반도체인 Y가 전기 전도성이 더 좋다.

4 ㄴ. (나)에서 a를 첨가했을 때 공유 결합 후 전자가 남으므로 a의 원자가 전자는 5개임을 알 수 있다.
ㄷ. 역방향 바이어스를 걸어주면 다이오드에 전류가 흐르지 않는다.

오답 풀이
ㄱ. 전자의 에너지 준위는 연속적인 띠와 같은 모양이지만 차이가 있으므로 에너지가 모두 다르다.

5 모범 답안 **발광 다이오드는 p−n 접합 다이오드로 p형 반도체 쪽에 (+)극, n형 반도체 쪽에 (−)극이 연결된 경우에만 빛이 방출된다. 따라서 X는 n형 반도체이고, Y는 p형 반도체이다.**

6 ㄱ. A는 불이 켜졌으므로 전류가 흐른다.

ㄴ. B에는 역방향 바이어스가 걸리므로 전류가 흐르지 않는다.

오답 풀이

ㄷ. A에는 순방향 바이어스가 걸리므로 (−)극 쪽에 연결된 X는 n형 반도체, Y는 p형 반도체이다.

자료 해설 p−n 접합 다이오드

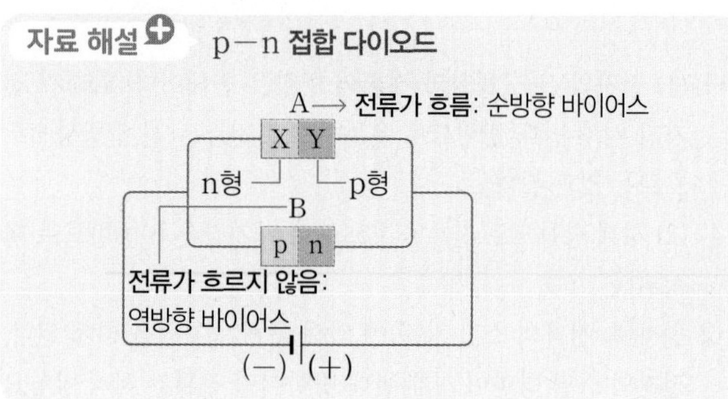

3일 개념 확인 107쪽

1-1 ㉠ 전류, ㉡ 자기장, ㉢ 전류, ㉣ 자기장
1-2 (가), (라)
2-1 (1) $\frac{1}{2}B$ (2) B
2-2 (1) $\frac{1}{2}B$ (2) $\frac{3}{2}B$

1-1 오른손의 엄지손가락과 오른 나사의 진행 방향이 전류의 방향을 향할 때 나머지 네 손가락이 도선을 감아쥐는 방향과 오른 나사의 회전 방향이 자기장의 방향이다.

1-2 오른손의 엄지손가락이 전류의 방향을 향할 때 나머지 네 손가락이 도선을 감아쥐는 방향이 자기장의 방향이다. 나침반 자침의 N극이 (가), (라)는 동쪽으로, (나), (다)는 서쪽으로 회전한다.

2-1 (1) 원형 도선 중심에서 전류에 의한 자기장의 세기는 도선에 흐르는 전류의 세기에 비례하고, 원형 도선의 반지름에 반비례한다. 따라서 반지름이 2배가 되면 자기장의 세기는 $\frac{1}{2}$배가 된다.

(2) 전류의 세기와 원형 도선의 반지름이 모두 2배가 되었으므로 자기장의 세기는 변함없이 B이다.

2-2 (1) 원형 도선의 중심인 점 P에서 전류에 의한 자기장의 세기는 도선에 흐르는 전류의 세기에 비례하고, 원형 도선의 반지름에 반비례한다. B의 반지름은 A의 2배이므로 P에서 B에 흐르는 전류에 의한 자기장의 세기는 A에 흐르는 전류에 의한 자기장의 세기의 $\frac{1}{2}$배이다.

(2) 두 도선에 흐르는 전류에 의한 자기장의 방향은 같으므로 P점에서 합성 자기장의 세기는 $\frac{1}{2}B+B=\frac{3}{2}B$이다.

3일 개념 확인 109쪽

3-1 (1) × (2) ○ (3) ○ (4) ○
3-2 (1) 동쪽 (2) 서쪽 (3) 동쪽
4-1 (1) × (2) ○
4-2 자기력

3-1 (1) 솔레노이드 외부에는 막대자석 주위의 자기장처럼 N극에서 나와 S극으로 들어가는 방향으로 자기장이 형성된다.

3-2 오른손의 네 손가락을 전류의 방향으로 감아쥐면 엄지손가락이 오른쪽을 가리키므로 솔레노이드의 오른쪽이 N극, 왼쪽이 S극이 된다. 따라서 A, C에 놓은 나침반 자침의 N극은 동쪽, B에 놓은 나침반 자침의 N극은 서쪽을 가리킨다.

4-1 (1) 전동기는 전기 에너지를 운동 에너지로 전환시키는 장치이다.

4-2 자기장 속에서 전류가 흐르는 도선이 받는 힘을 자기력이라고 한다.

3일 기초 유형 연습 110~111쪽

1 2 : 2 : 1 **2** ⑤ **3** ④ **4** ③
5 (1) 인력 (2) 해설 참조

1 직선 도선에 흐르는 전류에 의한 자기장은 전류의 세기에 비례하고 도선으로부터의 수직 거리에 반비례한다. A, B, C 점은 도선으로부터의 수직 거리의 비가 1 : 1 : 2이므로 자기장 세기의 비는 2 : 2 : 1이다.

2 ㄱ. p에서 A와 B에 흐르는 전류에 의한 자기장의 방향은 모두 xy 평면에 수직으로 들어가는 방향이다. 또한 A와 B에 흐르는 전류의 세기가 같으므로 전류에 의한 자기장의 세기도 같다.

ㄴ, ㄷ. p에서 A, B, C에 흐르는 전류에 의한 자기장은 0이므로 C에 흐르는 전류에 의한 자기장은 A, B에 흐르는 전류에 의한 합성 자기장과 방향이 반대이고 세기는 같아야 한다. p에서 A, B에 흐르는 전류에 의한 자기장의 방향은 xy 평면에 각각 수직으로 들어가는 방향이므로 C에 흐르는 전류에 의한 자기장의 방향은 xy 평면에서 수직으로 나오는 방향이다. 따라서 C에 흐르는 전류의 방향은 $+y$ 방향이고, 전류의 세기는 I보다 크다.

자료 해설 직선 전류에 의한 자기장

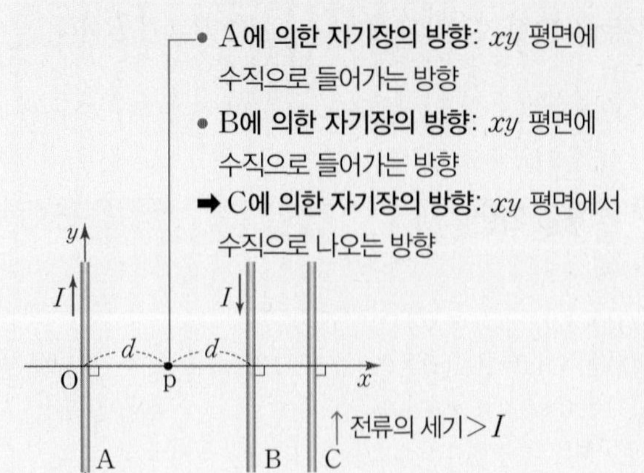

3 ㄴ, ㄷ. (다)에서가 (나)의 결과보다 나침반 자침의 N극이 시계 반대 방향으로 더 많이 회전하였다. 나침반 자침은 직선 도선에 의한 자기장 때문에 회전하는 것이므로 직선 도선에 의한 자기장의 세기는 (다)에서가 (나)에서보다 크며, 직선 도선에 흐르는 전류의 세기도 (다)에서가 (나)에서보다 크다.

오답 풀이

ㄱ. 직선 도선 아래에 있는 나침반 자침의 N극이 시계 반대 방향으로 회전하였으므로 오른손을 이용해 직선 도선에 흐르는 전류의 방향을 알아보면 b → a 방향이다.

4 직선 도선에 흐르는 전류의 방향으로 오른손의 엄지손가락을 향할 때 나머지 네 손가락이 도선을 감아쥐는 방향이 자기장의 방향이다. 직선 도선 주위에는 시계 반대 방향으로 자기장이 형성되었으므로 (가)에 흐르는 전류의 방향은 위(↑)이다.

원형 도선에 흐르는 전류에 의한 자기장의 방향은 각 부분을 직선 도선으로 생각할 때 오른손을 이용해서 알 수 있다. 따라서 (나)에서 자침은 종이면 안쪽을 가리킨다.

5 (1) 솔레노이드에 의한 자기장의 방향은 오른손의 네 손가락을 전류의 방향으로 감아쥘 때 엄지손가락이 가리키는 방향으로 A, B에서 자기장의 방향은 모두 왼쪽이다. 따라서 A와 B 사이에는 인력이 작용한다.

(2) 모범 답안 **솔레노이드 내부에서의 자기장의 세기는 솔레노이드에 흐르는 전류의 세기와 단위 길이당 코일의 감은 수에 각각 비례하므로 q에서의 자기장의 세기가 더 크다.**

자료 해설 솔레노이드에 의한 자기장

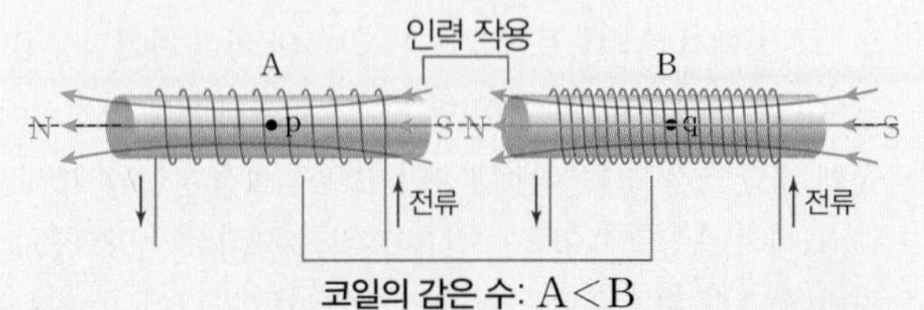

• 솔레노이드 내부에서의 자기장의 세기는 솔레노이드에 흐르는 전류의 세기가 셀수록, 단위 길이당 코일의 감은 수가 많을수록 크다.

개념 확인 113쪽

1-1 (1) 시계 (2) b
1-2 ㉠ 스핀, ㉡ b
2-1 (가) 강자성체, (나) 반자성체, (다) 상자성체
2-2 (1) ○ (2) × (3) ○ (4) ×

1-1 (1) 전자의 운동 방향과 전류의 방향은 반대이다. 따라서 전자가 시계 반대 방향으로 운동하므로 전류는 시계 방향으로 흐르는 것과 같다.

(2) 시계 방향으로 전류가 흐르므로 자기장은 b 방향으로 형성된다.

1-2 원자 속 전자의 스핀(자전)에 의해 물체가 자성을 띠게 된다. 전자의 스핀 방향이 시계 반대 방향이면 전류는 시계 방향으로 흐르고, 자기장은 b 방향으로 형성된다.

2-1 (가)는 외부 자기장을 제거해도 자성을 유지하고 있으므로 강자성체, (나)는 외부 자기장을 가했을 때 외부 자기장과 반대 방향으로 자기화되므로 반자성체, (다)는 외부 자기장을 제거하면 자성의 효과가 즉시 사라지므로 상자성체이다.

2-2 (1) 강자성체는 외부 자기장과 같은 방향으로 자기화된다. 외부 자기장의 방향이 오른쪽이므로 X는 N극이다.

(2) 강자성체 내부의 원자 자석의 배열 방향은 외부 자기장과 같은 방향이다.

(3) 강자상체는 외부 자기장을 제거해도 자기화된 상태를 오래 유지한다.

(4) 외부 자기장이 가해지기 전에는 원자 자석이 무질서하게 배열되어 있으므로 자성을 띠지 않는다.

개념 확인 115쪽

3-1 ㉠ N, ㉡ B
3-2 ㉠ 인력, ㉡ 멀어지는
4-1 (1) ○ (2) × (3) ○
4-2 (유도) 전류

3-1 코일에는 자석의 운동을 방해하는 방향으로 유도 전류가 흐른다. 자석의 N극이 접근하면 척력이 작용하도록 코일의 위쪽에 N극이 생기게 하는 방향으로 유도 전류가 흐른다. 따라서 검류계에 흐르는 전류의 방향은 B 방향이다.

3-2 자석과 코일 사이에 인력이 작용하므로 자석은 코일에서 멀어지는 방향으로 운동한다.

4-1 (2) 고리를 빠르게 회전시킬수록 고리를 통과하는 자기 선속의 시간적 변화율이 커지므로 유도 전류의 세기가 세진다. 따라서 전구가 더 밝아진다.

(3) 고리를 정지시켜 놓으면 고리를 통과하는 자기 선속의 변화가 없어 유도 전류가 흐르지 않는다. 따라서 전구에 불이 들어오지 않는다.

4-2 바퀴가 회전하면서 철심이 영구자석 주위를 회전하게 되고 코일을 통과하는 자기장의 변화가 생겨 유도 전류가 흐른다. 이러한 전자기 유도 원리에 의해 발광 킥보드에 불이 들어온다.

4일 기초 유형 연습 116~117쪽

1 ① **2** ④ **3** (1) 상자성 (2) 해설 참조 **4** ⑤
5 (1) a (2) 커진다. **6** ⑤

1 A: 자성의 원인으로 전자의 궤도 운동과 스핀을 들 수 있다.

오답 풀이

B: 상자성을 띠는 물체는 외부 자기장이 제거되면 자기화된 상태가 즉시 사라진다.

C: 반자성은 원자가 만드는 자기장의 방향이 외부 자기장의 방향과 반대 방향으로 자기화되는 현상이다.

2 ㄴ. A는 자석 위에 떠 있으므로 A와 자석 사이에는 서로 밀어내는 척력이 작용한다.

ㄷ. 반자성체에서는 원자 자석들이 외부 자기장의 방향과 반대 방향으로 정렬한다.

오답 풀이

ㄱ. A와 자석 사이에는 척력이 작용한다. 따라서 A는 자석의 자기장과 반대 방향으로 자기화되는 반자성체이다.

3 (1) 외부 자기장과 같은 방향으로 자기화되며 외부 자기장을 제거하면 즉시 자성이 사라지므로 상자성체이다.

(2) 모범 답안 **외부 자기장을 가하기 전에는 물질 내 원자 자석들이 무질서하게 배열되어 있고, 외부 자기장을 제거하면 자기화된 상태가 즉시 사라지기 때문이다.**

4 ㄱ. (가)에서 자석의 N극이 다가오므로 코일의 왼쪽이 N극이 되도록 유도 전류가 흐른다. 따라서 (가)에서 전류의 방향은 b → LED → a이다.

ㄴ. (가)에서 자석은 오른쪽으로 운동하고 있고 렌츠 법칙에 의해 자석의 운동을 방해하는 방향으로 유도 전류가 흐른다. 따라서 자석은 왼쪽으로 자기력을 받는다.

ㄷ. (나)에서 자석의 S극이 다가오므로 코일의 오른쪽이 S극이 되도록 유도 전류가 흐른다.

자료 해설 ⊕ 전자기 유도

← 전류
LED
a b
N S

(가)

← 전류
LED
a b
N S

(나)

5 (1) 도체 막대를 오른쪽으로 잡아당기면 ㄷ자형 도선과 도체 막대가 만드는 사각형 폐회로를 통과하는 자기 선속이 증가한다. 따라서 이를 방해하기 위해 종이면에서 수직으로 나오는 방향의 자기장이 형성되도록 유도 전류가 흐르므로 저항에 흐르는 유도 전류의 방향은 a이다.

(2) v가 증가하면 자기 선속의 시간적 변화율이 커지므로 유도 전류의 세기도 커진다.

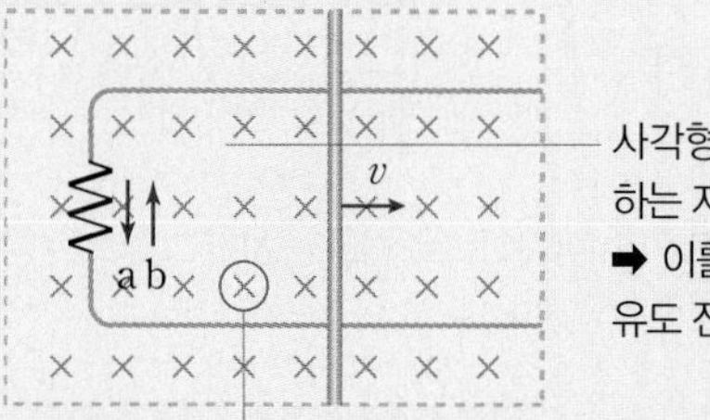

종이면에 수직으로 들어가는 방향의 자기 선속이 증가 ➡ 종이면에서 수직으로 나오는 방향의 자기장이 생성되도록 유도 전류가 흐름

6 ①, ② 바퀴가 회전하면 발전기의 코일을 통과하는 자기 선속이 변해 코일에는 유도 전류가 흐른다.

③ 바퀴가 회전하는 속력이 클수록 자기 선속의 시간적 변화율이 커지므로 유도 전류의 세기가 커진다.

④ 자전거 발전기는 바퀴가 회전하는 운동 에너지(역학적 에너지)를 유도 전류(전기 에너지)로 전환하는 장치이다.

선택지 바로 알기

⑤ 발전기 속 자석을 더 센 자석으로 바꾸면 자기 선속의 시간적 변화율이 커지므로 코일에 흐르는 전류의 세기가 커진다.

5일 개념 확인 119쪽

1-1 ㄹ, ㅁ
1-2 (1) ○ (2) × (3) ×
2-1 (1) A: 마루, B: 골, C: 진폭, D: 파장 (2) A: 주기, $\frac{1}{A}$: 진동수
2-2 (1) 2초 (2) $\frac{1}{2}$ Hz (3) 2 m/s

1-1 주어진 용수철 파동은 용수철의 진동 방향과 파동의 진행 방향이 나란한 종파이다. 종파에는 소리, 초음파, 지진파의 P파 등이 있다. 빛, 물결파, 지진파의 S파 등은 횡파이다.

1-2 (1), (2) A는 파동의 진행 방향과 매질인 용수철의 진동 방향이 수직이므로 횡파이고, B는 파동의 진행 방향과 용수철의 진동 방향이 나란하므로 종파이다.

(3) 소리, 초음파 등은 종파로 B에 해당한다.

2-1 (1) 파동의 변위-위치 그래프를 통해서는 진폭과 파장을 알 수 있다.

(2) 파동의 변위-시간 그래프를 통해서는 진폭과 주기 및 진동수를 알 수 있다.

자료 해설 ⊕ **파동의 요소**

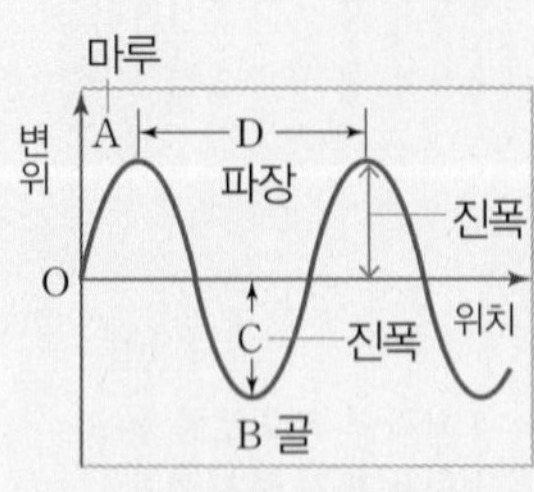

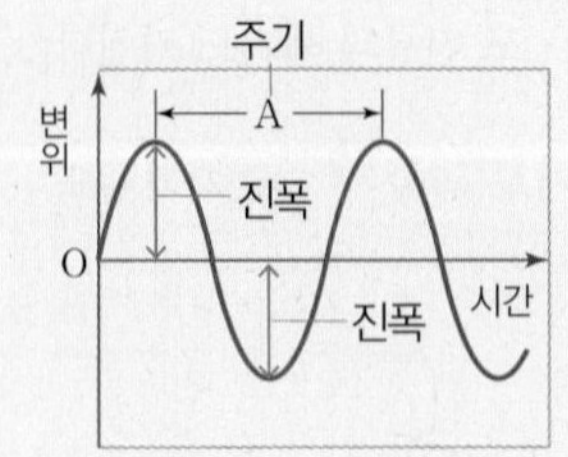

주기와 진동수는 서로 역수 관계이므로 변위-시간 그래프를 통해 주기를 알면 진동수도 알 수 있다.

2-2 (1) 파동의 주기는 매질이 한 번 진동하는 데 걸리는 시간이므로 2초이다.

(2) 진동수는 주기의 역수이므로 $\frac{1}{2}$ Hz이다.

(3) 파동의 주기는 2초이고, 파장은 4 m이므로

파동의 속력 $=\frac{\text{파장}}{\text{주기}}=\frac{4\text{ m}}{2\text{ s}}=2\text{ m/s}$이다.

3-2 (1) 파동이 진행하는 동안 진동수는 변하지 않는다.

(2) 매질 1에서의 파장이 매질 2에서의 파장보다 크다. '파동의 속력=진동수×파장'에서 진동수는 일정하므로 파장이 클수록 속력도 크다. 따라서 물결파의 속력은 매질 1 > 매질 2이다.

(3) 물결파의 속력은 물의 깊이에 비례한다. 물결파의 속력이 매질 1 > 매질 2이므로 물의 깊이도 매질 1 > 매질 2이다.

4-1 (1) 소리가 위쪽으로 굴절하므로 지면 근처의 기온이 상층부의 기온보다 높다는 것을 알 수 있다.

(2) 기온이 높을수록 소리의 속력이 커진다.

(3) 지면 근처 공기와 상층부의 기온 차이가 클수록 소리의 속력이 크게 변하므로 더 많이 굴절하여 소리가 더 크게 휘어진다.

4-2 (1) (가)는 빛을 한 곳에 모으므로 볼록 렌즈이고, (나)는 빛을 퍼지게 하므로 오목 렌즈이다.

(2) 공기와 유리의 굴절률이 다르므로 빛이 공기에서 렌즈로 들어갈 때 속력이 달라진다.

(3) 빛이 공기에서 렌즈로 들어갈 때 '입사각 > 굴절각'이고, 빛이 렌즈에서 공기로 빠져나올 때 '입사각 < 굴절각'이므로 공기 중에서보다 렌즈 내부에서 빛의 속력이 더 느리고 파장이 더 짧다.

5일 개념 확인 121쪽

3-1 (1) 45° (2) 30° (3) 매질 1 > 매질 2
3-2 (1) ㉠ (2) ㉡ (3) ㉡
4-1 (1) ○ (2) × (3) ○
4-2 (1) ○ (2) × (3) ×

3-1 (1) 입사각은 법선과 입사 광선이 이루는 각이므로 45°이다.

(2) 굴절각은 법선과 굴절 광선이 이루는 각이므로 30°이다.

(3) 입사각이 굴절각보다 크므로 매질 1에서의 속력이 매질 2에서의 속력보다 크다.

다른 풀이

매질 1에서의 파장이 매질 2에서의 파장보다 큰 것을 통해서도 매질 1에서의 속력이 더 크다는 것을 알 수 있다.

자료 해설 ⊕ **파동의 굴절**

입사각 > 굴절각이므로
- **속력**: 매질 1 > 매질 2
- **파장**: 매질 1 > 매질 2

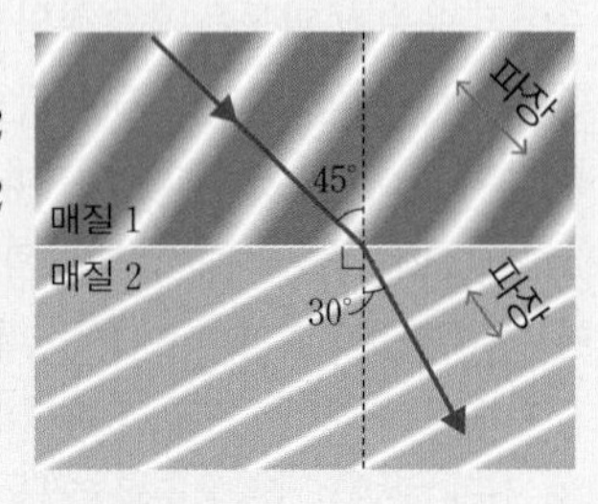

5일 기초 유형 연습 122~123쪽

1 (1) (가) (2) (가) (3) (나) **2** 해설 참조 **3** ② **4** ④
5 ⑤ **6** ④

1 (1) (가)는 파동의 진행 방향과 매질인 용수철의 진동 방향이 수직인 횡파이고, (나)는 파동의 진행 방향과 매질인 용수철의 진동 방향이 나란한 종파이다.

(2) 빛은 횡파이므로 (가)와 같이 진행한다.

(3) (나)는 매질의 진동 방향과 파동의 진행 방향이 나란한 종파이다.

2 모범 답안 **변위-시간 그래프에서 매질의 한 지점이 한 번 진동하는 데 걸리는 시간은 주기를 의미하므로 이 파동의 주기는 1 s이고, 진동수는 주기의 역수이므로 1 Hz이다. 이때 파동의 속력은 0.5 m/s이므로 '파동의 속력 $=\frac{\text{파장}}{\text{주기}}=$ 진동수 × 파장'에 의해 파장은 0.5 m이다.**

3 ㄴ. 변위-시간 그래프에서 P의 주기는 Q의 $\frac{1}{3}$배라는 것을 알 수 있다. 진동수는 주기와 서로 역수 관계이므로 P의 진동수는 Q의 3배이다.

오답 풀이

ㄱ. 진폭은 진동 중심에서 최대 변위까지의 거리이므로 P의 진폭은 A이다.

ㄷ. 파동의 속력$=\frac{\text{파장}}{\text{주기}}$이고 P와 Q의 속력이 같으므로 파장과 주기는 서로 비례한다. 따라서 P의 주기가 Q의 $\frac{1}{3}$배이므로 P의 파장은 Q의 $\frac{1}{3}$배이다.

자료 해설 ⊕ 파동의 요소

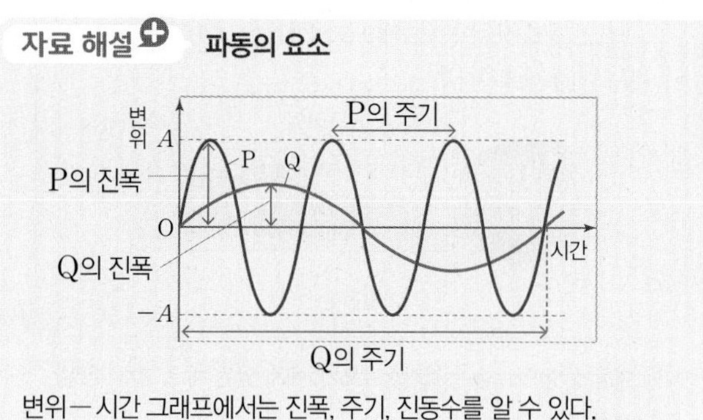

변위－시간 그래프에서는 진폭, 주기, 진동수를 알 수 있다.

4 ㄱ. '파동의 속력＝진동수×파장'이고, 파동의 진동수는 진행 도중 변하지 않고 일정하다. 따라서 물결파의 속력은 파장이 긴 매질 1에서가 매질 2에서보다 크다.

ㄷ. 매질 1, 2에서 물결파의 속력을 각각 v_1, v_2라 하고, 물결파의 파장을 각각 λ_1, λ_2라고 할 때 굴절 법칙에 의해 매질 1에 대한 매질 2의 굴절률은 $n_{12}=\frac{n_2}{n_1}=\frac{v_1}{v_2}=\frac{\lambda_1}{\lambda_2}$이다.

오답 풀이

ㄴ. 파동의 진동수는 파원에 의해 결정되며 진행 도중 변하지 않는다. 따라서 매질 1과 매질 2에서의 진동수는 같다.

자료 해설 ⊕ 물결파의 굴절

파장이 길다. ⟶ 속력이 크다. ⟶ 굴절률이 작다.

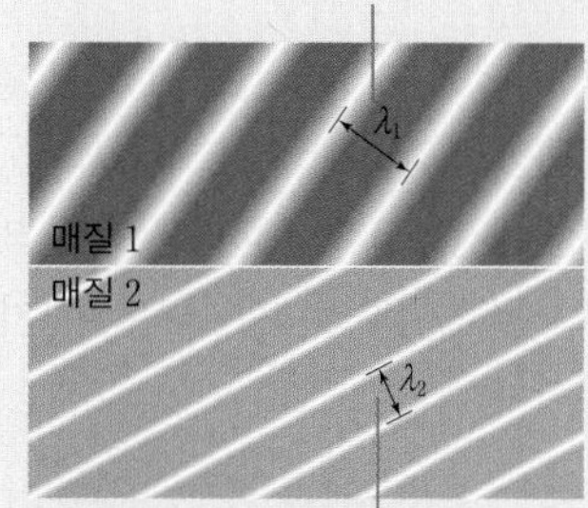

파장이 짧다. ⟶ 속력이 느리다. ⟶ 굴절률이 크다.

물결파는 매질 1에서 매질 2로 진행하면서 굴절하여 파장이 짧아졌다. 물결파의 파장이 짧은 곳에서 물결파의 속력은 느리고 굴절률은 크다.

5 ⑤ 유리판이 있는 곳은 수심이 얕아져서 파동의 속력이 느려진다. 파동의 주기나 진동수는 변하지 않고 속력이 느려지므로 물결파의 파장은 짧아진다. 파면과 파면 사이의 거리는 파장을 의미하므로 파면 사이의 간격은 더 좁아져서 촘촘해진다.

오답 풀이

①, ② 속력이 느려지므로 파장이 짧아진다.

③, ④ 수심이 달라져도 물결파의 주기나 진동수는 변하지 않는다.

6 ㄱ. (가)에서 빛이 공기에서 유리로 입사할 때, 입사각이 굴절각보다 크므로 굴절률은 유리가 공기보다 크다.

ㄷ. 높이에 따라 공기의 온도가 달라지는 경우 공기의 밀도도 달라지므로 높이에 따라 공기의 굴절률도 달라진다. (다)와 같은 경우 지면 근처의 뜨거운 공기에 비해 상공의 차가운 공기는 밀도가 높으므로 상공은 상대적으로 굴절률이 크다. 따라서 빛의 속력은 뜨거운 공기에서가 차가운 공기에서보다 크다.

오답 풀이

ㄴ. 소리의 속력은 공기의 온도가 높을수록 크다. 따라서 (나)에서 소리의 속력은 따뜻한 공기에서가 차가운 공기에서보다 크다.

3주 누구나 100점 테스트 124~125쪽

1 ③ **2** 해설 참조 **3** n형 반도체 **4** ⑤ **5** 해설 참조
6 ⑤ **7** 흐르지 않는다. **8** ③ **9** 2 m/s **10** ③

1 철수: (가)는 기체 원자의 에너지 준위로 에너지 준위가 불연속적이다.

영희: 고체의 에너지띠에서 전자는 허용된 띠(전도띠와 원자가 띠)에만 존재한다.

오답 풀이

민수: (나)는 고체 원자의 에너지 준위로 수많은 원자들이 에너지띠를 형성한다.

2 모범 답안 **온도가 상승할수록 열에너지로 인해 전도띠로 전이하는 전자가 많아지므로 전기 전도성이 좋아진다.**

3 순수 반도체에 원자가 전자가 5개인 5족 원소를 도핑하면 4개의 원자가 전자와 공유 결합을 하고 공유 결합하지 못한 하나의 전자가 남는다. 이 자유 전자가 주요 전하 운반자 역할을 한다. 이러한 반도체를 n형 반도체라고 한다.

4 ㄱ. X는 원자가 전자가 4개인 저마늄(Ge)에 원자가 전자가 3개인 불순물 인듐(In)을 첨가하여 공유 결합 후 양공이 생성된 것으로 p형 반도체이고, Y는 n형 반도체이다.

ㄴ. LED에서 빛이 방출되므로 LED에는 순방향 바이어스가 걸린 것이다. 따라서 p형 반도체인 X 쪽과 연결된 전원 장치의 단자 ㉠은 (＋)극이다.

ㄷ. LED에 전류가 흐르고 있으므로 n형 반도체에 있는 전자는 p－n 접합면 쪽으로 이동한다.

자료 해설 ⊕ **반도체와 다이오드**

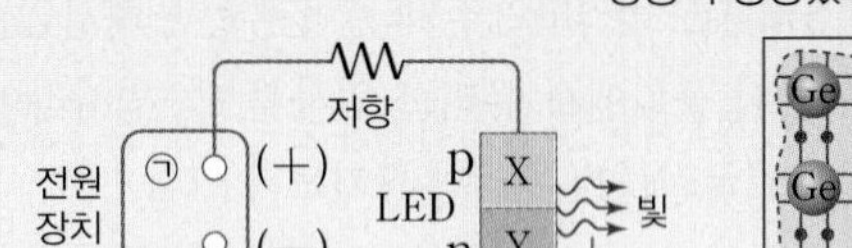

양공이 생성됐으므로 p형 반도체

(가) 전류가 흐르므로 빛이 방출된다. ⟶ 순방향 바이어스가 걸린다.

(나) ○:양공 ●:전자

p형 반도체 쪽에 (+)극을, n형 반도체 쪽에 (−)극을 연결한 것이 순방향 바이어스이다.

5 모범 답안 **t_2일 때가 t_1일 때보다 전류의 세기가 크므로 전류에 의한 자기장의 세기도 크다. 따라서 자침의 N극이 북쪽과 이루는 각은 t_2일 때가 t_1일 때보다 크다.**

6 오답 풀이
⑤ 원형 도선 중심에 형성되는 자기장의 세기는 전류의 세기에 비례하고 원형 도선의 반지름에 반비례한다.

7 (가)에서 A가 자석에 밀리므로 A는 반자성체이다. 반자성체는 주위의 자기장을 제거하면 자성이 즉시 사라지므로 ㉠은 '흐르지 않는다.'이다.
B는 자석에 끌리고 주위의 자기장을 제거해도 자성이 남아 있으므로 강자성체이고, C는 자석에 끌리지만 주위의 자기장을 제거하면 자성이 즉시 사라지므로 상자성체이다.

8 ㄱ. I가 증가할 때 생기는 자기장의 변화를 방해하는 방향으로 B에 유도 전류가 흐른다.
ㄷ. 무선 충전은 두 코일 사이의 전자기 유도 현상을 이용한 것이다.
오답 풀이
ㄴ. I가 감소할 때도 자기장의 변화를 방해하는 방향으로 B에 유도 전류가 흐른다.

9 (가)에서 파동의 파장은 4 m이고, (나)에서 파동의 주기는 2초, 진동수는 $\frac{1}{2}$ Hz이다. 따라서 파동의 속력은
$\frac{4\text{ m}}{2\text{ s}}=\frac{1}{2}\text{ Hz}\times 4\text{ m}=2\text{ m/s}$이다.

10 해안가로 접근하는 파도는 수심에 따라 속력이 달라지면서 진행 방향이 변하게 되는데, 이는 굴절과 관련된 현상이다. 파도가 해안으로 접근할 때 수심이 낮아지므로 속력이 느려진다. 물결파에서 수심은 매질의 종류에 해당하므로, 다른 종류의 매질로 입사할 때 파동이 굴절하는 것과 같은 현상이다.
③ 볼록 렌즈에 입사한 빛은 렌즈와의 경계면에서 진행 방향이 굴절된다.
오답 풀이
①, ②, ④, ⑤ 모두 파동의 반사에 해당하는 예이다.

창의 · 융합 · 코딩

127~131쪽

정답 ①

다음은 자가발전 손전등에 대한 설명이다.❶

- 자가발전 손전등은 자석의 운동에 의해 코일에 유도 전류가 발생하여 전구에 불이 켜지는 장치이다.
- 그림에서 자석이 코일에 가까워지면 자석에 의해 코일을 통과하는 자기 선속이 증가하고 코일에는 (가) 방향으로 유도 전류가 흐른다.❷

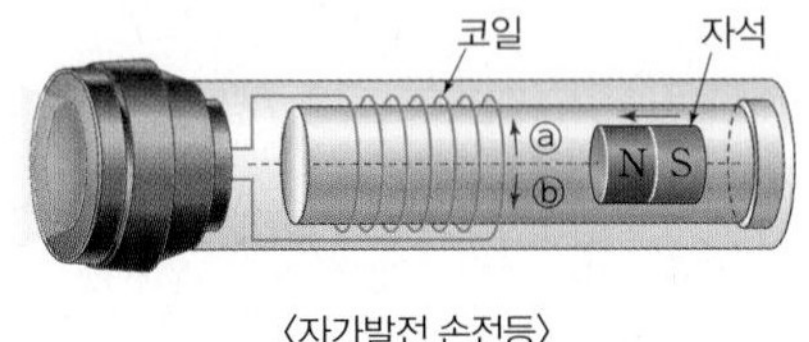

〈자가발전 손전등〉

이에 대한 설명으로 옳은 것만을 〈보기〉에서 있는 대로 고른 것은?

보기
ㄱ. 자가발전 손전등은 전자기 유도 현상을 이용한다.
ㄴ. (가)는 ⓐ이다.
ㄷ. 자석이 코일에 가까워지면 자석과 코일 사이에는 서로 당기는 자기력이 작용한다.

① ㄱ ② ㄴ ③ ㄱ, ㄷ
④ ㄴ, ㄷ ⑤ ㄱ, ㄴ, ㄷ

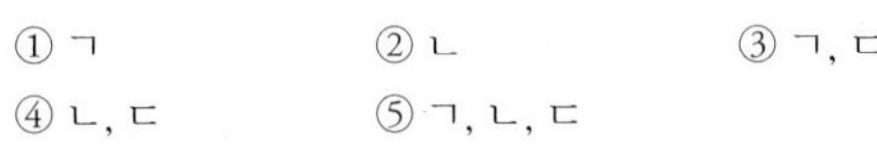

❶ 자가발전 손전등은 전지를 이용하지 않고 전류를 흐르게 하므로 이를 전자기 유도 원리와 연결지을 수 있어야 한다.
❷ 렌츠 법칙에 의해 유도 전류의 방향을 추측할 수 있어야 한다.

❶ 코일과 자석의 상대적인 운동에 의해 솔레노이드를 통과하는 자기 선속이 변할 때 솔레노이드에 유도 전류가 흐르는 현상을 전자기 유도라고 한다.

❷ 렌츠 법칙에 의해 유도 전류는 솔레노이드를 통과하는 자기 선속의 변화를 방해하는 방향으로 흐른다.
ㄱ. 자가발전 손전등에서 자석의 운동에 의해 코일에 유도 전류가 흐르므로 자가발전 손전등은 전자기 유도 현상을 이용한 장치이다.
오답 풀이
ㄴ, ㄷ. 자석이 코일에 가까워지면 코일을 통과하는 자석에 의한 자기 선속의 증가를 방해하는 ⓑ 방향으로 유도 전류가 흐르고, 코일과 자석 사이에는 서로 밀어내는 자기력이 작용한다.

1 ④ **2** ② **3** ⑤ **4** ② **5** ⑤ **6** ⑤

1 ① 반도체 A에 a를 도핑하면 공유 결합 후 전자가 남는다. 따라서 a의 원자가 전자는 5개이다.
② 공유 결합 후 전자가 남으므로 A는 전자가 전하 운반자 역할을 하는 n형 반도체이다.

③ (나)에서 전구에 불이 켜진 것으로 보아 다이오드에 전류가 흐르며 따라서 다이오드에는 순방향 전압(바이어스)이 걸린다.

⑤ 순방향 바이어스가 걸렸을 때 Y는 전원의 (−)극 쪽에 연결되었으므로 Y는 n형 반도체이다. n형 반도체에서는 주로 전자가 전류를 흐르게 한다.

오답 풀이

④ 다이오드에 순방향 바이어스가 걸렸으므로 전원의 (+)극 쪽과 연결된 X는 p형 반도체로 A가 아니다.

2 B: 전자가 원자가 띠에서 전도띠로 전이하면 원자가 띠의 전자가 있던 곳에 양공이 생긴다.

오답 풀이

A: 에너지띠는 여러 개의 에너지 준위가 미세한 차이를 두고 나눠지면서 겹쳐져 있으므로 전자의 에너지는 모두 같지 않다.

C: 고체의 띠 간격이 작을수록 전기 전도성이 좋다. 도체는 전도띠와 원자가띠가 겹쳐있어 띠 간격이 없으므로 도체의 전기 전도성이 반도체보다 좋다.

3 ㄱ. A를 연결한 (다)에서는 전류가 흐르고, B를 연결한 (라)에서는 전류가 흐르지 않았다. 따라서 A는 도체이고, B는 절연체이다.

ㄴ. 도체인 A가 절연체인 B보다 전기 전도성이 좋다.

ㄷ. 띠 간격은 절연체가 반도체보다 크다.

4 ㄷ. (나)에서 자석의 S극을 가까이 할 때 지폐의 B 부분이 끌려왔으므로 B 부분에는 외부 자기장과 같은 방향으로 자기화되는 물질이 있다. 실제로 지폐에는 강자성체가 포함된 액체 자석 잉크가 쓰인다.

오답 풀이

ㄱ, ㄴ. 실험 (가)에서 유리 막대의 A 부분에 자석의 N극을 가까이 할 때 자석이 밀려났으므로 유리 막대는 외부 자기장과 반대 방향으로 자기화되는 반자성체이다. 따라서 자석의 S극을 가까이 해도 A는 밀려난다. 즉 ㉠은 'A가 밀려난다.'이다.

자료 해설 자성체

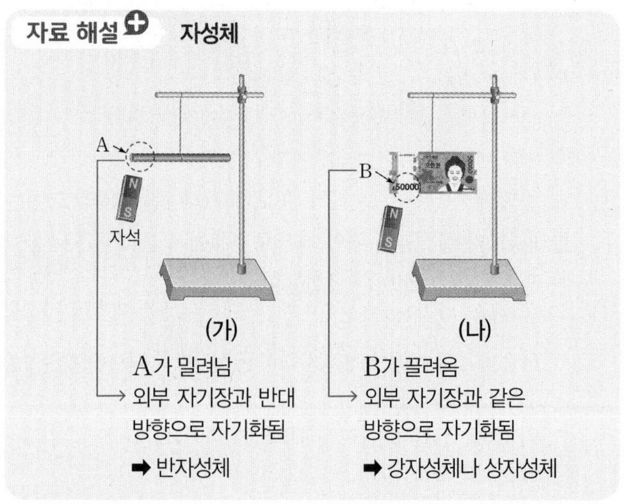

5 N극을 아래로 하여 자석을 코일에 접근시킬 때 검류계의 바늘이 왼쪽으로 움직였으므로 S극을 아래로 하여 자석을 코일에 접근시키면 검류계의 바늘은 오른쪽으로 움직인다. 검류계에 흐르는 유도 전류의 세기는 코일을 지나는 자기 선속의 단위 시간당 변화율에 비례하므로 자석의 속력이 클수록 검류계에 흐르는 유도 전류의 세기는 커진다. 따라서 (라)의 결과는 검류계의 바늘이 오른쪽으로 움직이고, 그 폭은 (다)의 결과보다 커야 한다.

6 ㄴ. 파동은 굴절할 때 속력이 느린 쪽으로 꺾인다. 선인장에서 반사된 빛이 지표면을 향해 진행하다가 위쪽으로 굴절하므로 빛의 속력은 지표면 근처에서가 상공에서보다 크다.

ㄷ. 사람은 빛이 직진하는 것으로 인식하기 때문에 선인장의 실제 위치가 아닌 지표면에서 선인장의 상을 보게 된다.

오답 풀이

ㄱ. 신기루는 온도에 따라 공기의 밀도가 달라져 빛의 속력이 달라지기 때문에 빛이 굴절하여 발생하는 현상이다.

자료 해설 신기루

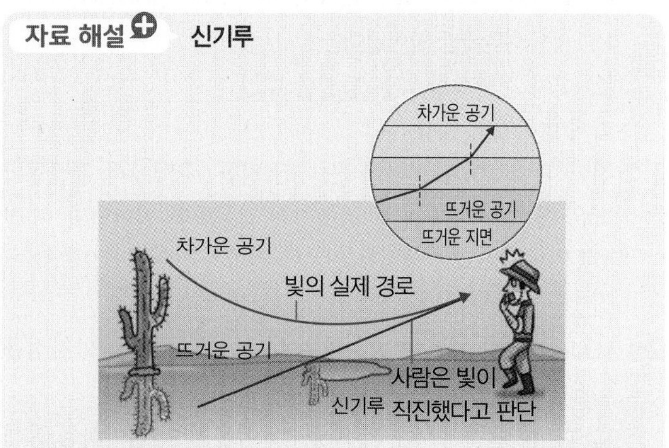

지표면에 가까울수록 온도가 높으므로 빛의 속력이 빠르고, 빛의 경로가 아래로 볼록하게 휘어진다.

III. 파동과 정보 통신

1일 개념 확인 137쪽

1-1 (1) ○ (2) × (3) × (4) ○
1-2 $n_1 > n_2$
2-1 (1) × (2) ○ (3) ○ (4) ○ (5) ○
2-2 해설 참조

1-1 (1), (3) 전반사는 빛이 밀한 매질(굴절률이 큰 매질)에서 소한 매질(굴절률이 작은 매질)로 진행할 때, 입사각이 임계각보다 큰 경우에만 일어난다.
(2) 빛이 전반사할 때는 동일한 매질 내에서 진행하므로 속력이 변하지 않는다.

1-2 전반사는 빛이 굴절률이 큰 매질(밀한 매질)에서 굴절률이 작은 매질(소한 매질)로 진행하는 경우에만 일어난다. 매질 1에서 매질 2로 진행하는 경우에 전반사가 일어났으므로 매질 1의 굴절률이 매질 2의 굴절률보다 크다.

2-1 (1) 지폐에서 위조를 방지하는 특수한 무늬는 빛의 간섭을 이용한다.
(2) 다이아몬드에서는 외부에서 들어온 빛이 전반사를 통해 대부분 되돌아 나오기 때문에 다른 보석보다 더 밝게 빛나 보인다.
(3), (4) 내시경이나 광케이블 자연 채광 시스템에서는 광섬유를 이용한다. 광섬유 내에서 빛은 전반사한다.
(4) 직각 프리즘에서 빛을 전반사시켜 빛의 방향을 바꿀 수 있다. 따라서 직각 프리즘 잠망경으로 물속에서 수면 위의 모습을 볼 수 있는 것이다.

2-2 그림과 같이 방향을 바꾸기 위해서는 직각 프리즘 2개가 필요하다.

답

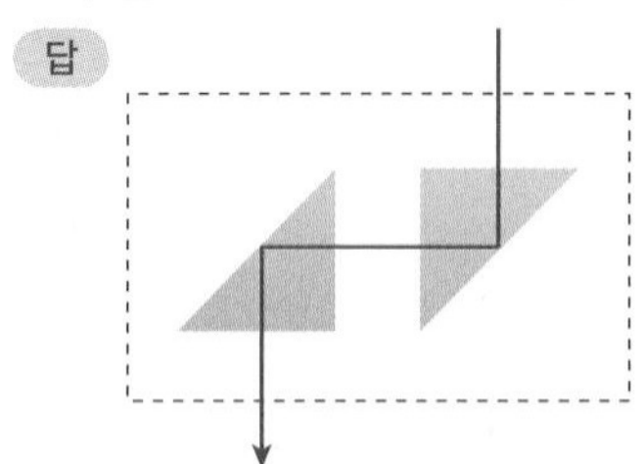

1일 개념 확인 139쪽

3-1 (1) × (2) × (3) ○
3-2 (1) A > B (2) A
4-1 (1) × (2) ○ (3) × (4) ○
4-2 (1) 송신기 (2) 광섬유 (3) 수신기

3-1 (1) 빛은 코어와 클래딩의 경계면에서 전반사한다.
(2) 빛이 전반사하면서 진행하므로 코어의 굴절률이 클래딩의 굴절률보다 크다.

3-2 (1) 전반사는 굴절률이 큰 매질에서 굴절률이 작은 매질로 진행할 때 일어나므로 A의 굴절률이 B의 굴절률보다 크다.
(2) 굴절률이 큰 A로 코어를, 굴절률이 작은 B로 클래딩을 만들어야 한다.

4-1 (1) 광통신은 한번 끊어지면 연결하기 어려우므로 수리하기 어렵다.
(3) 연결 부위에 작은 먼지가 끼거나 틈이 생기면 광통신이 불가능해질 수 있다.

4-2 송신기에서 전기 신호를 빛 신호로 변환한다. 빛 신호는 광섬유 내에서 전반사하면서 수신기로 전달되고, 수신기에서는 빛 신호를 전기 신호로 변환한다.

1일 기초 유형 연습 140~141쪽

1 A **2** ② **3** ⑤ **4** ③ **5** (1) (나) (2) 해설 참조
6 ①

1 A에서 B로 진행할 때 입사각이 굴절각보다 작으므로 A의 굴절률이 B의 굴절률보다 크다. B에서 C로 진행할 때는 전반사가 일어났으므로 B의 굴절률이 C보다 크다. 따라서 굴절률은 A > B > C 순으로 크다.

자료 해설 빛의 굴절과 전반사

매질 B
입사각 < 굴절각 → 굴절률: A > B
60°
35°
전반사가 일어났으므로 → 굴절률: B > C
매질 A
45°
단색광
빛은 굴절할 때 굴절률이 큰 매질 쪽으로 굴절한다.
매질 C

2 ㄴ. (가)에서 굴절률은 B가 A보다 크다. 광섬유의 코어는 클래딩보다 굴절률이 커야 하므로 (나)에서 클래딩은 굴절률이 작은 A이고, 코어는 굴절률이 큰 B이다.

오답 풀이
ㄱ. B에서 A로 진행할 때 입사각이 굴절각보다 작으므로 굴절률은 A가 B보다 작다.
ㄷ. 임계각은 굴절각이 90°일 때의 입사각이므로 (가)에서 임계각은 73.5°보다 크다.

3 ㄱ. 빛이 물줄기를 따라 이동할 때 굴절률이 큰 물줄기가 코어, 굴절률이 작은 공기가 클래딩의 역할을 한다.
ㄴ. 레이저 광선이 물줄기를 따라 이동하였으므로 물줄기 속에서 레이저 광선은 전반사한다.

ㄷ. (나)는 전반사의 원리를 나타낸 것이다. 내시경은 가는 광섬유 다발을 소형 카메라에 연결한 것으로, 카메라에 잡힌 상이 광섬유를 따라 전반사하면서 전달된다. 쉽게 구부러질 수 있고 빛의 세기가 줄어들지 않으므로 수술을 하지 않고도 몸속의 모습을 볼 수 있다.

4 ㄱ. 빛이 A에서 B로 입사했을 때 전반사가 일어났으므로 입사각 i는 임계각보다 크다.

ㄷ. 동일한 단색광을 B에서 A로 입사시키면 굴절률이 작은 매질에서 큰 매질로 진행하므로 단색광의 속력이 느려진다.

오답 풀이

ㄴ. A에서 B로 진행할 때 전반사가 일어났으므로 굴절률은 A가 B보다 크다.

5 (1) 광케이블은 화재나 충격에 약하고 한번 끊어지면 수리하기 어렵다.

(2) 모범 답안 **코어 내에서 빛 신호가 전반사하면서 진행하므로 에너지 손실이 거의 없기 때문이다.**

6 ㄱ. 광섬유 내에서 전반사가 일어나므로 A의 굴절률이 B보다 크다는 것을 알 수 있다.

오답 풀이

ㄴ. P에서 단색광의 입사각은 임계각보다 작기 때문에 전반사가 일어나지 않는다. 따라서 일부의 빛은 굴절하고 일부의 빛은 반사한다.

ㄷ. P에 입사한 단색광의 일부는 굴절하고 일부는 반사하므로, 반사된 빛의 세기는 입사한 빛의 세기보다 약하다.

2일 개념 확인 143쪽

1-1 (1) × (2) × (3) ○ (4) ○ (5) ○
1-2 (1) 횡파 (2) a
2-1 ③
2-2 (1) 라디오파 (2) X선 (3) (나)

1-1 (1) 전자기파는 매질이 없는 진공에서도 진행한다.

(2) 전자기파는 전기장과 자기장의 진동 방향과 전자기파의 진행 방향이 수직인 횡파이다.

1-2 (1) 전자기파는 진동 방향과 진행 방향이 수직이므로 횡파이다.

(2) a는 이웃한 마루와 마루 사이의 거리이므로 파장을 의미한다.

2-1 전자기파의 파장이 짧은 것부터 긴 순으로 나열하면 γ선 → X선 → 자외선 → 가시광선 → 적외선 → 마이크로파 → 라디오파 순이다.

2-2 (1) 마이크로파보다 진동수가 작은 (가)는 라디오파이다.

(2) 자외선보다 진동수가 크고 γ선보다 진동수가 작은 (나)는 X선이다.

(3) 진동수가 클수록 전달하는 에너지가 크므로 (나)가 전달하는 에너지는 (가)보다 크다.

2일 개념 확인 145쪽

3-1 (1) X선, γ선 (2) 가시광선 (3) 마이크로파
3-2 (1) 자외선 (2) A: 라디오파, B: γ선, C: 자외선 (3) ①

3-1 (1) 전자기파를 진동수가 큰 순서대로 나열하면 γ선 > X선 > 자외선 > 가시광선 > 적외선 > 마이크로파 > 라디오파이다.

(2) 사람의 눈에 감지되는 가시광선에 대한 설명이다.

(3) 마이크로파는 파장이 약 1 mm~1 m로, 전기 기구에서 전자의 진동으로 발생하고 전자레인지, 휴대 전화, 레이더와 위성 통신 등에 이용된다.

3-2 (1) 가시광선보다 진동수가 큰 전자기파는 가시광선보다 파장이 짧은 전자기파로, γ(감마)선을 제외하면 X선과 자외선이다. 이 중 식기 소독기에 사용되는 전자기파는 자외선이다.

(2) 가시광선보다 에너지가 큰 전자기파는 가시광선보다 진동수가 큰 전자기파로 자외선과 γ선이 이에 해당한다. 이 중 식기 살균에 이용되는 전자기파는 자외선이다.

(3) 공항 검색대는 X선, 기상 레이더는 마이크로파, 휴대 전화 통신은 라디오파, 위조지폐 감별은 자외선을 이용한다.

2일 기초 유형 연습 146~147쪽

1 ② **2** (1) A, C (2) 해설 참조 **3** A: γ선, B: X선
4 ③ **5** ③ **6** ④

1 ② 전자기파를 파장이 긴 순서대로 나열하면 라디오파 > 마이크로파 > 적외선 > 가시광선 > 자외선 > X선 > γ선 순이다. 즉 적외선의 파장이 자외선보다 크다.

오답 풀이

① a는 전자기파가 한번 진동하는 동안 이동한 거리로 전자기파의 파장을 의미한다.

③ 진공에서 전자기파의 속력은 파장의 길이와 상관없이 모두 빛의 속력과 같다.

④ 전자기파의 진행 방향은 전기장과 자기장의 진동 방향에 각각 수직이다.

⑤ 전자기파는 매질이 없는 진공에서도 전달된다.

2 (1) A: 전자기파의 진행 방향은 전기장과 자기장의 진동 방향에 각각 수직이다.

C: 전자기파는 전기장과 자기장이 진동하면서 전파되는 파동이다.

오답 풀이

B: 전자기파의 속력은 진행하는 매질에 따라 달라지며, 진공 중에서 가장 크다.

(2) 전자기파의 속력은 진공 중에서 가장 크고 물속에서 속력은 진공 중에서보다 작다.

모범 답안 B, 물속에서 전자기파의 속력은 진공 중에서보다 작아.

3 A는 γ선, B는 X선에 대한 설명이다.

4 ㄱ. 전자기파의 파장과 진동수는 반비례한다. 파장은 C가 A보다 크므로 진동수는 A가 C보다 크다.
ㄴ. B는 자외선과 적외선 사이에 있는 전자기파이므로 가시광선이다.
오답 풀이
ㄷ. (나)의 장치에서 송수신하는 전자기파는 마이크로파이다.

자료 해설 전자기파의 분류와 이용

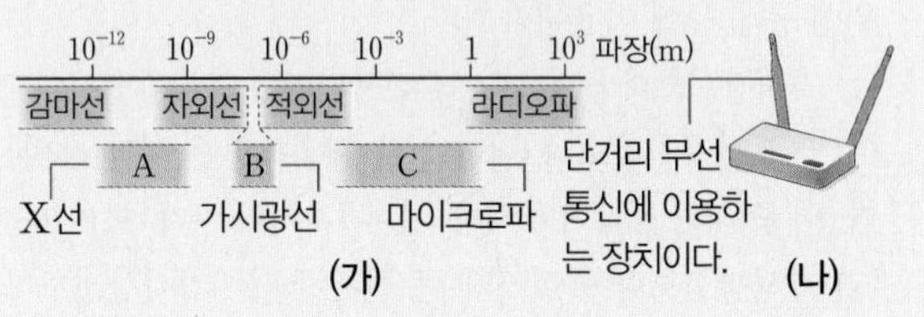

5 A는 자외선, B는 X선, C는 가시광선이다. 전자기파의 진동수는 X선 > 자외선 > 가시광선 순이다.

6 A는 X선보다 파장이 짧은 전자기파이므로 감마(γ)선이고, 적외선 다음으로 파장이 긴 전자기파 B는 마이크로파, 마이크로파 다음으로 파장이 긴 전자기파 C는 라디오파이다. 암 치료기는 감마선을 이용하고, 전자레인지는 마이크로파를 이용하며, 라디오는 라디오파를 이용한다. 따라서 A는 암 치료기, B는 전자레인지, C는 라디오에서 각각 이용한다.

3일 개념 확인 149쪽

1-1 (1) ○ (2) × (3) ○ (4) ×
1-2 ㉠ 같은, ㉡ 반대, ㉢ 보강, ㉣ 상쇄
2-1 (1) 마루와 마루가 중첩되는 경우 (2) 골과 골이 중첩되는 경우
2-2 (1) P, Q (2) R

1-1 (2) 두 파동이 반대 위상으로 중첩될 경우 중첩된 파동의 변위는 각 파동의 변위보다 작다.
(4) 파동의 독립성에 의해 중첩된 후 두 파동의 모습은 중첩되기 전과 같다.

1-2 두 파동이 같은 위상으로 만나면 보강 간섭이 일어나고, 두 파동이 반대 위상으로 만나면 상쇄 간섭이 일어난다.

2-1 (1) 마루와 마루가 중첩되면 위로 볼록한 물의 두께가 볼록 렌즈 역할을 하여 빛을 모으므로 스크린에 가장 밝은 부분으로 나타난다.
(2) 골과 골이 중첩되면 아래로 볼록한 물의 두께가 오목 렌즈 역할을 하여 빛을 분산시키므로 스크린에 가장 어두운 부분으로 나타난다.

2-2 (1) P는 두 파동의 마루와 마루가, Q는 골과 골이 같은 위상으로 만나므로 보강 간섭을 한다.
(2) R는 마루와 골이 반대 위상으로 만나므로 상쇄 간섭을 한다.

3일 개념 확인 151쪽

3-1 (1) × (2) ○ (3) × (4) ×
3-2 ⑤
4-1 보강
4-2 (1) ○ (2) × (3) ○

3-1 (1) 소음 제거 기술은 소리의 상쇄 간섭을 이용한다.
(3) 여객기 내부에서는 여객기 밖의 엔진에서 발생하는 소음과 진동수는 같고 위상이 반대인 소리를 발생시킨다.
(4) 배기음이 길이가 다른 두 개의 통로로 나뉘어 지나가도록 한 후, 두 통로를 통과한 배기음이 합쳐질 때 상쇄 간섭이 일어나도록 한다.

3-2 헤드폰에서 소음과 상쇄 간섭을 일으키는 음파를 발생시켜 소음을 제거한다.

4-1 보는 각도에 따라 잉크의 표면에서 반사하는 빛과 잉크와 종이의 경계에서 반사하는 빛이 보강 간섭 되는 빛의 파장이 달라지기 때문에 나타나는 현상이다.

4-2 비누 막의 두께에 따라 보강 간섭 하는 빛의 색깔이 달라져 무지갯빛으로 보인다.
(2) B 지점에서는 빨간색 빛이 보강 간섭되어 빨간색으로 보인다.

3일 기초 유형 연습 152~153쪽

1 ② 2 ③ 3 (1) ㄴ (2) ㄷ 4 간섭
5 (1) 해설 참조 (2) 해설 참조 6 ①

1 두 파동은 반대 위상으로 중첩하며, 두 파동이 완전히 중첩되었을 때 진폭은 중첩 원리에 의해 30 cm − 20 cm = 10 cm이다.

2 파동의 독립성에 의해 파동이 중첩한 후 각각의 파동은 원래 모습 그대로 진행하던 방향으로 계속 진행한다.

3 (1) P는 보강 간섭이 일어나는 지점이므로 합성파의 진폭은 $2A$이다.
(2) Q는 상쇄 간섭이 일어나는 지점이므로 합성파의 진폭은 0이다.

자료 해설 수면파의 중첩

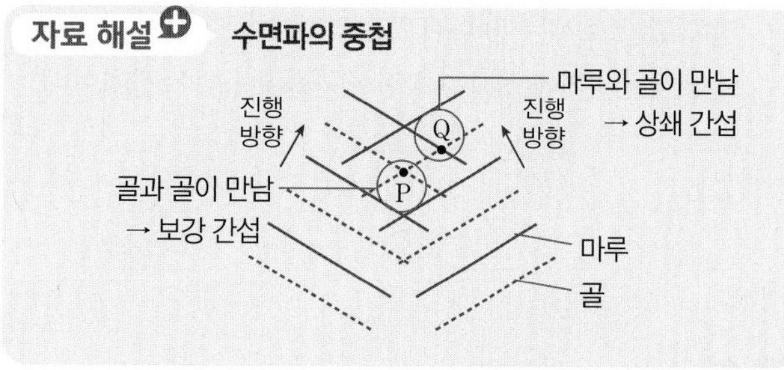

4 두 파동이 중첩되어 더욱 강해지거나 약해지는 현상을 파동의 간섭이라고 한다. 두 파동이 같은 위상으로 만날 때 보강 간섭이, 반대 위상으로 만날 때 상쇄 간섭이 일어난다. 즉 스피커에서 나온 소리가 같은 위상으로 만나는 곳에서는 소리가 크게 들리고, 반대 위상으로 만나는 곳에서는 소리가 작게 들린다.

5 (1) 모범 답안 **주변에서 들리는 소음과 위상이 반대인 소리를 발생시켜 그 소리와 소음이 상쇄 간섭 하게 한다.**

(2) 모범 답안 **자동차의 엔진에서 발생하는 소리를 줄이기 위해 상쇄 간섭을 이용한 소음기를 사용한다. 무반사 코팅 렌즈를 끼운 안경에서는 코팅막의 윗면에서 반사된 빛과 아랫면에서 반사된 빛이 상쇄 간섭을 일으켜 물체를 선명하게 볼 수 있다. 등**

6 (1) A: 소음 제거 이어폰은 외부의 소음과 위상이 반대인 소리를 발생시켜 소리와 소음이 상쇄 간섭 하게 하여 소음을 제거한다. 따라서 이는 파동(소리)의 세기가 감소하는 현상을 활용한 예이다.

오답 풀이

B: 돋보기는 빛이 굴절하는 성질을 이용하여 작은 글씨를 크게 볼 수 있도록 해준다.

C: 악기의 울림통은 소리의 보강 간섭을 일으켜서 파동(소리)의 세기가 증가하는 현상을 이용하여 소리의 크기를 크게 한다.

개념 확인 155쪽

1-1 (광)전자
1-2 (1) × (2) ○
2-1 ②
2-2 (1) × (2) × (3) ○

1-1 아연판의 문턱 진동수보다 큰 진동수의 빛을 비추면 광전 효과에 의해 광전자가 방출된다. 따라서 금속박의 전자가 감소하여 금속박이 오므라든다.

1-2 (1) 자외선의 진동수는 아연판의 문턱 진동수보다 크므로 광전 효과가 일어나 금속박이 오므라든다.

2-1 B: 광전 효과는 빛의 입자성을 증명한다. 따라서 쪼여준 빛의 세기와 관계없이 진동수가 문턱 진동수보다 크면 즉시 광전자가 튀어 나온다.

오답 풀이

A: 광전 효과는 빛의 입자성으로 설명할 수 있다.

C: 쪼여준 빛의 진동수가 문턱 진동수보다 작으면 아무리 센 빛을 쪼여도 광전자가 튀어 나오지 않는다.

2-2 (1), (2) 형광등 빛의 진동수는 아연판의 문턱 진동수보다 작으므로 비추는 시간을 길게 하거나 아연판에 가까이 하여도 광전 효과가 일어나지 않는다.

(2) 적외선등 빛은 형광등 빛보다 진동수가 작기 때문에 광전 효과가 발생하지 않는다. 따라서 금속박에는 아무런 변화가 없다.

4일 개념 확인 157쪽

3-1 (1) ○ (2) × (3) ○
3-2 ⑤
4-1 (1) × (2) ○ (3) ○
4-2 ②

3-1 (2) 빛은 진동수에 비례하는 에너지를 갖는 광자들의 흐름이다.

3-2 광전 효과는 금속에 문턱 진동수보다 큰 진동수의 빛을 쪼여줄 때 금속 표면에서 광전자가 방출되는 현상이다. 이는 빛이 입자의 성질을 갖는다는 '입자성'의 증거가 된다. 아인슈타인은 이 현상을 '빛은 진동수에 비례하는 에너지를 갖는 입자인 광자들의 흐름이다.'라는 광양자설을 도입하여 설명하였다.

4-1 (1) CCD는 광 다이오드를 이용하여 빛에너지를 전기 에너지로 바꾸어 저장한다.

4-2 CCD는 빛에너지를 전기 에너지로 전환하는 장치이다.

4일 기초 유형 연습 158~159쪽

1 ③ **2** ③ **3** (1) $f_X > f_Y$ (2) 해설 참조 **4** ② **5** ⑤
6 ㉠ 광전 효과, ㉡ 입자성

1 금속판에 문턱 진동수 이상의 빛을 비추었을 때 광전 효과가 일어나고, 금속판에서 전자가 방출되면 금속판과 금속박이 (+)전하를 띠게 되므로 금속박이 벌어진다.

③ 광전 효과가 일어나려면 광자 한 개의 에너지가 금속판의 일함수보다 커야 한다. 광자 한 개의 에너지는 진동수에 비례하므로 진동수가 큰 빛을 비추어야 한다.

오답 풀이

① 진동수가 변하지 않으므로 광전 효과가 일어나지 않는다.
② 단색광의 파장과 진동수는 반비례한다. 따라서 파장이 긴 단색광으로 바꾸는 것은 진동수가 작은 빛을 비추는 것이므로 광전 효과가 일어나지 않는다.
④, ⑤ 빛을 비추는 시간을 길게 하거나, 금속판에 더 가까이 비추어도 광자 한 개의 에너지는 커지지 않아 광전 효과가 일어나지 않는다.

2 ㄱ. (가)에서는 광전자가 방출되지 않았고, (나)에서는 광전자가 방출되었으므로 진동수는 P가 Q보다 작다.
ㄷ. 광전 효과는 빛의 입자성의 증거이다.

오답 풀이

ㄴ. P를 비추었을 때 광전자가 방출되지 않았으므로 P의 세기를 증가시켜도 광전자는 방출되지 않는다.

3 (1) A에 진동수가 f_X인 X를 비추었을 때는 광전자가 방출되고, 진동수가 f_Y인 Y를 비추었을 때는 광전자가 방출되지 않았으므로 f_X가 f_Y보다 크다.
(2) 모범 답안 **A, 광자의 에너지의 일부는 금속 표면에서 전자를 방출시키는데 필요한 에너지로 사용되고, 남은 에너지는 광전자의 최대 운동 에너지로 전환된다. 따라서 X를 비췄을 때 최대 운동 에너지가 작은 A의 일함수가 더 크다.**

4 ㄴ. 광자의 에너지는 빛의 진동수에 비례하는데, 빛의 속력은 일정하므로 진동수와 파장은 서로 반비례한다. 따라서 빛의 파장이 짧을수록 빛의 진동수가 크므로 광자의 에너지가 크다.

오답 풀이

ㄱ. 아인슈타인은 광전 효과를 광양자설로 설명하여 빛의 입자성을 증명하였다.
ㄷ. 방출된 전자의 운동 에너지는 충돌한 광자의 에너지에서 금속의 일함수를 뺀 값이다. 따라서 충돌한 광자의 에너지는 방출된 전자의 운동 에너지보다 크다.

5 (가) 파동 에너지는 진폭과 진동수가 클수록 크다. 즉, 빛이 파동이라면 세기가 큰 빛은 진동수가 작더라도 에너지가 커야 한다. 따라서 금속에 비추는 빛의 밝기가 강할수록 방출되는 광전자의 운동 에너지도 커야 한다. 하지만 실제 실험 결과 금속에서 방출되는 광전자의 운동 에너지는 빛의 세기와는 관계가 없고 빛의 진동수가 클수록 크다. – ㄷ
(나) 빛이 파동이라면 금속에 비추는 빛의 진동수가 문턱 진동수보다 작더라도 빛을 오랫동안 비추면 파동 에너지가 쌓여서 광전자가 방출되어야 한다. 하지만 실제 실험 결과 진동수가 문턱 진동수보다 작은 빛을 금속에 아무리 오래 비추어도 광전자가 방출되지 않는다. – ㄴ
(다) 빛이 파동이라면 금속에 빛을 비출 때 금속 내부의 전자가 흔들리면서 에너지를 얻는 과정이 필요하므로, 전자가 방출되는 데 시간이 걸려야 한다. 하지만 실제 실험 결과 금속에 문턱 진동수보다 큰 빛을 비추면 즉시 광전자가 방출된다. – ㄱ

6 전하 결합 소자는 광 다이오드에 빛을 비출 때 빛의 입자성에 의해 전자가 발생하는 광전 효과를 이용하는 장치이다.

5일 개념 확인 161쪽

1-1 (1) × (2) ○ (3) ○ (4) × (5) ○
1-2 ②
2-1 파동성
2-2 (나)

1-1 (1) 물질파의 파장은 $\lambda=\frac{h}{mv}$로 물질의 운동량에 반비례한다.
(4) 파동이 입자의 성질을 가지는 것처럼 입자는 파동의 성질을 가진다.

1-2 물질파의 파장은 $\lambda=\frac{h}{mv}$이다. 따라서 파장과 속력은 반비례 관계이다.

2-1 회절은 파동성을 나타내는 현상이다. 전자선이 회절 무늬를 나타내는 것은 전자가 파동성을 가지고 있기 때문이다.

2-2 (가)는 전자가 입자처럼 행동하였으므로 이중 슬릿을 통과한 전자가 스크린에 두 줄로 나타난 것이고, (나)는 전자가 파동처럼 행동하여 스크린에 간섭무늬를 만든 것이다.

5일 개념 확인 163쪽

3-1 (1) ① × ② ○ ③ × (2) 파장 (3) 투과 전자 현미경(TEM)
3-2 (1) ① ○ ② × ③ ○ (2) ㉠ 커지고, ㉡ 짧아진다

3-1 (1) ① 광학 현미경은 가시광선을 이용해서 물체의 상을 관찰한다. 전자의 물질파 성질을 이용하여 만든 현미경은 전자 현미경이다.
③ 드브로의 파장은 $\lambda=\frac{h}{mv}$이므로 전자를 가속시키는 전압이 클수록 전자의 속력이 커서 드브로이 파장이 짧다.
(2) 전자선의 파장이 가시광선의 파장보다 짧아서 가시광선의 파장보다 크기가 작은 물체를 볼 수 있다.
(3) 투과 전자 현미경은 얇게 제작한 시료의 2차원 단면 구조를 관찰하는 전자 현미경으로 분해능이 좋아 세포의 내부 구조를 관찰하는 데 주로 사용된다.

3-2 (1) ② (나)는 전자의 파동성을 이용하여 시료를 관찰한다.
(2) 가속 전압을 높이면 전자의 운동 에너지가 커져 전자의 속력이 빨라진다. 전자의 속력이 빨라지면 전자의 운동량이 커지는데, 전자의 물질파 파장은 운동량에 반비례하므로 짧아진다.

5일 기초 유형 연습 164~165쪽

1 ① **2** 6 : 1 **3** 해설 참조 **4** ③ **5** ③ **6** ⑤
7 ④

1 질량이 m이고 속력이 v인 입자의 운동 에너지는 $\frac{1}{2}mv^2$이다. 따라서 입자의 속력이 증가하여 운동 에너지가 4배가 되면 속력은 2배가 된다. $\lambda_0=\frac{h}{mv}$이므로, 속력이 2배가 되면 물질파 파장은 $\frac{1}{2}$배인 $\frac{1}{2}\lambda_0$이 된다.

2 $\lambda=\frac{h}{mv}$이므로 물질파의 파장은 운동량에 반비례한다. A의 운동량이 mv, B의 운동량이 $6mv$이므로
$\lambda_A : \lambda_B=\frac{1}{mv} : \frac{1}{6mv}=6 : 1$이다.

3 간섭무늬는 파동의 성질 때문에 나타나는 현상이므로 입자의 파동성에 의한 결과이다.
모범 답안 **입자가 파동의 성질을 갖기 때문이다.**

4 ㄱ. (가)는 X선의 회절무늬로 X선이 파동이기 때문에 나타나는 현상이다.
ㄴ. (나)는 전자선이 금속박을 통과한 후의 무늬로 X선의 회절무늬와 거의 동일하다. 즉 (나)의 무늬는 전자선이 회절하여 나타난 무늬이다.
오답 풀이
ㄷ. (나)는 전자선이 회절하여 나타난 무늬인데, 회절은 파동의 성질이다. 따라서 (나)의 무늬는 전자가 파동성을 갖기 때문에 나타나는 것이다.

5 A는 전자선을 주사시킨 후 반사된 전자선을 관찰하는 주사 전자 현미경이고, B는 시료를 투과한 전자선을 관찰하는 투과 전자 현미경이다.

6 ㄱ. 전자 현미경은 전자의 파동성을 이용하여 시료를 관찰한다.
ㄴ. 전자 현미경은 전자를 빠르게 가속시켜 가시광선보다 매우 짧은 파장을 만들 수 있으므로 광학 현미경보다 분해능이 좋다.
ㄷ. 자기렌즈는 자기장에 의해 전자의 진행 경로를 휘게 하여 전자들을 모은다.

7 ㄱ. 주사 전자 현미경은 3차원 입체 영상을 관찰할 수 있다.
ㄷ. 전자의 속력이 클수록 물질파 파장은 짧아지고, 물질파 파장이 짧을수록 분해능이 좋아진다.
오답 풀이
ㄴ. 전자의 물질파 파장은 전자의 속력에 반비례한다. 따라서 전자의 속력이 클수록 전자의 물질파 파장은 짧아진다.

4주 누구나 100점 테스트 166~167쪽

1 ① **2** ①, ② **3** ① **4** ④ **5** ⑤ **6** 해설 참조
7 B의 진동수 > 금속판의 문턱 진동수 > A의 진동수 **8** ㄷ
9 ① **10** ⑤

1 ㄱ. 입사각이 임계각보다 클 때 전반사가 일어나므로, θ는 임계각보다 크다.
오답 풀이
ㄴ. 전반사는 빛이 굴절률이 큰 매질에서 굴절률이 작은 매질로 진행할 때 일어나므로, 코어의 굴절률은 클래딩의 굴절률보다 크다.
ㄷ. 빛이 굴절률이 작은 매질에서 굴절률이 큰 매질로 입사할 때는 전반사가 일어나지 않는다.

2 ① 광섬유 내부로 진행하는 빛은 외부 전파의 영향을 받지 않으므로 간섭이나 혼선이 적어 구리 도선보다 잡음이 적다.
② 광섬유 내부에서 전반사에 의해 빛이 진행하므로 구리 도선보다 정보를 멀리까지 보낼 수 있다.
오답 풀이
③ 광통신은 구리 도선을 이용한 통신보다 도청이 어렵다.
④ 광통신은 선의 연결 부위에 작은 틈이 발생하면 통신이 어렵다는 단점이 있다.
⑤ 광섬유는 구리 도선에 비해 수리가 어렵다는 단점이 있다.

3 전자기파를 파장이 긴 것부터 순서대로 나열하면 라디오파 > 마이크로파 > 적외선 > 가시광선 > 자외선 > X선 > γ(감마)선 순이다.

4 B: ㉡은 자외선과 적외선 사이 영역의 전자기파인 가시광선이다.
C: 전자레인지에 이용되는 마이크로파는 적외선과 라디오파 사이의 영역이므로 ㉢에 속한다.
오답 풀이
A: 진공에서 전자기파의 속력은 진동수(파장)에 관계없이 모두 같다.

5 ㄱ, ㄴ. Q, S에서는 소리가 작아졌으므로 상쇄 간섭이 일어났고, P, R, T에서는 소리가 커졌으므로 보강 간섭이 일어났다.
ㄷ. 소리의 간섭 현상을 이용하면 소음을 제거할 수 있다

6 모범 답안 **그룹 1은 빛의 굴절과 관련된 현상이고, 그룹 2는 빛의 간섭과 관련된 현상이다.**

7 A에 의해서는 광전자가 방출되지 않으므로 A의 진동수는 금속판의 문턱 진동수보다 작고, B에 의해서는 광전자가 방출되므로 B의 진동수는 금속판의 문턱 진동수보다 크다.

자료 해설 ⊕ **광전 효과 그래프 분석**

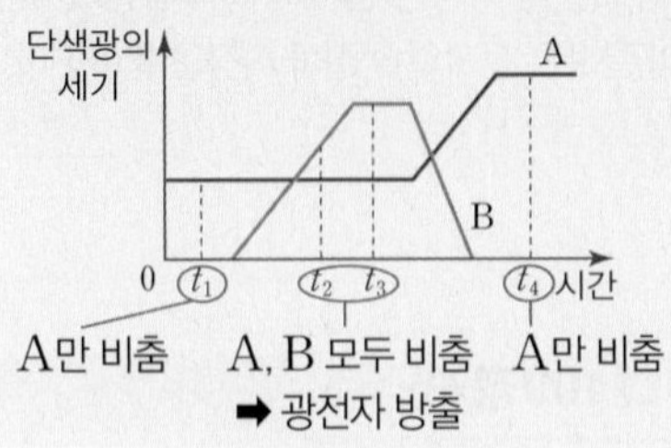

8 ㄷ. 빛의 진동수가 어떤 특정값, 즉 금속의 문턱 진동수보다 작기 때문에 전자가 방출되지 않은 것이다.

오답 풀이

ㄱ. 문턱 진동수 이상의 빛은 세기가 약해도 전자를 방출시킬 수 있다.

ㄴ. 파장이 짧을수록 진동수가 크므로 전자를 방출시키기 쉽다.

9 물체의 운동량은 $p=mv$이고 물체의 운동 에너지는

$E=\frac{1}{2}mv^2=\frac{p^2}{2m}$이다. 또한 드브로이 파장의 관계식

$\lambda=\frac{h}{mv}=\frac{h}{p}$에서 $p=\frac{h}{\lambda}$이므로 $E=\frac{h^2}{2m\lambda^2}$이다.

10 ㄱ, ㄷ. 전자 현미경에서 사용되는 전자선의 파장은 가시광선 영역의 파장보다 짧으므로 전자 현미경은 광학 현미경보다 분해능이 좋으며, 더 높은 배율로 관찰할 수 있다.

ㄴ. 전자 현미경은 전자의 파동성을 이용한 현미경이다.

창의 · 융합 · 코딩

정답 ③

다음은 어떤 화장품과 관련된 내용이다. A, B, C는 가시광선, 자외선, 적외선을 순서 없이 나타낸 것이다.❶

햇빛에는 우리 눈에 보이는 [A] ❷외에도 파장이 더 짧은 자외선과 더 긴 [B]도 포함되어 있다. 햇빛이 강한 여름에 야외 활동을 할 때에는 피부를 보호하기 위해 [C]을 차단할 수 있는 화장품을 사용하는 것이 좋다.

이에 대한 설명으로 옳은 것만을 〈보기〉에서 있는 대로 고른 것은?

보기

ㄱ. A는 가시광선이다.

ㄴ. 진동수는 B가 C보다 크다.

ㄷ. 열을 내는 물체에서는 B가 방출된다.❸

① ㄱ ② ㄴ ③ ㄱ, ㄷ
④ ㄴ, ㄷ ⑤ ㄱ, ㄴ, ㄷ

❶ 가시광선, 자외선, 적외선의 파장과 진동수를 비교할 수 있어야 한다.
❷ 우리 눈에 보이는 전자기파가 무엇인지 알아야 한다.
❸ 열작용을 하는 전자기파가 무엇인지 알아야 한다.

❶ 파장은 적외선 > 가시광선 > 자외선 순으로 길고, 진동수는 자외선 > 가시광선 > 적외선 순으로 크다.

❷ 전자기파 중 우리 눈에 보이는 것은 가시광선이다. 가시광선은 적외선보다 파장이 짧고 자외선보다 파장이 길다.

❸ 적외선은 강한 열작용을 하여 열선이라고도 한다.

ㄱ. 우리 눈에 보이는 전자기파인 A는 가시광선이다.

ㄷ. 열을 내는 물체에서는 적외선(B)이 방출된다.

보기 바로 알기

ㄴ. B는 적외선, C는 자외선이므로 진동수는 C가 B보다 크다.

1 ② **2** ① **3** ② **4** ⑤ **5** ⑤ **6** ②

1 ㄷ. 전자기파가 진행하는 매질의 굴절률이 클수록 전자기파의 속력이 작다. 굴절률은 코어 > 클래딩 > 공기 순이므로 A의 속력은 코어에서가 공기에서보다 느리다.

오답 풀이

ㄱ. 파장이 가시광선보다 길고, 마이크로파보다 짧은 전자기파인 A는 적외선이다.

ㄴ. 광섬유 내에서 빛이 전반사하기 위해서는 굴절률이 큰 매질에서 굴절률이 작은 매질로 빛이 진행하고, 입사각이 임계각보다 커야 한다. 따라서 굴절률은 코어가 클래딩보다 크다.

2 자외선을 흡수한 형광 물질의 형광 작용으로 가시광선이 방출된다. 자외선은 살균 기능이 있고, 가시광선은 광학 현미경에서 상을 관찰하는 데 이용된다.

3 ㄴ. 진폭과 파장이 같고 위상이 반대인 두 파동을 중첩시켜서 진폭을 0으로 만들어 소음을 제거하는 것은 파동의 상쇄 간섭 현상을 이용한 것이다.

오답 풀이

ㄱ. 사람이 들을 수 있는 가청 주파수는 20~20000 Hz이고, 초음파는 진동수가 20000 Hz 이상인 소리이다.

ㄷ. 소리인 초음파는 기체에서보다 액체에서의 속력이 더 크다. 따라서 초음파 속력은 공기 중에서가 바닷물에서보다 작다.

자료 해설 ⊕ **파동의 반사와 간섭**

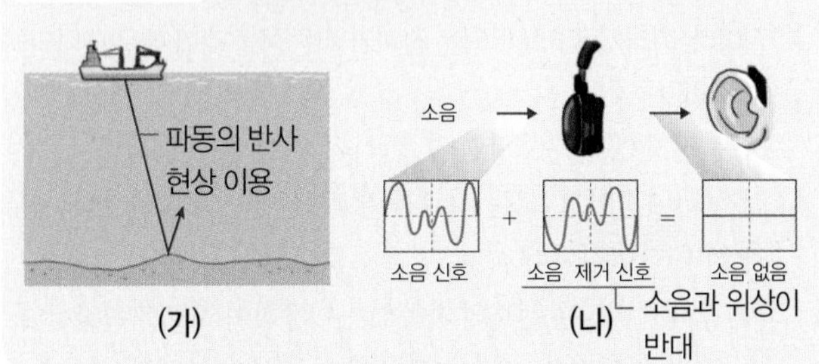

4 철수: 빛은 종류에 따라 진동수가 다르다. 네온등을 자외선등으로 바꾼 것은 빛의 진동수를 바꾸어 실험하기 위해서이다.

영희: 금속박이 오므라드는 것은 금속박에 있는 (−)전하가 줄어든 것으로, 아연판에서 광전자가 방출되었기 때문이다.

민수: 금속박이 더 빨리 오므라드는 것은 아연판에서 방출되는 광전자의 개수가 많아졌다는 것이다. 즉, 빛의 세기가 세질수록 방출되는 광전자의 개수는 증가한다.

5 ㄱ. 광전 효과는 빛의 파동성으로는 설명할 수 없고, 아인슈타인이 광자(광양자)의 개념을 도입하여 설명한 현상이다.
ㄴ. 전하 결합 소자(CCD)는 광전 효과를 이용한 것이므로 빛의 입자성을 이용한 것이다.
ㄷ. 비눗방울에서 다양한 색의 무늬가 보이는 현상은 빛의 간섭에 의한 현상이므로 빛의 파동성으로 설명할 수 있다.

6 물질파 파장 $\lambda=\frac{h}{p}$이므로 $p=\frac{h}{\lambda}$이다. 즉 운동량은 파장에 반비례한다. 따라서 $p_{\mathrm{A}}:p_{\mathrm{B}}=\frac{1}{2\lambda_0}:\frac{1}{2\lambda_0}=1:2$이다.

고등 탐구 핵심 개념+문제 기본서

개념 이해에서 문제 해결까지!

내신 다:품 [통합사회] [통합과학]

한 권으로 기초 끝

기초는 빠르지만 탄탄하게!
교과서 핵심 개념과 주요 내용을
쉽고 빠르게 학습할 수 있는 구성

시험 완벽 대비

시험에 꼭 나오는 핵심 기출 문제를
주요 주제 중심으로 집중 학습
기본은 꽉 잡고 시험은 완벽 대비

단계별 학습

개념 확인 문제와
창의·서술형 문제까지
차근차근 단계별 내신 정복

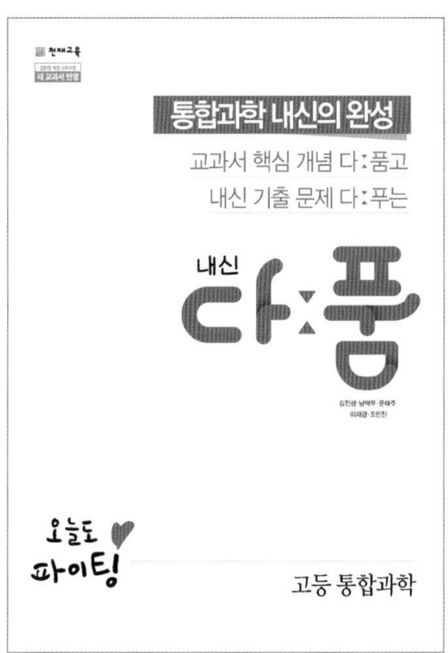

탐구 과목도 역시 다:품으로 시작!

정답은
이안에
있어!